튼튼한 **개념!** 흔들리지 않는 **실력!**

숨마쿰라우데 중학수학

개념기본서

3-하

숨마쿰라우데® 중학수학 개념기본서 3-하

이 책을 집필한 선생님

강순모 동신중학교 　　**김동은** 대신고등학교 　　**김명수** 저현고등학교

신지영 개운중학교 　　**박정숙** 양재고등학교 　　**설정수** 신목고등학교

한혜정 창덕여자중학교 　　**원슬기** 신일고등학교 　　**천태선** 자카르타 한국국제학교

이서진 메가스터디, 엠베스트 강의

1판 6쇄 발행일 : 2023년 3월 13일

펴낸이 : 이동준, 정재현
기획 및 편집 : 박영아, 남궁경숙, 김재열, 강성희, 박문서
디자인 : 굿윌디자인

펴낸곳 : (주)이룸이앤비
출판신고번호 : 제2009-000168호
주소 : 경기도 성남시 수정구 위례광장로 21-9 kcc 웰츠타워 2층 2018호
대표전화 : 02-424-2410
팩스 : 070-4275-5512
홈페이지 : www.erumenb.com
ISBN : 978-89-5990-495-2

이 책을 펴내면서

수학 공부를 아주 열심히 하는 학생이 상담을 요청한 적이 있었습니다.
그 학생은 의기소침한 얼굴로 말하더군요.

"선생님, 하루도 안 빼고 문제집을 푸는데 왜 점수는 그대로일까요?"

짐작이 가는 점이 있었지만 일단 옆에서 공부하는 모습을 지켜보기로 했습니다.
그리고 이 학생의 공부법에 문제가 있다는 것을 아는 데는 오랜 시간이 걸리지 않았습니다.
많은 학생들이 그렇듯이 이 학생 역시 개념과 원리 부분은 대충 훑어보고 지나가는 것이었습니다.
오히려 굳이 공식이 필요하지 않은 문제인데 공식에 집착하였고,
풀이가 잘못되었어도 답만 맞으면 다음 문제로 넘어갔습니다.
그래서 "너 이 문제 잘 알고 푼 거니? 한번 설명해 줄래?"했더니 우물쭈물하였습니다.

여러분은 어떤가요?
지금까지 보아 온 많은 학생들이 다양한 문제를 풀면서도 이렇게 원리를 제대로 탐구하지 않아
수학의 무게에 항상 힘겨워하곤 했습니다.
시중에 나와 있는 문제집들도 개념은 간략하게 설명하고, 문제만 많이 실어 이런 잘못된 학습 방법을 계속하게 합니다.
개념을 잘 알면 굳이 많은 문제를 풀지 않아도 되는데 말입니다.
공식 위주로만 공부하면 습관적으로 문제를 풀게 되어 변형 문제에 대한 응용력이 현저하게 떨어지게 됩니다.

수학을 공부하는 가장 바람직한 방법은 많은 문제 풀이보다는 개념 공부에 힘쓰는 것입니다.
잘 이해한 개념 하나가 열 개의 문제를 풀 수 있게 합니다.

『숨마쿰라우데 개념기본서』로 개념을 통한 수학 공부를 시작해 보세요.

QA를 통한 이야기식 문답법으로 개념을 쉽게 이해할 수 있을 뿐 아니라,
직접 설명하면서 점검할 수 있도록 하여 자연스럽게 개념을 자기 것으로 만들 수 있도록 하였습니다.
꿈을 위해 나아가는 길에 『숨마쿰라우데 개념기본서』가 등불이 되어 줄 것입니다.

저자 일동

숨마쿰라우데® 중학수학 개념기본서 **3-하**

개념
BOOK

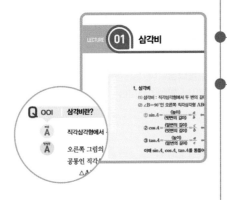

INTRO to Chapter V
삼각비
SUMMA CUM LAUDE - MIDDLE SCHOOL MATHEMATICS

	01 삼각비
1. 삼각비	02 삼각비의
	· 유형 EXER
	· 중단원 EXE

단원의 감을 잡자! **INTRO to Chapter**

학습을 시작함에 있어 가장 중요한 것은 내가 무엇을 공부하는지,
어떻게 공부해야 하는지를 아는 것입니다.
대단원 전체의 흐름, 배경, 학습 목표 등을 통해 학습을 즐겁게 시작할 수
있도록 하였습니다.

LECTURE **01** 삼각비

단원의 핵심개념을 모은 **SUMMA NOTE**

공부할 내용 중 핵심적인 개념을 모아 정리해 두었습니다.

1. 삼각비
(1) 삼각비 : 직각삼각형에서 두 변의 길이
(2) ∠B=90°인 오른쪽 직각삼각형 AB에
① $\sin A = \frac{(\text{높이})}{(\text{빗변의 길이})} = \frac{a}{c}$
② $\cos A = \frac{(\text{밑변의 길이})}{(\text{빗변의 길이})} = \frac{c}{b}$
③ $\tan A = \frac{(\text{높이})}{(\text{밑변의 길이})} = \frac{c}{b}$
이때 $\sin A$, $\cos A$, $\tan A$를 통틀어

Q 001 삼각비란?
A 직각삼각형에서
A 오른쪽 그림의
공통인 직각
△A

이보다 더 상세할 수 없다! QA를 통한 **스토리텔링 강의**

Q 001 공부를 하면서 꼭 필요한 물음

A Q에 대한 짧고 확실한 Answer

A Q에 대한 친절하고 자세한 Answer

본문 설명에 있어서 중요한 개념, 주의할 점, 기억해야 할 점 등 모든 것을 묻고
답하는 형식으로 설명함에 따라 충분한 이해를 기반으로 공부할 수 있습니다.

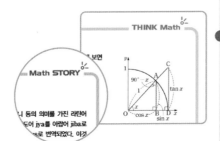

THINK Math

Math STORY

... 등의 의미를 가진 라틴어
...어 jya를 아랍어 jiba로
...로 번역되었다. 이것

창의적 사고를 위한 **THINK Math**

사고를 한 단계 UP 할 수 있는 내용을 담아 수학을 생각하게 하였습니다.

*재미있는 쉼터 Math STORY
역사적인 일화, 수학자 이야기 등 본문과 관련된 흥미 있는 이야기를 담았습니다.

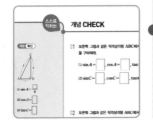

스스로
익히는 **개념 CHECK**

개념 확인
(1) 오른쪽 그림과 같은 직각삼각형 ABC에서
를 구하여라.
(1)$\sin A =$ ☐ $\cos A =$ ☐ $\tan$
(2)$\sin C =$ ☐ $\cos C =$ ☐ $\tan$

(2) 오른쪽 그림과 같은 직각삼각형 ABC에서

개념을 이해했는지 확인하는 **개념 CHECK**

개념 확인 이 강에서 새로 배운 용어 또는 학습 원리를 간단하게 ☐ 안에 넣기
로 확인합니다.
개념 CHECK 앞에 배운 개념들을 완벽히 이해하고 있는지 확인합니다.
틀린 문제가 있다면 본문을 다시 한 번 읽어 주세요!

이 책의 구성과 특징

유형으로 문제를 정리하는 **유형 EXERCISES**

소단원별로 시험에 반드시 나오는 유형들을 모아 정리해 놓았습니다.
어려운 부분이 생기면 본문 QA로 Go Go~
문제 이해도를 ☺, ☺, ☺으로 표시해 보고 이해가 잘 되지 않는 문제는
반드시 다시 풀어 봅니다.

실력을 완성하는 **중단원 EXERCISES**

유형에서 벗어나 스스로 문제를 파악하여 해결하는 시간입니다.
시험에 출제되는 다양한 유형의 문제를 풀어 볼 수 있습니다.
• **Step 1** (내신기본), **Step 2** (내신발전) 2단계로 구성
• 난이도 표시 (●○○ : 하, ●●○ : 중, ●●● : 상)
• 창의융합 : 새 교육과정에서 강조하는 수학적 창의성 신장 문제를 풀어 봅니다.

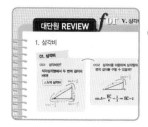

QA로 완벽 정리하는 **대단원 REVIEW**

본문 속 Q를 따라 학습의 흐름을 정리하는 시간입니다.
묻고 답하면서 복습해 보세요. 내용이 더욱 오래 기억될 거예요.

단원을 마무리짓는 **대단원 EXERCISES**

한 단원 전체의 내용을 문제를 통해 확인하는 시간입니다.
개념을 잘 이해하고 있으니 서술형 문제도 술술~ 풀릴 거예요!

숨마쿰라우데® 중학수학 [개념기본서] 3-하

한 단계 높은 차원의 수학을 원한다면 Advanced Lecture

수학의 개념을 확장해 놓은 수학의 장입니다. 본문 개념의 확장 및
고학년의 수학으로의 연계 뿐만 아니라 교과서 밖의 해결 방법 등을
논함으로써 한 차원 높은 수학을 맛볼 수 있습니다.

수학으로 보는 세상 Math Essay

실생활에서 볼 수 있는 흥미 있는 수학 이야기, 수학자 이야기 등을 실어 놓았습니다.
술술 읽어 가며 가볍게 단원을 마무리하세요~

테스트 BOOK

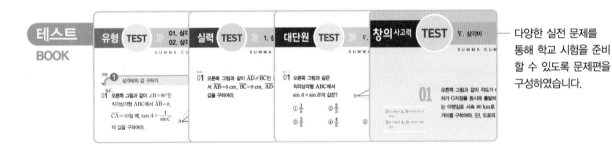

다양한 실전 문제를
통해 학교 시험을 준비
할 수 있도록 문제편을
구성하였습니다.

해설 BOOK

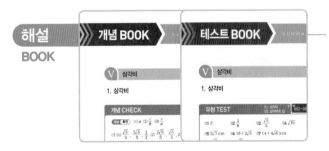

스스로 학습하는 데 어려움이 없도록 상세한 해설과 문제에
대한 다양한 풀이를 실어 놓았습니다.

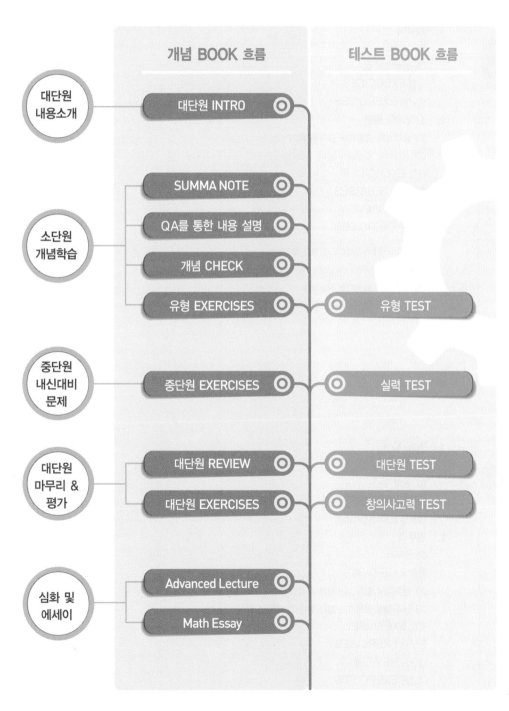

이 책의 학습 시스템

개념 BOOK 흐름

테스트 BOOK 흐름

대단원
내용소개 ── 대단원 INTRO ◉

소단원
개념학습 ──┬ SUMMA NOTE ◉
           ├ QA를 통한 내용 설명 ◉
           ├ 개념 CHECK ◉
           └ 유형 EXERCISES ◉ ── ◉ 유형 TEST

중단원
내신대비
문제 ── 중단원 EXERCISES ◉ ── ◉ 실력 TEST

대단원
마무리 &
평가 ──┬ 대단원 REVIEW ◉ ── ◉ 대단원 TEST
        └ 대단원 EXERCISES ◉ ── ◉ 창의사고력 TEST

심화 및
에세이 ──┬ Advanced Lecture ◉
         └ Math Essay ◉

숨마쿰라우데® 중학수학 개념기본서 3-하

V

삼각비

VI

원의 성질

이 책의 차례

VII

통계

책 속의 책!
● 테스트 BOOK (문제 은행)
● 해설 BOOK (정답 및 해설)

묻고 답하면서 공부하는

숨마쿰라우데® 중학수학 개념기본서 3-하

QA

학습할 부분의 질문(Question)을 대단원별로 읽어 보세요.
학습 순서에 따라 제시되는 핵심 주제이므로 단원의 흐름을 한눈에 파악할 수 있습니다.
흐름에 따라 내용을 숙지하면 이해력과 기억력이 높아지므로 공부의 효율 또한 높아집니다.

① 예습 ─ 주제들을 읽어 보며 학습의 감을 잡자!

② 자율학습 ─ 궁금한 주제가 있다면 본문으로 들어가 바로바로 확인!

③ 복습 ─ 주제를 읽으며 학습한 내용을 떠올려 보자. ○△×에 체크하여 모두 ○가 되는 그날까지 화이팅!

④ 시험 대비 ─ 중요QA 를 중점적으로 공부하여 실전에 대비!

※ 아래의 Q를 읽고 스스로에게 물어 보세요! 정확하게 설명할 수 있으면 ○에, 보통이면 △에, 미흡하면 ×에 각각 체크해 보세요.

학습할 부분의 질문(Question)을 대단원별로 읽어 보세요.
학습 순서에 따라 제시되는 핵심 주제이므로 단원의 흐름을 한눈에 파악할 수 있습니다.
흐름에 따라 내용을 숙지하면 이해력과 기억력이 높아지므로 공부의 효율 또한 높아집니다.

❶ 예습 — 주제들을 읽어 보며 학습의 감을 잡자!
❷ 자율학습 — 궁금한 주제가 있다면 본문으로 들어가 바로바로 확인!
❸ 복습 — 주제를 읽으며 학습한 내용을 떠올려 보자. ○△×에 체크하여 모두 ○가 되는 그날까지 화이팅!
❹ 시험 대비 — 중요QA 를 중점적으로 공부하여 실전에 대비!
※ 아래의 Q를 읽고 스스로에게 물어 보세요! 정확하게 설명할 수 있으면 ○에, 보통이면 △에, 미흡하면 ×에 각각 체크해 보세요.

스웨덴의 스톡홀름

북유럽의 베네치아로 불리는 스웨덴 스톡홀름은
세계에서 가장 아름다운 도시 중 하나로 꼽힌다.
여러 섬으로 이뤄졌고 구시가지와 신시가지가 공존해
다양한 문화를 접할 수 있다.

V
삼각비

숨마쿰라우데® 개념기본서

INTRO to Chapter Ⅴ
삼각비

SUMMA CUM LAUDE - MIDDLE SCHOOL MATHEMATICS

천문학에서 발달된 삼각비...

삼각법과 천문학의 관계는 그리스 시대부터 시작되었다. 이는 모험을 좋아하고 진취적인 그리스 사람들의 성향 때문으로 여겨진다. 그리스 사람들은 종종 바다를 건너 먼 나라로 여행을 하곤 했는데, 이때 하늘의 별자리를 길잡이 삼아 다녔기 때문이다. 당시 하늘을 반구 형태의 면으로 본 그리스인들은 구면상에서 도형을 연구하였고, 그 결과 오늘날 구면삼각법이라고 부르는 수학 지식을 얻게 되었다. 그리고 구면삼각법의 연구에는 삼각비에 대한 지식이 필수적으로 적용되었기에 삼각비에 대한 연구가 끊임없이 이루어지게 되었다.

삼각법을 체계적으로 연구한 가장 오래된 학자는 그리스의 히파르코스(B.C. 190?~B.C. 125?)라고 한다. 그는 천문학을 연구하던 중 지구와 달의 거리를 계산하는 과정에서 구면 위의 두 점 사이의 거리와 각의 크기를 잴 필요를 느껴서 삼각법을 연구하였다. 그는 원의 중심각의 크기 0.5° 간격에 대응하는 현의 길이를 나타내는 '현표'를 만드는 내용을 수록한 12권의 책을 썼는데 그 공이 인정되어 그를 '삼각법의 아버지'라고 부르곤 한다. 히파르코스의 저서는 현재 남아 있지 않으나 그의 업적은 프톨레마이오스의 저서 「알마게스트」에 수록되어 후세 천문학의 기초가 되었다.

사인표와 탄젠트표가 만들어지다...

천문학적인 계산을 함에 있어서 삼각비의 값이 왜 중요한지 충분히 이해될 것이다. 그래서 보다 정확한 계산을 위해 사인값을 각마다 재어 정리하려고 애썼는데 분명 당시의 계산방법으로 일일이 계산하기에는 번거로울 뿐만 아니라 시간 또한 매우 오래 걸려 완성하는 것이 쉽지 않았을 것이다.

이 일을 완성한 사람이 있으니 인도의 수학자인 알콰리즈미(780~850)이다. 그는 사인표를 만든 최초의 수학자로 전해진다. 그리고 알콰리즈미 직후에 하바시 알하시브가 탄젠트표를 만들었다고 한다. 인도, 아라비아에서 발전되어 12세기 무렵부터 유럽에 재수입된 삼각법은 더욱 발전되었다. 이때에도 삼각법은 여전히 천문학과 연관되어 연구되어 왔었다. 이후 15세기 독일의 수학자 레기오몬타누스(1436~1476)는 그의 책 「삼각법의 모든 것」에서 처음으로 삼각법을 천문학과 분리하여 소개하였다. 이후 18세기 후반에 이르러 우리가 사용하는 sin, cos, tan 등과 같은 기호가 체계화되면서 현재까지 발전해 오게 되었다.

삼각비는 닮음비와 같다...

직각삼각형이 보이면 피타고라스 정리와 함께 삼각비도 함께 떠올리자. 특히 삼각비는 비율을 바탕으로 하므로 닮음인 직각삼각형들이 보인다면 그 비를 여러 삼각형에 적용할 방법을 찾도록 하자.

또한 삼각비는 다른 수학적인 내용과 비교할 때 삼각형에 국한되지 않고 그 실생활 적용 범위가 매우 넓다. 여러 문제를 통해 실생활에 어떻게 적용되는지 의미를 찾고, 해결하는 것은 이 단원의 중요한 학습 목표 중 하나이다. 자, 그럼 삼각비의 뜻을 찾아 GOGO~

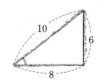

SUMMA **NOTE**

1. 삼각비

(1) 삼각비 : 직각삼각형에서 두 변의 길이의 비

(2) ∠B=90°인 오른쪽 직각삼각형 ABC에서

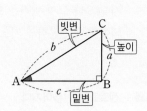

① $\sin A = \dfrac{(높이)}{(빗변의\ 길이)} = \dfrac{a}{b}$ ← ∠A의 사인

② $\cos A = \dfrac{(밑변의\ 길이)}{(빗변의\ 길이)} = \dfrac{c}{b}$ ← ∠A의 코사인

③ $\tan A = \dfrac{(높이)}{(밑변의\ 길이)} = \dfrac{a}{c}$ ← ∠A의 탄젠트

이때 $\sin A$, $\cos A$, $\tan A$를 통틀어 ∠A의 삼각비라고 한다.

1. 삼각비

삼각비를 공부하기 앞서 다음 그림에서 x의 값을 구해 보자.

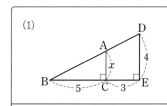

(1)

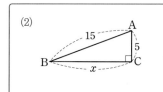

(2)

△ABC∽△DBE이므로

$\overline{BC} : \overline{BE} = \overline{AC} : \overline{DE}$

$5 : 8 = x : 4$ ∴ $x = \dfrac{5}{2}$

피타고라스 정리에 의하여

$x = \sqrt{15^2 - 5^2} = 10\sqrt{2}$

위 두 문제를 해결할 수 있다면 삼각비를 배우기 위한 준비는 충분하다. 삼각비는 직각삼각형에 도형의 닮음을 접목한 개념이기 때문이다.

따라서 도형의 닮음과 피타고라스 정리를 잘 알고 있다면 삼각비의 개념을 어렵지 않게 공부할 수 있을 것이다. 지금부터 본격적으로 삼각비를 공부해 보자.

Q OOI 삼각비란?

A (바른) 직각삼각형에서 두 변의 길이의 비

A (친절한) 오른쪽 그림의 세 삼각형 ABC, AB_1C_1, AB_2C_2는 $\angle A$가
공통인 직각삼각형이므로

$$\triangle ABC \backsim \triangle AB_1C_1 \backsim \triangle AB_2C_2 \text{ (AA 닮음)}$$

가 성립한다. 닮은 삼각형이므로 다음과 같이 대응변 사이의
길이의 비는 각각 일정하다.

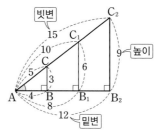

$$\frac{(높이)}{(빗변의\ 길이)} = \frac{\overline{BC}}{\overline{AC}} = \frac{\overline{B_1C_1}}{\overline{AC_1}} = \frac{\overline{B_2C_2}}{\overline{AC_2}} = \frac{3}{5} \quad \leftarrow \frac{3}{5} = \frac{6}{10} = \frac{9}{15}$$

$$\frac{(밑변의\ 길이)}{(빗변의\ 길이)} = \frac{\overline{AB}}{\overline{AC}} = \frac{\overline{AB_1}}{\overline{AC_1}} = \frac{\overline{AB_2}}{\overline{AC_2}} = \frac{4}{5} \quad \leftarrow \frac{4}{5} = \frac{8}{10} = \frac{12}{15}$$

$$\frac{(높이)}{(밑변의\ 길이)} = \frac{\overline{BC}}{\overline{AB}} = \frac{\overline{B_1C_1}}{\overline{AB_1}} = \frac{\overline{B_2C_2}}{\overline{AB_2}} = \frac{3}{4} \quad \leftarrow \frac{3}{4} = \frac{6}{8} = \frac{9}{12}$$

이로부터 우리는 한 예각의 크기가 정해지면 직각삼각형의 크기에 상관없이

직각삼각형의 두 변의 길이의 비는 항상 일정함을 알 수 있다.

(1) $\dfrac{(높이)}{(빗변의\ 길이)} = \dfrac{\overline{BC}}{\overline{AC}}$ 를 $\angle A$의 **사인**이라 하고, 기호로

$$\boldsymbol{\sin A}$$
$\llcorner$ $\angle A$의 크기

와 같이 나타낸다.

> 알파벳 모양으로
> 두 변을 기억해!

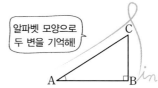

(2) $\dfrac{(밑변의\ 길이)}{(빗변의\ 길이)} = \dfrac{\overline{AB}}{\overline{AC}}$ 를 $\angle A$의 **코사인**이라 하고, 기호로

$$\boldsymbol{\cos A}$$

와 같이 나타낸다.

(3) $\dfrac{(높이)}{(밑변의\ 길이)} = \dfrac{\overline{BC}}{\overline{AB}}$ 를 $\angle A$의 **탄젠트**라 하고, 기호로

$$\boldsymbol{\tan A}$$

와 같이 나타낸다.

이와 같은 $\sin A$, $\cos A$, $\tan A$를 통틀어 $\angle A$의 **삼각비**라고 한다.

> 오른쪽 삼각형에서
> $\angle B$의 사인은
> $\frac{3}{5}$이지?

> 이 삼각형은 직각
> 삼각형이 아니잖아?
> 삼각비는 직각삼각형
> 에서만 결정돼!

이상을 정리하면 다음과 같다.

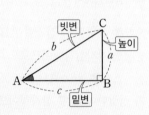

삼각비

∠B=90°인 직각삼각형 ABC에서

(1) ∠A의 사인 : $\sin A = \dfrac{(높이)}{(빗변의 길이)} = \dfrac{a}{b}$

(2) ∠A의 코사인 : $\cos A = \dfrac{(밑변의 길이)}{(빗변의 길이)} = \dfrac{c}{b}$

(3) ∠A의 탄젠트 : $\tan A = \dfrac{(높이)}{(밑변의 길이)} = \dfrac{a}{c}$

$\sin A$, $\cos A$, $\tan A$를 구할 때, 기준이 되는 각인 ∠A를 '기준각'이라고 한다.
직각삼각형에서 기준각의 대변을 높이, 기준각의 이웃한 변 중 빗변이 아닌 변을 밑변으로 보고,
삼각비를 구하면 된다.
다음과 같이 기준각의 위치에 따라 밑변과 높이를 잘 구분하도록 하자.

예제 1 오른쪽 그림과 같은 직각삼각형 ABC에서 ∠A와 ∠C의 삼각비
의 값을 각각 구하여라.

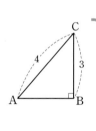

$\sin A$		$\sin C$	
$\cos A$		$\cos C$	
$\tan A$		$\tan C$	

풀이 피타고라스 정리에 의해 $\overline{AB} = \sqrt{4^2 - 3^2} = \sqrt{7}$

(i)

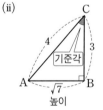

(ii)

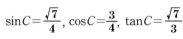

$\sin A = \dfrac{3}{4}$, $\cos A = \dfrac{\sqrt{7}}{4}$,

$\tan A = \dfrac{3}{\sqrt{7}} = \dfrac{3\sqrt{7}}{7}$

$\sin C = \dfrac{\sqrt{7}}{4}$, $\cos C = \dfrac{3}{4}$, $\tan C = \dfrac{\sqrt{7}}{3}$

삼각비의 어원

(1) **sin** (sine의 약자)

길의 커브, 땅의 움푹 들어간 곳, 꼬불꼬불한 길, 옷의 주름, 주머니 등의 의미를 가진 라틴어 <u>sinus</u>에서 온 것이다. 이 말은 원의 현이나 사인함수를 나타내는 인도어 jya를 아랍어 jiba로 번역하다가, 옷의 주름을 가리키는 아랍어 jaib와 혼동해서 라틴어 sinus로 번역되었다. 이것이 오늘날의 sine이 된 것이다.

(2) **cos** (cosine의 약자)

라틴어 <u>cosinus</u>에서 온 것이다. 군터가 complementum(영어로는 complement)과 sinus를 합친 co.sinus를 제안했고, 뉴턴이 cosinus로 수정했다. 이것은 여각(직각삼각형에서 기준각이 아닌 예각)의 사인을 의미한다. 이후 1729년 오일러가 cos로 사용하였다.

(3) **tan** (tangent의 약자)

'접촉하고 있다.'는 의미를 가진 라틴어 <u>tangens</u>에서 온 것이다. 이 때문에 tangent는 '접선'이라는 뜻도 가지고 있다.

Q 002 **직각삼각형에서 삼각비를 이용하여 변의 길이를 구할 수 있을까?**

A 비례식을 세워 풀면 돼.

A 직각삼각형에서 밑변, 높이, 빗변 중 어느 한 변의 길이와 sin, cos, tan 중 어느 한 삼각비의 값만 알면 다른 변의 길이를 구할 수 있다. 삼각비는 직각삼각형에서 두 변의 길이의 비를 나타낸 것이므로 비례식을 세워 풀면 된다.

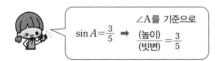

$$\sin A = \frac{3}{5} \implies \frac{(높이)}{(빗변)} = \frac{3}{5}$$ (∠A를 기준으로)

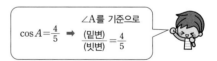

$$\cos A = \frac{4}{5} \implies \frac{(밑변)}{(빗변)} = \frac{4}{5}$$ (∠A를 기준으로)

예를 들어 $\angle B = 90°$인 직각삼각형 ABC에서 $\overline{AC} = 6$, $\sin A = \frac{1}{3}$일 때, $\overline{AB}$의 길이는 다음과 같이 구할 수 있다.

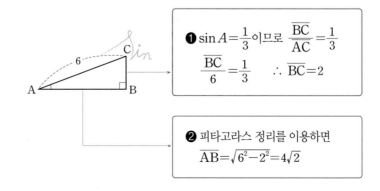

❶ $\sin A = \frac{1}{3}$이므로 $\frac{\overline{BC}}{\overline{AC}} = \frac{1}{3}$

$\frac{\overline{BC}}{6} = \frac{1}{3}$ ∴ $\overline{BC} = 2$

❷ 피타고라스 정리를 이용하면

$\overline{AB} = \sqrt{6^2 - 2^2} = 4\sqrt{2}$

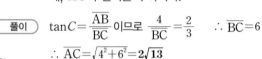

예제 2 오른쪽 그림과 같은 직각삼각형 ABC에서 $\overline{AB}=4$, $\tan C=\dfrac{2}{3}$일 때, $\overline{AC}$의 길이를 구하여라.

풀이 $\tan C=\dfrac{\overline{AB}}{\overline{BC}}$ 이므로 $\dfrac{4}{\overline{BC}}=\dfrac{2}{3}$ ∴ $\overline{BC}=6$

∴ $\overline{AC}=\sqrt{4^2+6^2}=2\sqrt{13}$

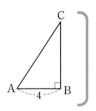

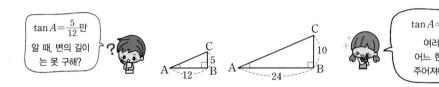

Q 003 직각삼각형에서 한 삼각비의 값을 알 때, 다른 삼각비의 값을 구할 수 있을까?

A 세 변의 길이의 비를 다 알 수 있으므로 구할 수 있어.

A $\sin$, $\cos$, $\tan$ 중 어느 한 삼각비의 값이 주어질 때,

주어진 삼각비의 값을 만족시키는 직각삼각형을 그려 본다.

그런 다음, 피타고라스 정리를 이용하여 나머지 한 변의 길이를 구한 후 이를 이용하여 다른 삼각비의 값도 구할 수 있다.

예를 들어 $\angle C=90°$인 직각삼각형에서 $\cos B=\dfrac{\sqrt{5}}{3}$일 때, $\sin B$, $\tan B$의 값을 구해 보자.

❶ (빗변의 길이)$=3$, (밑변의 길이)$=\sqrt{5}$인 직각삼각형을 그린다.

❷ 피타고라스 정리를 이용하여 나머지 한 변의 길이를 구한다.

➡ $\overline{AC}=\sqrt{3^2-(\sqrt{5})^2}=2$

❸ 다른 삼각비의 값을 구한다.

➡ $\sin B=\dfrac{\overline{AC}}{\overline{AB}}=\dfrac{2}{3}$, $\tan B=\dfrac{\overline{AC}}{\overline{BC}}=\dfrac{2\sqrt{5}}{5}$

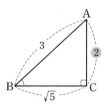

예제 3 $\tan A = \dfrac{5}{12}$일 때, $\sin A$, $\cos A$의 값을 각각 구하여라. (단, $0° < A < 90°$)

풀이

❶ 직각삼각형 그리기
(밑변)$=12$, (높이)$=5$

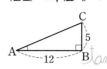

❷ 빗변의 길이 구하기
$\overline{AC}=\sqrt{12^2+5^2}=13$

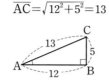

❸ 삼각비의 값 구하기

$\sin A = \dfrac{\overline{BC}}{\overline{AC}} = \dfrac{5}{13}$

$\cos A = \dfrac{\overline{AB}}{\overline{AC}} = \dfrac{12}{13}$

Q 004 직각삼각형의 닮음을 이용하여 삼각비의 값을 구할 수 있다?

A 닮음인 삼각형에서 크기가 같은 각을 찾아 구하면 돼.

A 오른쪽 그림과 같은 직각삼각형 ABC에서 $\angle x$의 삼각비는 어떻게 구할까? △ABD의 나머지 두 변의 길이를 먼저 구해야 할까?
No! 삼각비는 일종의 닮음비이므로

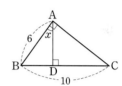

닮음인 직각삼각형을 찾아

$\angle x$의 삼각비의 값을 구하면 된다.

❶ 닮음인 직각삼각형에서 크기가 같은 각을 찾는다.

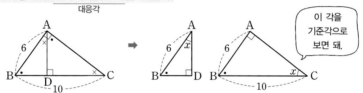

$$\triangle DBA \backsim \triangle ABC(AA \text{ 닮음}) \implies \angle BAD = \angle BCA = \angle x$$

❷ 삼각비의 값을 구한다.

$\angle x$의 삼각비의 값은 △ABC에서 $\angle C$의 삼각비의 값과 같다.
$\overline{AC}=\sqrt{10^2-6^2}=8$이므로

$$\sin x = \sin C = \frac{3}{5},\ \cos x = \cos C = \frac{4}{5},\ \tan x = \tan C = \frac{3}{4}$$

이처럼 닮은 직각삼각형이 있는 경우 주어진 변의 길이에 따라 적절한 직각삼각형을 선택해 삼각비를 구하면 된다.

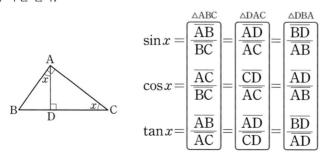

	△ABC	△DAC	△DBA
$\sin x =$	$\dfrac{\overline{AB}}{\overline{BC}}$	$\dfrac{\overline{AD}}{\overline{AC}}$	$\dfrac{\overline{BD}}{\overline{AB}}$
$\cos x =$	$\dfrac{\overline{AC}}{\overline{BC}}$	$\dfrac{\overline{CD}}{\overline{AC}}$	$\dfrac{\overline{AD}}{\overline{AB}}$
$\tan x =$	$\dfrac{\overline{AB}}{\overline{AC}}$	$\dfrac{\overline{AD}}{\overline{CD}}$	$\dfrac{\overline{BD}}{\overline{AD}}$

닮음인 삼각형에서 대응각에 대한 삼각비의 값은 일정해.

예제 4 오른쪽 그림과 같은 직각삼각형 ABC에서 $\overline{DE}\perp\overline{AB}$이고, $\angle BDE=x$일 때, $\cos x$, $\tan x$의 값을 각각 구하여라.

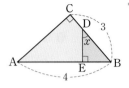

풀이

❶ $\triangle ABC \backsim \triangle DBE$(AA 닮음)이므로
$\angle BAC = \angle BDE = x$

❷ $\triangle ABC$에서 $\overline{AC} = \sqrt{4^2-3^2} = \sqrt{7}$

$\therefore \cos x = \dfrac{\sqrt{7}}{4}$, $\tan x = \dfrac{3}{\sqrt{7}} = \dfrac{3\sqrt{7}}{7}$

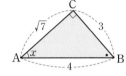

Q 005   직선이 x축과 이루는 예각의 크기가 θ일 때, $\sin\theta$의 값은?

바른 A 원점을 꼭짓점으로 하는 직각삼각형을 찾아 변의 길이를 구해.

친절한 A 오른쪽 그림과 같이 x축과 이루는 예각의 크기가 θ인 직선이 x축, y축과 만나는 점을 각각 A, B라고 하면 $\triangle AOB$는 직각삼각형이다. 즉

$$\sin\theta = \frac{\overline{OB}}{\overline{AB}}, \cos\theta = \frac{\overline{OA}}{\overline{AB}}, \tan\theta = \frac{\overline{OB}}{\overline{OA}}$$

임을 알 수 있다. 이때 변의 길이는 다음과 같이 구한다.
❶ $\overline{OA}$의 길이를 구하기 위해 주어진 직선의 방정식에
$y=0$을 대입하여 x절편을 구한다. ➡ 점 A의 x좌표
$\overline{OB}$의 길이를 구하기 위해 주어진 직선의 방정식에
$x=0$을 대입하여 y절편을 구한다. ➡ 점 B의 y좌표
❷ 피타고라스 정리를 이용하여 $\overline{AB}$의 길이를 구한다.

예제 5 일차방정식 $3x+4y-6=0$의 그래프와 x축이 이루는 예각의 크기를 θ라고 할 때, $\sin\theta$, $\cos\theta$의 값을 각각 구하여라.

풀이 일차방정식 $3x+4y-6=0$의 그래프의 x절편은 2, y절편은 $\dfrac{3}{2}$이므로 오른쪽 그림의 직각삼각형 OAB에서

$$\overline{OA}=2, \overline{OB}=\frac{3}{2}, \overline{AB}=\sqrt{2^2+\left(\frac{3}{2}\right)^2}=\frac{5}{2}$$

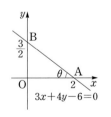

$$\therefore \sin\theta = \frac{\overline{OB}}{\overline{AB}} = \frac{\frac{3}{2}}{\frac{5}{2}} = \frac{3}{5}, \cos\theta = \frac{\overline{OA}}{\overline{AB}} = \frac{2}{\frac{5}{2}} = \frac{4}{5}$$

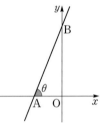

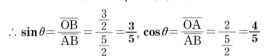

A   직각삼각형을 찾으면 OK.

A   입체도형에서 삼각비의 값은 평면도형에서와 마찬가지로

기준각을 한 예각으로 하는 직각삼각형

을 찾아 변의 길이를 이용하여 구하면 된다.

예를 들어 오른쪽 그림과 같이 한 모서리의 길이가 4인 정육면체에서 $\cos x$의 값을 구하려면 **직각삼각형 BFH**만 생각하면 된다.
직각삼각형에서 피타고라스 정리에 의하여 대각선의 길이를 구할 수 있으므로 $\angle x$에 대한 삼각비를 구할 수 있다.

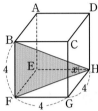

즉, 직각삼각형 BFH에서

$$\overline{FH} = \sqrt{4^2 + 4^2} = \sqrt{32} = 4\sqrt{2}$$
$$\overline{BH} = \sqrt{4^2 + (4\sqrt{2})^2} = \sqrt{48} = 4\sqrt{3}$$
$$\therefore \cos x = \frac{\overline{FH}}{\overline{BH}} = \frac{4\sqrt{2}}{4\sqrt{3}} = \frac{\sqrt{6}}{3}$$

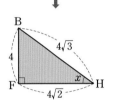

예제 6   오른쪽 그림과 같은 직육면체에서 $\angle AGE = x$라고 할 때, $\sin x$, $\tan x$의 값을 각각 구하여라.

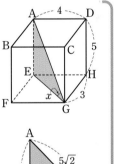

풀이   직각삼각형 AEG에서
$$\overline{EG} = \sqrt{4^2 + 3^2} = 5$$
$$\overline{AG} = \sqrt{5^2 + 5^2} = 5\sqrt{2}\text{이므로}$$
$$\sin x = \frac{5}{5\sqrt{2}} = \frac{\sqrt{2}}{2}, \ \tan x = \frac{5}{5} = 1$$

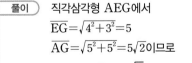

개념 CHECK

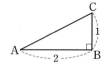

해설 BOOK **002**쪽

개념 **확인**

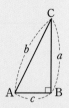

(1) $\sin A = \dfrac{\square}{b}$

(2) $\cos A = \square$

(3) $\tan C = \square$

01 오른쪽 그림과 같은 직각삼각형 ABC에서 다음 삼각비의 값을 구하여라.

(1) $\sin A = \square$, $\cos A = \square$, $\tan A = \square$

(2) $\sin C = \square$, $\cos C = \square$, $\tan C = \square$

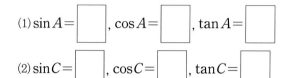

02 오른쪽 그림과 같은 직각삼각형 ABC에서 $\overline{AC}=9$, $\cos A = \dfrac{\sqrt{5}}{3}$ 일 때, $\tan C$의 값을 구하여라.

03 $\cos A = \dfrac{5}{7}$일 때, $\sin A \times \tan A$의 값을 구하여라. (단, $0° < A < 90°$)

04 오른쪽 그림과 같은 직각삼각형 ABC에서 $\sin x + \sin y$의 값을 구하여라.

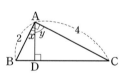

05 일차방정식 $2x-4y-10=0$의 그래프와 x축이 이루는 예각의 크기를 α라고 할 때, $\sin \alpha$의 값을 구하여라.

자기 **진단**

Q.001 ◐ 019쪽
삼각비란?

Q.002 ◐ 021쪽
직각삼각형에서 삼각비를 이용하여 변의 길이를 구할 수 있을까?

02 삼각비의 값

SUMMA NOTE

1. 30°, 45°, 60°의 삼각비의 값

A 삼각비	30°	45°	60°
$\sin A$	$\dfrac{1}{2}$	$\dfrac{\sqrt{2}}{2}$	$\dfrac{\sqrt{3}}{2}$
$\cos A$	$\dfrac{\sqrt{3}}{2}$	$\dfrac{\sqrt{2}}{2}$	$\dfrac{1}{2}$
$\tan A$	$\dfrac{\sqrt{3}}{3}$	1	$\sqrt{3}$

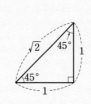
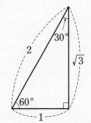

2. 일반적인 예각의 삼각비의 값

(1) 예각의 삼각비의 값

반지름의 길이가 1인 사분원의 예각 x에 대하여

① $\sin x = \dfrac{\overline{AB}}{\overline{OA}} = \dfrac{\overline{AB}}{1} = \overline{AB}$

② $\cos x = \dfrac{\overline{OB}}{\overline{OA}} = \dfrac{\overline{OB}}{1} = \overline{OB}$

③ $\tan x = \dfrac{\overline{CD}}{\overline{OD}} = \dfrac{\overline{CD}}{1} = \overline{CD}$

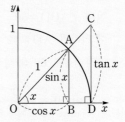

(2) 0°, 90°의 삼각비의 값

① $\sin 0° = 0$, $\cos 0° = 1$, $\tan 0° = 0$ ② $\sin 90° = 1$, $\cos 90° = 0$

1. 30°, 45°, 60°의 삼각비의 값

삼각비의 값을 공부하기 전에 오른쪽 그림과 같이 한 각의 크기가 각각 45°, 60°인 두 직각삼각형에서의 세 변의 길이의 비를 기억해 두자.

이를 바탕으로 여기서는 특수한 각의 삼각비의 값에 대하여 알아보자.

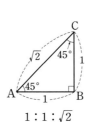
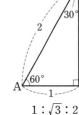

$1 : 1 : \sqrt{2}$ $1 : \sqrt{3} : 2$

A 직각이등변삼각형, 정삼각형을 이용하여 구할 수 있어.

A (1) 45°의 삼각비의 값

오른쪽 그림과 같이 한 변의 길이가 1인 정사각형 ABCD에서 대각선 AC 를 그으면 직각이등변삼각형 ABC를 얻는다.

이때 ∠CAB=∠BCA=45°이고 대각선 AC의 길이는 $\sqrt{1^2+1^2}=\sqrt{2}$ 이 므로 45°의 삼각비의 값은 다음과 같다.

$$\sin 45° = \frac{\overline{BC}}{\overline{AC}} = \frac{1}{\sqrt{2}} = \frac{\sqrt{2}}{2}$$

$$\cos 45° = \frac{\overline{AB}}{\overline{AC}} = \frac{1}{\sqrt{2}} = \frac{\sqrt{2}}{2}$$

$$\tan 45° = \frac{\overline{BC}}{\overline{AB}} = \frac{1}{1} = 1$$

(2) 30°, 60°의 삼각비의 값

오른쪽 그림과 같이 한 변의 길이가 2인 정삼각형 ABC의 꼭짓점 A에서 밑변 BC에 내린 수선의 발을 D라고 하면 직각삼각형 ABD를 얻는다.

이때 ∠ABD=60°, ∠BAD=30°이고 $\overline{BD}=1$이므로 피타고라스 정리 에 의하여 $\overline{AD}=\sqrt{2^2-1^2}=\sqrt{3}$이다.

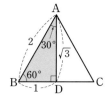

따라서 30°, 60°의 삼각비의 값은 각각 다음과 같다.

$$\sin 30° = \frac{\overline{BD}}{\overline{AB}} = \frac{1}{2} \qquad\qquad \sin 60° = \frac{\overline{AD}}{\overline{AB}} = \frac{\sqrt{3}}{2}$$

$$\cos 30° = \frac{\overline{AD}}{\overline{AB}} = \frac{\sqrt{3}}{2} \qquad\qquad \cos 60° = \frac{\overline{BD}}{\overline{AB}} = \frac{1}{2}$$

$$\tan 30° = \frac{\overline{BD}}{\overline{AD}} = \frac{1}{\sqrt{3}} = \frac{\sqrt{3}}{3} \qquad \tan 60° = \frac{\overline{AD}}{\overline{BD}} = \frac{\sqrt{3}}{1} = \sqrt{3}$$

(1), (2)로부터 30°, 45°, 60°의 삼각비의 값을 정리하면 다음과 같다.

삼각비 ＼ A	30°	45°	60°
$\sin A$	$\frac{1}{2}$	$\frac{\sqrt{2}}{2}$	$\frac{\sqrt{3}}{2}$
$\cos A$	$\frac{\sqrt{3}}{2}$	$\frac{\sqrt{2}}{2}$	$\frac{1}{2}$
$\tan A$	$\frac{\sqrt{3}}{3}$	1	$\sqrt{3}$

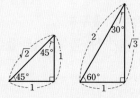

예제 7 다음을 계산하여라.

(1) $\cos 60° + \sin 30°$ (2) $\sin 60° \times \tan 60°$

(3) $\cos 30° \times \tan 45°$ (4) $\sin 45° \div \cos 45°$

풀이 (1) $\dfrac{1}{2} + \dfrac{1}{2} = \mathbf{1}$ (2) $\dfrac{\sqrt{3}}{2} \times \sqrt{3} = \dfrac{\mathbf{3}}{\mathbf{2}}$

(3) $\dfrac{\sqrt{3}}{2} \times 1 = \dfrac{\sqrt{3}}{\mathbf{2}}$ (4) $\dfrac{\sqrt{2}}{2} \div \dfrac{\sqrt{2}}{2} = \mathbf{1}$

30°, 45°, 60°의 삼각비의 값은 꼭 외워둬!

Q 008 $\sin A = \dfrac{\sqrt{3}}{2}$ 일 때, ∠A의 크기는?

바른 A   60°

친절한 A   **Q 007**에서 배운대로 특수한 각의 크기 30°, 45°, 60°가 주어지면 삼각비를 바로 말할 수 있다. 이와 반대로 삼각비를 알 때, 기준각의 크기도 바로바로 떠올릴 수 있어야 한다. 물론 기준각이 30°, 45°, 60°일 때만이다.

따라서 사인값이 $\dfrac{\sqrt{3}}{2}$ 인 각의 크기는 60°이다.

➡ $\sin A = \dfrac{\sqrt{3}}{2}$ 일 때, ∠A $= 60°$

예제 8 $\cos(2x - 30°) = \dfrac{1}{2}$ 일 때, $\sin x$의 값을 구하여라.

풀이 $\cos 60° = \dfrac{1}{2}$ 이므로 $2x - 30° = 60°$

$2x = 90°$ $\therefore x = 45°$

$\therefore \sin x = \sin 45° = \dfrac{\sqrt{2}}{2}$

Q 009   30°, 45°, 60°의 삼각비를 이용하여 변의 길이를 어떻게 구할까?

바른 A   변의 길이의 비를 이용하여 비례식을 세우면 돼.

친절한 A   30°, 45°, 60°의 삼각비의 값을 알고 있으면 이를 이용하여 직각삼각형에서 변의 길이도 구할 수 있다.

오른쪽 그림의 직각삼각형 ABC에서 x의 값을 구해 보면

$$\sin 30° = \dfrac{\overset{\text{구하는 변}}{x}}{\underset{\text{주어진 변}}{\overline{AC}}} \text{이므로} \dfrac{1}{2} = \dfrac{x}{4} \qquad \therefore x = 2$$

기준각

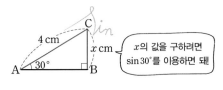

x의 값을 구하려면 $\sin 30°$를 이용하면 돼!

같은 방법으로 오른쪽 그림의 직각삼각형 ABC에서 y의
값을 구해 보면

$$\cos 30° = \frac{y}{\overline{AC}} \text{이므로} \quad \frac{\sqrt{3}}{2} = \frac{y}{4} \qquad \therefore y = 2\sqrt{3}$$

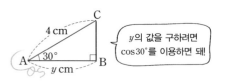

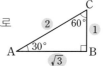
y의 값을 구하려면 $\cos 30°$를 이용하면 돼!

|참고| 세 변의 길이의 비를 이용해도 된다.

　세 내각의 크기가 30°, 60°, 90°일 때, $\overline{AC} : \overline{BC} : \overline{AB} = 2 : 1 : \sqrt{3}$이므로
　① $\overline{AC} : \overline{BC} = 2 : 1$, $4 : \overline{BC} = 2 : 1$　　$\therefore \overline{BC} = 2 \, (cm)$
　② $4 : \overline{AB} = 2 : \sqrt{3}$　　$\therefore \overline{AB} = 2\sqrt{3} \, (cm)$

예제 9　다음 직각삼각형 ABC에서 x, y의 값을 각각 구하여라.

(1)
x cm　y cm
45°
4 cm

(2)
A
y cm　60°　x cm
2√3 cm

풀이　(1) $\cos 45° = \dfrac{x}{4}$ 이므로 $\dfrac{\sqrt{2}}{2} = \dfrac{x}{4}$

　　$\therefore \boldsymbol{x = 2\sqrt{2}}$

　　$\therefore \boldsymbol{y = x = 2\sqrt{2}} \leftarrow$ △ABC는
　　　　　　　　　　　　　直각이등변삼각형

(2) $\sin 60° = \dfrac{2\sqrt{3}}{x}$ 이므로 $\dfrac{\sqrt{3}}{2} = \dfrac{2\sqrt{3}}{x}$

　　$\therefore \boldsymbol{x = 4}$

　　$\tan 60° = \dfrac{2\sqrt{3}}{y}$ 이므로 $\sqrt{3} = \dfrac{2\sqrt{3}}{y}$

　　$\therefore \boldsymbol{y = 2}$

Q 010　**x축과 이루는 예각의 크기가 45°인 직선의 기울기는?**

A　$\tan 45° = 1$

A　오른쪽 그림과 같이 기울기가 양수인 직선 $y = ax + b \, (a > 0)$가 x축과
이루는 예각의 크기가 θ일 때, 이 직선의 기울기는

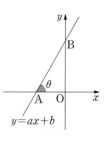

　　$\boldsymbol{a} = (\text{직선의 기울기})$

　　　$= \dfrac{(y \text{의 값의 증가량})}{(x \text{의 값의 증가량})}$

　　　$= \dfrac{\overline{BO}}{\overline{AO}}$

　　　$= \boldsymbol{\tan \theta}$

즉, 직선의 기울기 a는 $\tan \theta$의 값과 같다.

따라서 x축과 이루는 예각의 크기가 45°인 직선의 기울기는 $\tan 45° = 1$이다.

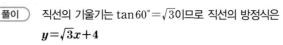 오른쪽 그림과 같이 y절편이 4이고, x축과 이루는 예각의 크기가
60°인 직선의 방정식을 구하여라.

풀이 직선의 기울기는 $\tan 60° = \sqrt{3}$이므로 직선의 방정식은
$$y = \sqrt{3}x + 4$$

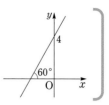

2. 일반적인 예각의 삼각비의 값

앞에서 30°, 45°, 60°에 대한 삼각비의 값을 알아보았다.
이제 0°에서 90°까지의 일반적인 예각에 대한 삼각비의 값은 얼마인지 알아보자.

 Q OII 임의의 예각의 삼각비의 값은 어떻게 구할까?

A 반지름의 길이가 1인 사분원을 이용해.

A 반지름의 길이가 1인 사분원을 이용하면 예각의 삼각비의 값을 하나의 선분의 길이로 나타낼 수 있다.

> 원을 4등분한 것 중
> 한 부분을
> 사분원이라고 해.

오른쪽 그림과 같이 좌표평면 위에 점 O를 중심으로 하고 반지름의 길이가 1인 사분원을 그린다.
이때 ∠AOB = ∠x인 직각삼각형 AOB에서 $\overline{OA} = 1$이므로
$\sin x = \overline{AB}$, $\cos x = \overline{OB}$가 된다.

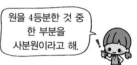

$$\sin x = \frac{\overline{AB}}{\overline{OA}} = \frac{\overline{AB}}{1} = \overline{AB}$$

$$\cos x = \frac{\overline{OB}}{\overline{OA}} = \frac{\overline{OB}}{1} = \overline{OB}$$

$\sin x$: 점 A의 y좌표
$\cos x$: 점 A(또는 B)의 x좌표

또 점 D에서 x축에 수직인 직선을 그어 $\overline{OA}$의 연장선과 만나는 점을 C라고 하면 직각삼각형 COD에서 $\overline{OD} = 1$이므로
$\tan x = \overline{CD}$가 된다.

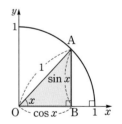

$$\tan x = \frac{\overline{CD}}{\overline{OD}} = \frac{\overline{CD}}{1} = \overline{CD}$$

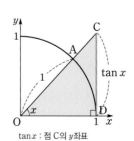

$\tan x$: 점 C의 y좌표

오른쪽 그림과 같이 반지름의 길이가 1인 사분원을 이용하여 몇몇 예
각에 대한 삼각비의 값을 구해 보면 다음과 같다.

분모에 오는 변의 길이가 1이 되어 각 삼각비의 값은

$$\sin x = \overline{AB}, \ \cos x = \overline{OB}, \ \tan x = \overline{CD}$$

와 같이 선분의 길이로 나타난다.

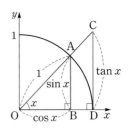

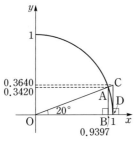

$$\sin 20° = 0.3420$$
$$\cos 20° = 0.9397$$
$$\tan 20° = 0.3640$$

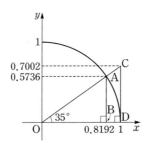

$$\sin 35° = 0.5736$$
$$\cos 35° = 0.8192$$
$$\tan 35° = 0.7002$$

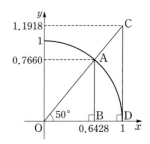

$$\sin 50° = 0.7660$$
$$\cos 50° = 0.6428$$
$$\tan 50° = 1.1918$$

구한 삼각비의 값은 모두 어림한 값이야.

예제 11 오른쪽 그림과 같이 반지름의 길이가 1인 사분원에서
55°에 대한 삼각비의 값을 구하여라.

(1) $\sin 55°$

(2) $\cos 55°$

(3) $\tan 55°$

풀이
(1) $\sin 55° = \overline{AB} = \mathbf{0.8192}$

(2) $\cos 55° = \overline{OB} = \mathbf{0.5736}$

(3) $\tan 55° = \overline{CD} = \mathbf{1.4281}$

Q 012 0°, 90°의 삼각비의 값은?

A $\sin 0° = 0$, $\cos 0° = 1$, $\tan 0° = 0$, $\sin 90° = 1$, $\cos 90° = 0$

A 한 내각의 크기가 0°, 90°인 직각삼각형은 존재하지 않으므로 반지름의 길이가 1인 사분원을 이
용하여 각의 크기가 0° 또는 90°에 가깝게 다가가는 값의 변화량을 통해 0°와 90°의 삼각비의
값을 알아보자.

오른쪽 그림과 같이 반지름의 길이가 1인 사분원에서 $\angle x$의 삼각비의 값은 각각 $\sin x = \overline{AB}$, $\cos x = \overline{OB}$, $\tan x = \overline{CD}$이므로 $\angle x$의 크기가 $0°$에 가깝게 점점 작아지거나 $90°$에 가깝게 점점 커짐에 따라 $\overline{AB}$, $\overline{OB}$, $\overline{CD}$의 길이가 어떻게 변하는지를 살펴보면 된다.

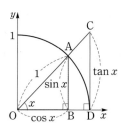

❶ $\angle x$의 크기가 $0°$에 가까워지면

  $\overline{AB}$의 길이는 0에 가까워진다. ➡ $\boxed{\sin 0° = 0}$

  $\overline{OB}$의 길이는 1에 가까워진다. ➡ $\boxed{\cos 0° = 1}$

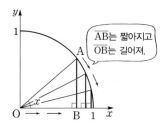

$\overline{AB}$는 짧아지고 $\overline{OB}$는 길어져.

❷ $\angle x$의 크기가 $90°$에 가까워지면

  $\overline{AB}$의 길이는 1에 가까워진다. ➡ $\boxed{\sin 90° = 1}$

  $\overline{OB}$의 길이는 0에 가까워진다. ➡ $\boxed{\cos 90° = 0}$

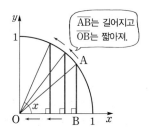

$\overline{AB}$는 길어지고 $\overline{OB}$는 짧아져.

❸ $\angle x$의 크기가 $0°$에 가까워지면

  $\overline{CD}$의 길이는 0에 가까워진다. ➡ $\boxed{\tan 0° = 0}$

  그러나 $\angle x$의 크기가 $90°$에 가까워지면 $\overline{CD}$의 길이는 한없이 커지므로 $\tan 90°$의 값은 정할 수 없다.

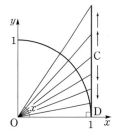

이상을 정리해 보면 다음과 같다.

삼각비 \ $\angle x$	$0°$	$30°$	$45°$	$60°$	$90°$	
$\sin x$	0	$\dfrac{1}{2}$	$\dfrac{\sqrt{2}}{2}$	$\dfrac{\sqrt{3}}{2}$	1	← 0에서 1로 증가
$\cos x$	1	$\dfrac{\sqrt{3}}{2}$	$\dfrac{\sqrt{2}}{2}$	$\dfrac{1}{2}$	0	← 1에서 0으로 감소
$\tan x$	0	$\dfrac{\sqrt{3}}{3}$	1	$\sqrt{3}$	정할 수 없다.	← 0에서 한없이 증가

$\sin x$, $\cos x$의 최댓값은 1, 최솟값은 0

예제 12 다음을 계산하여라.

(1) $\sin 90° + \tan 0°$ (2) $\cos 90° - \cos 0°$

(3) $(\cos 60° + \cos 0°) \times \sin 30°$ (4) $\tan 45° \times \cos 90° + \sin 0° \div \tan 60°$

풀이 (1) $\sin 90° + \tan 0° = 1 + 0 = \mathbf{1}$ (2) $\cos 90° - \cos 0° = 0 - 1 = \mathbf{-1}$

(3) $(\cos 60° + \cos 0°) \times \sin 30° = \left(\dfrac{1}{2} + 1\right) \times \dfrac{1}{2} = \dfrac{\mathbf{3}}{\mathbf{4}}$

(4) $\tan 45° \times \cos 90° + \sin 0° \div \tan 60° = 1 \times 0 + 0 \div \sqrt{3} = \mathbf{0}$

Q 013 $45° < x < 90°$일 때, $\sin x$, $\cos x$의 값의 대소 관계는?

 A $\sin x > \cos x$

 A 오른쪽 그림과 같이 반지름의 길이가 1인 사분원에서 $\angle x$의 크기가 $0°$에서 $90°$까지 증가할 때,

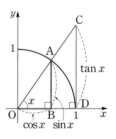

$\overline{AB}$의 길이가 길어지므로 ➡ $\sin x$의 값은 0에서 1로 증가한다.
$\overline{OB}$의 길이가 짧아지므로 ➡ $\cos x$의 값은 1에서 0으로 감소한다.
$\overline{CD}$의 길이가 길어지므로 ➡ $\tan x$의 값은 0에서 한없이 증가한다.

또한 반지름의 길이가 1인 사분원에서 예각 x에 대한 삼각비의 값을 $45°$를 기준으로 나누어 살펴보면 다음과 같다.

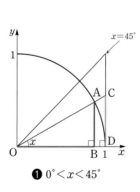
❶ $0° < x < 45°$

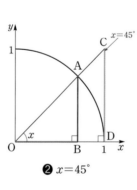
❷ $x = 45°$

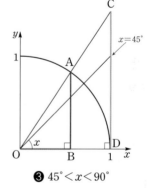
❸ $45° < x < 90°$

> $45°$를 기점으로 $\sin x$, $\cos x$의 대소 관계가 달라지네!

각각의 그림에서 $\overline{AB} = \sin x$, $\overline{OB} = \cos x$, $\overline{CD} = \tan x$이므로 $\overline{AB}$, $\overline{OB}$, $\overline{CD}$의 길이를 비교하여 $\sin x$, $\cos x$, $\tan x$의 대소 관계를 알아보면 다음과 같다.

> 항상 $\overline{AB} < \overline{CD}$이므로 $\sin x < \tan x$가 되네!

❶ $0° < x < 45°$일 때
$\sin x < \cos x$
$\sin x < \tan x$
$\tan x < 1$

❷ $x = 45°$일 때
$\sin x = \cos x$
$\sin x < \tan x$
$\tan x = 1$

❸ $45° < x < 90°$일 때
$\sin x > \cos x$
$\sin x < \tan x$ ⎦ → $\cos x < \sin x < \tan x$
$\tan x > 1$

예제 13 다음 ○안에 >, <, = 중 알맞은 것을 써넣어라.

(1) $\sin 20° \bigcirc \cos 20°$

(2) $\sin 30° \bigcirc \sin 40° \bigcirc \sin 50°$

(3) $\cos 30° \bigcirc \cos 40° \bigcirc \cos 50°$

(4) $\tan 30° \bigcirc \tan 40° \bigcirc \tan 60°$

풀이 (1) < (2) <, < (3) >, > (4) <, <

THINK Math

$(90° - x)$에 대한 삼각비

오른쪽 사분원에서 $(90° - x)$에 대한 삼각비의 값을 구해 보면 $\angle x$에 대한 삼각비와의 특별한 관계를 알 수 있다.

$$\sin(90°-x) = \frac{\overline{OB}}{\overline{OA}} = \frac{\overline{OB}}{1} = \overline{OB} = \cos x$$

$$\cos(90°-x) = \frac{\overline{AB}}{\overline{OA}} = \frac{\overline{AB}}{1} = \overline{AB} = \sin x$$

$$\tan(90°-x) = \frac{\overline{OB}}{\overline{AB}} = \frac{\overline{OD}}{\overline{CD}} = \frac{1}{\overline{CD}} = \frac{1}{\tan x}$$

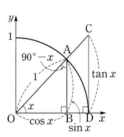

Q 014 $0° < x < 90°$일 때, $\sqrt{(\sin x + 1)^2} + \sqrt{(\sin x - 1)^2}$을 간단히 하면?

A $0 < \sin x < 1$이므로 $\sin x + 1 > 0$, $\sin x - 1 < 0$

A $\sqrt{a^2}$의 성질을 이용해서 식을 간단히 할 수 있다. 이때 제곱 안의 삼각비의 값이 양수인지 음수인지 판단할 수 있어야 한다.

$0° < x < 90°$일 때 $0 < \sin x < 1$이므로

$\sin x + 1 > 0$, $\sin x - 1 < 0$

따라서 주어진 식을 간단히 하면

$$\sqrt{(\sin x + 1)^2} + \sqrt{(\sin x - 1)^2} = (\sin x + 1) - (\sin x - 1) = 2$$

가 된다.

> **$\sqrt{a^2}$의 성질**
>
> $$\sqrt{a^2} = \begin{cases} a & (a \geq 0) \\ -a & (a < 0) \end{cases}$$

| **참고** | 삼각비의 값의 범위

$0° \leq x \leq 90°$일 때, $0 \leq \sin x \leq 1$, $0 \leq \cos x \leq 1$, $\tan x \geq 0$

예제 14 $45° < x < 90°$일 때, $\sqrt{(\sin x - \cos x)^2} + \sqrt{(\cos x)^2}$을 간단히 하여라.

풀이 $45° < x < 90°$일 때, $\cos x > 0$이고 $\sin x > \cos x$이므로 $\sin x - \cos x > 0$

∴ (주어진 식) $= \sin x - \cos x + \cos x = \mathbf{\sin x}$

Q 015 삼각비의 표를 이용하여 삼각비의 값을 어떻게 구할까?

Ä(바쁜) 각도의 가로줄과 삼각비의 세로줄이 만나는 곳의 수를 읽어.

Ä(친절한) 0°에서 90°까지의 예각을 1° 간격으로 나누어 삼각비의 값을 구하여 정리한 표가 있는데, 이를 삼각비의 표라고 한다.

이때 삼각비의 값은 대부분 반올림하여 소수 넷째 자리까지 나타낸 값이다. 삼각비의 표를 이용하면 특수한 각이 아닌 예각의 삼각비를 알 수 있다.

188쪽에 삼각비의 표가 실려 있으니 참고하자.

삼각비의 표에서 $\sin 51°$의 값을 구하려면

  <u>왼쪽의 각도 51°의 가로줄과 위쪽의 sin의 세로줄이 만나는 곳의 수</u>

를 읽으면 된다.

각도	사인 (sin)	코사인 (cos)	탄젠트 (tan)
50°	0.7660	0.6428	1.1918
51°	→ 0.7771	0.6293	1.2349
52°	0.7880	0.6157	1.2799

즉, $\sin 51° = 0.7771$이다.

이와 같은 방법으로 읽으면

  $\cos 51° = 0.6293$, $\tan 51° = 1.2349$

이다.

예제 15 삼각비의 표를 이용하여 다음을 구하여라.

각도	사인 (sin)	코사인 (cos)	탄젠트 (tan)
27°	0.4540	0.8910	0.5095
28°	0.4695	0.8829	0.5317
29°	0.4848	0.8746	0.5543

(1) $\sin 28° + \tan 29°$

(2) $\cos x° = 0.8910$일 때 x의 값

풀이 (1) $\sin 28° + \tan 29° = 0.4695 + 0.5543 = \mathbf{1.0238}$

(2) $\cos 27° = 0.8910$이므로 $x = \mathbf{27}$

| 참고 | 삼각비의 표에 있는 삼각비의 값은 대부분 반올림한 값이지만 등호 =를 사용하여 나타낸다.

개념 CHECK

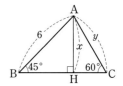

해설 BOOK 002쪽

개념 확인

(1) 삼각비의 값

삼각비 A	30°	45°	60°
$\sin A$	$\dfrac{1}{2}$		
$\cos A$			
$\tan A$			

(2) $\sin 0° = \cos \square ° = \square$

(3) $\sin 90° = \cos \square ° = \square$

01 다음을 계산하여라.

(1) $\tan 60° + \sin 60° + \cos 30°$

(2) $\sin 30° \times \tan 30°$

(3) $\tan 45° \div \cos 45°$

(4) $\dfrac{\sin 30° - \cos 30°}{\tan 45° - \tan 60°}$

02 오른쪽 그림의 △ABC에서 $\overline{AH} \perp \overline{BC}$일 때 x, y의 값을 각각 구하여라.

03 오른쪽 그림과 같이 반지름의 길이가 1인 사분원에서 다음 삼각비의 값을 구하여라.

(1) $\sin 36°$
(2) $\sin 54°$
(3) $\tan 36°$

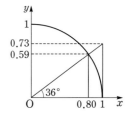

자기 진단

Q.007 ○ 028쪽
30°, 45°, 60°의 삼각비의 값은?

Q.011 ○ 031쪽
임의의 예각의 삼각비의 값은 어떻게 구할까?

Q.012 ○ 032쪽
0°, 90°의 삼각비의 값은?

04 오른쪽 삼각비의 표를 이용하여 다음 삼각비의 값을 구하여라.

(1) $\sin 77°$
(2) $\cos 78°$
(3) $\tan 79°$

각도	사인(sin)	코사인(cos)	탄젠트(tan)
77°	0.9744	0.2250	4.3315
78°	0.9781	0.2079	4.7046
79°	0.9816	0.1908	5.1446

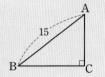
문제 이해도를 ☺, ☺, ☹으로 표시해 보세요.

해설 BOOK 003쪽 | 테스트 BOOK 002쪽

유형 ① 삼각비의 값 구하기

오른쪽 그림과 같은 직각삼각형 ABC에서 $\overline{AC}=17$, $\overline{BC}=15$일 때, 다음 중 옳지 <u>않은</u> 것은?

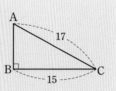

① $\sin A = \dfrac{15}{17}$ ② $\cos A = \dfrac{8}{17}$

③ $\tan A = \dfrac{8}{15}$ ④ $\sin C = \dfrac{8}{17}$

⑤ $\cos C = \dfrac{15}{17}$

Summa Point

$\sin A = \dfrac{\overline{BC}}{\overline{AC}}$, $\cos A = \dfrac{\overline{AB}}{\overline{AC}}$, $\tan A = \dfrac{\overline{BC}}{\overline{AB}}$

019쪽 Q 001 ○

1-1 ☺☺☹

오른쪽 그림과 같은 직각삼각형 ABC에서 $\overline{AB}=\sqrt{6}$, $\overline{BC}=\sqrt{3}$일 때, $\sin A \times \cos C$의 값을 구하여라.

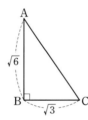

1-2 ☺☺☹

오른쪽 그림과 같은 직각삼각형 ABC에 대하여 다음 중 옳지 <u>않은</u> 것은?

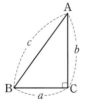

① $\sin A = \dfrac{a}{c}$ ② $\tan B = \dfrac{b}{a}$

③ $a = c \cos B$ ④ $c = \dfrac{b}{\sin B}$

⑤ $a = \dfrac{b}{\tan A}$

유형 ② 삼각비의 값을 이용하여 변의 길이, 다른 삼각비의 값 구하기

오른쪽 그림과 같은 직각삼각형 ABC에서 $\overline{AB}=15$, $\sin A = \dfrac{4}{5}$일 때, $\overline{AC}$의 길이를 구하여라.

Summa Point

$\overline{AB}$의 길이와 $\sin A$의 값을 이용하여 먼저 $\overline{BC}$의 길이를 구하고, 피타고라스 정리를 이용하여 $\overline{AC}$의 길이를 구한다.

021쪽 Q 002 ○

2-1 ☺☺☹

오른쪽 그림과 같은 직각삼각형 ABC에서 $\overline{AC}=6$, $\cos A = \dfrac{\sqrt{5}}{3}$일 때, △ABC의 넓이를 구하여라.

2-2 ☺☺☹

$\tan A = \dfrac{\sqrt{3}}{2}$일 때, $\sin A \times \cos A$의 값을 구하여라.

(단, $0° < A < 90°$)

2-3 ☺☺☹

∠B=90°인 직각삼각형 ABC에서 $\sin A = \dfrac{5}{13}$일 때, $\cos A$, $\tan C$의 값을 각각 구하여라.

유형 ③ 직각삼각형의 닮음과 삼각비의 값

오른쪽 그림과 같은 직각삼각형 ABC에서 $\overline{AD} \perp \overline{BC}$일 때, $\sin x + \sin y$의 값을 구하여라.

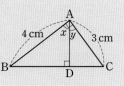

Summa Point

• 서로 닮은 직각삼각형을 찾는다.
  → $\triangle ABC \backsim \triangle DBA \backsim \triangle DAC$
• 대응각을 찾아 삼각비의 값을 구한다.
  → $\angle B = \angle y$, $\angle C = \angle x$

023쪽 **Q** 004 ○

3-1 ☺☹☹

오른쪽 그림과 같은 직각삼각형 ABC에서 $\overline{AB} \perp \overline{DE}$일 때, $\sin x$의 값을 구하여라.

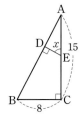

3-2 ☺☹☹

오른쪽 그림과 같은 직사각형 ABCD의 꼭짓점 A에서 대각선 BD에 내린 수선의 발을 H라고 하자. $\overline{AB} = 6$, $\overline{AD} = 8$일 때, $\sin x + \cos x$의 값을 구하여라.

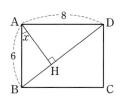

유형 ④ 30°, 45°, 60°의 삼각비의 값

$\tan 60° \times \cos 30° + \tan 45° \times \sin 30°$의 값을 구하여라.

Summa Point

028쪽 **Q** 007 ○

4-1 ☺☹☹

다음 중 그 값이 <u>다른</u> 하나는?

① $\tan 45°$
② $\sin 30° + \cos 60°$
③ $\sin 45° \div \cos 45°$
④ $\tan 60° - \tan 30°$
⑤ $\sin 60° \times \tan 30° + \cos 60°$

4-2 ☺☹☹

삼각형의 세 내각의 크기의 비가 $1 : 2 : 3$이고, 내각 중 가장 작은 각의 크기를 A라고 할 때, $\sin A \times \cos A \times \tan A$의 값을 구하여라.

4-3 ☺☹☹

$\cos(2x - 25°) = \dfrac{\sqrt{2}}{2}$를 만족시키는 x의 크기를 구하여라.

(단, $12.5° \leq x \leq 57.5°$)

오른쪽 그림에서 $\overline{CD}=\sqrt{3}$,
$\angle ABC = \angle BCD = 90°$,
$\angle A = 60°$, $\angle D = 45°$일 때,
$\overline{AB}$의 길이를 구하여라.

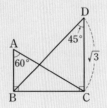

Summa Point

직각삼각형을 찾아 45°, 60°의 삼각비를 이용하여 변의 길이를 구한다.

029쪽 **Q** 009 ○

오른쪽 그림과 같이 반지름의 길이가 1인 사분원에서 다음 중 옳지 않은 것은?

① $\sin x = \overline{BC}$
② $\cos y = \overline{BC}$
③ $\cos x = \overline{AC}$
④ $\sin z = \overline{AB}$
⑤ $\tan x = \overline{DE}$

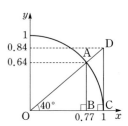

Summa Point

$\overline{AB} = \overline{AE} = 1$이므로 $\sin x = \dfrac{\overline{BC}}{\overline{AB}} = \overline{BC}$

$\cos x = \dfrac{\overline{AC}}{\overline{AB}} = \overline{AC}$, $\tan x = \dfrac{\overline{DE}}{\overline{AE}} = \overline{DE}$

031쪽 **Q** 011 ○

5-1 ☺☺☹

오른쪽 그림과 같은 △ABC에서 $\overline{DC}=2$, $\angle B=45°$, $\angle C=60°$이고 $\overline{AD} \perp \overline{BC}$일 때, $\overline{AB}$의 길이를 구하여라.

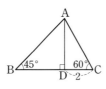

5-2 ☺☺☹

오른쪽 그림과 같은 △ABC에서 $\overline{AB}=4$, $\overline{AC}=6$, $\angle B=60°$일 때, $\overline{BC}$의 길이를 구하여라.

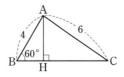

5-3 ☺☺☹

오른쪽 그림과 같은 직각삼각형 ABC에서 $\angle B=30°$, $\angle ADC=60°$, $\overline{CD}=5$일 때, $\overline{BD}$의 길이를 구하여라.

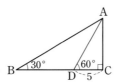

6-1 ☺☺☹

오른쪽 그림과 같이 반지름의 길이가 1인 사분원에서 $\sin 40° + \sin 50° + \tan 40°$의 값을 구하여라.

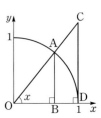

6-2 ☺☺☹

오른쪽 그림은 반지름의 길이가 1인 사분원을 좌표평면 위에 나타낸 것이다. $\angle AOB = \angle x$일 때, 다음 중 점 A의 좌표는?

① $(\sin x, \tan x)$
② $(\sin x, \cos x)$
③ $(\cos x, \sin x)$
④ $(\cos x, \tan x)$
⑤ $(\tan x, \sin x)$

다음 중 옳지 <u>않은</u> 것은?

① $\sin 10° < \sin 30°$ ② $\cos 45° = \sin 45°$

③ $\cos 28° > \cos 30°$ ④ $\tan 45° > \tan 46°$

⑤ $\sin 30° < \cos 30°$

Summa Point

$0° \leq A \leq 90°$일 때, A의 크기가 커지면
- $\sin A$의 값은 0에서 1까지 커진다.
- $\cos A$의 값은 1에서 0까지 작아진다.
- $\tan A$의 값은 0에서 한없이 커진다.

034쪽 **Q** 013 ↻

7-1 ☺☺☹

다음 중 옳지 <u>않은</u> 것은? (단, $0° \leq A \leq 90°$)

① A의 크기가 커지면 $\sin A$의 값도 커진다.

② A의 크기가 커지면 $\cos A$의 값은 작아진다.

③ $\sin A$의 최솟값은 0, 최댓값은 1이다.

④ $\cos A$의 최솟값은 0, 최댓값은 1이다.

⑤ $\tan A$의 최솟값은 0, 최댓값은 1이다.

7-2 ☺☺☹

다음 중 가장 큰 값은?

① $\cos 0°$ ② $\sin 60°$ ③ $\sin 85°$

④ $\tan 30°$ ⑤ $\tan 50°$

7-3 ☺☺☹

$0° \leq x \leq 90°$일 때, $\sqrt{(\sin x+1)^2} + \sqrt{(\sin x-1)^2}$을 간단히 하여라.

오른쪽 그림의 직각삼각형 ABC에서 $\angle A = 35°$, $\overline{CA} = 10$ cm, $\overline{AB} = x$ cm, $\overline{BC} = y$ cm일 때, 삼각비의 표를 이용하여 $x+y$의 값을 구하여라.

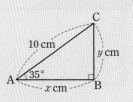

각도	사인(sin)	코사인(cos)	탄젠트(tan)
54°	0.8090	0.5878	1.3764
55°	0.8192	0.5736	1.4281
56°	0.8290	0.5592	1.4826

Summa Point

삼각비의 표에서 가로줄과 세로줄이 만나는 곳의 수가 삼각비의 값이다.

036쪽 **Q** 015 ↻

8-1 ☺☺☹

오른쪽 그림과 같은 직각삼각형 ABC에서 삼각비의 표를 이용하여 $\angle x$의 크기를 구하여라.

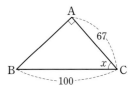

각도	사인(sin)	코사인(cos)	탄젠트(tan)
46°	0.72	0.69	1.04
47°	0.73	0.68	1.07
48°	0.74	0.67	1.11

8-2 ☺☺☹

$\sin x = 0.3907$, $\cos y = 0.9063$일 때, 삼각비의 표를 이용하여 $\tan\left(\dfrac{x+y}{2}\right)$의 값을 구하여라.

각도	사인(sin)	코사인(cos)	탄젠트(tan)
22°	0.3746	0.9272	0.4040
23°	0.3907	0.9205	0.4245
24°	0.4067	0.9135	0.4452
25°	0.4226	0.9063	0.4663

해설 BOOK 005쪽 | 테스트 BOOK 008쪽

Step 1 | 내·신·기·본

01 오른쪽 그림과 같은 직각삼각형 ABC에 대하여 다음 중 옳은 것은?

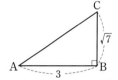

① $\sin A = \dfrac{\sqrt{7}}{3}$

② $\cos A = \dfrac{\sqrt{7}}{4}$

③ $\tan A = \dfrac{3}{4}$

④ $\sin C = \dfrac{3}{4}$

⑤ $\tan C = \dfrac{\sqrt{7}}{4}$

02 오른쪽 그림과 같은 직각삼각형 ABC에서 $\overline{AB} : \overline{BC} = 1 : 2$일 때, $\cos C$의 값을 구하여라.

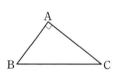

03 오른쪽 그림과 같은 직각삼각형 ABC에서 $\overline{AD} = 8$, $\overline{DE} = 15$일 때, $\cos C$의 값을 구하여라.

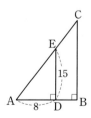

04 일차방정식 $6x - 5y + 30 = 0$의 그래프와 x축, y축과의 교점을 각각 A, B라고 할 때, △AOB에서 $\sin B \times \cos B$의 값을 구하여라.

(단, 점 O는 원점이다.)

05 오른쪽 그림과 같은 직각삼각형 ABC에서 $\angle AED = \angle C$일 때, $\sin B \times \sin C$의 값을 구하여라.

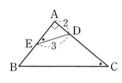

06 다음을 계산하여라.

$$\tan 30° + \cos 45° \times (\sin 60° - \sin 45°)$$
$$- \tan 45° \div \tan 60°$$

07 오른쪽 그림과 같이 x절편이 -3이고 x축과 이루는 예각의 크기가 $30°$인 직선의 방정식은?

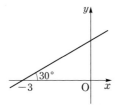

① $y=\dfrac{\sqrt{3}}{3}x+\sqrt{3}$

② $y=\dfrac{\sqrt{3}}{3}x-\sqrt{3}$

③ $y=\sqrt{3}x+3\sqrt{3}$

④ $y=\sqrt{3}x-3\sqrt{3}$

⑤ $y=x+3$

08 오른쪽 그림과 같이 반지름의 길이가 1인 사분원에서 다음 중 옳지 <u>않은</u> 것은?

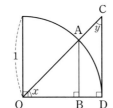

① $\cos x=\overline{OB}$

② $\sin y=\overline{OB}$

③ $\tan x=\overline{CD}$

④ $\cos y=\overline{AB}$

⑤ $\tan y=\overline{OD}$

09 다음 보기 중 옳은 것을 모두 고른 것은?

┤ 보 기 ├

ㄱ. $\sin 90°+\tan 45°=1$

ㄴ. $\sin 0°+\cos 0°+\tan 0°=1$

ㄷ. $\sin 60°\times\cos 0°\times\tan 60°=\dfrac{3}{2}$

① ㄱ   ② ㄱ, ㄴ   ③ ㄱ, ㄷ

④ ㄴ, ㄷ   ⑤ ㄱ, ㄴ, ㄷ

10 $0°\leq A\leq 90°$일 때, 다음 중 옳은 것을 모두 고르면? (정답 2개)

① A의 크기가 커지면 $\cos A$의 값도 커진다.

② $\sin A$의 최솟값은 0, 최댓값은 1이다.

③ $\cos A<\tan A$

④ $0°<A<45°$일 때, $\cos A<\sin A$

⑤ $\sin A=\cos A$인 A가 존재한다.

11 $45°<A<90°$일 때, $\sqrt{(\sin A-\cos A)^2}-\sqrt{(\cos A-\sin A)^2}$을 간단히 하여라.

12 다음 삼각비의 표를 이용하여 $\sin 15°+\cos 12°-\tan 11°$의 값을 구하여라.

각도	사인(sin)	코사인(cos)	탄젠트(tan)
11°	0.1908	0.9816	0.1944
12°	0.2079	0.9781	0.2126
13°	0.2250	0.9744	0.2309
14°	0.2419	0.9703	0.2493
15°	0.2588	0.9659	0.2679

13 오른쪽 그림과 같은 직각삼각형 ABC에서 다음 삼각비의 표를 이용하여 $\overline{AB}$의 길이를 구하여라.

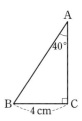

각도	사인(sin)	코사인(cos)	탄젠트(tan)
39°	0.63	0.78	0.81
40°	0.64	0.77	0.84
41°	0.66	0.75	0.87

14 다음 그림과 같은 △ABC에서 $\overline{AB} \perp \overline{CH}$이고 $\sin A = \dfrac{3}{5}$일 때, $\cos B$의 값을 구하여라.

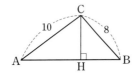

15 오른쪽 그림에서 $\angle C = \angle E = 90°$, $\overline{BD} = \overline{BC} = 3$이고, $\sin x = \dfrac{1}{3}$일 때, $\tan(x+y)$의 값을 구하여라.

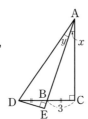

16 오른쪽 그림과 같은 정육면체에서 $\cos x$의 값을 구하여라.

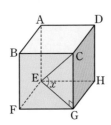

17 오른쪽 그림에서 $\angle ACB = 30°$, $\angle DBC = 45°$, $\overline{AB} = 6$일 때, $\overline{DC}$의 길이를 구하여라.

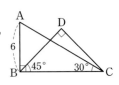

18 오른쪽 그림과 같은 직각삼 각형 ABC에서 $\overline{AD}$가 $\angle A$의 이등분선일 때, $x - y$의 값을 구하여라.

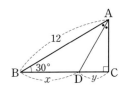

19 오른쪽 그림과 같은 반원 O에 서 $\overline{OB} = 2$, $\angle AOB = 135°$일 때, $\tan x$의 값을 구하여라.

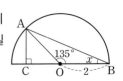

 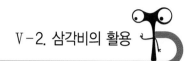

SUMMA **NOTE**

1. 직각삼각형의 변의 길이

∠B=90°인 직각삼각형 ABC에서

(1) ∠A의 크기와 빗변의 길이 b를 알 때

➡ $a=b\sin A$, $c=b\cos A$

(2) ∠A의 크기와 밑변의 길이 c를 알 때

➡ $a=c\tan A$, $b=\dfrac{c}{\cos A}$

(3) ∠A의 크기와 높이 a를 알 때 ➡ $b=\dfrac{a}{\sin A}$, $c=\dfrac{a}{\tan A}$

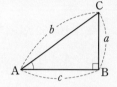

2. 일반 삼각형의 변의 길이

(1) △ABC에서 두 변의 길이 a, c와 그 끼인각 ∠B의 크기를 알 때

➡ $\overline{AC}=\sqrt{\overline{AH}^2+\overline{CH}^2}=\sqrt{(c\sin B)^2+(a-c\cos B)^2}$

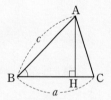

(2) △ABC에서 한 변의 길이 a와 그 양 끝 각 ∠B, ∠C의 크기를 알 때

➡ $\overline{AC}=\dfrac{\overline{CH'}}{\sin A}=\dfrac{a\sin B}{\sin A}$, $\overline{AB}=\dfrac{\overline{BH}}{\sin A}=\dfrac{a\sin C}{\sin A}$

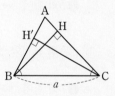

3. 삼각형의 높이

△ABC에서 한 변의 길이 a와 그 양 끝 각 ∠B, ∠C의 크기를 알 때, 높이 h는

(1) 양 끝 각이 모두 예각일 때

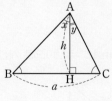

➡ $h=\dfrac{a}{\tan x+\tan y}$

(2) 양 끝 각 중 한 각이 둔각일 때

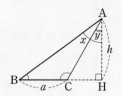

➡ $h=\dfrac{a}{\tan x-\tan y}$

1. 직각삼각형의 변의 길이

Q 016 직각삼각형에서 한 변의 길이와 한 예각의 크기를 알 때, 나머지 두 변의 길이를 어떻게 구할까?

A 어떤 삼각비의 값을 이용할 수 있는지 생각해 봐.

A 직각삼각형에서 한 변의 길이와 한 예각의 크기를 알면 삼각비를 이용하여 나머지 두 변의 길이를 구할 수 있다.

즉, $\angle B = 90°$인 직각삼각형 ABC에서

(1) $\angle A$의 크기와 빗변의 길이 b를 알 때

❶ a의 길이 ➡ $\sin A = \dfrac{a}{b}$이므로 $a = b \sin A$

❷ c의 길이 ➡ $\cos A = \dfrac{c}{b}$이므로 $c = b \cos A$

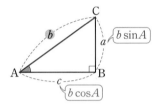

(2) $\angle A$의 크기와 밑변의 길이 c를 알 때

❶ a의 길이 ➡ $\tan A = \dfrac{a}{c}$이므로 $a = c \tan A$

❷ b의 길이 ➡ $\cos A = \dfrac{c}{b}$이므로 $b = \dfrac{c}{\cos A}$

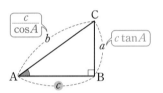

(3) $\angle A$의 크기와 높이 a를 알 때

❶ b의 길이 ➡ $\sin A = \dfrac{a}{b}$이므로 $b = \dfrac{a}{\sin A}$

❷ c의 길이 ➡ $\tan A = \dfrac{a}{c}$이므로 $c = \dfrac{a}{\tan A}$

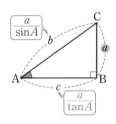

예제 16 다음 직각삼각형 ABC에서 x의 값을 구하여라.

(단, $\cos 42° = 0.74$, $\tan 42° = 0.90$으로 계산한다.)

(1)
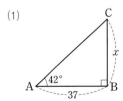

(2)
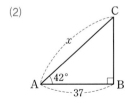

풀이 (1) $x = 37 \times \tan 42° = 37 \times 0.90 = \mathbf{33.3}$ (2) $x = \dfrac{37}{\cos 42°} = \dfrac{37}{0.74} = \mathbf{50}$

Q 017 삼각비를 이용하여 건물의 높이를 어떻게 구할까?

바른 A sin 또는 tan 값을 이용해.

친절한 A Q 016에서 배운 내용을 바탕으로 실생활에서 직접 측정하기
어려운 건물의 높이를 구해 보자.

다음은 주어진 조건에 따라 건물의 높이를 구하기 위해
어떤 삼각비의 값을 이용해야 할 지 예를 들어본 것이다.

건물의 높이를
어떻게 구할까?

❶ 오른쪽 그림과 같이 건물로부터 a m 떨어진 A지점에서 건물의
꼭대기 C지점을 올려다본 각의 크기가 $\angle x$일 때,
건물의 높이 $\overline{BC}$는

➡ 직각삼각형 ABC에서

$$\overline{BC} = a\tan x \,(\text{m})$$

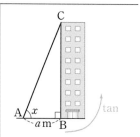

❷ 오른쪽 그림과 같이 길이가 a m인 사다리를 건물에 걸쳐놓았다.
사다리가 지면과 이루는 각의 크기가 $\angle x$일 때,
건물의 높이 $\overline{BC}$는

➡ 직각삼각형 ABC에서

$$\overline{BC} = a\sin x \,(\text{m})$$

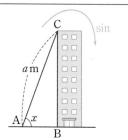

❸ 오른쪽 그림과 같이 건물로부터 a m 떨어진 사람의 눈높이가
b m이고, 이 사람이 건물을 올려다본 각의 크기가 $\angle x$일 때,
건물의 높이 $\overline{CE}$는

➡ 직각삼각형 ABC에서 $\overline{BC} = a\tan x$이므로

$$\overline{CE} = b + a\tan x \,(\text{m})$$

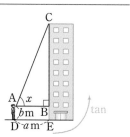

❹ 오른쪽 그림과 같이 서로 a m 떨어진 두 건물 ㈎, ㈏ 중 ㈎ 건물
옥상에서 ㈏ 건물을 올려다본 각의 크기를 $\angle x$, 내려다본 각의
크기를 $\angle y$라고 할 때, ㈏ 건물의 높이 $\overline{BC}$는

$$\overline{BC} = a\tan x + a\tan y \,(\text{m})$$

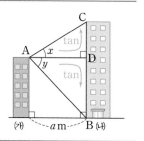

──────────────────────────────

| 참고 | 주어진 각의 크기가 특수각이 아닐 때에는 삼각비의 표를 이용한다.

예제 17 오른쪽 그림과 같이 민호가 나무의 꼭대기 C를 올려다 본 각의 크기가 35°이고, 민호와 나무 사이의 거리는 10 m이다. 민호의 눈높이가 1.5 m일 때, 이 나무의 높이 CH를 구하여라.

(단, $\tan 35°=0.7002$로 계산한다.)

풀이 직각삼각형 ABC에서

$\overline{AB}=10$ m, $\angle CAB=35°$이므로

$\overline{BC}=\overline{AB}\tan 35°=10\times 0.7002=7.002$ (m)

$\therefore \overline{CH}=1.5+7.002=\mathbf{8.502\,(m)}$

THINK Math

도로의 경사도

자동차 도로를 지나가다 보면 가끔 도로의 기울어진 정도를 나타내는 경사도를 나타낸 표지판을 볼 수 있다. 도로의 경사도는 삼각비에서 탄젠트(tan)를 이용하는데 도로의 경사각이 $\angle A$라고 할 때, 도로의 경사도는

$$(도로의 경사도)=\tan A\times 100(\%)$$

로 계산한다.

내리막길에서 경사도가 10 %라는 의미는 수평으로 100 m 움직이면 10 m 정도로 높이가 낮아진다는 뜻이다. 오른쪽 표지판은 도로의 경사도가 25 %인 내리막 도로를 뜻하는 것이다.

참고로 경사도가 25 %인 내리막 도로의 경사각이 $\angle A$라고 하면

$$\tan A=0.25$$

이므로 이를 만족시키는 $\angle A$의 크기를 삼각비의 표에서 찾아보면 약 14°이다.

---

2. 일반 삼각형의 변의 길이

지금까지는 삼각비를 이용하여 직각삼각형의 변의 길이를 구해 보았다.

이제 직각삼각형이 아닌 일반 삼각형의 변의 길이를 삼각비를 이용하여 구하는 방법을 알아보자.

Q 018 일반 삼각형에서 삼각비를 이용하여 변의 길이를 어떻게 구할까?

A 수선을 그어 직각삼각형을 만들어 봐!

A 일반 삼각형의 변의 길이를 구할 때에는 삼각비를 이용할 수 있도록

수선을 그어 구하는 변을 빗변으로 하는 직각삼각형을 만든다.

다음 두 가지 경우에 대하여 삼각형의 변의 길이를 구하는 방법을 알아보자.

(1) 두 변의 길이와 그 끼인각의 크기를 알 때

△ABC에서 두 변의 길이 a, c와 그 끼인각 ∠B의 크기를 알면 나머지 한 변 AC의 길이를 구할 수 있다.

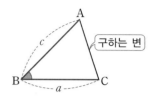

다음 순서에 따라 $\overline{AC}$의 길이를 구해 보자.

❶ 수선을 그어 구하는 변을 빗변으로 하는 직각삼각형 만들기

➡ 꼭짓점 A에서 $\overline{BC}$에 수선 AH를 그어 $\overline{AC}$를 빗변으로 하는 직각삼각형 ACH를 만든다.

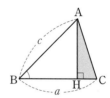

❷ 삼각비와 피타고라스 정리를 이용하여 변의 길이 구하기

➡ △ABH에서 $\overline{AH}=c\sin B$, $\overline{BH}=c\cos B$

△AHC에서 $\overline{CH}=\overline{BC}-\overline{BH}=a-c\cos B$

$\therefore \overline{AC}=\sqrt{\overline{AH}^2+\overline{CH}^2}$

$\qquad =\sqrt{(c\sin B)^2+(a-c\cos B)^2}$

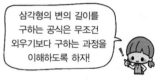

삼각형의 변의 길이를 구하는 공식은 무조건 외우기보다 구하는 과정을 이해하도록 하자!

예제 18 오른쪽 그림과 같은 △ABC에서 $\overline{AC}$의 길이를 구하여라.

풀이 꼭짓점 A에서 $\overline{BC}$에 내린 수선의 발을 H라고 하면

△ABH에서 $\overline{AH}=8\sin 60°=8\times\dfrac{\sqrt{3}}{2}=4\sqrt{3}$

$\qquad\qquad\overline{BH}=8\cos 60°=8\times\dfrac{1}{2}=4$

△AHC에서 $\overline{CH}=\overline{BC}-\overline{BH}=10-4=6$이므로

$\overline{AC}=\sqrt{(4\sqrt{3})^2+6^2}=\sqrt{84}=\mathbf{2\sqrt{21}}$

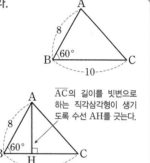

$\overline{AC}$의 길이를 빗변으로 하는 직각삼각형이 생기도록 수선 AH를 긋는다.

---

(2) 한 변의 길이와 그 양 끝 각의 크기를 알 때

△ABC에서 한 변의 길이 a와 그 양 끝 각 ∠B, ∠C의 크기를 알면 나머지 두 변 AB, AC의 길이를 구할 수 있다.

이때 나머지 한 각 ∠A의 크기는

$$∠A=180°-(∠B+∠C)$$

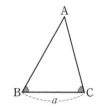

이고, 특수각의 삼각비를 이용할 수 있도록 특수한 각이 아닌 각에서 대변에 수선을 그어야 한다. 이렇게 하면 수선에 의해 생긴 두 직각삼각형의 모든 각이 특수한 각이 되어 삼각비를 이용할 수 있게 된다.

다음과 같이 두 변 AB, CA의 길이를 각각 구해 보자.

❶ 삼각비를 이용하여 $\overline{AC}$의 길이 구하기
   꼭짓점 C에서 대변 AB에 수선 CH를 그으면
   ➡ △HBC에서 $\overline{CH}=a\sin B$이므로

   $$\triangle AHC에서 \ \overline{AC}=\frac{\overline{CH}}{\sin A}=\frac{a\sin B}{\sin A}$$

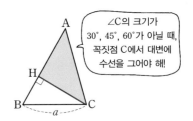

∠C의 크기가 30°, 45°, 60°가 아닐 때, 꼭짓점 C에서 대변에 수선을 그어야 해!

❷ 삼각비를 이용하여 $\overline{AB}$의 길이 구하기
   꼭짓점 B에서 대변 AC에 수선 BH를 그으면
   ➡ △HBC에서 $\overline{BH}=a\sin C$이므로

   $$\triangle ABH에서 \ \overline{AB}=\frac{\overline{BH}}{\sin A}=\frac{a\sin C}{\sin A}$$

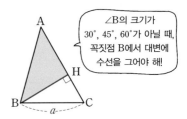

∠B의 크기가 30°, 45°, 60°가 아닐 때, 꼭짓점 B에서 대변에 수선을 그어야 해!

예제 19 오른쪽 그림과 같은 △ABC에서 x, y의 값을 구하여라.

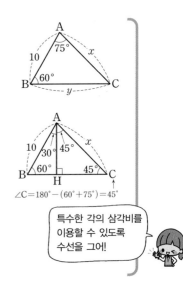

풀이 꼭짓점 A에서 $\overline{BC}$에 내린 수선의 발을 H라고 하면

$$\triangle ABH에서 \ \overline{AH}=10\sin 60°=10\times\frac{\sqrt{3}}{2}=5\sqrt{3}$$

$$\triangle AHC에서 \ \boldsymbol{x}=\frac{\overline{AH}}{\sin 45°}=5\sqrt{3}\times\sqrt{2}=\boldsymbol{5\sqrt{6}}$$

한편 $\triangle ABH에서 \ \overline{BH}=10\cos 60°=10\times\frac{1}{2}=5$

$$\triangle AHC에서 \ \overline{CH}=5\sqrt{6}\cos 45°=5\sqrt{6}\times\frac{\sqrt{2}}{2}=5\sqrt{3}$$

$$\therefore \ \boldsymbol{y}=\overline{BH}+\overline{CH}=\boldsymbol{5+5\sqrt{3}}$$

특수한 각의 삼각비를 이용할 수 있도록 수선을 그어!

3. 삼각형의 높이

오른쪽 그림과 같은 열기구의 높이는 어떻게 알 수 있을까?
두 지점 A, B에서 열기구를 바라본 각도를 측정하고, 두 지점
A, B 사이의 거리를 측정한 후 삼각비를 이용하면 열기구의 높
이를 구할 수 있다. 이와 같은 실생활에서 삼각비를 이용하여 높
이를 구하는 방법에 대하여 알아보자.

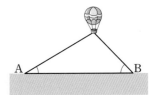

바른 A 밑변의 길이를 높이에 관한 식으로 나타내 봐.

친절한 A △ABC에서 한 변의 길이 a와 그 양 끝 각 ∠B, ∠C의 크기를 알면 다음
과 같은 방법으로 삼각형의 높이 h를 구할 수 있다.

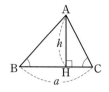

> 꼭짓점 A에서 밑변 BC 또는 그 연장선에 내린 수선에 의해 나누어진
> 2개의 직각삼각형에서 밑변의 길이를 각각 높이 h에 관한 식으로 나타
> 낸다.

삼각형의 모양에 따라 두 가지 경우로 나누어 높이를 구해 보자.

(1) 양 끝 각이 모두 예각일 때

다음 그림과 같이 △ABC의 꼭짓점 A에서 밑변 BC에 내린 수선의 발을 H라 하고 $\overline{AH}$의 길이
를 h라고 하자. 이때 ∠BAH$=∠x$, ∠CAH$=∠y$라고 하면

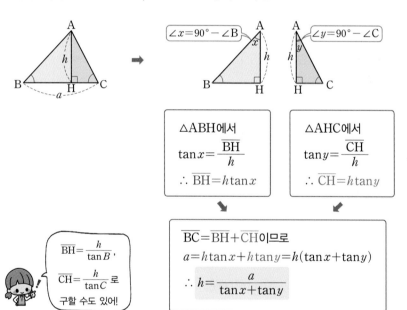

△ABH에서
$$\tan x = \frac{\overline{BH}}{h}$$
$$∴ \overline{BH} = h\tan x$$

△AHC에서
$$\tan y = \frac{\overline{CH}}{h}$$
$$∴ \overline{CH} = h\tan y$$

$\overline{BH} = \dfrac{h}{\tan B}$,

$\overline{CH} = \dfrac{h}{\tan C}$ 로

구할 수도 있어!

$\overline{BC} = \overline{BH} + \overline{CH}$이므로
$$a = h\tan x + h\tan y = h(\tan x + \tan y)$$
$$∴ h = \frac{a}{\tan x + \tan y}$$

예제 20 오른쪽 그림에서 열기구의 높이 h를 구하여라.

풀이 ∠BAH$=90°-30°=60°$, ∠CAH$=90°-45°=45°$
△ABH에서 $\overline{BH} = h\tan 60° = \sqrt{3}h$
△AHC에서 $\overline{CH} = h\tan 45° = h$
$\overline{BC} = \overline{BH} + \overline{CH}$이므로 $100 = \sqrt{3}h + h$, $(\sqrt{3}+1)h = 100$
$$∴ h = \frac{100}{\sqrt{3}+1} = 50(\sqrt{3}-1)(m)$$

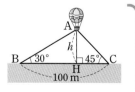

(2) 양 끝 각 중 하나가 둔각일 때

다음 그림과 같이 △ABC의 꼭짓점 A에서 밑변 BC의 연장선에 내린 수선의 발을 H라 하고 $\overline{AH}$의 길이를 h라고 하자.

이때 $\angle BAH = \angle x$, $\angle CAH = \angle y$라고 하면

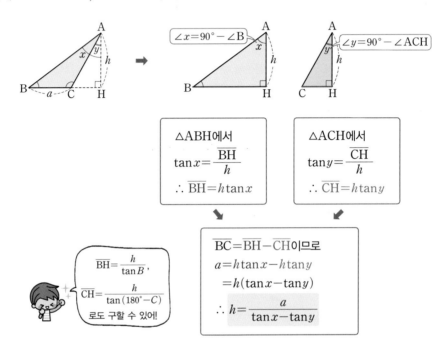

△ABH에서
$$\tan x = \frac{\overline{BH}}{h}$$
$$\therefore \overline{BH} = h \tan x$$

△ACH에서
$$\tan y = \frac{\overline{CH}}{h}$$
$$\therefore \overline{CH} = h \tan y$$

$\overline{BH} = \dfrac{h}{\tan B}$,

$\overline{CH} = \dfrac{h}{\tan(180° - C)}$

로도 구할 수 있어!

$\overline{BC} = \overline{BH} - \overline{CH}$이므로
$$a = h \tan x - h \tan y$$
$$= h(\tan x - \tan y)$$
$$\therefore h = \frac{a}{\tan x - \tan y}$$

예제 21 오른쪽 그림에서 산의 높이 h를 구하여라.

풀이

$\angle BAH = 90° - 30° = 60°$, $\angle CAH = 90° - 60° = 30°$

△ABH에서 $\overline{BH} = h \tan 60° = \sqrt{3} h$

△ACH에서 $\overline{CH} = h \tan 30° = \dfrac{\sqrt{3}}{3} h$

$\overline{BC} = \overline{BH} - \overline{CH}$이므로 $500 = \sqrt{3} h - \dfrac{\sqrt{3}}{3} h$, $\dfrac{2\sqrt{3}}{3} h = 500$

$\therefore h = 500 \times \dfrac{3}{2\sqrt{3}} = \mathbf{250\sqrt{3}}\,(\mathbf{m})$

다른 풀이 $\angle BAC = 30°$이므로 △ABC는 $\overline{BC} = \overline{AC}$인 이등변삼각형이다.

$\therefore \overline{AC} = 500$ m

$\therefore h = \overline{AC} \sin 60° = 500 \times \dfrac{\sqrt{3}}{2} = 250\sqrt{3}\,(m)$

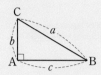
01 다음 직각삼각형 ABC에서 x의 값을 구하여라.

(단, $\sin 40° = 0.64$, $\cos 40° = 0.77$, $\tan 40° = 0.84$로 계산한다.)

(1)
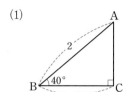

(2)
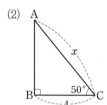

02 오른쪽 그림과 같이 교실 천장의 빔 프로젝터로부터 벽면에 비치는 화면의 세로 BC의 길이를 구하여라.

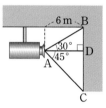

03 다음 그림에서 x의 값을 구하여라.

(1)
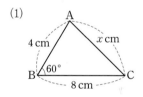

(2)
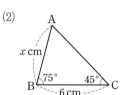

04 다음 그림에서 h의 값을 구하여라.

(1)
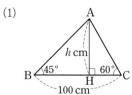

(2)
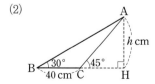

SUMMA **NOTE**

1. 삼각형의 넓이

△ABC에서 두 변의 길이 b, c와 그 끼인각 ∠A의 크기를 알 때, 넓이 S는 다음과 같다.

(1) ∠A가 예각인 경우

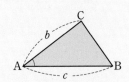

$$S = \frac{1}{2} bc \sin A$$

(2) ∠A가 둔각인 경우

$$S = \frac{1}{2} bc \sin(180° - A)$$

2. 사각형의 넓이

(1) 평행사변형의 넓이

평행사변형 ABCD에서 이웃하는 두 변의 길이가 a, b이고 그 끼인각 ∠x가 예각일 때, 넓이 S는

$$S = ab \sin x$$

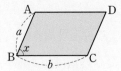

(2) 사각형의 넓이

□ABCD에서 두 대각선의 길이가 a, b이고 두 대각선이 이루는 각 ∠x가 예각일 때, 넓이 S는

$$S = \frac{1}{2} ab \sin x$$

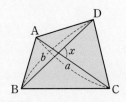

---

1. 삼각형의 넓이

우리는 (삼각형의 넓이)$= \frac{1}{2} \times$ (밑변의 길이) $\times$ (높이)라는 것을 잘 알고 있다.

이를 바탕으로 삼각형의 두 변의 길이와 그 끼인각이 주어졌을 때 삼각비를 이용하여 삼각형의 넓이를 구하는 방법에 대해 알아보자.

Q 020 △ABC에서 두 변의 길이 b, c와 그 끼인각 ∠A의 크기를 알 때, 넓이 S는?

A (바른)
∠A가 예각이면 $S=\dfrac{1}{2}bc\sin A$

A (친절한)
오른쪽 그림과 같은 △ABC의 넓이를 구하려면 $\overline{AB}$나 $\overline{AC}$에 대한 높이를 구하면 된다.
이때 끼인각 ∠A에 대한 삼각비를 이용하면 높이를 알 수 있다.
즉, △ABC에서 두 변의 길이 b, c와 그 끼인각 ∠A의 크기를 알 때, 넓이 S는 다음과 같다.

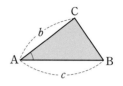

(1) ∠A가 예각인 경우

오른쪽 그림과 같은 △ABC의 꼭짓점 C에서 밑변 AB에 내린 수선의 발을 H, $\overline{CH}=h$라고 하면 직각삼각형 CAH에서

$\sin A=\dfrac{h}{b}$　∴ $h=b\sin A$　← 높이 구하기

∴ $S=\dfrac{1}{2}ch=\dfrac{\mathbf{1}}{\mathbf{2}}\boldsymbol{bc}\sin\boldsymbol{A}$　← 넓이 구하기

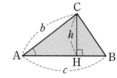

(2) ∠A가 둔각인 경우

오른쪽 그림과 같은 △ABC의 꼭짓점 C에서 밑변 AB의 연장선에 내린 수선의 발을 H, $\overline{CH}=h$라고 하면 직각삼각형 CHA에서

$\sin(180°-A)=\dfrac{h}{b}$

∴ $h=b\sin(180°-A)$　← 높이 구하기

∴ $S=\dfrac{1}{2}ch=\dfrac{\mathbf{1}}{\mathbf{2}}\boldsymbol{bc}\sin(\mathbf{180°}-\boldsymbol{A})$　← 넓이 구하기

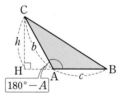

삼각형의 넓이를 구하는 공식은 꼭 기억하고 있어!

예제 22 다음 그림과 같은 △ABC의 넓이를 구하여라.

(1)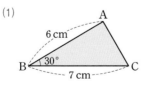

(2)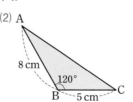

풀이

(1) $\triangle ABC=\dfrac{1}{2}\times6\times7\times\sin30°$

$=\dfrac{1}{2}\times6\times7\times\dfrac{1}{2}$

$=\dfrac{\mathbf{21}}{\mathbf{2}}\,(\mathbf{cm^2})$

(2) $\triangle ABC=\dfrac{1}{2}\times8\times5\times\sin(180°-120°)$

$=\dfrac{1}{2}\times8\times5\times\dfrac{\sqrt{3}}{2}$

$=\mathbf{10\sqrt{3}}\,(\mathbf{cm^2})$

2. 사각형의 넓이

Q 021 사각형의 넓이는 어떻게 구할까?

A 두 삼각형의 넓이의 합으로 생각해.

A 사각형은 한 대각선에 의하여 삼각형 2개로 나눌 수 있으므로 앞에
서 배운 삼각형의 넓이를 이용하면 사각형의 넓이를 구할 수 있다.

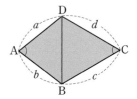

$$(\text{사각형의 넓이})=(\text{두 삼각형의 넓이의 합})$$

$$\square ABCD = \triangle ABD + \triangle BCD$$
$$= \frac{1}{2}ab\sin A + \frac{1}{2}cd\sin C$$

예제 23 오른쪽 그림과 같은 □ABCD의 넓이를 구하여라.

풀이 대각선 BD를 그으면

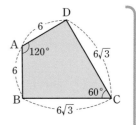

$$\square ABCD = \triangle ABD + \triangle BCD$$
$$= \frac{1}{2} \times 6 \times 6 \times \sin(180° - 120°)$$
$$+ \frac{1}{2} \times 6\sqrt{3} \times 6\sqrt{3} \times \sin 60°$$
$$= \frac{1}{2} \times 6 \times 6 \times \frac{\sqrt{3}}{2} + \frac{1}{2} \times 6\sqrt{3} \times 6\sqrt{3} \times \frac{\sqrt{3}}{2} = 9\sqrt{3} + 27\sqrt{3} = \mathbf{36\sqrt{3}}$$

Q 022 평행사변형의 넓이는 어떻게 구할까?

A 삼각형의 넓이의 2배!

A 평행사변형은 대각선에 의하여 합동인 2개의 삼각형으로 나누어지므로 평행사변형의 넓이는 삼
각형의 넓이의 2배이다.

즉, 다음 그림과 같은 평행사변형 ABCD에서 이웃하는 두 변의 길이가 a, b이고, 그 끼인각의
크기가 $\angle x$일 때, 이 평행사변형의 넓이는 다음과 같다.

(1) $\angle x$가 예각인 경우

평행사변형의 높이가
$a\sin x$이므로
넓이는 $ab\sin x$

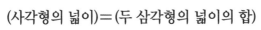

$$\square ABCD = 2 \times \triangle ABC = 2 \times \left(\frac{1}{2}ab\sin x\right)$$
$$= ab\sin x$$

(2) $\angle x$가 둔각인 경우

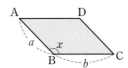

$$\square ABCD = ab\sin(180° - x)$$

예제 24 다음 그림과 같은 평행사변형 ABCD의 넓이를 구하여라.

(1)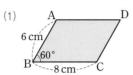

(2)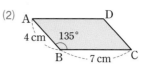

풀이

$(1) \square ABCD = 6 \times 8 \times \sin 60°$
$$= 6 \times 8 \times \frac{\sqrt{3}}{2}$$
$$= 24\sqrt{3}(\text{cm}^2)$$

$(2) \square ABCD = 4 \times 7 \times \sin(180° - 135°)$
$$= 4 \times 7 \times \frac{\sqrt{2}}{2}$$
$$= 14\sqrt{2}(\text{cm}^2)$$

Q 023 두 대각선의 길이가 a, b이고, 두 대각선이 이루는 예각의 크기가 $\angle x$인 사각형의 넓이는?

바른 A 두 변의 길이가 a, b이고 그 끼인각의 크기가 $\angle x$인 평행사변형의 넓이의 절반!

친절한 A 다음 그림과 같이 두 대각선의 길이가 a, b인 $\square ABCD$에서 두 대각선이 이루는 예각의 크기가 $\angle x$일 때, 네 점 A, B, C, D를 지나고, 대각선 AC, BD에 평행한 직선을 그어 이들이 만나는 점을 각각 E, F, G, H라고 하자. 그러면 $\square EFGH$는 이웃하는 두 변의 길이가 a, b이고 그 끼인각의 크기가 $\angle x$인 평행사변형이다.

따라서 $\square ABCD$의 넓이를 구하면 다음과 같다.

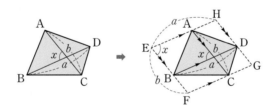

$$\square ABCD = \frac{1}{2}\square EFGH = \frac{1}{2}ab\sin x$$

한편 오른쪽 그림과 같이 두 대각선이 이루는 각의 크기가 둔각일 때 $\square ABCD$의 넓이는

$$\square ABCD = \frac{1}{2}ab\sin(180° - x)$$

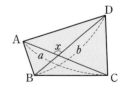

예제 25 오른쪽 그림과 같은 $\square ABCD$의 넓이를 구하여라.

풀이

$\square ABCD = \frac{1}{2} \times 16 \times 9 \times \sin 60°$
$$= \frac{1}{2} \times 16 \times 9 \times \frac{\sqrt{3}}{2}$$
$$= 36\sqrt{3}$$

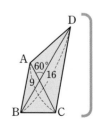

개념 **확인**

(1) 이웃하는 두 변의 길이가 a, c 이고 그 끼인각의 크기가 $\angle B$ 인 $\triangle ABC$의 넓이 S는

① $\angle B$가 예각인 경우

$S = \dfrac{1}{2}ac \times \boxed{}$

② $\angle B$가 둔각인 경우

$S = \dfrac{1}{2}ac \times \boxed{}$

(2) 이웃하는 두 변의 길이가 a, b 이고 그 끼인각의 크기가 $\angle x$인 평행사변형의 넓이는 $\boxed{}$이다.

01 오른쪽 그림과 같은 $\triangle ABC$의 넓이가 60일 때, $\overline{BC}$의 길이를 구하여라.

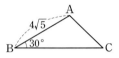

02 오른쪽 그림과 같은 $\square ABCD$의 넓이를 구하여라.

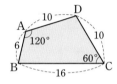

03 오른쪽 그림과 같은 평행사변형 ABCD의 넓이가 36일 때, $\overline{AD}$의 길이를 구하여라.

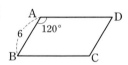

04 오른쪽 그림과 같은 $\square ABCD$의 넓이를 구하여라.

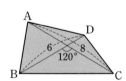

자기 **진단**

Q 020 ◐ 055쪽
$\triangle ABC$에서 두 변의 길이 b, c와 그 끼인각 $\angle A$의 크기를 알 때, 넓이 S는?

Q 022 ◐ 056쪽
평행사변형의 넓이는 어떻게 구할까?

05 오른쪽 그림과 같이 $\overline{AD} /\!/ \overline{BC}$인 사다리꼴 ABCD의 넓이를 구하여라.

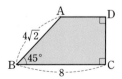

문제 이해도를 ☺, 😐, ☹으로 표시해 보세요.

해설 BOOK **008**쪽 | 테스트 BOOK **011**쪽

유형 1 직각삼각형의 변의 길이 구하기

오른쪽 그림의 직각삼각형 ABC에서 $\overline{AB}=10$, $\angle B=41°$일 때, $x+y$의 값을 구하여라. (단, $\sin 41°=0.66$, $\cos 41°=0.75$, $\tan 41°=0.87$로 계산한다.)

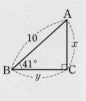

Summa Point

직각삼각형에서 한 변의 길이와 한 예각의 크기를 알 때, 삼각비를 이용하여 나머지 두 변의 길이를 구할 수 있다.

046쪽 **Q 016** ○

유형 2 실생활에서 직각삼각형의 변의 길이 구하기

강의 양쪽에 있는 두 지점 A, B 사이의 거리를 구하기 위해 A지점에서 100 m 떨어진 C지점에서 A지점과 B지점을 바라본 각의 크기가 40°일 때, 두 지점 A, B 사이의 거리를 구하여라. (단, $\sin 40°=0.64$, $\cos 40°=0.77$, $\tan 40°=0.84$로 계산한다.)

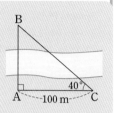

Summa Point

주어진 그림의 직각삼각형에서 삼각비를 이용하여 높이를 구한다.

047쪽 **Q 017** ○

1-1 ☺😐☹

오른쪽 그림의 직각삼각형 ABC에서 $\overline{AB}=7$, $\angle B=46°$일 때, $\overline{AC}$의 길이를 나타내는 것은?

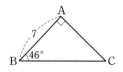

① $7\sin 46°$ ② $7\cos 46°$

③ $\dfrac{7}{\tan 46°}$ ④ $\dfrac{7}{\cos 44°}$ ⑤ $\dfrac{7}{\tan 44°}$

1-2 ☺😐☹

오른쪽 그림과 같은 직육면체에서 $\overline{FG}=3$, $\overline{GH}=4$이고 $\angle CEG=60°$일 때, 이 직육면체의 부피를 구하여라.

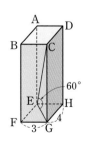

2-1 ☺😐☹

오른쪽 그림과 같이 지면에 수직으로 서 있던 나무가 부러져 지면과 30°의 각을 이루게 되었다. 이때 부러지기 전의 나무의 높이를 구하여라.

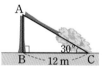

2-2 ☺😐☹

오른쪽 그림과 같이 수평면과 37° 만큼 기울어진 비탈길을 A지점에서 출발하여 분속 50 m의 속력으로 C지점까지 걸었다. B지점에서 C지점까지의 높이가 300 m일 때, A지점에서 C지점까지 가는 데 걸린 시간을 구하여라. (단, $\sin 37°=0.60$, $\cos 37°=0.80$, $\tan 37°=0.75$로 계산한다.)

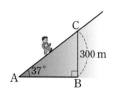

유형 ③ 일반 삼각형의 한 변의 길이 구하기

오른쪽 그림과 같은 △ABC에서 $\overline{AB}=4$ cm, $\overline{BC}=5\sqrt{3}$ cm, ∠B=30°일 때, $\overline{AC}$의 길이를 구하여라.

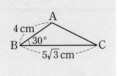

Summa Point

길이를 구하고자 하는 변이 직각삼각형의 빗변이 되도록 한 꼭짓점에서 수선을 긋는다.

048쪽 Q 018

3-1 ☺☺☹

호수의 두 지점 A, C 사이의 거리를 구하기 위하여 오른쪽 그림과 같이 측량하였다. 두 지점 A, C 사이의 거리를 구하여라.

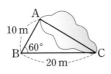

3-2 ☺☺☹

오른쪽 그림과 같은 △ABC에서 $\overline{AB}=13$, $\overline{BC}=15$이고, $\sin B=\dfrac{5}{13}$일 때, $\overline{AC}$의 길이를 구하여라.

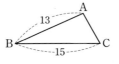

3-3 ☺☺☹

오른쪽 그림과 같은 △ABC에서 $\overline{BC}=3$ cm, $\overline{AC}=4$ cm, ∠C=120°일 때, $\overline{AB}$의 길이를 구하여라.

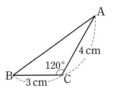

3-4 ☺☺☹

오른쪽 그림과 같은 △ABC에서 ∠A=105°, ∠B=30°, $\overline{AB}=8$ cm일 때, $\overline{AC}$의 길이를 구하여라.

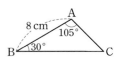

3-5 ☺☺☹

오른쪽 그림과 같은 △ABC에서 $\overline{AC}=6$ cm, ∠B=60°, ∠C=45°일 때, $\overline{AB}$의 길이를 구하여라.

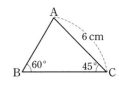

3-6 ☺☺☹

강 양쪽에 있는 두 지점 A, B 사이의 거리를 구하기 위하여 B지점과 같은 쪽에 C지점을 잡아 오른쪽 그림과 같이 측량하였다. 두 지점 A, B 사이의 거리를 구하여라.

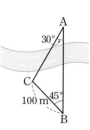

유형 ④ 삼각형의 높이 구하기

오른쪽 그림과 같은 △ABC에서 ∠B=45°, ∠C=60°, $\overline{BC}$=60 cm이다. 꼭짓점 A에서 $\overline{BC}$에 내린 수선의 발을 H라고 할 때, $\overline{AH}$의 길이를 구하여라.

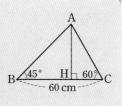

Summa Point
① 2개의 직각삼각형 ABH와 ACH에서 tan를 이용하여 $\overline{BH}$, $\overline{CH}$를 $\overline{AH}$에 대한 식으로 나타낸다.
② $\overline{BH}+\overline{CH}=\overline{BC}$를 이용하여 $\overline{AH}$의 길이를 구한다.

051쪽 **Q 019**

4-1 ☺☺☹

오른쪽 그림과 같은 △ABC에서 ∠A=105°, ∠B=30°, $\overline{BC}$=20 cm일 때, △ABC의 넓이를 구하여라.

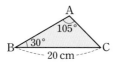

4-2 ☺☺☹

오른쪽 그림과 같은 △ABC에서 $\overline{BC}$=4 cm, ∠B=30°, ∠ACH=45°일 때, $\overline{AH}$의 길이를 구하여라.

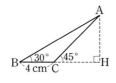

4-3 ☺☺☹

다음 그림과 같이 하늘에 떠 있는 연을 B, C 두 지점에서 동시에 올려다 본 각의 크기가 각각 13°, 37°이었다. 이때 연의 높이를 구하여라. (단, tan53°=1.3, tan77°=4.3으로 계산한다.)

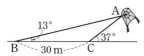

유형 ⑤ 예각삼각형의 넓이 구하기

오른쪽 그림과 같은 △ABC의 넓이를 구하여라.

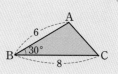

Summa Point
$$\triangle ABC=\frac{1}{2}\times\overline{AB}\times\overline{BC}\times\sin B$$

055쪽 **Q 020**

5-1 ☺☺☹

오른쪽 그림과 같이 $\overline{AB}=\overline{AC}$인 이등변삼각형 ABC에서 $\overline{AB}$=10 cm, ∠B=75°일 때, △ABC의 넓이를 구하여라.

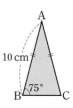

5-2 ☺☺☹

오른쪽 그림과 같이 $\overline{AB}$=6 cm, $\overline{BC}$=5 cm인 △ABC의 넓이가 $\frac{15\sqrt{2}}{2}$ cm²일 때, ∠B의 크기를 구하여라. (단, 0°<∠B<90°)

5-3 ☺☺☹

오른쪽 그림과 같이 $\overline{AB}$=8, $\overline{AC}$=12, ∠A=60°인 △ABC의 무게중심이 점 G일 때, △GBD의 넓이를 구하여라.

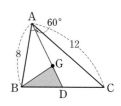

유형 6 둔각삼각형의 넓이 구하기

오른쪽 그림과 같은 △ABC 의 넓이를 구하여라.

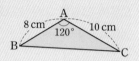

Summa Point

$$\triangle\text{ABC}=\frac{1}{2}\times\overline{\text{AB}}\times\overline{\text{AC}}\times\sin(180°-A)$$

055쪽 **Q 020**

유형 7 사각형의 넓이 구하기

오른쪽 그림과 같은 □ABCD 의 넓이를 구하여라.

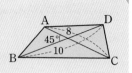

Summa Point

□ABCD에서 두 대각선의 길이가 a, b이고 두 대각선이 이루는 각의 크기가 x일 때 (단, x는 예각) ➡ $S=\frac{1}{2}ab\sin x$

056쪽 **Q 022**

6-1 ☺☺☹

오른쪽 그림과 같이 $\angle C=150°$, $\overline{\text{BC}}=8$ cm인 △ABC의 넓이가 $10\sqrt{3}$ cm² 일 때, $\overline{\text{AC}}$의 길이를 구하여라.

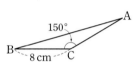

6-2 ☺☺☹

오른쪽 그림에서 □ABCD는 한 변의 길이가 4 cm인 정사각형 이고, △CDE는 $\angle CDE=60°$인 직각삼각형일 때, △BCE의 넓이 를 구하여라.

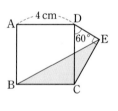

6-3 ☺☺☹

오른쪽 그림과 같은 □ABCD의 넓이를 구하여라.

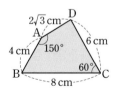

7-1 ☺☺☹

오른쪽 그림과 같이 $\overline{\text{AB}}=7$ cm, $\overline{\text{BC}}=8$ cm, $\angle B=60°$인 평행사 변형 ABCD의 넓이를 구하여라.

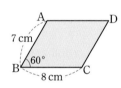

7-2 ☺☺☹

오른쪽 그림과 같은 마름모 ABCD 의 넓이를 구하여라.

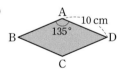

7-3 ☺☺☹

오른쪽 그림과 같은 등변사다리꼴 ABCD에서 두 대각선이 이루는 각의 크기가 $120°$이고 넓이가 $8\sqrt{3}$ cm²일 때, $\overline{\text{AC}}$의 길이를 구하 여라.

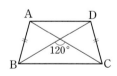

해설 BOOK 011쪽 | 테스트 BOOK 015쪽

Step 1 | 내·신·기·본

01 오른쪽 그림과 같은 직각삼각형 ABC에 대하여 다음 중 옳지 <u>않은</u> 것은?

① $a=b\sin A$

② $a=b\cos C$

③ $b=\dfrac{c}{\sin C}$

④ $c=a\tan A$

⑤ $a=\dfrac{c}{\tan C}$

02 오른쪽 그림과 같이 $\angle ABC=60°$, $\overline{BC}=\overline{BE}=6$ cm인 삼각기둥의 겉넓이를 구하여라.

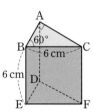

03 오른쪽 그림에서 $\overline{AB}$는 원 O 의 지름이고, $\angle AOC=120°$, $\angle ADC=90°$, $\overline{AO}=8$ cm 일 때, $\triangle CAD$의 넓이를 구하여라.

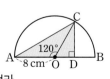

04 오른쪽 그림과 같이 나무 B로부터 10 m 떨어진 지 점 A에서 나무 꼭대기 C 를 올려다본 각의 크기가 36°이다. 사람의 눈높이가 1.5 m일 때, 이 나무의 높 이를 구하여라. (단, $\sin 36°=0.59$, $\cos 36°=0.80$, $\tan 36°=0.73$으로 계산한다.)

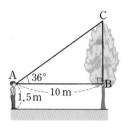

05 오른쪽 그림과 같이 수평 인 지면에 수직으로 6 m 높이의 전봇대가 서 있다. 두 지점 A, B에서 전봇대의 꼭대기를 올려다본 각의 크기가 각각 30°, 60°일 때, 두 지점 A, B 사이의 거 리를 구하여라.

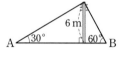

06 오른쪽 그림의 $\triangle ABC$에서 $\angle B=60°$, $\overline{BC}=20$ cm, $\triangle ABC=60\sqrt{3}$ cm²일 때, $\overline{AC}$의 길이를 구하여라.

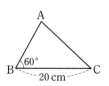

07 오른쪽 그림의 △ABC에서
∠A=75°, ∠C=60°,
$\overline{BC}$=18 cm일 때, △ABC의
넓이를 구하여라.

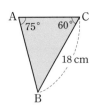

08 오른쪽 그림과 같이 100 m
떨어진 두 지점 A와 C에서
산꼭대기 B지점을 올려다본
각의 크기가 각각 30°, 60°이
었다. 이때 이 산의 높이를 구하여라.

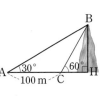

09 오른쪽 그림과 같이 지름의
길이가 4인 원 O에서
∠CAB=30°일 때, 색칠한
부분의 넓이는?

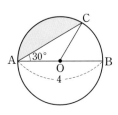

① $\frac{4}{3}\pi-\sqrt{3}$

② $\frac{4}{3}\pi+\sqrt{3}$

③ $\frac{8}{3}\pi-\sqrt{3}$

④ $\frac{8}{3}\pi+\sqrt{3}$

⑤ 4π

10 다음 그림과 같은 □ABCD에서 $\overline{AD}$ // $\overline{BC}$이고
$\overline{AD}$=6, $\overline{AB}$=4, $\overline{BC}$=10, ∠B=60°일 때,
□ABCD의 넓이를 구하여라.

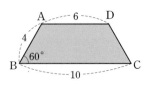

11 오른쪽 그림과 같은
□ABCD에서
$\overline{AB}$=$3\sqrt{3}$, $\overline{AD}$=8,
∠BCA=60°,
∠CAD=30°일 때,
□ABCD의 넓이를 구하여라.

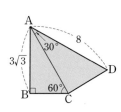

12 다음 그림과 같이 이웃하는 두 변의 길이가 각각
5 cm, 8 cm이고 넓이가 20 cm²인 평행사변형
ABCD에서 ∠x, ∠y의 크기를 각각 구하여라.

(단, 0°<∠x<90°, 90°<∠y<180°)

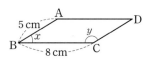

창의융합

13 도로의 경사각의 크기를 A라고 할 때, 도로의 경사도는 (경사도)$=\tan A \times 100$(%)와 같이 계산한다. 해발 200 m인 지점에서 출발하여 경사도가 20 %인 도로를 520 m 올라갔다면 현재 위치는 해발 몇 m인지 구하여라. (단, $\sqrt{26}=5.1$이고 분모를 유리화한 후 계산한다.)

14 산의 높이 CH를 구하기 위하여 오른쪽 그림과 같이 산 아래쪽의 수평면 위에 $\overline{AB}=1200$ m가 되도록 두 지점 A, B를 잡고 측량하였다. 이때 산의 높이 CH를 구하여라.

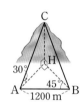

15 오른쪽 그림과 같은 호수의 폭 AB를 구하기 위하여 호수의 바깥쪽에 C지점을 잡아 필요한 부분을 측량하였더니, $\overline{AC}=8$ m, $\angle A=75°$, $\angle B=45°$이었다. 이때 호수의 폭 AB의 길이를 구하여라.

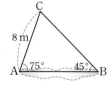

16 오른쪽 그림과 같은 △ABC에서 $\angle BAD=\angle DAC=30°$, $\overline{AB}=10$, $\overline{AC}=8$일 때, $\overline{AD}$의 길이를 구하여라.

17 오른쪽 그림과 같은 △ABC에서 한 변의 길이는 20 % 줄이고, 다른 한 변의 길이는 20 % 늘여서 새로운 삼각형 △A′BC′을 만들 때, △A′BC′의 넓이의 변화는?

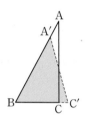

① 변함이 없다.   ② 1 % 줄어든다.

③ 4 % 줄어든다.   ④ 4 % 늘어난다.

⑤ 10 % 줄어든다.

18 오른쪽 그림과 같이 두 대각선의 길이가 각각 7 cm, 8 cm인 □ABCD의 넓이의 최댓값을 구하여라.

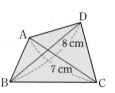

1. 삼각비

01. 삼각비

001 삼각비란?

직각삼각형에서 두 변의 길이의 비야!

$\boxed{\angle A\text{의 삼각비}}$

$\sin A = \dfrac{a}{b}$

$\cos A = \dfrac{c}{b}$ $\tan A = \dfrac{a}{c}$

002 직각삼각형에서 삼각비를 이용하여 변의 길이를 구할 수 있을까?

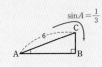

$\sin A = \dfrac{1}{3}$

$\sin A = \dfrac{\overline{BC}}{6} = \dfrac{1}{3} \implies \overline{BC} = 2$

003 직각삼각형에서 한 삼각비의 값을 알 때, 다른 삼각비의 값을 구할 수 있을까?

주어진 삼각비를 만족하는 직각삼각형을 그려 봐!

$\cos B = \dfrac{\sqrt{5}}{3}$ 를 만족하는

직각삼각형 ABC를 그리면 ⟹

$\overline{AC} = \sqrt{3^2 - (\sqrt{5})^2} = 2$

$\therefore \sin B = \dfrac{\overline{AC}}{\overline{AB}} = \dfrac{2}{3}$

004 직각삼각형의 닮음을 이용하여 삼각비의 값을 구할 수 있다?

$\triangle DBA \backsim \triangle ABC$
⟹ $\angle x = \angle BCA$
⟹ $\sin x = \sin C$
$\quad = \dfrac{\overline{AB}}{\overline{BC}} = \dfrac{6}{10} = \dfrac{3}{5}$

005 직선이 x축과 이루는 예각의 크기가 θ일 때, $\sin \theta$의 값은?

직각삼각형 ABC에서

$\sin \theta = \dfrac{\overline{OB}}{\overline{AB}}$

006 입체도형에서 삼각비의 값은 어떻게 구할까?

기준각을 한 예각으로 하는 직각삼각형 BFH에서

$\overline{FH} = 4\sqrt{2}, \ \overline{BH} = 4\sqrt{3}$

⟹ $\cos x = \dfrac{\overline{FH}}{\overline{BH}} = \dfrac{\sqrt{6}}{3}$

02. 삼각비의 값

007 30°, 45°, 60°의 삼각비의 값은?

A 삼각비	30°	45°	60°
$\sin A$	$\dfrac{1}{2}$	$\dfrac{\sqrt{2}}{2}$	$\dfrac{\sqrt{3}}{2}$
$\cos A$	$\dfrac{\sqrt{3}}{2}$	$\dfrac{\sqrt{2}}{2}$	$\dfrac{1}{2}$
$\tan A$	$\dfrac{\sqrt{3}}{3}$	1	$\sqrt{3}$

009 30°, 45°, 60°의 삼각비를 이용하여 변의 길이를 어떻게 구할까?

$\sin 30° = \dfrac{x}{\overline{AC}}, \ \dfrac{1}{2} = \dfrac{x}{4} \implies x = 2$

010 x축과 이루는 예각의 크기가 45°인 직선의 기울기는?

(기울기) $= \tan 45° = 1$

011 임의의 예각의 삼각비의 값은 어떻게 구할까?

반지름의 길이가 1인 사분원을 이용해!

$\sin x = \overline{AB}$

$\cos x = \overline{OB}$

$\tan x = \overline{CD}$

012 0°, 90°의 삼각비의 값은?

① $\sin 0° = 0, \ \cos 0° = 1, \ \tan 0° = 0$
② $\sin 90° = 1, \ \cos 90° = 0$

013 45° < x < 90°일 때, $\sin x, \ \cos x$의 대소 관계는?

$\angle x$의 크기가 45°에서 90°로 증가하면

$\sin x \implies \dfrac{\sqrt{2}}{2}$ 에서 1로 증가

$\cos x \implies \dfrac{\sqrt{2}}{2}$ 에서 0으로 감소

$\therefore \sin x > \cos x$

014 $0° < x < 90°$일 때,
$\sqrt{(\sin x + 1)^2} + \sqrt{(\sin x - 1)^2}$을 간단히 하면?

$0° < x < 90°$일 때, $0 < \sin x < 1$이므로
(주어진 식) $= (\sin x + 1) - (\sin x - 1) = 2$

015 삼각비의 표를 이용하여 삼각비의 값을 어떻게 구할까?

삼각비의 표에서 $\sin 51°$의 값을 구하려면 왼쪽의 각도 $51°$의
가로줄과 $\sin$의 세로줄이 만나는 곳의 수를 읽으면 된다.
➡ $\sin 51° = 0.7771$

각도	사인 (sin)	코사인 (cos)	탄젠트 (tan)
51°	→0.7771	0.6293	1.2349

2. 삼각비의 활용

01. 삼각비의 활용(1) – 길이 구하기

016 직각삼각형에서 한 변의 길이와 한 예각의 크기를 알 때, 나머지 두 변의 길이를 어떻게 구할까?

① $\angle A$의 크기, 빗변의 길이 b를 알 때
➡ $a = b\sin A$, $c = b\cos A$

② $\angle A$의 크기, 밑변의 길이 c를 알 때
➡ $a = c\tan A$, $b = \dfrac{c}{\cos A}$

③ $\angle A$의 크기, 높이 a를 알 때
➡ $b = \dfrac{a}{\sin A}$, $c = \dfrac{a}{\tan A}$

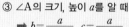

018 일반 삼각형에서 삼각비를 이용하여 변의 길이를 어떻게 구할까?

수선을 그어 구하는 변을 빗변으로 하는 직각삼각형을 만들어!

① 두 변의 길이와 그 끼인각의 크기를 알 때

$\overline{AC} = \sqrt{(c\sin B)^2 + (a - c\cos B)^2}$

② 한 변의 길이와 그 양 끝 각의 크기를 알 때

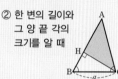

$\overline{AC} = \dfrac{a\sin B}{\sin A}$

02. 삼각비의 활용(2) – 넓이 구하기

020 $\triangle ABC$에서 두 변의 길이 b, c와 그 끼인각 $\angle A$의 크기를 알 때, 넓이 S는?

① $\angle A$가 예각일 때

$S = \dfrac{1}{2}bc\sin A$

② $\angle A$가 둔각일 때

$S = \dfrac{1}{2}bc\sin(180° - A)$

019 일반 삼각형에서 삼각비를 이용하여 높이를 어떻게 구할까?

① 양 끝 각이 모두 예각일 때

$h = \dfrac{a}{\tan x + \tan y}$

② 양 끝 각 중 한 각이 둔각일 때

$h = \dfrac{a}{\tan x - \tan y}$

021 사각형의 넓이는 어떻게 구할까?

사각형의 넓이는 2개의 삼각형의 넓이의 합!

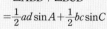

$\square ABCD$
$= \triangle ABD + \triangle BCD$
$= \dfrac{1}{2}ad\sin A + \dfrac{1}{2}bc\sin C$

022 평행사변형의 넓이는 어떻게 구할까?

$\square ABCD = ab\sin x$

023 두 대각선의 길이가 a, b이고, 두 대각선이 이루는 예각의 크기가 $\angle x$인 사각형의 넓이는?

$\square ABCD = \dfrac{1}{2}ab\sin x$

01 오른쪽 그림과 같은 직각삼각형 ABC에 대하여 다음 중 옳지 않은 것은?

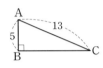

① $\sin A = \dfrac{12}{13}$ ② $\cos C = \dfrac{12}{13}$

③ $\cos A = \dfrac{5}{13}$ ④ $\tan A = \dfrac{12}{5}$

⑤ $\tan C = \dfrac{12}{5}$

02 오른쪽 그림과 같은 직각삼각형 ABC에서 $\overline{AC} = 3\overline{AB}$일 때, $\sin A \times \cos A$의 값을 구하여라.

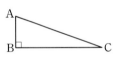

03 오른쪽 그림의 직각삼각형 ABC에서 $\overline{AC} = 12$, $\sin A = \dfrac{3}{4}$일 때, $\tan A$의 값을 구하여라.

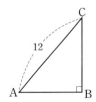

04 $\sin A = \dfrac{\sqrt{3}}{3}$일 때, $\tan(90° - A)$의 값을 구하여라.

(단, $0° < A < 90°$)

05 오른쪽 그림과 같이 $\angle A = 90°$인 △ABC에서 $\overline{BC} \perp \overline{AH}$이고, $\overline{AB} = 4$, $\overline{BC} = 5$일 때, $\tan x$의 값은?

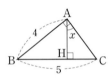

① $\dfrac{3}{5}$ ② $\dfrac{3}{4}$ ③ $\dfrac{4}{5}$

④ $\dfrac{4}{3}$ ⑤ $\dfrac{5}{4}$

06 오른쪽 그림과 같이 $\angle C = 90°$인 직각삼각형 ABC에서 $\angle B = 30°$이고, $\overline{BC} = 2\sqrt{3}$ cm일 때, 내접원 I의 반지름의 길이를 구하여라.

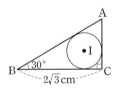

07 다음 그림과 같은 직각삼각형 ABC에서 $\angle B = 15°$, $\angle ADC = 30°$, $\overline{BD} = 4$ cm일 때, $\tan 15°$의 값은?

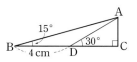

① $2+\sqrt{3}$ ② $2-\sqrt{3}$ ③ $2+\sqrt{2}$

④ $2-\sqrt{2}$ ⑤ 1

08 다음 그림과 같은 부채꼴 OAB에서 중심각의 크기는 $30°$이고, $\widehat{AB} = 4\pi$ cm, $\overline{AH} \perp \overline{OB}$이다. 이때 색칠한 부분의 넓이를 구하여라.

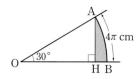

09 오른쪽 그림과 같이 x절편이 -2이고 x축과 이루는 예각의 크기가 $60°$인 직선의 방정식을 구하여라.

10 오른쪽 그림과 같이 반지름의 길이가 1인 사분원에서 다음 중 옳지 <u>않은</u> 것은?

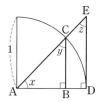

① $\tan x = \overline{DE}$

② $\cos y = \overline{BC}$

③ $\sin z = \overline{AB}$

④ x의 크기가 커지면 $\tan x$의 값도 커진다.

⑤ x의 크기가 커지면 $\cos x$의 값도 커진다.

11 오른쪽 그림과 같이 좌표평면 위의 원점 O를 중심으로 하고, 반지름의 길이가 1인 사분원에서 a, b의 값을 삼각비의 표를 이용하여 각각 구하여라.

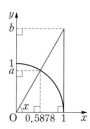

각도	사인(sin)	코사인(cos)	탄젠트(tan)
52°	0.7880	0.6157	1.2799
53°	0.7986	0.6018	1.3270
54°	0.8090	0.5878	1.3764
55°	0.8192	0.5736	1.4281

12 오른쪽 그림과 같은 직사각형 모양의 널판지 ABCD가 수평면에 대하여 $45°$만큼 기울어져 있다. 이때 □EBCF의 넓이를 구하여라.

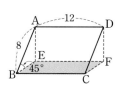

13 다음 그림은 종서가 연을 날리는 모습이다. 지면에서 종서의 손까지의 높이가 1.5 m일 때, 지면에서 연까지의 높이를 구하여라.
(단, $\sin 28° = 0.47$, $\cos 28° = 0.88$, $\tan 28° = 0.53$으로 계산한다.)

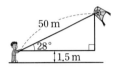

14 오른쪽 그림과 같이 줄의 길이가 16 cm인 시계의 추가 B지점과 B′지점 사이를 일정한 속도로 움직이고 있다. 이 줄이 $\overline{OA}$와 30°의 각도를 이루었을 때, 점 B는 점 A를 기준으로 몇 cm의 높이에 있는지 구하여라.

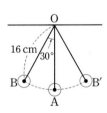

15 오른쪽 그림은 건물로부터 20 m 떨어진 지점에서 건물 위에 세워진 조형물의 높이 AD를 구하기 위해 측량한 결과이다. 조형물의 높이 AD를 구하여라.

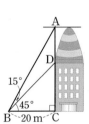

16 오른쪽 그림과 같은 △ABC에서 $\overline{AH} \perp \overline{BC}$이고 $\angle B = 60°$, $\overline{AB} = 8$ cm, $\overline{HC} = 11$ cm일 때, △ABC의 넓이를 구하여라.

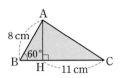

17 오른쪽 그림과 같은 직각삼각형 ABC에서 ∠A의 이등분선과 $\overline{BC}$의 교점을 D라 하고, $\angle B = \angle BAD$, $\overline{BD} = 4$ cm일 때, △ABD의 넓이를 구하여라.

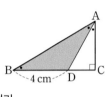

18 오른쪽 그림의 △ABC에서 $\angle B = 30°$, $\angle C = 45°$, $\overline{BC} = 16$일 때, $\overline{AC}$의 길이를 구하여라.

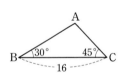

19 오른쪽 그림과 같이 $\angle B = 30°$, $\angle C = 15°$인 △ABC의 넓이가 $8(\sqrt{3} - 1)$일 때, △ABC의 둘레의 길이를 구하여라.

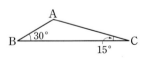

20 오른쪽 그림과 같이 반지름의 길이가 6 cm인 원에 내접하는 정육각형의 넓이를 구하여라.

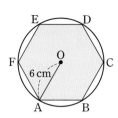

서술형

23 $0° < A < 45°$이고,
$\sqrt{(\cos A + \sin A)^2} + \sqrt{(\sin A - \cos A)^2} = \sqrt{3}$일 때, $\tan A$의 값을 구하여라.

답 _____

21 오른쪽 그림과 같은 □ABCD의 넓이를 구하여라.

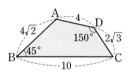

24 오른쪽 그림에서 $\overline{OA} = 3$ cm일 때, △DOC의 넓이를 구하여라.

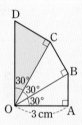

답 _____

22 오른쪽 그림과 같이 폭이 1인 직사각형 모양의 띠를 겹쳐 놓았을 때, 이루는 예각의 크기가 45°이다. 이때 겹쳐진 부분의 넓이를 구하여라.

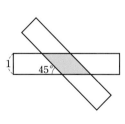

25 오른쪽 그림과 같이 폭이 6 cm인 테이프를 $\overline{AC}$를 접는 선으로 하여 접었다.
$\angle ABC = 120°$일 때, △ABC의 넓이를 구하여라.

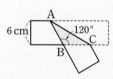

답 _____

2. 삼각비의 활용   **071**

V

Ⅴ Advanced Lecture

$\sin a$, $\cos a$, $\tan a$의 그래프

본문에서는 반지름의 길이가 1인 사분원을 통해 삼각비의 값을 구할 수 있었다. 여기서는 이 값들을 좌표평면에 나타내어 그 변화를 살펴보도록 하자.

다음 [그림 1]과 같이 중심이 원점에 있는 반지름의 길이가 1인 원에서 $\overline{AB}$의 길이, 즉 점 A의 y좌표가 $\sin a$가 된다.

그림을 통해 알 수 있듯이 $\angle a$의 크기가 $0°$에서 시작하여 커질수록 $\overline{AB}$의 길이도 길어지면서 $\angle a = 90°$일 때 $\overline{AB} = 1$이 된다. 이 길이가 $\sin a$의 최댓값이다!

$90°$부터 $180°$ 사이에서는 $\angle a$의 크기가 커질수록 $\overline{AB}$의 길이는 점점 줄어들면서 $\angle a = 180°$일 때 $\overline{AB} = 0$이 된다. 충분히 짐작되듯이 $\overline{AB}$의 길이의 변화는 계속 반복된다. 이를 그래프로 나타내면 [그림 2]와 같이 물결 모양으로 나타난다.

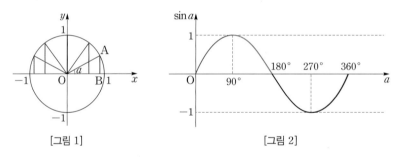

[그림 1]   [그림 2]

한편 $\cos a$의 값은 [그림 3]에서 $\overline{OB}$의 길이, 즉 점 A의 x좌표가 된다.

$\overline{OB}$의 길이를 관찰하면 $\sin a$의 값과 반대로 $\angle a$의 크기가 커지면 $\overline{OB}$의 길이는 점점 줄어들어 $\angle a = 90°$일 때 $\overline{OB} = 0$이 되고, $\angle a$의 크기가 $90°$가 넘어가면 $\overline{OB}$의 길이는 점점 길어져서 $\angle a = 180°$일 때 $\overline{OB} = 1$이 된다.

이때 점 A의 x좌표는 -1로 이 값이 $\cos a$의 최솟값이다!

$\overline{OB}$의 길이의 변화를 그래프로 나타내면 [그림 4]와 같이 나타난다.

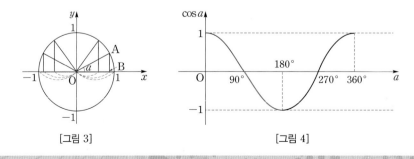

[그림 3]   [그림 4]

$\sin a$와 $\cos a$의 그래프는 다른 모양처럼 보이지만 사실 같은 모양으로 어느 한쪽을 평행이 동시키면 완전히 겹쳐진다.

한편 $\tan a$의 값의 변화는 $\overline{CD}$의 길이의 변화로 이는 $\overline{OC}$의 기울기로 관찰할 수 있다. [그림 5]에서 보면 $0°$부터 $90°$ 사이에서는 $\angle a$의 크기가 커질수록 $\overline{OC}$의 기울기도 커지는데 $\angle a$의 크기가 $90°$에 가까워질수록 $\overline{OC}$의 기울기는 한없이 커져서 측정할 수 없게 된다. 이후, $90°$부터 $180°$ 사이에는 $\overline{OC}$의 기울기가 한없이 작은 값에서 점점 커져 $\angle a = 180°$일 때 $\overline{OC}$의 기울기는 0이 된다. 이 변화를 그래프로 나타내면 [그림 6]이 된다.

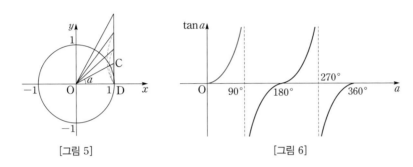

[그림 5]   [그림 6]

TOPIC 2 $(\sin A)^2 + (\cos A)^2 = 1$

$\sin A$와 $\cos A$의 값 사이에 다음과 같은 관계가 있다.

$$\boxed{(\sin A)^2 + (\cos A)^2 = 1}$$ ← 보통 $(\sin A)^2$은 $\sin^2 A$로 표기한다. 즉, $\sin^2 A + \cos^2 A = 1$

이는 직각삼각형을 통해 쉽게 확인된다.

오른쪽 그림의 반지름의 길이가 1인 사분원에서

$$\overline{BC} = \sin A, \ \overline{AB} = \cos A$$

이다.

이때 $\triangle ABC$가 직각삼각형이므로 피타고라스 정리에 의하여

$$\overline{BC}^2 + \overline{AB}^2 = \overline{AC}^2 \ \Rightarrow \ (\sin A)^2 + (\cos A)^2 = 1$$

$(\sin A)^2 + (\cos A)^2 = 1$이라는 것은 다음과 같이 $(\sin A + \cos A)^2$의 전개식을 간단히 만들어주는 효력을 지니고 있다. 이런 이유로 식의 계산에 매우 자주 등장한다.

$$(\sin A + \cos A)^2 = (\sin A)^2 + 2\sin A \cos A + (\cos A)^2$$
$$= 1 + 2\sin A \cos A$$

01 역사 속 삼각법의 연구

고대 사람들은 하늘의 별이 지구를 중심으로 하는 큰 반원 위에 떠있다고 생각하였다. 그래서 별과 별 사이의 거리를 측정하는 것으로 별의 움직임을 알아내려고 했다. 그러나 호의 중심각의 크기도, 지구와 별 사이의 거리도 측정할 방법이 전혀 없었던 시기라 별 사이의 거리, 즉 부채꼴의 호의 길이를 구하는 방법에 대해 많은 학자들이 연구하였다.

그러던 중 생각해 낸 방법이 두 팔을 두 별을 향해 뻗고, 그 벌어진 각과 두 팔 끝 사이의 거리를 이용해 별 사이의 거리를 측정하는 것이었다. 하지만 이 방법도 문제가 있었다. 팔 길이가 긴 사람이 측정할 때와 팔 길이가 짧은 사람이 측정할 때의 거리가 달라지기 때문이다. 여기서 중요한 해답을 찾게 되는데 바로 비율이었다.
어떤 사람이 측정해도 두 팔이 벌어진 각이 같다면 팔의 길이와 두 팔 끝 사이의 거리의 비율은 항상 일정하다는 것! 다시 말해 오른쪽 그림과
같이 중심각의 크기가 같은 두 부채꼴에서

> 반지름의 길이와 호의 길이의 비는 일정하다.
>
> 즉, $a : b = c : d$가 성립한다.

이와 같은 원리에서 보면 어떤 각에 대해서든지 호의 길이를 잴 수 있다.

그런데 호의 길이와 달리 현의 길이는 중심각의 크기와 비례하지 않아서 모든 각에 대한 현의 길이를 각각 구해야 하는 수고가 필요했다. 그래서 부채꼴의 중심각의 크기마다 현의 길이의 절반
(사인)을 표로 일일이 작성해두곤 했는데 이러한 표를 최초로 작성한 사람이 그리스의 천문학자이자 수학인 히파르코스(B.C. 190?~B.C. 125?)였다. 그를 가리켜 '삼각법의 아버지'라고 부르게 된 것도 이러한 노력 때문일 것이다. 그의 노력의 흔적은 그리스의 천문학자 프톨레마이오스의 책에 남아 오늘날까지 전해졌다.
당시 히파르코스는 지구에서 달까지의 거리를 약 238000마일(약 39만 km)이라고 계산하였는데 놀랍게도 이 값은 실제 거리에 상당히 근접한 값이라고 한다. 그의 계산 방법을 간략히 소개하면 다음과 같다.

점 D 위에 달이 떠 있고, 같은 시각에 점 C에서는 달이 수평선 위를 막 떠오른다고 보자. 이때 지구의 중심을 A라고 하면 ∠ACB는 직각이 되므로

$$\cos A = \frac{\overline{AC}}{\overline{AB}}$$

가 성립한다. 따라서 지구의 반지름 AC의 길이와 ∠A의 크기만 알면 삼각비에 의해 지구에서 달까지의 거리인 $\overline{AB}$의 길이를 구할 수 있다.

히파르코스는 지구의 반지름의 길이가 약 3950마일이라는 것과 ∠A의 크기가 89.3°라는 것을 알 수 있었으므로 삼각비의 표를 이용하여 지구의 중심으로부터 달까지의 거리를 계산할 수 있었다.

$$\overline{AB} = \frac{\overline{AC}}{\cos A} = \frac{3950}{0.01658} = 238000(\text{마일})$$

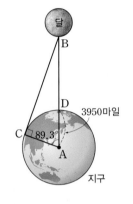

이처럼 히파르코스는 아주 먼 거리라 하더라도 측정하고자 하는 부분을 한 변으로 하는 직각삼각형을 떠올려서 작성해 놓은 삼각비의 표를 이용하여 그 값을 구하였다.

고대 그리스부터 일종의 천문학의 도구로서 연구되어 왔던 삼각비는 중세 이후 천문학에서 독립해 삼각법이라는 독자적인 분야로 거듭나게 되면서 지리학 등에 크게 활용되었다.

유럽이나 일본 등 오래 전 측량에 관한 책에는 다음과 같은 그림이 실려 있는데 이는 삼각비를 이용하여 건물이나 산의 높이를 구하기 위해서였다. 교과서에서 사소한 수학 문제로 다루는 것이 예전에는 실생활에서 해결해야 할 중대한 문제였을 것이다.

삼각비에 관한 문제를 풀 때 이렇듯 역사 속 실생활 문제와 연관지어 한 번쯤 생각해 보는 것도 재미있는 수학 공부의 한 방법이 될 것이다.

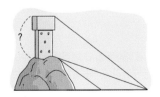

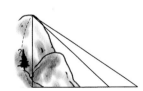

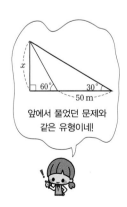

앞에서 풀었던 문제와 같은 유형이네!

체코의 프라하

체코 프라하는 유럽 여행자들의 로망이라고 할 정도로 인기가 많은 곳이다.
오랜 세월의 흔적들을 그대로 간직하고 있어 프라하를 여행하다 보면 마치
중세 유럽으로 돌아간 듯한 느낌을 받게 된다.

VI
원의 성질

숨마쿰라우데® 개념기본서

INTRO to Chapter Ⅵ
원의 성질

SUMMA CUM LAUDE - MIDDLE SCHOOL MATHEMATICS

원으로만 만들어진 신비한 도형...

1946년 영국 남서부 지역의 솔즈베리의 페퍼복스 힐에서 어떻게 만들어졌는지 알 수 없는 두 개의 원형 무늬가 처음 목격되었다. 그로부터 30여년이 지난 1972년 이후부터 스톤헨지-에이브베리-글래스톤베리를 잇는 마의 삼각지대 동쪽에 위치한 윈체스터에서 이 신비한 원형 무늬들이 자주 발견되었고 이를 미스터리 서클이라고 부르게 되었다.

최근에는 영국뿐만 아니라 네덜란드, 미국, 호주에서 발견되는 등 전 세계적인 범위에서 발견되고 있는데 장소는 대개 밀이나 옥수수밭에서 발견되고 귀리, 보리밭 등의 평지에서도 발견되고 있다.

미스터리 서클의 문양은 초기의 십여 개에서 매년 그 수가 늘어나 현재는 4백 개 이상이 되었고 그 형태도 매년 복잡해지고 있다. 기본적으로 원과 직선의 조합된 형태를 취하고 있지만, 음표나 달팽이 모양 등 복잡한 형태도 있다.

이런 미스터리 서클이 생기는 원인에 대해 흔히 UFO 착륙 흔적설이 널리 알려져 있으며, 연구가들에 따라 회오리바람설, 정전기설, 지자기설, 중력설, 조류설, 인간조작설, 플라즈마 보텍스설 등을 주장하고 있지만 설득력 있는 가설은 아직 나오지 않은 상태이다. 일부 서클은 후에 조작된 것임이 밝혀지기도 했고 또 사람이 인위적으로 만들 수도 있음이 증명되기도 했다.

어찌되었던 이 미스터리 서클은 기본형이 '원과 직선'으로 이루어져 있다. 이는 자연적으로 만들어졌든 누군가에 의하여 만들어졌든지 흥미로운 사실이며 원과 직선만으로 얼마든지 아름답고 경이로운 예술작품을 만들어 낼 수 있다는 것을 대변해준다.

이 단원에서 공부하는 것들...

이 단원에서는 완전한 도형으로 고대부터 관심과 연구의 대상이 되어 왔으며 실용성과 효율성이 뛰어난 원에 대해서 다룬다. 원을 다루는 단원이므로 원에 대한 전반적인 이해가 필수일 것이다.

먼저 유클리드 기하학에서 원(circle)은 다음과 같이 정의되는 평면도형이다.

평면 위의 어떤 점에서 거리가 일정한 점들의 모임

원에서 사용되는 용어인 지름, 반지름, 현, 부채꼴, 활꼴 등과 원에서 볼 수 있는 여러 성질들을 그림을 통해 되새겨 보자.

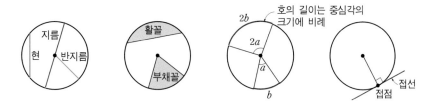

이 단원에서는 원의 현과 접선에 대한 성질을 비롯하여 원주각과 중심각의 크기 사이의 관계를 배운다. 또한 원주각을 활용하여 원에 내접하는 사각형의 성질과 접선과 현이 이루는 각의 크기에 대해 이해하게 된다. 자, 그럼 원의 세계로 GoGo ~.

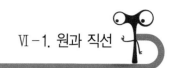

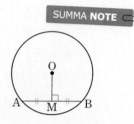

SUMMA **NOTE**

1. 원의 중심과 현의 수직이등분선

(1) 원의 중심에서 현에 내린 수선은 그 현을 이등분한다.

　➡ $\overline{OM} \perp \overline{AB}$이면 $\overline{AM} = \overline{BM}$

(2) 원에서 현의 수직이등분선은 그 원의 중심을 지난다.

2. 원의 중심과 현의 길이

(1) 한 원의 중심으로부터 같은 거리에 있는 두 현의 길이는 같다.

　➡ $\overline{OM} = \overline{ON}$이면 $\overline{AB} = \overline{CD}$

(2) 한 원에서 길이가 같은 두 현은 원의 중심으로부터 같은 거리에 있다.

　➡ $\overline{AB} = \overline{CD}$이면 $\overline{OM} = \overline{ON}$

1. 원의 중심과 현의 수직이등분선

중학교 1학년 때 원과 부채꼴에서 배운 용어를 잠시 복습해 보자.

(1) 호 AB : 원 위의 두 점 A, B를 양 끝 점으로 하는 원의 일부분 인 곡선, 기호로 $\overparen{AB}$ 와 같이 나타낸다.

(2) 현 CD : 원 위의 두 점 C, D를 이은 선분

(3) 할선 EF : 원 위의 두 점 E, F를 지나는 직선

(4) 부채꼴 : 원 O에서 두 반지름 OA, OB와 호 AB로 이루어진 도형

(5) 활꼴 : 현 CD와 호 CD로 이루어진 도형

(6) 중심각 : 부채꼴에서 두 반지름 OA, OB가 이루는 각 AOB

호 AB

할선 EF

중심각

부채꼴

활꼴

현 CD

우리는 이 중 현에 대한 성질에 대해 살펴볼 것이다.

A 현을 이등분한다!

A 원에서 두 반지름과 현으로 이루어지는 삼각형은 이등변삼각형이다. 따라서 이등변삼각형의 성질을 떠올리며 원의 중심 O와 현의 이등분선의 관계를 살펴보면 다음 성질 ❶, ❷를 쉽게 이해할 수 있을 것이다.

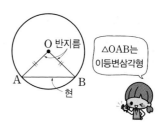

[성질 ❶] 원의 중심 O에서 현 AB에 내린 수선의 발을 M이라고 하면 $\overline{OM}$은 $\overline{AB}$를 이등분한다. ← △OAB는 이등변삼각형이므로

➡ 원의 중심에서 현에 내린 수선은 그 현을 이등분한다.

➡ $\overline{OM} \perp \overline{AB}$이면 $\overline{AM} = \overline{BM}$ ← $\overline{AM} = \frac{1}{2}\overline{AB}$

[성질 ❷] 현 AB의 수직이등분선을 l이라고 하면 두 점 A, B로부터 같은 거리에 있는 점은 직선 l 위에 있다.

➡ 원에서 현의 수직이등분선은 그 원의 중심을 지난다.

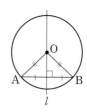

이상을 정리하면 다음과 같다.

원의 중심과 현의 수직이등분선
❶ 원의 중심에서 현에 내린 수선은 그 현을 이등분한다.
❷ 원에서 현의 수직이등분선은 그 원의 중심을 지난다.

| **참고** | [성질 ❶]을 삼각형의 합동을 이용하여 확인해 보자.
    △OAM과 △OBM에서
    $\overline{OA} = \overline{OB}$, $\overline{OM}$은 공통, $\angle OMA = \angle OMB = 90°$이므로
    △OAM ≡ △OBM (RHS 합동)   ∴ $\overline{AM} = \overline{BM}$

예제 1 다음 그림에서 x의 값을 구하여라.

피타고라스 정리를 이용해!

(1)
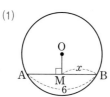

(2)

풀이 (1) $x = \overline{AM} = \frac{1}{2} \times 6 = \mathbf{3}$

(2) $\overline{AM} = \frac{1}{2} \times 8 = 4$
    ∴ $x = \sqrt{3^2 + 4^2} = \mathbf{5}$

A YES!

A 현의 수직이등분선은 원의 중심을 지나고, 지름과 지름의 교점은 원의 중심이다.
따라서 원의 중심을 찾으려면 다음 그림과 같이 서로 평행하지 않은 두 현 AB, CD의 수직이등
분선을 그어 그 교점을 찾으면 된다!

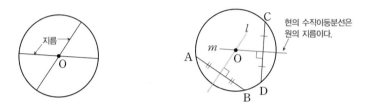

이와 같은 방법은 사실 중 2때, 삼각형의 외심을 찾는 과정과 동일하다.
삼각형의 외심을 찾기 위해 두 변의 수직이등분선을 그어 교점을 찾은
것을 기억하는가? 이때의 삼각형의 변이 곧 원의 현인 것이다.

Math STORY

현의 성질을 통해 스프링클러의 위치를 찾아보자.

잔디밭에 설치되어 있는 스프링클러는 평소에 잔디 아래 감추어져 있다
가 필요한 경우 그림과 같이 위로 올라와 원을 그리며 회전하면서 마른
잔디밭에 물을 뿌려 준다.
그렇다면 스프링클러가 뿌린 물 자국만을 보고 스프링클러의 위치를 찾
을 수 있을까? 다음 그림과 같이 세 개의 점이 스프링클러에서 뿌려진 물
이 닿은 곳이라고 할 때, 물이 닿은 곳을 원의 둘레에 있는 점으로 생각
하여 현을 두 개 긋는다. 현의 수직이등분선은 원의 중심을 지나므로 두
현의 수직이등분선의 교점이 원의 중심이다. 따라서 원의 중심 O가 스프
링클러가 있는 위치이다.

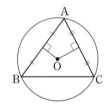

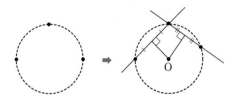

2. 원의 중심과 현의 길이

Q 026 원의 중심과 현의 길이 사이에는 어떤 관계가 있을까?

A 원의 중심으로부터 같은 거리에 있는 두 현의 길이는 서로 같아.

A 다음 그림과 같이 원의 중심 O에서 두 현 AB, CD에 내린 수선의 발을 각각 M, N이라고 하면

$$\overline{OM}=\overline{ON}일 때 \overline{AB}=\overline{CD}$$

임을 삼각형의 합동으로 알 수 있다.

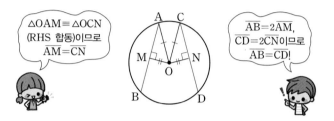

다시 말해 한 원의 중심으로부터 같은 거리에 있는 두 현의 길이는 같다.

거꾸로 오른쪽 그림과 같이 원의 중심 O에서 두 현 AB, CD에 내린 수선의 발을 각각 M, N이라고 하면

$$\overline{AB}=\overline{CD}일 때 \overline{OM}=\overline{ON}$$

임도 쉽게 알 수 있다.

다시 말해 한 원에서 길이가 같은 두 현은 원의 중심으로부터 같은 거리에 있다.

이상을 정리하면 다음과 같다.

> **원의 중심과 현의 길이**
> ❶ 한 원의 중심으로부터 같은 거리에 있는 두 현의 길이는 같다.
> ❷ 한 원에서 길이가 같은 두 현은 원의 중심으로부터 같은 거리에 있다.

예제 2 다음 그림에서 x의 값을 구하여라.

(1) (2) (3)

풀이 (1) $x=\overline{AB}=2\overline{BM}=\mathbf{10}$ (2) $x=\overline{ON}=\mathbf{3}$ (3) $x=\overline{OM}=\sqrt{10^2-8^2}=\mathbf{6}$

Q 027 원에 내접하는 삼각형 중에서 두 변이 원의 중심으로부터 같은 거리에 있는 삼각형은 어떤 삼각형일까?

A 이등변삼각형

A 원의 성질에 의하면 원의 중심으로부터 같은 거리에 있는 두 현의 길이는 같다. 이에 따라 원에 내접하는 삼각형 중에서 두 변이 원의 중심으로부터 같은 거리에 있는 삼각형은 두 변의 길이가 같으므로 이등변삼각형이다.

(1) 원 O에 내접하는 △ABC에 대하여
$\overline{OM}=\overline{ON}$이면 $\overline{AB}=\overline{AC}$이므로
△ABC는 이등변삼각형이다.

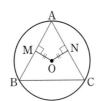

(2) 원 O에 내접하는 △ABC에 대하여
$\overline{OL}=\overline{OM}=\overline{ON}$이면 $\overline{AB}=\overline{BC}=\overline{CA}$
이므로 △ABC는 정삼각형이다.

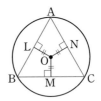

예제 3 오른쪽 그림과 같이 원 O에 내접하는 △ABC에서 $\overline{OM}=\overline{ON}$
일 때, ∠x의 크기를 구하여라.

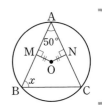

풀이 $\overline{OM}=\overline{ON}$ ➡ $\overline{AB}=\overline{AC}$ ➡ △ABC는 이등변삼각형이다.

∴ ∠$x=\dfrac{1}{2}\times(180°-50°)=$ **65°**

THINK Math

현으로 만들어지는 도형

다음 그림과 같이 길이가 같은 현들을 무수히 많이 그리게 되면 현에 의해 원의 내부에 새로운 도형이 만들어진다. 이 도형은 무엇일까?

길이가 같은 현들은 모두 원의 중심 O로부터 같은 거리에 있으므로 점 O에서 각 현에 내린 수직이등분선이 현과 만나는 점들로 이루어진 도형은 평면 위의 한 점에서 일정한 거리에 있는 점들로 이루어진 도형이다. 따라서 원이 됨을 알 수 있다.

개념 확인

(1) $\overline{AB} \perp \overline{OM}$이면 $\overline{AM} = \boxed{}$

(2) $\overline{AB} = \overline{CD}$이면 $\overline{OM} = \boxed{}$

(3) $\overline{OM} = \overline{ON}$이면 $\overline{AB} = \boxed{}$

01 오른쪽 그림과 같은 원 O에서 $\overline{OC} \perp \overline{AB}$이고, $\overline{OA} = 13$, $\overline{DB} = 12$일 때, $\overline{CD}$의 길이를 구하여라.

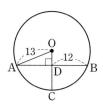

02 오른쪽 그림에서 $\overparen{AB}$는 원의 일부분이다. $\overline{AB} \perp \overline{CM}$이고, $\overline{AB} = 24$, $\overline{CM} = 6$일 때, 이 원의 반지름의 길이를 구하여라.

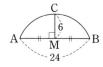

03 오른쪽 그림에서 $\overline{AB}$, $\overline{CD}$는 원 O의 현이고 점 M, N은 각각 원의 중심에서 $\overline{AB}$, $\overline{CD}$에 내린 수선의 발이다. 이때 x의 값을 구하여라.

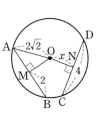

자기 진단

Q.024 ○ 081쪽
원의 중심에서 현에 내린 수선은 어떤 성질을 가질까?

Q.026 ○ 083쪽
원의 중심과 현의 길이 사이에는 어떤 관계가 있을까?

04 오른쪽 그림과 같이 원 O에 △ABC가 내접하고 있다. $\overline{OM} = \overline{ON}$이고, $\angle B = 64°$일 때, $\angle x$의 크기를 구하여라.

1. 원의 접선의 길이

(1) 원의 접선의 길이

원 밖의 한 점 P에서 이 원에 그을 수 있는 접선은 2개뿐이고,

이때 두 접선의 길이는 같다.

➡ $\overline{PA}=\overline{PB}$

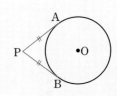

(2) 삼각형의 내접원

원 O가 △ABC의 내접원이고, 세 점 D, E, F는 접점일 때,

① $\overline{AD}=\overline{AF}$, $\overline{BD}=\overline{BE}$, $\overline{CE}=\overline{CF}$

② (△ABC의 둘레의 길이)$=a+b+c=2(x+y+z)$

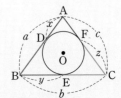

(3) 외접사각형의 성질

① 원 O에 외접하는 사각형 ABCD의 두 쌍의 대변의 길이의

합은 서로 같다.

➡ $\overline{AB}+\overline{DC}=\overline{AD}+\overline{BC}$

② 대변의 길이의 합이 서로 같은 사각형은 원에 외접한다.

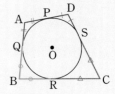

1. 원의 접선의 길이

이 단원에서는 원 밖의 한 점에서 그 원에 그은 접선에 대한 성질을 알아

볼 것이다.

이와 관련하여 원의 접선에 관한 중요한 사실 하나를 오른쪽 그림과 함

께 되새겨 보고 넘어가자.

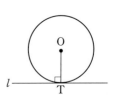

원의 접선은 그 접점을 지나는 원의 반지름과 수직이다.

A   접선은 2개뿐이고, 두 접선의 길이는 같아.

 A   오른쪽 그림과 같이 원 O 밖의 한 점 P에서 이 원에 그을 수 있는 접선은 2개이다. 두 접선의 접점을 A, B라고 할 때, 두 선분 PA 와 PB의 길이를 점 P에서 원 O에 그은 **접선의 길이**라고 한다. 이 두 접선에 대하여

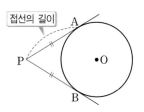

$$\overline{PA}=\overline{PB}$$

가 항상 성립하는데 이는 삼각형의 합동을 통해 쉽게 확인할 수 있다.

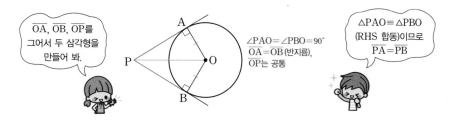

이상을 정리하면 다음과 같다.

> **원의 접선의 길이**
> 원 밖의 한 점에서 그 원에 그은 두 접선의 길이는 같다.
> ➡ $\overline{PA}=\overline{PB}$

이때 $\angle PAO=\angle PBO=90°$이므로 $\angle APB+\angle AOB=180°$가 된다. 이제 원에 그은 두 접선만 보이면

    $\overline{PA}=\overline{PB}$, $\angle APB+\angle AOB=180°$

임을 자동적으로 떠올리도록 하자.

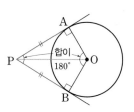

예제 4   다음 그림에서 두 점 A, B가 원 O의 접점일 때, x의 값을 구하여라.

(1)

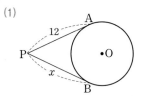

(2)

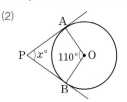

풀이   (1) $\overline{PB}=\overline{PA}$이므로 $x=\mathbf{12}$

(2) $\angle APB+110°=180°$

     $\therefore \angle APB=180°-110°=70°$

     $\therefore x=\mathbf{70}$

Q 029   원의 접선으로 만들어진 삼각형의 둘레의 길이는?

A 삼각형의 둘레의 길이는 두 접선의 길이의 합과 같다.

A 오른쪽 그림과 같이 세 직선 AD, AE, BC가 원 O의 접선이고 점 D,
E, F는 접점일 때, △ABC의 둘레의 길이는 점 A에서 원 O에 그은 두
접선의 길이의 합과 같다. 이는 접선의 성질을 통해 확인할 수 있다.

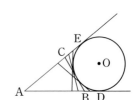

점 B에서 그은 접선에서 $\overline{BD}=\overline{BF}$,
점 C에서 그은 접선에서 $\overline{CE}=\overline{CF}$이므로

$$(\triangle ABC의 \ 둘레의 \ 길이)=\overline{AB}+(\overline{BF}+\overline{FC})+\overline{CA}$$
$$=\overline{AB}+(\overline{BD}+\overline{CE})+\overline{CA}$$
$$=(\overline{AB}+\overline{BD})+(\overline{CA}+\overline{CE})$$
$$=\overline{AD}+\overline{AE}=2\overline{AD}=2\overline{AE}$$

이와 같이 두 접선 AD, AE 위의 두 점 B, C에 대해 $\overline{BC}$가
원 O에 접하면 점 B, C의 위치에 관계없이

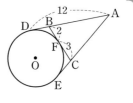

△ABC의 둘레의 길이는 $2\overline{AD}$로 항상 일정하다.
또는 $2\overline{AE}$

예제 5 오른쪽 그림에서 세 점 D, E, F가 원 O의 접점일 때,
다음을 구하여라.

(1) △ABC의 둘레의 길이

(2) $\overline{AC}$의 길이

풀이 (1) (△ABC의 둘레의 길이)$=2\overline{AD}=$ **24**

(2) $\overline{AE}=\overline{AD}=12$, $\overline{CE}=\overline{CF}=3$이므로 $\overline{AC}=12-3=$ **9**

Q 030   원의 접선의 길이를 이용하여 반원의 지름의 길이를 구할 수 있을까?

A 피타고라스 정리를 이용하여 구해.

A 오른쪽 그림과 같이 반원 O 위의 한 점 E에서 그은 접선이 지름 BC의
양 끝 점에서 그은 접선과 만나는 점을 각각 A, D라고 하면
$\overline{AB}=\overline{AE}$, $\overline{DC}=\overline{DE}$이므로

$$\overline{AD}=\overline{AB}+\overline{DC}$$

또한 점 A에서 $\overline{DC}$에 내린 수선의 발을 H라고 하면

$\overline{DH}=\overline{DC}-\overline{HC}=\overline{DC}-\overline{AB}$이고 △AHD는 직각삼각형이므로 피타고라스 정리를 이용하면

$$\overline{BC}=\overline{AH}=\sqrt{\overline{AD}^2-\overline{DH}^2}$$

예제 6	오른쪽 그림에서 $\overline{AB}$, $\overline{CD}$, $\overline{AD}$가 반원 O의 접선이고, 세 점 B, C, E는 접점일 때, 다음을 구하여라.

(1) $\overline{AD}$의 길이　　　　(2) $\overline{BC}$의 길이

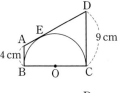

풀이 (1) $\overline{AD} = \overline{AB} + \overline{CD} = 4 + 9 = \mathbf{13(cm)}$

(2) 점 A에서 $\overline{CD}$에 내린 수선의 발을 H라고 하면

$\overline{DH} = \overline{CD} - \overline{AB} = 9 - 4 = 5(cm)$

$\therefore \overline{BC} = \overline{AH} = \sqrt{13^2 - 5^2} = \mathbf{12(cm)}$

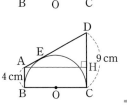

Q 031 　삼각형과 그 내접원에서 선분의 길이를 어떻게 구할까?

 원 밖의 한 점에서 그 원에 그은 두 접선의 길이가 같음을 이용해.

 오른쪽 그림과 같이 원 O가 △ABC의 내접원이고, 세 점 D, E, F가 그 접점일 때,

$$\overline{AD} = \overline{AF}, \quad \overline{BD} = \overline{BE}, \quad \overline{CE} = \overline{CF}$$

이므로 $\overline{AD} = \overline{AF} = x$, $\overline{BD} = \overline{BE} = y$, $\overline{CE} = \overline{CF} = z$라고 하면

$$(\triangle ABC의\ 둘레의\ 길이) = a + b + c$$
$$= (y+z) + (z+x) + (x+y)$$
$$= 2(x+y+z)$$

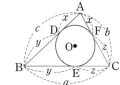

예제 7	오른쪽 그림에서 원 O는 △ABC의 내접원이고, 세 점 D, E, F는 접점일 때, 다음을 구하여라.

(1) $\overline{CE}$의 길이　　　　(2) △ABC의 둘레의 길이

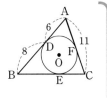

풀이 (1) $\overline{AD} = \overline{AF} = 6$이므로 $\overline{CE} = \overline{CF} = 11 - 6 = \mathbf{5}$

(2) $(\triangle ABC의\ 둘레의\ 길이) = 2 \times (6 + 8 + 5) = \mathbf{38}$

Q 032 　직각삼각형에 내접하는 원의 반지름의 길이는 어떻게 구할까?

 원의 접선의 성질을 이용해.

 오른쪽 그림과 같이 원 O가 $\angle C = 90°$인 직각삼각형 ABC에 내접하고 두 점 D, E가 접점이면

$$\overline{CD} = \overline{CE}, \quad \angle ODC = \angle OEC = 90°$$

이므로 □ODCE는 한 변의 길이가 r인 정사각형이 된다.

따라서 $\overline{EC}$의 길이가 곧 내접원의 반지름의 길이임을 알 수 있다.

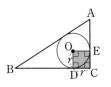

예제 8 오른쪽 그림에서 원 O는 직각삼각형 ABC의 내접원이고, 세 점 D, E, F는 접점일 때, 원의 반지름의 길이 r를 구하여라.

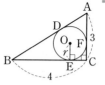

풀이 직각삼각형 ABC에서 $\overline{AB}=\sqrt{4^2+3^2}=5$

□OECF는 한 변의 길이가 r인 정사각형이므로

$\overline{CE}=\overline{CF}=r$, $\overline{BD}=\overline{BE}=4-r$, $\overline{AD}=\overline{AF}=3-r$

이때 $\overline{AB}=\overline{BD}+\overline{AD}$이므로

$(4-r)+(3-r)=5$, $2r=2$ ∴ $r=\mathbf{1}$

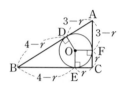

다른풀이 삼각형의 넓이를 이용하여 구한다.

직각삼각형 ABC에서 $\overline{AB}=\sqrt{4^2+3^2}=5$

$\triangle ABC = \triangle OAB + \triangle OBC + \triangle OCA$

$\quad = \dfrac{1}{2}\times 5\times r + \dfrac{1}{2}\times 4\times r + \dfrac{1}{2}\times 3\times r$

$\quad = \dfrac{1}{2}\times(5+4+3)\times r = 6r$

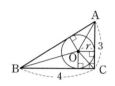

이때 $\triangle ABC = \dfrac{1}{2}\times 4\times 3=6$이므로 $6r=6$ ∴ $r=1$

Q 033 원에 외접하는 사각형의 변의 길이 사이에는 어떤 관계가 있을까?

A 두 쌍의 대변의 길이의 합이 서로 같아.

A 오른쪽 그림과 같이 원 O에 외접하는 □ABCD에서 네 점 P, Q, R, S
가 접점이라고 할 때, 접선의 길이에 의해

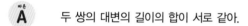

$$\overline{AP}=\overline{AS}, \overline{BP}=\overline{BQ}, \overline{CQ}=\overline{CR}, \overline{DR}=\overline{DS}$$

이므로 □ABCD에서 다음이 성립한다.

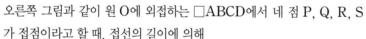

$$\begin{aligned}\overline{AB}+\overline{CD} &= (\overline{AP}+\overline{BP})+(\overline{CR}+\overline{DR})\\&=(\overline{AS}+\overline{BQ})+(\overline{CQ}+\overline{DS})\\&=(\overline{AS}+\overline{DS})+(\overline{BQ}+\overline{CQ})\\&=\overline{AD}+\overline{BC}\end{aligned}$$

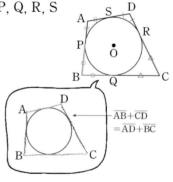

따라서

원에 외접하는 사각형의 두 쌍의 대변의 길이의 합은 서로 같다

는 것을 알 수 있다.

거꾸로 두 쌍의 대변의 길이의 합이 서로 같은 사각형이 있다면 이 사각형은 어떤 원에 외접하는 사각형이다.
예를 들어 정사각형, 마름모는 두 대변의 길이의 합이 서로 같으므로 항상 원에 외접한다.

정사각형　　　마름모

예제 9 오른쪽 그림과 같이 □ABCD가 원 O에 외접할 때, $\overline{AB}$의 길이를 구하여라.

풀이 $\overline{AB}+\overline{DC}=\overline{AD}+\overline{BC}$에서
$\overline{AB}+9=8+11$
∴ $\overline{AB}=10(\text{cm})$

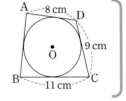

Math STORY

원의 접선 방향으로 날아가는 공

육상 경기 중 하나인 해머던지기는 그림과 같이 지름의 길이가 2.135 m인 원 안에서 길이가 약 1.2 m, 무게가 약 7.25 kg(남자 기준)인 해머를 몸을 회전하여 생기는 힘을 이용해서 던지는 투척종목이다. 마지막 회전에서 던지는 방향을 고려하여 해머의 손잡이를 놓으면 해머는 해머의 금속 부분을 접점으로 하는 원의 접선 방향으로 날아가게 된다.
비슷한 예로 비가 오는 날 원 모양의 우산을 빙글빙글 돌리다가 멈추면, 우산 끝에 매달린 물방울은 순간적으로 그 점을 지나는 원의 접선 방향으로 날아간다.

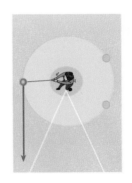

개념 CHECK

해설 BOOK 016쪽

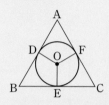

점 D, E, F가 원 O의 접점일 때

(1) $\overline{AD}=$ ☐

$\overline{BE}=$ ☐

$\overline{CE}=$ ☐

(2) $\angle A + \angle DOF =$ ☐ °

01 오른쪽 그림과 같이 점 P에서 원 O에 그은 접선의 접점을 T라고 할 때, △POT의 넓이를 구하여라.

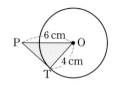

02 오른쪽 그림에서 두 점 A, B는 원 O의 접점일 때, □APBO의 둘레의 길이를 구하여라.

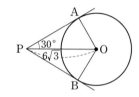

03 오른쪽 그림에서 세 점 D, E, F는 원 O의 접점이다. $\overline{AB}=9$, $\overline{BC}=6$, $\overline{AC}=8$일 때, $\overline{AE}$의 길이를 구하여라.

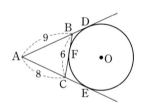

04 오른쪽 그림에서 원 O는 △ABC의 내접원이고 세 점 D, E, F는 각각 원 O의 접점이다. $\overline{BD}=6$ cm, $\overline{BC}=10$ cm이고, △ABC의 둘레의 길이가 24 cm일 때, $\overline{AD}$의 길이를 구하여라.

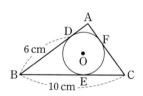

05 오른쪽 그림과 같이 원 O와 □ABCD가 네 점 E, F, G, H에서 접할 때, □ABCD의 둘레의 길이를 구하여라.

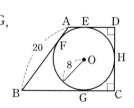

Q 028 ➲ 087쪽
원 밖의 한 점에서 그 원에 그은 접선은 어떤 성질을 가질까?

Q 031 ➲ 089쪽
삼각형과 그 내접원에서 선분의 길이를 어떻게 구할까?

Q 033 ➲ 090쪽
원에 외접하는 사각형의 변의 길이 사이에는 어떤 관계가 있을까?

문제 이해도를 ☺, ☺, ☹으로 표시해 보세요.

해설 BOOK 017쪽 ㅣ 테스트 BOOK 022쪽

유형 1 원의 중심과 현의 수직이등분선

오른쪽 그림의 원 O에서 $\overline{AB}\perp\overline{OC}$ 이고, $\overline{OA}=6$ cm, $\overline{OM}=3$ cm일 때, $\overline{AB}$의 길이를 구하여라.

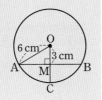

Summa Point

• 원의 중심에서 현에 내린 수선은 그 현을 이등분한다.
➡ $\overline{OM}\perp\overline{AB}$이면 $\overline{AM}=\overline{BM}$

81쪽 **Q** 024 ○

유형 2 현의 수직이등분선의 성질의 응용

오른쪽 그림에서 $\widehat{AB}$는 원의 일부분이다. $\overline{AB}\perp\overline{CM}$이고, $\overline{CM}=4$, $\overline{AM}=\overline{BM}=6$일 때, 이 원의 반지름의 길이를 구하여라.

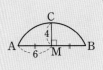

Summa Point

원의 일부분이 주어진 경우에는 원의 중심을 찾아 반지름의 길이를 r로 놓는다.

81쪽 **Q** 024 ○

1-1 ☺☺☹

오른쪽 그림의 원 O에서 $\overline{AB}\perp\overline{OM}$, $\overline{CD}\perp\overline{ON}$이고 $\overline{OM}=5$, $\overline{ON}=3$, $\overline{CD}=12$일 때, 현 AB의 길이를 구하여라.

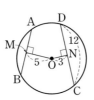

1-2 ☺☺☹

오른쪽 그림의 원 O에서 $\overline{AB}\perp\overline{OD}$이고, $\overline{BC}=4$, $\overline{CD}=2$일 때, 원 O의 반지름의 길이를 구하여라.

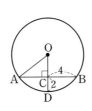

1-3 ☺☺☹

오른쪽 그림의 원 O에서 $\overline{AB}\perp\overline{OC}$ 이고, $\overline{AB}=16$ cm, $\overline{BC}=10$ cm일 때, $\overline{OA}$의 길이를 구하여라.

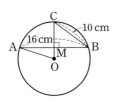

2-1 ☺☺☹

오른쪽 그림에서 $\widehat{AB}$는 반지름의 길이가 10 cm인 원의 일부분이다. $\overline{AB}\perp\overline{CM}$, $\overline{AM}=\overline{BM}$이고, $\overline{AB}=12$ cm일 때, $\overline{CM}$의 길이를 구하여라.

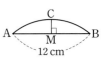

2-2 ☺☺☹

오른쪽 그림과 같이 반지름의 길이가 6 cm인 원 O의 원주 위의 한 점이 원의 중심 O와 겹쳐지도록 $\overline{AB}$를 접는 선으로 하여 접었을 때, $\overline{AB}$의 길이를 구하여라.

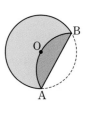

유형 **③** 원의 중심과 현의 길이

오른쪽 그림의 원 O에서
$\overline{AB}\perp\overline{OM}$, $\overline{CD}\perp\overline{ON}$, $\overline{AB}=6$,
$\overline{OM}=\overline{ON}=3$일 때, x의 값을 구
하여라.

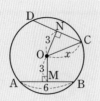

Summa Point
원의 중심으로부터 같은 거리에 있는 두 현의 길이는 같다.
➡ $\overline{OM}=\overline{ON}$이면 $\overline{AB}=\overline{CD}$

83쪽 **Q** 026 ⟳

3-1 ☺☺☹
오른쪽 그림의 원 O에서
$\overline{AB}\perp\overline{OM}$, $\overline{CD}\perp\overline{ON}$이고
$\overline{OM}=\overline{ON}$이다. $\overline{AM}=5$ cm
일 때, $x+y$의 값을 구하여라.

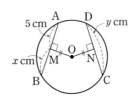

3-2 ☺☺☹
오른쪽 그림의 원 O에서 $\overline{AB}=\overline{CD}$,
$\overline{AB}\perp\overline{OM}$이고, $\overline{OM}=3$ cm,
$\overline{OC}=5$ cm일 때, $\triangle OCD$의 넓이를
구하여라.

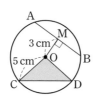

3-3 ☺☺☹
오른쪽 그림의 원 O에서 $\overline{OE}=\overline{OF}$이
고 $\angle ABO=30°$, $\overline{CD}=18$ cm일 때,
원 O의 넓이를 구하여라.

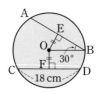

유형 **④** 원의 중심과 현의 길이의 응용

오른쪽 그림과 같은 원 O에서
$\overline{OM}=\overline{ON}$이고 $\angle BAC=42°$일 때,
$\angle x$의 크기를 구하여라.

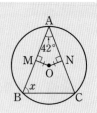

Summa Point
$\overline{OM}=\overline{ON}$이면 $\overline{AB}=\overline{AC}$이므로 $\triangle ABC$는 이등변삼각형이다.

84쪽 **Q** 027 ⟳

4-1 ☺☺☹
오른쪽 그림과 같은 $\triangle ABC$의 외접원
O에서 $\overline{AB}\perp\overline{OM}$, $\overline{AC}\perp\overline{ON}$,
$\overline{OM}=\overline{ON}$이고, $\angle MOH=115°$일 때,
$\angle x$의 크기를 구하여라.

4-2 ☺☺☹
오른쪽 그림에서 원 O가 $\triangle ABC$의 외
접원이고 $\overline{OL}=\overline{OM}=\overline{ON}$일 때, $\angle x$
의 크기를 구하여라.

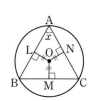

4-3 ☺☺☹
오른쪽 그림과 같이 원 O가 $\triangle ABC$
의 외접원이고, $\overline{OD}=\overline{OE}=\overline{OF}$,
$\overline{AB}=6$ cm일 때, 원 O의 넓이를 구
하여라.

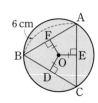

유형 ⑤ 원의 접선의 길이

오른쪽 그림에서 두 점 A, B
는 원 O의 접점이다.
∠PAB=65°일 때, ∠x의
크기를 구하여라.

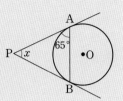

Summa Point

원 밖의 한 점에서 그 원에 그은 두 접선의 길이는 같다.

➡ $\overline{PA}=\overline{PB}$

87쪽 Q 028

유형 ⑥ 원의 접선의 길이의 응용

다음 그림에서 두 직선 AD, AF와 $\overline{BC}$가 각각 세 점
D, F, E에서 원 O에 접한다. $\overline{AB}=7$ cm, $\overline{AD}=9$ cm,
$\overline{AC}=6$ cm일 때, $\overline{BC}$의 길이를 구하여라.

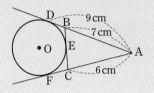

Summa Point

$\overline{BD}=\overline{BE}$, $\overline{CE}=\overline{CF}$이므로
(△ABC의 둘레의 길이)$=\overline{AD}+\overline{AF}=2\overline{AD}$

87쪽 Q 029

5-1 ☺☺☹

오른쪽 그림에서 두 점 A, B는
원 O의 접점이다. $\overline{PA}=8$ cm,
$\overline{PO}=10$ cm일 때, □APBO
의 둘레의 길이를 구하여라.

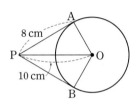

5-2 ☺☺☹

오른쪽 그림에서 점 A는 원 O
의 접점이다. $\overline{AO}=4$ cm,
$\overline{PQ}=6$ cm일 때, $\overline{PA}$의 길이
를 구하여라.

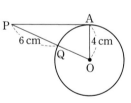

5-3 ☺☺☹

오른쪽 그림에서 두 점 A, B는
원 O의 접점이다. $\overline{OB}=3$ cm,
∠APB=60°일 때, 다음 중 옳
지 않은 것은?

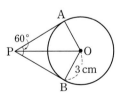

① ∠PAO=∠PBO   ② △PAO≡△PBO

③ $\overline{PA}=4$ cm   ④ $\overline{PO}=6$ cm

⑤ ∠APO+∠POA=90°

6-1 ☺☺☹

오른쪽 그림에서 세 점 P, Q, D
는 반지름의 길이가 6 cm인 원
O의 접점이다. $\overline{AO}=10$ cm일
때, △ABC의 둘레의 길이를 구
하여라.

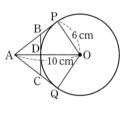

6-2 ☺☺☹

오른쪽 그림에서 세 점 B, C, E는
반원 O의 접점이다. $\overline{AB}=6$,
$\overline{CD}=10$일 때, 반원 O의 반지름
의 길이를 구하여라.

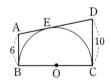

유형 **7** 삼각형의 내접원

오른쪽 그림에서 원 O는
△ABC의 내접원이고, 세
점 P, Q, R는 접점이다.
$\overline{AB}=10$ cm, $\overline{BC}=6$ cm,
$\overline{AC}=8$ cm일 때, $\overline{AP}$의
길이를 구하여라.

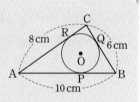

Summa Point

원 O가 △ABC의 내접원이고, 세 점 P, Q, R가 접점일 때
$\overline{AP}=\overline{AR}$, $\overline{BP}=\overline{BQ}$, $\overline{CR}=\overline{CQ}$

89쪽 **Q** 031 ↻

7-1 ☺☺☹

오른쪽 그림에서 원 O는
△ABC의 내접원이고 세 점 D,
E, F는 그 접점이다. △ABC의
둘레의 길이가 36 cm일 때,
$\overline{AB}$의 길이를 구하여라.

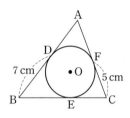

7-2 ☺☺☹

오른쪽 그림에서 원 O는 △ABC의
내접원이고, $\overline{AB}=18$ cm,
$\overline{BC}=14$ cm이다. △AGH의 둘레
의 길이가 20 cm일 때, $\overline{AC}$의 길이
를 구하여라.

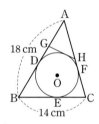

7-3 ☺☺☹

오른쪽 그림과 같이 ∠B=90°인
직각삼각형 ABC에 원 O가 내접
한다. $\overline{AC}=5$ cm, $\overline{BC}=4$ cm일
때, 원 O의 반지름의 길이를 구하
여라.

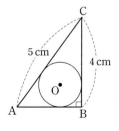

유형 **8** 외접사각형의 성질

오른쪽 그림과 같이 □ABCD
가 원 O에 외접할 때, x의 값을
구하여라.

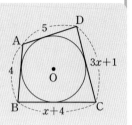

Summa Point

원에 외접하는 사각형의 두 쌍의 대변의 길이의 합은 서로 같다.

90쪽 **Q** 033 ↻

8-1 ☺☺☹

오른쪽 그림과 같이 원 O가
□ABCD에 내접할 때, $\overline{CE}$의
길이를 구하여라.

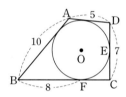

8-2 ☺☺☹

오른쪽 그림과 같이
∠A = ∠B = 90°인 사다리꼴
ABCD가 원 O에 외접하고
네 점 E, F, G, H는 접점이다.
$\overline{AB}=8$, $\overline{AD}=12$일 때, $\overline{GC}$의
길이를 구하여라.

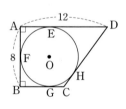

8-3 ☺☺☹

오른쪽 그림에서 □ABCD는 한
변의 길이가 10 cm인 정사각형
이다. $\overline{DE}$가 $\overline{BC}$를 지름으로 하
는 반원에 접할 때, $\overline{DE}$의 길이를
구하여라.

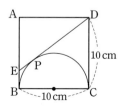

해설 BOOK **020**쪽 | 테스트 BOOK **027**쪽

Step 1 | 내·신·기·본

01 오른쪽 그림의 원 O에서 $\overline{AB}\perp\overline{OH}$이고, $\overline{OB}=6$ cm, $\overline{AB}=8$ cm일 때, $\overline{OH}$의 길이는?

① 4 cm
② $2\sqrt{5}$ cm
③ $2\sqrt{6}$ cm
④ $2\sqrt{7}$ cm
⑤ $4\sqrt{2}$ cm

02 오른쪽 그림의 원 O에서 $\overline{AB}\perp\overline{OC}$이고, $\overline{AB}=24$, $\overline{OM}=5$일 때, $\overline{BC}$의 길이는?

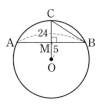

① $4\sqrt{13}$
② $4\sqrt{14}$
③ $8\sqrt{3}$
④ $8\sqrt{5}$
⑤ $9\sqrt{3}$

 창의융합

03 오른쪽 그림과 같이 도로의 폭과 높이가 16 m인 터널이 있다. 이 터널의 단면이 원의 일부일 때, 이 원의 반지름의 길이를 구하여라.

04 오른쪽 그림의 원 O에서 $\overline{AB}\perp\overline{OM}$, $\overline{CD}\perp\overline{ON}$이고, $\overline{OM}=\overline{ON}=3$ cm, $\overline{OA}=6$ cm일 때, $\overline{CD}$의 길이는?

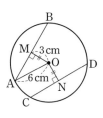

① $2\sqrt{3}$ cm
② 4 cm
③ $3\sqrt{3}$ cm
④ $6\sqrt{3}$ cm
⑤ 12 cm

05 오른쪽 그림과 같은 원 O에서 $\overline{BC}\perp\overline{OD}$, $\overline{CA}\perp\overline{OE}$이고 $\overline{OD}=\overline{OE}$이다. $\angle CAB=55°$일 때, $\angle x$의 크기는?

① 50°
② 55°
③ 60°
④ 65°
⑤ 70°

06 오른쪽 그림에서 $\overline{OD}=\overline{OE}$이고, $\angle DOE=120°$, $\overline{AD}=3$ cm일 때, $\overline{BC}$의 길이를 구하여라.

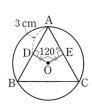

07 오른쪽 그림에서 두 점 A, B는 점 P에서 원 O에 각각 그은 두 접선의 접점이다. $\overline{PC}=4$ cm, $\overline{BO}=3$ cm일 때, $\overline{PA}+\overline{PB}$의 길이를 구하여라.

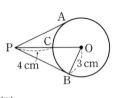

08 오른쪽 그림에서 두 점 A, B는 점 P에서 원 O에 각각 그은 두 접선의 접점이다. $\overline{BC}$는 지름이고 $\angle ABC=24°$일 때, $\angle x$의 크기는?

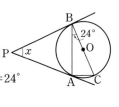

① 42° ② 44° ③ 46°
④ 48° ⑤ 50°

09 오른쪽 그림에서 두 점 A, B는 점 P에서 원 O에 각각 그은 두 접선의 접점이다. $\overline{CP}=7$ cm, $\overline{PD}=8$ cm, $\overline{DC}=5$ cm일 때, $\overline{DB}$의 길이를 구하여라.

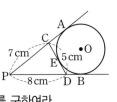

10 오른쪽 그림에서 $\overline{AB}$는 반원 O의 지름이고 $\overline{BC}$, $\overline{CD}$, $\overline{DA}$는 모두 반원 O의 접선이다. $\overline{DA}=4$, $\overline{AB}=12$일 때, $\overline{BC}$의 길이는?

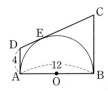

① 8 ② 9 ③ 10
④ 11 ⑤ 12

11 오른쪽 그림의 원 O는 직각삼각형 ABC의 내접원이고, 세 점 D, E, F는 접점이다. $\overline{AD}=6$, $\overline{DB}=4$일 때, 원 O의 넓이를 구하여라.

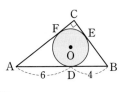

12 오른쪽 그림의 원 O가 □ABCD의 각 변 위의 네 점 P, Q, R, S에서 접하고, $\overline{BC}=8$ cm, $\overline{CD}=7$ cm, $\overline{BQ}=3$ cm일 때, $\overline{PD}$의 길이를 구하여라.

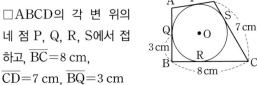

창의융합

13 밑면이 정사각형 모양인 상자에 밑면의 반지름의 길이가 3 cm인 원기둥 모양의 음료수캔 2개가 꼭 맞게 들어 있다. 상자의 밑면의 한 변의 길이를 l cm라고 할 때, l의 값을 구하여라.

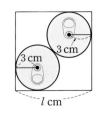

14 오른쪽 그림과 같이 원 O 밖의 한 점 P에서 원 O에 그은 두 접선의 접점을 각각 T, T′이라고 하자. $\overline{OP}=4$, $\angle TPT'=60°$일 때, 색칠한 부분의 넓이를 구하여라.

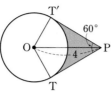

17 오른쪽 그림에서 원 O는 직사각형 ABCD와 세 점 P, Q, S에 접하고 $\overline{DE}$와 점 R에서 접한다. $\overline{AB}=4$ cm, $\overline{BC}=6$ cm일 때, $\triangle DEC$의 넓이는?

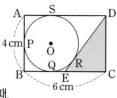

① 3 cm²   ② 5 cm²   ③ 6 cm²
④ 8 cm²   ⑤ 10 cm²

15 오른쪽 그림과 같은 원 O가 직각삼각형 ABC의 한 변 BC와 $\overline{AB}$, $\overline{AC}$의 연장선에 접한다. 원 O의 반지름의 길이를 구하여라.

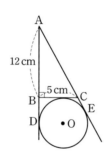

18 다음 그림과 같이 반지름의 길이가 각각 6 cm, 4 cm 인 두 원 O와 O′이 두 직선 AB, PT에 모두 접할 때, $\overline{PT}$의 길이를 구하여라.

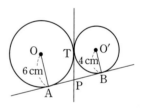

16 오른쪽 그림에서 원 O는 $\triangle ABC$와 세 점 D, E, F에서 접한다. $\overline{AB}=10$, $\overline{BC}=12$, $\overline{CA}=6$이고, $\triangle ABC$의 넓이가 42일 때, $\overline{BO}$의 길이는?

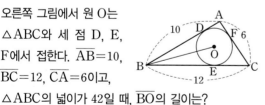

① 7   ② 8   ③ $\sqrt{65}$
④ $6\sqrt{2}$ ⑤ $\sqrt{73}$

19 오른쪽 그림과 같이 반지름의 길이가 6 cm인 부채꼴 OAB와 원 O′이 접해 있다. $\overline{AB}=4$ cm일 때, 원 O′의 반지름의 길이를 구하여라.

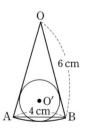

LECTURE 01 원주각

1. 원주각과 중심각

(1) 원주각 : 원 O에서 호 AB 위에 있지 않은 원 위의 한 점 P에 대하여 ∠APB를 호 AB에 대한 원주각이라고 한다.

(2) 원주각과 중심각의 크기

① 한 원에서 한 호에 대한 원주각의 크기는 그 호에 대한 중심각의 크기의 $\frac{1}{2}$이다.

➡ $\angle APB = \frac{1}{2} \angle AOB$

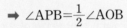

② 한 원에서 한 호에 대한 원주각의 크기는 모두 같다.

➡ $\angle APB = \angle AQB = \angle ARB$

③ 반원에 대한 원주각의 크기는 90°이다.

➡ $\angle APB = 90°$

2. 원주각의 크기와 호의 길이

한 원 또는 합동인 두 원에서

(1) 길이가 같은 호에 대한 원주각의 크기는 서로 같다.

➡ $\overset{\frown}{AB} = \overset{\frown}{CD}$이면 $\angle APB = \angle CQD$

(2) 크기가 같은 원주각에 대한 호의 길이는 서로 같다.

➡ $\angle APB = \angle CQD$이면 $\overset{\frown}{AB} = \overset{\frown}{CD}$

(3) 원주각의 크기와 호의 길이는 정비례한다.

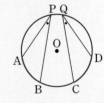

이번 단원에서는 원주각에 대해서 살펴볼 것이다. 원주각은 개념이 간단한 편이지만 다양한 유형의 기초 개념으로 활용이 되고 있으니 확실히 알아두어야 한다. 더불어 적재적소에 보조선을 긋는 연습도 함께 한다면 더 쉽게 학습할 수 있을 것이다.

1. 원주각과 중심각

오른쪽 그림과 같이 원 O에서 호 AB 위에 있지 않은 원 위의 한 점 P에 대하여 ∠APB를 호 AB에 대한 **원주각**이라고 한다.

또 호 AB를 원주각 ∠APB에 대한 호라고 한다.

원 O에서 호 AB에 대한 중심각 ∠AOB는 하나로 정해지지만, 원주각 ∠APB는 오른쪽 그림과 같이 점 P의 위치에 따라 무수히 많다.

Q 034 한 호에 대한 원주각의 크기는 중심각의 크기의 □이다?

A $\frac{1}{2}$

A 한 원에서 원주각과 중심각의 크기 사이에는 다음과 같은 관계가 성립한다.

> **원주각과 중심각의 크기**
>
> 한 호에 대한 원주각의 크기는 그 호에 대한 중심각의 크기의 $\frac{1}{2}$이다.
>
> $$\Rightarrow \angle APB = \frac{1}{2}\angle AOB$$

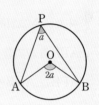

이는 원의 중심 O의 위치에 상관없이 항상 성립하는데 이를 확인하기 위해 원의 중심 O의 위치를 다음과 같이 세 가지 경우로 나누어 생각해 보자.

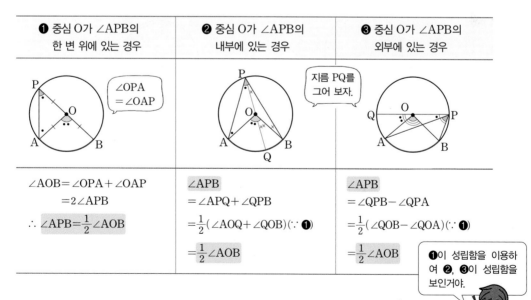

❶ 중심 O가 ∠APB의 한 변 위에 있는 경우	❷ 중심 O가 ∠APB의 내부에 있는 경우	❸ 중심 O가 ∠APB의 외부에 있는 경우
$\angle AOB = \angle OPA + \angle OAP$ $= 2\angle APB$ $\therefore \angle APB = \frac{1}{2}\angle AOB$	$\angle APB$ $= \angle APQ + \angle QPB$ $= \frac{1}{2}(\angle AOQ + \angle QOB)(\because ❶)$ $= \frac{1}{2}\angle AOB$	$\angle APB$ $= \angle QPB - \angle QPA$ $= \frac{1}{2}(\angle QOB - \angle QOA)(\because ❶)$ $= \frac{1}{2}\angle AOB$

❶~❸으로부터 우리는 한 호에 대한 원주각의 크기는 항상 중심각의 크기의 $\frac{1}{2}$임을 확인할 수 있다.

사실 우리는 중 2 때 삼각형의 외심의 성질에서 위 내용을 이미 접하였다.

점 O가 △ABC의 외심일 때
$$\angle BAC = \frac{1}{2}\angle BOC$$

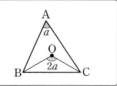

아하!
∠BOC는 중심각,
∠BAC는
원주각인 셈이네.

예제 10 다음 그림에서 $\angle x$의 크기를 구하여라.

(1)
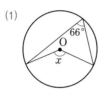

(2)
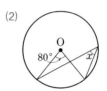

풀이   (1) $\angle x = 2 \times 66° = \mathbf{132°}$ (2) $\angle x = \frac{1}{2} \times 80° = \mathbf{40°}$

한편 오른쪽 그림에서 원주각과 중심각의 관계를 착각해서 원주각
$\angle APB$의 크기를 $\frac{1}{2}\angle x$라고 하지 않도록 주의하자.
$\angle APB$는 $\overset{\frown}{AQB}$에 대한 원주각이므로 $\angle APB$의 크기는
$\frac{1}{2} \times (360° - \angle x)$이다.

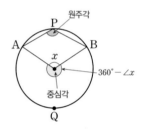

예제 11 다음 그림에서 $\angle x$의 크기를 구하여라.

(1)
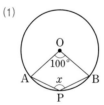

(2)
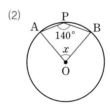

풀이   (1) $\angle x = \frac{1}{2} \times \underset{\text{중심각}}{\underline{(360° - 100°)}} = \mathbf{130°}$ (2) $\angle x = 360° - \underset{\text{중심각}}{\underline{2 \times 140°}} = \mathbf{80°}$

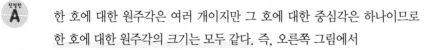

Q 035   한 원에서 한 호에 대한 원주각의 크기는 모두 같을까?

A   YES!

A   한 호에 대한 원주각은 여러 개이지만 그 호에 대한 중심각은 하나이므로
한 호에 대한 원주각의 크기는 모두 같다. 즉, 오른쪽 그림에서

$$\angle \mathbf{APB} = \angle \mathbf{AQB} = \angle \mathbf{ARB} {\scriptstyle = \frac{1}{2}\angle AOB}$$

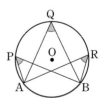

예제 12 다음 그림을 보고, $\angle x$, $\angle y$, $\angle z$의 크기를 각각 구하여라.

(1)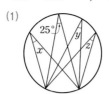

(2)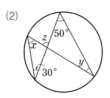

풀이 (1) $\angle x = \angle y = \angle z = 25°$

(2) $\angle x = 50°$, $\angle y = 30°$,
$\angle z = 50° + 30° = 80°$

Math STORY

숭례문의 가로를 사진에 꽉 채우기 위해서는 어디서 찍어야 할까?

카메라가 사물을 볼 수 있는 최대 각도를 화각이라고 한다. 그렇다면 화각이 62°인 카메라로 숭례문의 가로를 사진에 꽉 채우도록 촬영하는 경우를 생각해 보자.

오른쪽 그림과 같이 숭례문의 양 끝 점을 원 위의 두 점이 되도록 하고, 그 호에 대한 중심각의 크기가 124°가 되게 하는 원의 중심을 찾아 원을 그려 보자. 그러면 이 원의 원주 위의 어느 점에서 누가 사진을 찍든 모두 숭례문의 가로를 가득 채워서 찍을 수 있게 된다. 왜냐하면 중심각과 원주각의 관계에 의해 원주각의 크기는 항상 62°이기 때문이다.

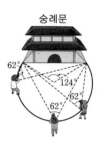

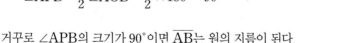

Q 036 반원에 대한 원주각의 크기는?

$90°$

오른쪽 그림과 같은 원 O에서 $\overline{AB}$가 지름이면 $\overparen{AB}$에 대한 중심각의 크기가 $180°$이므로 $\overparen{AB}$에 대한 원주각의 크기는 $90°$가 된다. 즉,

$$\angle APB = \frac{1}{2}\angle AOB = \frac{1}{2} \times 180° = 90°$$

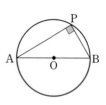

거꾸로 $\angle APB$의 크기가 $90°$이면 $\overline{AB}$는 원의 지름이 된다.

예제 13 다음 그림에서 $\overline{AB}$가 원 O의 지름일 때, $\angle x$의 크기를 구하여라.

(1)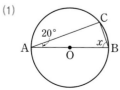

(2)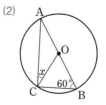

반원의 원주각의 크기를 먼저 표시해 봐.

풀이 (1) $\angle ACB = 90°$이므로
$\angle x = 90° - 20° = \mathbf{70°}$

(2) $\angle ACB = 90°$, $\angle OCB = \angle OBC = 60°$
이므로 $\angle x = 90° - 60° = \mathbf{30°}$

탈레스(B.C. 640?~B.C. 546)**의 원**

그리스의 철학자이자 기하학자인 탈레스는 다음과 같은 사실을 발견한 것으로 유명하다.
"$\overline{AB}$를 빗변으로 하는 직각삼각형 ABP에서 점 P는 $\overline{AB}$를 지름으로 하는 원의 원주 위를 움직인다."
이는 반원에 대한 원주각의 크기가 $90°$임을 이용한 것으로, △ABP가 직각삼각형이 되도록 하는 점 P의 위치는 빗변 AB의 중점을 원의 중심으로 하고, $\overline{AB}$를 지름으로 하는 원주상의 모든 점이 된다. 바로 이 원이 탈레스의 원이며 우리가 중2 때 배운 직각삼각형의 외접원이기도 하다.

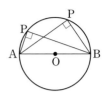

Q 037 원 O에 내접하는 △ABC에서 $\sin A$의 값을 어떻게 구할까?

A 지름을 빗변으로 하는 직각삼각형을 만들어.

A 오른쪽 그림과 같이 원 O에 내접하는 △ABC에서 $\sin A$의 값을 구하기 위해 다음과 같이 생각해 보자.

❶ $\sin A$의 값을 구하려면? ➡ 직각삼각형이 있어야 한다.
❷ 원 안에 직각삼각형이 있으려면?
➡ 원주각의 크기가 $90°$가 되도록 보조선을 긋는다.

즉, 원 O의 지름 $\overline{BA'}$을 그어 보면 $\angle BAC = \angle BA'C$이고 $\angle A'CB = 90°$이므로 직각삼각형 A'BC를 이용하여 $\sin A$의 값을 구할 수 있다.

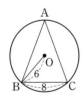 지름 $\overline{BA'}$을 그어 보면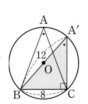
$\sin A = \sin A'$
$= \dfrac{8}{12} = \dfrac{2}{3}$

 아해! 원주각의 크기가 모두 같으니까 직각삼각형을 만들 수 있구나!

예제 14 오른쪽 그림과 같이 원 O에 내접하는 △ABC에서 $\overline{BC}$의 길이를 구하여라.

풀이 지름 $\overline{BA'}$을 그어 보면
직각삼각형 A'BC에서
$\overline{BC} = 18 \sin 60° = 18 \times \dfrac{\sqrt{3}}{2} = \mathbf{9\sqrt{3}}$

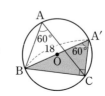
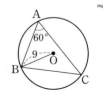

104 Ⅵ. 원의 성질

2. 원주각의 크기와 호의 길이

중학교 1학년 때 다음과 같은 중심각의 크기와 호의 길이 사이의 관계에 대해 배웠다.

한 원 또는 합동인 두 원에서
❶ 길이가 같은 호에 대한 중심각의 크기는 서로 같다.
❷ 크기가 같은 중심각에 대한 호의 길이는 서로 같다.
❸ 중심각의 크기와 호의 길이는 정비례한다.

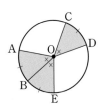

이를 바탕으로 원주각의 크기와 호의 길이 사이의 관계에 대하여 살펴보도록 하자.

Q 038 한 원에서 길이가 같은 호에 대한 원주각의 크기는 서로 같을까?

 같아.

 오른쪽 그림과 같이 원 O에서 $\overarc{AB} = \overarc{CD}$이면 길이가 같은 호에 대한 중심각의 크기가 같으므로

$$\angle AOB = \angle COD$$

이다. 또 원주각의 크기는 중심각의 크기의 $\frac{1}{2}$이므로

$$\angle APB = \frac{1}{2}\angle AOB = \frac{1}{2}\angle COD = \angle CQD$$

이다. 즉, 한 원에서 길이가 같은 호에 대한 원주각의 크기는 서로 같다.

거꾸로 한 원에서 크기가 같은 원주각에 대한 호의 길이는 같다.
이상을 정리하면 다음과 같다.

원주각의 크기와 호의 길이
❶ 한 원에서 길이가 같은 호에 대한 원주각의 크기는 서로 같다.
❷ 한 원에서 크기가 같은 원주각에 대한 호의 길이는 서로 같다.

예제 15 다음 그림에서 x의 값을 구하여라.

(1)
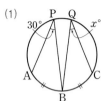

(2)
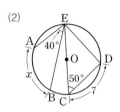

풀이 (1) $\overset{\frown}{AB}=\overset{\frown}{BC}$이므로

$\angle BQC=\angle APB=30°$

$\therefore x=\mathbf{30}$

(2) $\angle CDE=90°$, $\angle CED=90°-50°=40°$

즉, $\angle AEB=\angle CED=40°$이므로

$\overset{\frown}{AB}=\overset{\frown}{CD}$ $\therefore x=\mathbf{7}$

한편 한 원에서 호의 길이는 그 호에 대한 중심각의 크기에 정비례하므로

호의 길이와 그 호에 대한 원주각의 크기도 정비례한다.

즉, 오른쪽 그림에서 $\angle x:\angle y=\overset{\frown}{AB}:\overset{\frown}{BC}$이다.

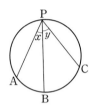

예제 16 다음 그림에서 $\angle x$의 크기를 구하여라.

(1)
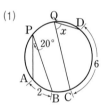

(2)
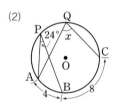

풀이 (1) $20°:\angle x=2:6$

$\therefore \angle x=\mathbf{60°}$

(2) $24°:\angle x=4:(4+8)$

$\therefore \angle x=24°\times3=\mathbf{72°}$

| 주의 | 원주각의 크기과 호의 길이는 정비례하지만
원주각의 크기와 현의 길이는 정비례하지 않는다.

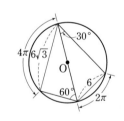

$30°:60°\neq6:6\sqrt{3}$

| 참고 | 원에서 모든 호에 대한 원주각의 크기의 합은 $180°$이므로
오른쪽 그림에서 $\angle ABC+\angle BCA+\angle CAB=180°$이다.

이때 호 AB의 길이가 원주의 $\dfrac{1}{k}$이면 $\angle ACB$의 크기는

원주각의 크기의 합의 $\dfrac{1}{k}$이다.

➡ $\angle ACB=180°\times\dfrac{1}{k}$

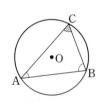

개념 CHECK

개념 확인

$\widehat{AB}=\widehat{BC}$일 때

(1) ∠APB=□

(2) ∠AOB=□∠APB

01 다음 그림의 원 O에서 ∠x의 크기를 구하여라.

(1)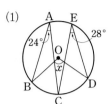

(2)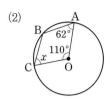

02 다음 그림의 원 O에서 $\overline{AB}$가 원 O의 지름일 때, ∠x의 크기를 구하여라.

(1)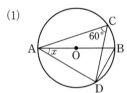

(2)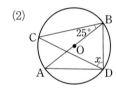

03 다음 그림의 원 O에서 ∠x의 크기를 구하여라.

(1)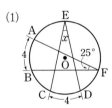

(2)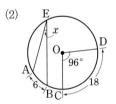

자기 진단

Q 034 ◉ 101쪽
한 호에 대한 원주각의 크기는 중심각의 크기의 □이다?

Q 035 ◉ 102쪽
한 원에서 한 호에 대한 원주각의 크기는 모두 같을까?

Q 038 ◉ 105쪽
한 원에서 길이가 같은 호에 대한 원주각의 크기는 서로 같을까?

04 오른쪽 그림에서 $\widehat{AB}=3$, $\widehat{CD}=6$이고, ∠ACB=20°일 때, ∠x의 크기를 구하여라.

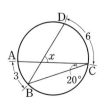

문제 이해도를 ☺, ☺, ☹으로 표시해 보세요.

해설 BOOK **022**쪽 | 테스트 BOOK **030**쪽

유형 **1** 원주각과 중심각의 크기

오른쪽 그림과 같이 △ABC가 원 O에 내접하고 ∠ACB=50°일 때, ∠x의 크기를 구하여라.

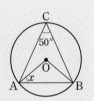

Summa Point

(한 호에 대한 원주각의 크기)=$\frac{1}{2}$×(중심각의 크기)

101쪽 **Q 034**

1-1 ☺☺☹

오른쪽 그림에서 ∠BCD=130°일 때, ∠x+∠y의 크기를 구하여라.

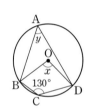

1-2 ☺☺☹

오른쪽 그림과 같이 원 위의 점 T에서의 접선이 지름 AB의 연장선과 만나는 점을 P라고 하자.
∠APT=40°일 때, ∠x의 크기를 구하여라.

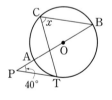

1-3 ☺☺☹

다음 그림에서 두 점 A, B는 점 P에서 원 O에 그은 두 접선의 접점이다. ∠APB=42°일 때, ∠x의 크기를 구하여라.

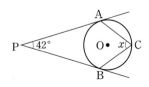

유형 **2** 원주각의 성질

오른쪽 그림에서 $\overline{CD}$는 원 O의 지름일 때, ∠x+∠y의 크기를 구하여라.

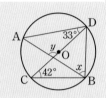

Summa Point

• 한 원에서 한 호에 대한 원주각의 크기는 모두 같다.
• 반원에 대한 원주각의 크기는 90°이다.

102쪽 **Q 035**

2-1 ☺☺☹

오른쪽 그림에서 $\overline{AC}$가 원 O의 지름이고, ∠BDC=36°일 때, ∠x+∠y의 크기를 구하여라.

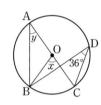

2-2 ☺☺☹

오른쪽 그림에서 네 점 A, B, C, D는 한 원 위에 있고, ∠BCD=29°, ∠AQD=36°일 때, ∠x의 크기를 구하여라.

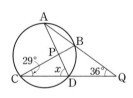

2-3 ☺☺☹

오른쪽 그림에서 $\overline{AC}$는 원 O의 지름이고, ∠ADB=48°일 때, ∠x의 크기를 구하여라.

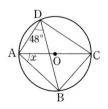

2-4 ☺☺☹

오른쪽 그림에서 $\overline{AB}$는 원 O의 지름이고, $\angle BAC=46°$일 때, $\angle x$의 크기를 구하여라.

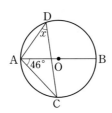

2-5 ☺☺☹

오른쪽 그림에서 $\overline{AB}$는 원 O의 지름이다. $\angle COD=52°$일 때, $\angle x$의 크기를 구하여라.

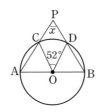

2-6 ☺☺☹

오른쪽 그림과 같이 반지름의 길이가 4 cm인 원 O에 내접하는 △ABC에서 $\overline{BC}=4\sqrt{2}$ cm일 때, $\sin A$의 값을 구하여라.

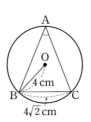

2-7 ☺☺☹

오른쪽 그림과 같이 반지름의 길이가 5 cm인 원 O에 △ABC가 내접한다. $\overline{AB}$가 원 O의 지름이고 $\angle CAB=30°$일 때, △ABC의 둘레의 길이를 구하여라.

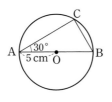

유형 ③ 원주각의 크기와 호의 길이

오른쪽 그림에서 $\overset{\frown}{BC}=\overset{\frown}{CD}$이고, $\angle BAC=30°$, $\angle ABD=45°$일 때, $\angle x$의 크기를 구하여라.

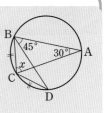

Summa Point

$\overset{\frown}{BC}=\overset{\frown}{CD}$이므로 $\angle BAC=\angle CBD$이다.

105쪽 Q 038 ○

3-1 ☺☺☹

오른쪽 그림에서 $\overline{PQ}$가 원 O의 지름이고, $\overset{\frown}{AQ}=\overset{\frown}{BP}$, $\angle APB=20°$일 때, $\angle x$의 크기를 구하여라.

3-2 ☺☺☹

오른쪽 그림에서 두 현 AB와 CD의 교점을 P라 하고 $\angle BPC=80°$, $\overset{\frown}{CB}=3\overset{\frown}{AD}$일 때, $\angle x$의 크기를 구하여라.

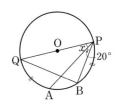

3-3 ☺☺☹

오른쪽 그림에서 $\overset{\frown}{AB}:\overset{\frown}{BC}:\overset{\frown}{CA}=2:3:4$일 때, $\angle A$의 크기를 구하여라.

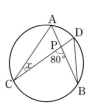

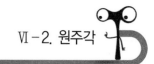

SUMMA **NOTE**

1. 네 점이 한 원 위에 있을 조건

두 점 C, D가 직선 AB에 대하여 같은 쪽에 있을 때

$$\angle ACB = \angle ADB$$

이면 네 점 A, B, C, D는 한 원 위에 있다.

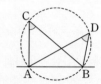

2. 원에 내접하는 사각형의 성질

(1) 한 쌍의 대각의 크기의 합은 180°이다.

$$\angle A + \angle C = 180°, \quad \angle B + \angle D = 180°$$

(2) 한 외각의 크기는 그 내대각의 크기와 같다.

$$\angle DCE = \angle A$$

 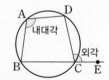

1. 네 점이 한 원 위에 있을 조건

Q 039 네 점 A, B, C, D가 한 원 위에 있는지 어떻게 알 수 있을까?

A (바른) ∠ACB = ∠ADB이면 네 점 A, B, C, D는 한 원 위에 있어!

A (친절한) 네 점이 한 원 위에 있을 조건을 원주각을 이용하여 알아보자.

네 점 A, B, C, D에 대하여 세 점을 지나는 원은 항상 그릴 수 있으므로 세 점 A, B, C를 지나는 원을 그릴 수 있다. 이때 점 D의 위치에 따라 다음 세 가지 경우로 나눌 수 있다.

❶ 점 D가 원의 내부에 있는 경우	❷ 점 D가 원 위에 있는 경우	❸ 점 D가 원의 외부에 있는 경우
∠ADB > ∠ACB	∠ADB = ∠ACB	∠ADB < ∠ACB

위의 세 가지 경우 중에서 ∠ADB=∠ACB인 것은 ❷와 같이 점 D가 원 위에 있는 경우 뿐이다.
따라서 ∠ADB=∠ACB이면 네 점 A, B, C, D는 한 원 위에 있음을 알 수 있다.

> **네 점이 한 원 위에 있을 조건**
> 두 점 C, D가 직선 AB에 대하여 같은 쪽에 있을 때,
>   ∠ACB=∠ADB
> 이면 네 점 A, B, C, D는 한 원 위에 있다. ← 사각형 ABDC는
>   원에 내접한다.

예제 17 다음 그림에서 네 점 A, B, C, D가 한 원 위에 있는지 알아보아라.

(1)

(2)

풀이

(1) $\overline{AB}$에 대하여
   ∠ACB=∠ADB=90°이므로
   네 점 A, B, C, D는 한 원 위에 있다.

(2) $\overline{AB}$에 대하여
   ∠ACB≠∠ADB이므로
   네 점 A, B, C, D는 한 원 위에 있지 않다.

2. 원에 내접하는 사각형의 성질

Q 040 원에 내접하는 사각형에서 한 쌍의 대각의 크기의 합은 몇 도일까?

 180°

 오른쪽 그림과 같이 □ABCD가 원에 내접할 때,
∠x+∠y=360°이므로

$$∠A+∠C=\frac{1}{2}∠x+\frac{1}{2}∠y=\frac{1}{2}(∠x+∠y)$$
$$=\frac{1}{2}×360°=180°$$

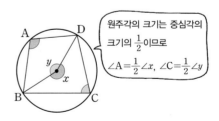

> 원주각의 크기는 중심각의
> 크기의 $\frac{1}{2}$이므로
> ∠A=$\frac{1}{2}$∠x, ∠C=$\frac{1}{2}$∠y

이고, 마찬가지로
   ∠B+∠D=180°
이다. 따라서 다음을 알 수 있다.

> 원에 내접하는 사각형에서 한 쌍의 대각의 크기의 합은 180°이다.

한편 사각형에서 한 외각에 이웃한 내각과 마주 보는 각을 그 외각의 **내대각**이라고 한다. 예를 들어 오른쪽 그림과 같은 □ABCD에서 ∠DCE의 내대각은 ∠A이다.

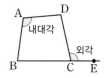

원에 내접하는 사각형에서 외각과 내대각 사이에 다음과 같은 관계가 성립한다.

원에 내접하는 사각형에서 한 외각의 크기는 그 내대각의 크기와 같다.

이는 원에 내접하는 사각형에서 한 쌍의 대각의 크기의 합이 $180°$임을 통해 간단히 확인된다.

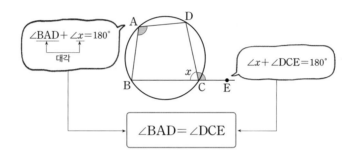

원에 내접하는 사각형의 성질
(1) 한 쌍의 대각의 크기의 합은 $180°$이다.
(2) 한 외각의 크기는 그 내대각의 크기와 같다.

예제 18 다음 그림에서 ∠x, ∠y의 크기를 각각 구하여라.

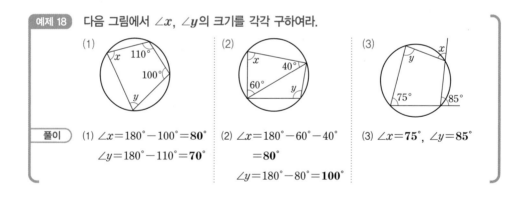

풀이
(1) $\angle x = 180° - 100° = \mathbf{80°}$
 $\angle y = 180° - 110° = \mathbf{70°}$

(2) $\angle x = 180° - 60° - 40°$
 $= \mathbf{80°}$
 $\angle y = 180° - 80° = \mathbf{100°}$

(3) $\angle x = \mathbf{75°}$, $\angle y = \mathbf{85°}$

Q 041 사각형이 원에 내접하려면 어떤 조건을 만족해야 할까?

A 세 가지 조건 중 하나를 만족하면 돼.

A **Q** 039 ~ **Q** 040을 바탕으로 우리는 사각형이 원에 내접할 조건을 생각할 수 있다.

다음 세 가지 조건 중에서 어느 하나를 만족시키면 사각형은 원에 내접한다.

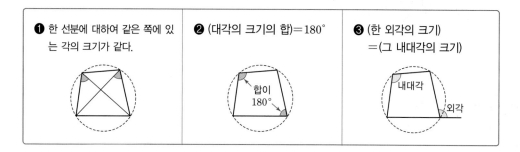

① 한 선분에 대하여 같은 쪽에 있는 각의 크기가 같다.

② (대각의 크기의 합)=180°

③ (한 외각의 크기)
　=(그 내대각의 크기)

삼각형의 외접원은 반드시 존재하지만 오른쪽 그림과 같이 사각형의 외접원은 존재할 수도 있고, 존재하지 않을 수도 있다. 위 조건 ①~③을 잘 기억하여 원에 내접하는 사각형을 잘 판단하도록 하자.

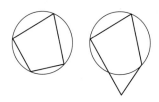

예제 19　다음 □ABCD가 원에 내접하는지 알아보아라.

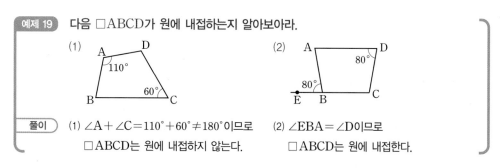

(1)

(2)

풀이　(1) ∠A+∠C=110°+60°≠180°이므로
　　　　　□ABCD는 원에 내접하지 않는다.

(2) ∠EBA=∠D이므로
　　□ABCD는 원에 내접한다.

그렇다면 항상 원에 내접하는 사각형이 있을까?
다음 그림과 같이 정사각형, 직사각형, 등변사다리꼴은 한 쌍의 대각의 크기의 합이 180°이므로 항상 원에 내접한다.

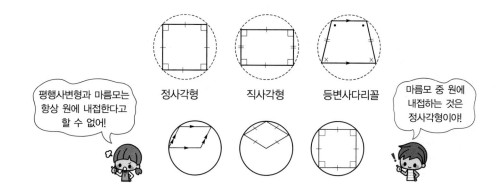

평행사변형과 마름모는 항상 원에 내접한다고 할 수 없어!

정사각형　　직사각형　　등변사다리꼴

마름모 중 원에 내접하는 것은 정사각형이야!

개념 CHECK

02. 원주각의 활용 (1) – 원과 사각형

해설 BOOK **023**쪽

개념 **확인**

□ABCD가 원에 내접하면
(1) ∠A+∠C=□□□°
(2) ∠B+∠D=□□□°

01 오른쪽 그림에서 네 점 A, B, C, D가 한 원 위에 있을 때, ∠x의 크기를 구하여라.

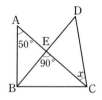

02 오른쪽 그림에서 □ABCD가 원 O에 내접할 때, ∠x+∠y의 크기를 구하여라.

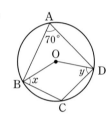

03 오른쪽 그림과 같이 원 O에 내접하는 □ABCD에서 $\overline{AD}$와 $\overline{BC}$의 연장선의 교점을 P라고 할 때, ∠PBA의 크기를 구하여라.

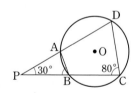

자기 **진단**

Q 039 ◎ 110쪽
네 점 A, B, C, D가 한 원 위에 있는지 어떻게 알 수 있을까?

Q 040 ◎ 111쪽
원에 내접하는 사각형에서 한 쌍의 대각의 크기의 합은 몇 도일까?

04 오른쪽 그림의 □ABCD에서 ∠ADB의 크기를 구하여라.

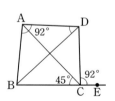

 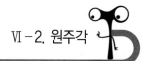

SUMMA **NOTE**

1. 접선과 현이 이루는 각

(1) 접선과 현이 이루는 각

원의 접선과 그 접점을 지나는 현이 이루는 각의 크기는 그 각의 내부에

있는 호에 대한 원주각의 크기와 같다.

➡ $\angle BAT = \angle BCA$

(2) 접선이 되기 위한 조건

원 O에서 $\angle BAT = \angle BCA$이면 직선 AT는 원 O의 접선이다.

2. 두 원에서 접선과 현이 이루는 각

두 원 O, O′의 교점 T를 지나는 공통인 접선 PQ가 다음과 같을 때,

(1) 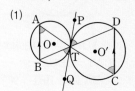 (2)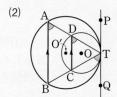

$\angle BAT = \angle BTQ = \angle DTP = \angle DCT$ $\angle BAT = \angle BTQ = \angle CDT$

➡ $\overline{AB} /\!/ \overline{CD}$ ➡ $\overline{AB} /\!/ \overline{CD}$

1. 접선과 현이 이루는 각

다음 그림에서 세 점 A, B, C는 원 O 위의 점이고, 직선 AT는 원의 접선, 점 P는 호 AC를 따라 움직이는 점이다.

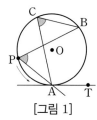 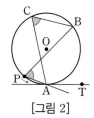 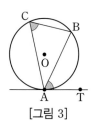

[그림 1]   [그림 2]   [그림 3]

점 P가 [그림 1]에서 [그림 2]와 같이 점 A에 점점 가까워질 때, $\angle BCA$와 $\angle BPA$의 크기는 계속 같으므로 [그림 3]과 같이 점 P가 점 A와 일치할 때도, $\angle BCA$와 $\angle BAT$의 크기가 같지 않을까 유추할 수 있는데 실제 $\angle BCA = \angle BAT$가 성립한다. **Q042**에서 이를 학습해 보자.

바른 A

각의 내부에 있는 호에 대한 원주각!

친절한 A

원의 접선과 그 접점을 지나는 현이 이루는 각의 크기는 그 각의 내부에 있는 호에 대한 원주각의 크기와 같다. 즉,

$$\angle BAT = \angle BCA$$

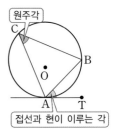

이는 $\angle BAT$의 크기에 상관없이 항상 성립하는데 이를 확인하기 위해 다음과 같이 $\angle BAT$의 크기가 직각, 예각, 둔각인 경우로 나누어 생각해 보자.

❶ $\angle BAT$가 직각인 경우	❷ $\angle BAT$가 예각인 경우	❸ $\angle BAT$가 둔각인 경우
현 AB는 원 O의 지름이므로 $\angle BCA=90°$ ∴ $\angle BAT=\angle BCA=90°$	지름 AD와 선분 CD를 그으면 $\angle DAT=\angle DCA=90°$ ∴ $\angle BAT=90°-\angle DAB$ $=90°-\angle DCB$ $=\angle BCA$	지름 AD와 선분 CD를 그으면 $\angle DAT=\angle DCA=90°$ ∴ $\angle BAT=\angle BAD+90°$ $=\angle BCD+90°$ $=\angle BCA$

❶~❸으로부터 우리는 오른쪽 그림과 같이 직선 $T'T$가 원 위의 점 A에서의 접선일 때

$$\angle BAT = \angle BCA, \ \angle CAT' = \angle CBA$$

가 성립함을 알 수 있다.

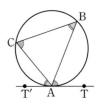

이것을 거꾸로 생각하면 「원의 접선이 되기 위한 조건」을 알 수 있다.
즉, 오른쪽 그림의 원 O에서

$$\angle BAT = \angle BCA$$이면 직선 AT는 원 O의 접선이다.

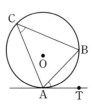

예제 20 다음 그림에서 직선 $T'T$가 원 O의 접선일 때 $\angle x$, $\angle y$의 크기를 각각 구하여라.

(1)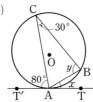

(2)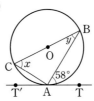

풀이 (1) $\angle x = \angle ACB = \mathbf{30°}$

$\angle y = \angle CAT' = \mathbf{80°}$

(2) $\angle x = \angle BAT = \mathbf{58°}$

$\angle CAB = 90°$이므로 $\angle x + \angle y = 90°$

$\therefore \angle y = 90° - 58° = \mathbf{32°}$

THINK Math

점 P의 이동에 따른 원의 세 가지 성질

원 위에 세 점 A, B, C는 고정한 상태에서 점 P를 ① ➡ ② ➡ ③의 순서로 원주 위를 따라 움직여 보면 다음과 같이 원의 세 가지 성질을 차례로 확인할 수 있다.

①

②

③

원에 내접하는 사각형에서 한 외각의 크기는 그 내대각의 크기와 같다.

접선과 현이 이루는 각의 크기는 그 각의 내부에 있는 호에 대한 원주각의 크기와 같다.

한 호에 대한 원주각의 크기는 같다.

---

2. 두 원에서 접선과 현이 이루는 각

Q 043 두 원에서 접선과 현이 이루는 각의 크기를 이용하여 알 수 있는 성질은?

 A 두 현이 서로 평행해.

 A 오른쪽 그림과 같이 두 원이 외부에서 접할 때, 직선 PQ는 두 원 O, O′의 공통인 접선이다. 즉, 직선 PQ는 원 O의 접선이면서 원 O′의 접선이기도 하므로 다음과 같이 둘로 나눈 후 각각의 원에서 접선과 현이 이루는 각의 크기를 생각할 수 있는데 이로부터 다음 성질을 알 수 있다.

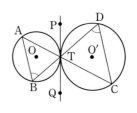

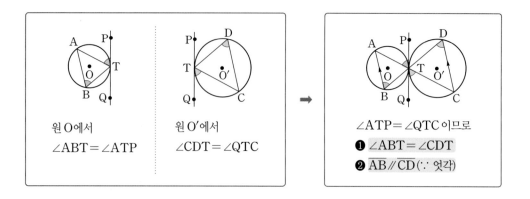

원 O에서
$\angle ABT = \angle ATP$

원 O′에서
$\angle CDT = \angle QTC$

➡

$\angle ATP = \angle QTC$ 이므로
❶ $\angle ABT = \angle CDT$
❷ $\overline{AB} /\!/ \overline{CD}$ (∵ 엇각)

이와 마찬가지로 두 원이 내부에서 접할 때에도 접선과 현이 이루는 각의 크기를 이용하여 다음 성질을 확인할 수 있다.

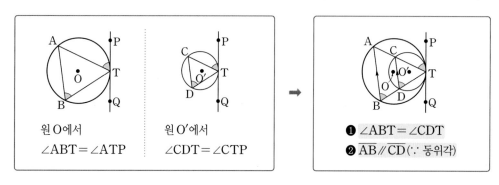

원 O에서
$\angle ABT = \angle ATP$

원 O′에서
$\angle CDT = \angle CTP$

➡

❶ $\angle ABT = \angle CDT$
❷ $\overline{AB} /\!/ \overline{CD}$ (∵ 동위각)

예제 21 다음 그림에서 $\angle x$의 크기를 구하여라.

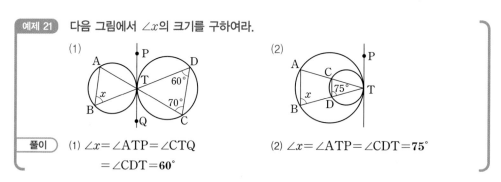

(1)

(2)

풀이 (1) $\angle x = \angle ATP = \angle CTQ$
$= \angle CDT = \mathbf{60°}$

(2) $\angle x = \angle ATP = \angle CDT = \mathbf{75°}$

01 오른쪽 그림에서 $\overline{AB}$는 원 O의 지름이고, 직선 CT는 원 O의
접선이다. ∠ACT=60°일 때 ∠x의 크기를 구하여라.

02 오른쪽 그림에서 직선 PT는 원 O의 접선이고, ∠PBT=26°
일 때, ∠x의 크기를 구하여라.

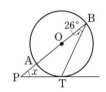

03 오른쪽 그림에서 직선 AT가 원 O의 접선일 때, ∠x, ∠y의
크기를 각각 구하여라.

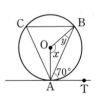

04 오른쪽 그림과 같이 두 원이 점 T에서 접하고 직선
PQ가 공통인 접선일 때, ∠x의 크기를 구하여라.

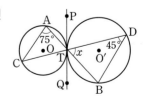

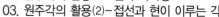
문제 이해도를 ☺, ☺, ☹으로 표시해 보세요.

해설 BOOK 024쪽 | 테스트 BOOK 033쪽

유형 **1** 네 점이 한 원 위에 있을 조건

오른쪽 그림에서 네 점 A, B, C, D가 한 원 위에 있을 때, $\angle x$의 크기를 구하여라.

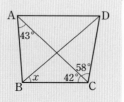

Summa Point
네 점 A, B, C, D가 한 원 위에 있으면
$\angle BAC = \angle BDC$, $\angle ABD = \angle ACD$

110쪽 **Q** 039 ↻

유형 **2** 원에 내접하는 사각형의 성질 (1)

오른쪽 그림에서 □ABCD는 원에 내접하고, $\overline{AD} = \overline{BD}$, $\angle ADB = 36°$일 때, $\angle x$의 크기를 구하여라.

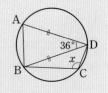

Summa Point
□ABCD가 원에 내접할 때, 한 쌍의 대각의 크기의 합은 180°이다.

111쪽 **Q** 040 ↻

1-1 ☺☺☹

다음 보기 중 네 점 A, B, C, D가 한 원 위에 있는 것을 모두 골라라.

├── 보 기 ──┤

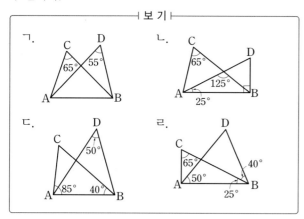

1-2 ☺☺☹

오른쪽 그림에서 네 점 A, B, C, D가 한 원 위에 있을 때, $\angle x$의 크기를 구하여라.

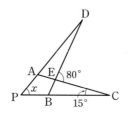

2-1 ☺☺☹

오른쪽 그림에서 $\angle x$, $\angle y$의 크기를 각각 구하여라.

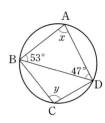

2-2 ☺☺☹

오른쪽 그림에서 $\angle x$, $\angle y$의 크기를 각각 구하여라.

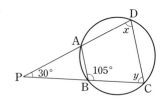

2-3 ☺☺☹

오른쪽 그림과 같이 오각형 ABCDE가 원 O에 내접하고, $\angle BAE = 90°$, $\angle CDE = 130°$일 때, $\angle x$의 크기를 구하여라.

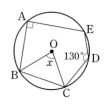

유형 ③ 원에 내접하는 사각형의 성질 (2)

오른쪽 그림과 같이 원에 내접하는 □ABCD에서 ∠ABE의 크기를 구하여라.

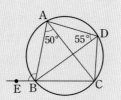

Summa Point

□ABCD가 원에 내접하면 한 외각의 크기는 그 내대각의 크기와 같다. 즉, ∠ABE=∠D이다.

111쪽 **Q** 040 ○

3-1 ☺☺☹

오른쪽 그림과 같이 □ABCD가 원 O에 내접할 때, ∠x, ∠y의 크기를 각각 구하여라.

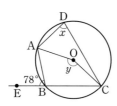

3-2 ☺☺☹

오른쪽 그림에서 □ABCD는 원에 내접하고, ∠DPA=40°, ∠CQD=30°일 때, ∠x의 크기를 구하여라.

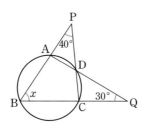

3-3 ☺☺☹

오른쪽 그림과 같이 두 점 P, Q에서 만나는 두 원 O, O′에 대하여 ∠PAB=100°일 때, 다음 중 옳지 <u>않은</u> 것은?

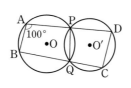

① ∠BQP=80°　　② ∠ABQ=80°

③ ∠CDP=80°　　④ $\overline{AB} /\!/ \overline{DC}$

⑤ ∠ABQ+∠DCQ=180°

유형 ④ 접선과 현이 이루는 각 (1)

오른쪽 그림에서 직선 AT는 원 O의 접선이고 ∠BAT=50°일 때, ∠x의 크기를 구하여라.

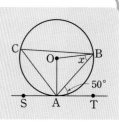

Summa Point

직선 ST가 원 O의 접선이고 점 A가 접점이면

① ∠CAS=∠CBA

② ∠BAT=∠BCA

116쪽 **Q** 042 ○

4-1 ☺☺☹

오른쪽 그림에서 직선 TA는 원의 접선일 때, ∠x의 크기를 구하여라.

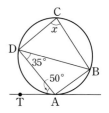

4-2 ☺☺☹

오른쪽 그림에서 직선 PT가 원 O의 접선일 때, ∠x의 크기를 구하여라.

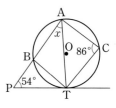

4-3 ☺☺☹

오른쪽 그림에서 직선 PT는 원 O의 접선이다. $\overarc{BT} : \overarc{CT}$=7 : 5, ∠BTP=42°일 때, ∠$x$의 크기를 구하여라.

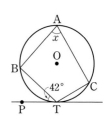

VI

유형 5 접선과 현이 이루는 각 (2)

오른쪽 그림에서 직선 PQ는 원 O
의 접선이고 점 B는 접점이다.
∠CPB=48°일 때, ∠x의 크기를
구하여라.

Summa Point

반원에 대한 원주각은 90°이다. 보조선을 그어 직각삼각형을 만
든 후 크기가 같은 각을 찾는다.

116쪽 **Q 042**

유형 6 접선과 현이 이루는 각 (3)

오른쪽 그림에서 두 점 A,
B는 점 P에서 원 O에 그
은 두 접선의 접점이다.
∠APB=40°일 때, ∠x의
크기를 구하여라.

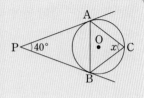

Summa Point

접선과 현이 이루는 각의 성질에 의해
∠PAB=∠PBA=∠ACB이다.

116쪽 **Q 042**

5-1 ☺☺☹

오른쪽 그림에서 $\overline{BD}$는 원 O의 지름
이고 직선 AT가 원 O의 접선일 때,
∠x의 크기를 구하여라.

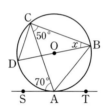

6-1 ☺☺☹

오른쪽 그림에서 두 점 A, B는 점 P
에서 원 O에 그은 두 접선의 접점이
다. ∠APB=58°, ∠DAC=73°일
때, ∠CBE의 크기를 구하여라.

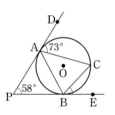

5-2 ☺☺☹

오른쪽 그림에서 $\overline{PT}$는 반지름의
길이가 6 cm인 원 O의 접선이고,
점 T는 접점이다. ∠ATP=30°
일 때, △ATB의 넓이를 구하여라.

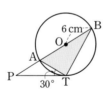

6-2 ☺☺☹

오른쪽 그림에서 직선 PQ는
점 T에서 접하는 두 원 O, O′
의 공통인 접선이다. 점 T를 지
나는 직선이 원과 만나는 점을
각각 A, B, C, D라고 할 때,
다음 중 옳지 <u>않은</u> 것은?

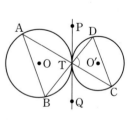

① ∠ABT=∠TDC   ② ∠BAT=∠QTC
③ $\overline{AB}/\!/\overline{CD}$ ④ △ABT∽△CDT
⑤ $\overline{AT}:\overline{CT}=\overline{BT}:\overline{DT}$

5-3 ☺☺☹

오른쪽 그림에서 원 O는 △ABC
의 외접원이고 직선 TB는 원 O
의 접선이다. $\overline{AB}$=6 cm,
$\tan x=\dfrac{3}{4}$일 때, 원 O의 반지름
의 길이를 구하여라.

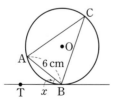

해설 BOOK **026쪽** | 테스트 BOOK **036쪽**

Step 1 | 내·신·기·본

01 오른쪽 그림에서 ∠APB의 크기는?

① 15° ② 20°
③ 25° ④ 30°
⑤ 35°

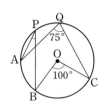

02 오른쪽 그림에서 $\overline{AC}$와 $\overline{BD}$는 원 O의 지름이다. ∠ACB=52°일 때, ∠x의 크기를 구하여라.

03 오른쪽 그림과 같이 반지름의 길이가 18 cm인 원 O에서 $\overset{\frown}{BC}=3\pi$ cm일 때, ∠BAC의 크기를 구하여라.

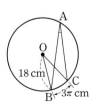

04 다음 그림에서 ∠BPD=40°, ∠BQD=68°일 때, ∠x의 크기를 구하여라.

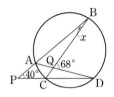

05 오른쪽 그림에서 $\overset{\frown}{AB}:\overset{\frown}{CD}=5:3$이고 $\overset{\frown}{CD}$의 길이가 원의 둘레의 길이의 $\dfrac{1}{10}$일 때, ∠x의 크기는?

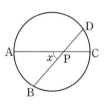

① 42° ② 44° ③ 46°
④ 48° ⑤ 50°

창의융합

06 오른쪽 그림은 놀이공원에서 원 모양을 그리면서 움직이는 대관람차이다. 대관람차의 10개의 칸이 일정한 간격으로 놓여 있을 때, ∠x, ∠y의 크기를 각각 구하여라.

07 오른쪽 그림의 원 O에서 $\overset{\frown}{BC}$의 길이는 원의 둘레의 길이의 $\frac{1}{3}$, $\overset{\frown}{CD}$의 길이는 원의 둘레의 길이의 $\frac{1}{5}$일 때, $\angle x$의 크기를 구하여라.

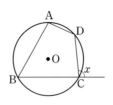

10 오른쪽 그림에서 $\angle y - \angle x$의 크기는?

① $25°$ ② $30°$

③ $35°$ ④ $40°$

⑤ $45°$

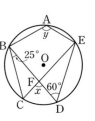

08 오른쪽 그림과 같이 원 O에 내접하는 오각형 ABCDE에서 $\angle AOE = 72°$일 때, $\angle x + \angle y$의 크기는?

① $212°$ ② $216°$

③ $220°$ ④ $224°$ ⑤ $228°$

11 오른쪽 그림에서 직선 BT는 원 O의 접선이고 점 B는 접점이다. $\angle ABC = 40°$이고 $\overset{\frown}{AB} : \overset{\frown}{BC} = 4 : 3$일 때, $\angle CBT$의 크기를 구하여라.

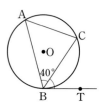

09 오른쪽 그림과 같이 두 원 O, O′이 두 점 P, Q에서 만날 때, $\angle x$의 크기를 구하여라.

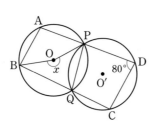

12 오른쪽 그림에서 직선 AT는 원 O의 접선이고 $\overline{BC}$는 원의 지름이다. 원 O의 넓이가 $16\pi \text{ cm}^2$이고 $\angle CAT = 60°$일 때, $\triangle ABC$의 넓이를 구하여라.

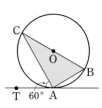

13 오른쪽 그림과 같이 반지름의 길이가 6 cm인 원에 내접하는 △ABC의 내심을 I라고 하자. ∠A=30°일 때, $\overarc{PAQ}$의 길이를 구하여라.

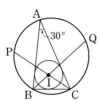

14 오른쪽 그림의 원 O에서 $\overarc{AB}=\overarc{BC}=\overarc{CD}$이고 ∠BEC=32°일 때, ∠$x$의 크기를 구하여라.

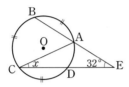

창의융합

15 다음 그림과 같이 무대의 길이가 9 m인 원형 극장이 있다. 원 위의 한 점에서 무대의 양 끝을 바라 본 각의 크기가 60°일 때, 이 원형 극장의 지름의 길이를 구하여라.

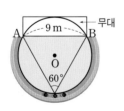

16 오른쪽 그림과 같이 □ABCD는 원 O에 내접하고 ∠BAO=72°, ∠BCO=28°일 때, ∠ADC의 크기를 구하여라.

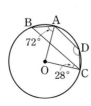

17 오른쪽 그림에서 직선 DT는 원 O의 접선이고, 점 D는 접점이다. $\overarc{AC}:\overarc{BD}=1:3$이고, ∠BDT=45°일 때, ∠BPD의 크기를 구하여라.

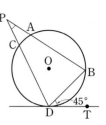

18 오른쪽 그림에서 △ABC는 원에 내접하고, 직선 DA는 원의 접선이다. ∠ADB의 이등분선이 $\overline{AB}$와 만나는 점을 E라 하고 ∠BAC=40°일 때, ∠x의 크기를 구하여라.

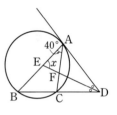

19 오른쪽 그림에서 직선 TT′은 원 O의 접선이고, $\overline{AB}$는 원 O의 지름이다. $\overline{BC}/\!/\overline{TT'}$이고 ∠ATT′=30°일 때, ∠$x$의 크기를 구하여라.

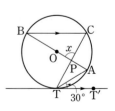

1. 원과 직선

01. 원의 현

024 원의 중심에서 현에 내린 수선은 어떤 성질을 가질까?

$\overline{OH} \perp \overline{AB}$이면 $\overline{AH} = \overline{BH}$

026 원의 중심과 현의 길이 사이에는 어떤 관계가 있을까?

(1) $\overline{OM} = \overline{ON}$이면 $\overline{AB} = \overline{CD}$
(2) $\overline{AB} = \overline{CD}$이면 $\overline{OM} = \overline{ON}$

027 원에 내접하는 삼각형 중에서 두 변이 원의 중심으로부터 같은 거리에 있는 삼각형은 어떤 삼각형일까?

$\overline{OM} = \overline{ON}$이면 $\overline{AB} = \overline{AC}$이므로 이등변삼각형이다.

02. 원의 접선

028 원 밖의 한 점에서 그 원에 그은 접선은 어떤 성질을 가질까?

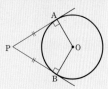

$\overline{PA} = \overline{PB}$

029 원의 접선으로 만들어진 삼각형의 둘레의 길이는?

(△ABC의 둘레의 길이)
$= \overline{AD} + \overline{AE} = 2\overline{AD}$

031 삼각형과 그 내접원에서 선분의 길이를 어떻게 구할까?

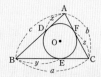

(△ABC의 둘레의 길이)
$= 2(x+y+z)$

033 원에 외접하는 사각형의 변의 길이 사이에는 어떤 관계가 있을까?

$\overline{AB} + \overline{DC} = \overline{AD} + \overline{BC}$

2. 원주각

01. 원주각

034 한 호에 대한 원주각의 크기는 중심각의 크기의 □이다?

$\angle APB = \dfrac{1}{2} \angle AOB$

035 한 원에서 한 호에 대한 원주각의 크기는 모두 같을까?

$\angle APB = \angle AQB = \angle ARB$

036 반원에 대한 원주각의 크기는?

$$\angle APB = 90°$$

037 원 O에 내접하는 △ABC에서 $\sin A$의 값을 어떻게 구할까?

한 호에 대한 원주각의 크기는 같고, 반원의 원주각이 90°임을 이용하여 직각삼각형을 만들어!

038 한 원에서 길이가 같은 호에 대한 원주각의 크기는 서로 같을까?

$\overarc{AB} = \overarc{CD}$이면
$$\angle APB = \angle CQD$$

039 네 점 A, B, C, D가 한 원 위에 있는지 어떻게 알 수 있을까?

점 C, D가 직선 AB에 대하여 같은 쪽에 있고 $\angle ACB = \angle ADB$이면 네 점 A, B, C, D는 한 원 위에 있어.

02. 원주각의 활용 (1) – 원과 사각형

040 원에 접하는 사각형에서 한 쌍의 대각의 크기의 합은 몇 도일까?

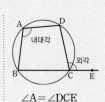

$\angle A + \angle C = 180°$,
$\angle B + \angle D = 180°$
$\angle A = \angle DCE$

041 사각형이 원에 내접하려면 어떤 조건을 만족해야 할까?

(대각의 크기의 합)
$= 180°$

(한 외각의 크기)
= (그 내대각의 크기)

한 선분에 대하여 같은 쪽에 있는 각의 크기가 같다.

03. 원주각의 활용 (2) – 접선과 현이 이루는 각

042 접선과 현이 이루는 각과 크기가 같은 원주각은?

$$\angle BAT = \angle BCA$$

043 두 원에서 접선과 현이 이루는 각을 이용하여 알 수 있는 성질은?

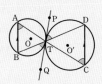

$\angle BAT = \angle BTQ = \angle DTP = \angle DCT$
이므로 $\overline{AB} /\!/ \overline{CD}$

$\angle BAT = \angle BTQ = \angle CDT$
이므로 $\overline{AB} /\!/ \overline{CD}$

01 오른쪽 그림의 원 O에서 $\overline{AB}\perp\overline{CD}$ 이고 $\overline{OD}=15$, $\overline{CM}=6$일 때, 현 AB의 길이를 구하여라.

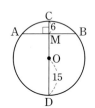

04 오른쪽 그림에서 $\overline{AB}$는 원 O의 지름이고, $\overline{AC}$, $\overline{CD}$, $\overline{BD}$ 는 접선이다. 이때 □ABDC 의 넓이를 구하여라.

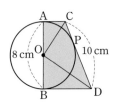

02 오른쪽 그림의 원 O에서 $\overline{OM}\perp\overline{AB}$, $\overline{ON}\perp\overline{AC}$이고 $\overline{OM}=\overline{ON}=2$ cm, ∠BCA=60°일 때, △ABC의 넓이를 구하여라.

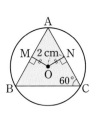

05 오른쪽 그림에서 두 점 B, C 는 원 O의 밖의 한 점 P에서 원 O에 그은 접선의 접점이 고, 점 A는 $\overline{OP}$와 원 O의 교점이다. 이때 □OBPC의 둘레의 길이를 구하여라.

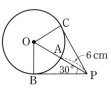

03 오른쪽 그림에서 직선 PT는 원 O의 접선이고 점 T는 접점이다. $\overline{TT'}\perp\overline{OP}$일 때, $\overline{TT'}$ 의 길이는?

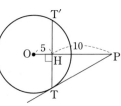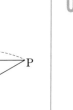

① $2\sqrt{2}$ ② $6\sqrt{2}$ ③ $10\sqrt{2}$
④ $7\sqrt{2}$ ⑤ $8\sqrt{2}$

06 오른쪽 그림과 같이 원 O는 ∠C=90°인 직각 삼각형 ABC의 내접원이 다. $\overline{AB}=17$, $\overline{BC}=15$일 때, 원 O의 반지름의 길이 는?

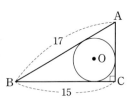

① 3   ② 4   ③ $3\sqrt{2}$
④ 5   ⑤ $3\sqrt{3}$

07 오른쪽 그림에서 원 O는 △ABC의 내접원이고 세 점 D, E, F는 접점이다. △ABC의 둘레의 길이가 30 cm일 때, $\overline{AB}$의 길이를 구하여라.

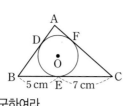

08 다음 그림에서 $\overrightarrow{PA}$, $\overrightarrow{PB}$, $\overline{AB}$는 각각 원 O의 접선이 고 세 점 C, D, E는 각각 원 O의 접점이다. $\overline{PA}$=10 cm, $\overline{AB}$=6 cm, ∠PBA=90°일 때, $\overline{BD}$ 의 길이를 구하여라.

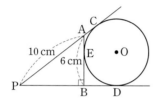

09 다음 그림에서 $\overarc{AB}=\overarc{BC}=\overarc{CD}=\overarc{DE}=\overarc{EA}$일 때, ∠ADB의 크기를 구하여라.

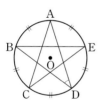

10 오른쪽 그림에서 $\overline{AB}$는 원 O의 지름이고 $\overarc{AC}:\overarc{BC}=5:4$, $\overarc{AD}=\overarc{DE}=\overarc{BE}$일 때, ∠$x$+∠$y$ 의 크기를 구하여라.

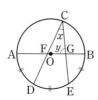

11 오른쪽 그림에서 점 P, Q, R는 각각 $\overarc{AB}$, $\overarc{BC}$, $\overarc{CA}$의 중점이 고 ∠PQR=65°일 때, ∠x의 크기는?

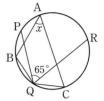

① 35°   ② 40°
③ 45°   ④ 50°
⑤ 55°

12 오른쪽 그림에서 $\overline{BC}$는 반원 O 의 지름이고, ∠E=50°일 때, ∠AOD의 크기를 구하여라.

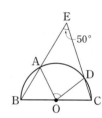

13 오른쪽 그림과 같이 원에 내접하 는 육각형에서 ∠A+∠C+∠E 의 크기는?

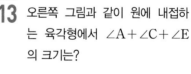

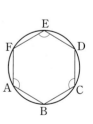

① 240°   ② 300°
③ 360°   ④ 480°
⑤ 540°

14 다음 그림과 같이 $\overline{AB}$를 지름으로 하는 반원 O에서 $\widehat{AD}=\widehat{CD}$일 때, $\angle x$의 크기를 구하여라.

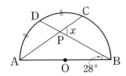

15 오른쪽 그림에서 $\overline{PT}$는 원의 접선이고, $\overline{BT}=\overline{BP}$일 때, $\angle x$의 크기를 구하여라.

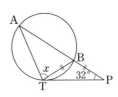

16 오른쪽 그림에서 두 점 P, Q는 두 원 O, O'의 교점이다. $\angle BAP=105°$ 일 때, $\angle D$의 크기를 구하여라.

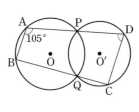

17 오른쪽 그림에서 점 P는 두 원의 접점이고 점 P 를 지나는 두 직선이 원 과 만나는 점을 각각 A, B, C, D라고 하자. $\angle PDC=50°$, $\angle DPC=45°$일 때, $\angle x$의 크기를 구하여라.

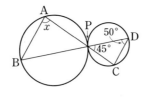

18 오른쪽 그림에서 $\overline{AB}$는 원 O의 지름이고, $\overline{PT}$는 원 O 의 접선이다. $\angle BCT=55°$ 일 때, $\angle x$의 크기는?

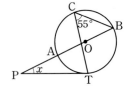

① 20°   ② 25°
③ 30°   ④ 35°   ⑤ 40°

19 오른쪽 그림과 같은 반원 O에서 $\overline{AP}$는 반원 O의 접선일 때, $\angle x$의 크기는?

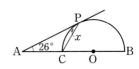

① 28°   ② 30°   ③ 32°
④ 34°   ⑤ 36°

20 오른쪽 그림에서 □ABCD 는 원에 내접한다. $\overline{AB}$, $\overline{CD}$ 의 연장선의 교점을 E, $\overline{AD}$, $\overline{BC}$의 연장선의 교점을 F라 고 하자. $\angle AED=18°$, $\angle AFB=24°$일 때, $\angle x$의 크기를 구하여라.

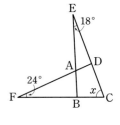

21 다음 그림에서 두 점 A, B는 점 P에서 원 O에 그은 두 접선의 접점이다. $\overarc{AC} : \overarc{BC} = 2 : 3$일 때, $\angle x$의 크기를 구하여라.

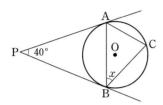

22 오른쪽 그림과 같이 원 O의 지름 BA의 연장선 위의 점 P에서 원 O에 접선 PT를 그었다. $\overline{PC} = \overline{BC}$일 때, $\angle x$의 크기를 구하여라.

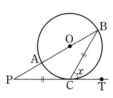

23 오른쪽 그림에서 $\overline{AQ}$는 $\angle A$의 이등분선이고, $\overline{AP} = 8$ cm, $\overline{AB} = 12$ cm일 때, $\overline{PQ}$의 길이를 구하여라.

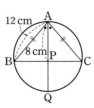

24 오른쪽 그림과 같이 $\angle A = \angle B = 90°$인 사다리꼴 ABCD가 원 O에 외접한다. $\overline{DH} = 6$, $\overline{CD} = 8$일 때, 원 O의 반지름의 길이를 구하여라.

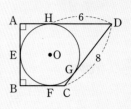

답 _____

25 오른쪽 그림에서 원 O의 두 현 AB와 CD가 이루는 각이 45°이고, $\overarc{AD} = 2\pi$, $\overarc{BC} = 4\pi$일 때, 원 O의 넓이를 구하여라.

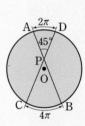

답 _____

TOPIC

1 원을 나타내는 방정식이 있다?

원의 성질과 피타고라스 정리를 바탕으로 우리는 좌표평면에서 원이
나타내는 방정식을 구할 수 있다.

오른쪽 그림과 같이 중심이 원점이고 반지름의 길이가 r인 원이 있다.

이 원 위의 임의의 점을 $\mathrm{P}(x, y)$라고 하면

피타고라스 정리에 의해

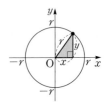

$$x^2+y^2=r^2$$

이 성립한다. 이 식이 바로 중심이 $(0, 0)$이고, 반지름의 길이가 r인 원의 방정식이다.
중심이 원점인 원들은 모두 위와 같은 형태의 방정식으로 나타내어진다.

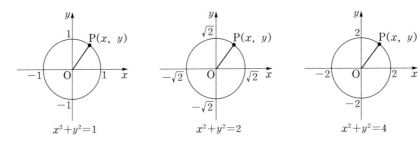

$$x^2+y^2=1 \qquad\qquad x^2+y^2=2 \qquad\qquad x^2+y^2=4$$

중심이 (a, b)이고, 반지름의 길이가 r인 원의 방정식도 피타고라
스 정리를 바탕으로 하여 간단한 평행이동으로 구할 수 있다. 원의
중심이 $(0, 0)$에서 x축의 방향으로 a만큼, y축의 방향으로 b만큼
평행이동한 것이므로 원의 방정식은

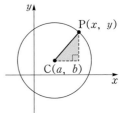

$$(x-a)^2+(y-b)^2=r^2$$

이 된다.

특별히 x축 또는 y축에 접하는 원의 경우, 반지름의 길이가 중심의 x좌표 또는 y좌표와 같
게 되므로 다음과 같이 원의 방정식이 세워진다.

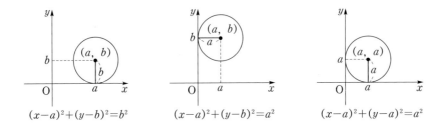

$$(x-a)^2+(y-b)^2=b^2 \qquad (x-a)^2+(y-b)^2=a^2 \qquad (x-a)^2+(y-a)^2=a^2$$

'아는 만큼 보이고, 보는 만큼 느낀다.' 는 말은 수학에서도 일맥상통합니다.
교과서 밖으로 나와 더 넓은 수학을 접하여 나만의 사고력을 한 단계 높여 보세요!

TOPIC 2
공통현과 공통접선의 길이

원의 중심에서 현에 내린 수선은 현을 이등분하고, 원의 접선은 그 접점을 지나는 반지름과 수직이다. 즉, 현과 반지름, 접선과 반지름은 수직이기 때문에 원에서 피타고라스 정리를 적용할 경우가 많다. 이와 관련된 예로 여기에서는 공통현과 공통접선의 길이를 구해 보도록 하자.

(1) 공통현의 길이

두 원 O, O′이 두 점 A, B에서 만날 때, 선분 AB를 두 원의 **공통현**이라 하고, 선분 OO′을 중심거리라고 한다. 두 원이 두 점에서 만날 때, 다음과 같은 성질을 가진다.

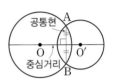

공통현은 중심거리에 의하여 수직이등분된다.

따라서 이 두 선분은 수직이므로 피타고라스 정리를 이용하면 공통현의 길이나 중심거리를 구할 수 있다.

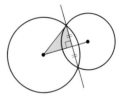

(2) 공통접선의 길이

서로 만나지 않는 두 원에 동시에 접하는 접선을 **공통접선**이라고 한다. 공통접선에는 공통외접선과 공통내접선의 두 가지 형태가 나오는데 이때 공통접선의 길이인 $\overline{AB}$의 길이는 그림에서와 같이 보조선을 그어 만든 직각삼각형에서 피타고라스 정리로 구할 수 있다.

① 공통외접선	② 공통내접선
두 원의 반지름의 길이를 각각 R, r($R>r$), 중심거리를 d라 할 때,	두 원의 반지름의 길이를 각각 R, r($R>r$), 중심거리를 d라 할 때,
$\overline{AB}=\sqrt{d^2-(R-r)^2}$	$\overline{AB}=\sqrt{d^2-(R+r)^2}$

01 아폴로니안 개스킷

아폴로니안 개스킷은 고대 그리스의 수학자 아폴로니우스가 발견한 원의 성질을 이용하여 크고 작은 원을 반복적으로 그리는 형식이다. 아폴로니우스는

세 개의 원이 접할 때 이 세 개의 원에 동시에 접하는 두 개의 원을 그릴 수 있다

는 사실을 처음 알아낸 수학자로 이 원리로 무한히 많은 원을 계속 그려나가면 아폴로니안 개스킷이 만들어진다. 다음과 같이 단계적으로 아폴로니안 개스킷을 그려 보면서 원의 개수에 관한 성질도 찾아보자.

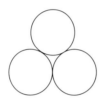
[1단계]

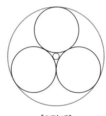
[2단계]

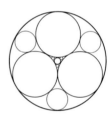
[3단계]

[1단계] 크기가 같은 원 3개를 서로 접하게 그린다.
[2단계] 3개의 원에 접하는 원을 안쪽과 바깥쪽에 그린다.
         그러면 원래 3개의 원과 새로운 원 2개로 모두 5개가 된다.
[3단계] 3개의 원에 동시에 접하는 원을 그린다. 이때, 5개의 원으로 나누어진 6군데에 원이 하나씩 그려지므로 원은 모두 11개가 된다.
[4단계] 3개의 원에 동시에 접하는 원을 그린다. 이때, 11개의 원으로 나누어진 18군데에 원이 하나씩 그려지므로 원은 모두 29개가 된다.

이와 같은 방법으로 그려 가면 n단계에서 $(n+1)$단계가 되면 새로운 원이 모두 $2 \cdot 3^{n-1}$개가 생기고, n단계에서의 원의 개수는 $(3^{n-1}+2)$개가 된다고 한다.

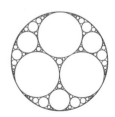

$$\varphi = \frac{1}{3} \cdot \left[h_I (r_{I_2}^3 - r_{I_1}^3) + h_{II} (r_{II_2}^3 - r_{II_1}^3) + h_{III} (r_{III_2}^3 - r_{III_1}^3) \right.$$

놀랍게도 모래 예술가 짐 데네반이 이 도형을 사막의 모래 위에 그려 놓았다. 사람이 그렸다고 하기엔 정말 믿기지 않을 정도로 완벽해 보이는 이 그림들을 모래 위에서 트럭의 바퀴를 이용해 그렸다고 하니 놀라지 않을 수 없다.

다음은 그의 사이트(JimDenevan.com)에 소개된 사진들이다.

사진 속에 보이는 사람의 크기를 보면 그린 그림의 실제 크기를 짐작해 볼 수 있을 것이다. 그는 세상에서 가장 큰 그림을 그리는 화가로 불리는데, 그림의 크기와 더불어 완벽함도 보여 주어 사람들을 놀라게 한다.

사람의 크기로 실제 크기를 짐작해 봐~!

이탈리아의 베니스
물 위에 떠있는 낭만의 도시 베니스!
오랜 세월 동안 흐르는 물 위에서 멋진 모습으로 서 있는
건물들은 보면 그 신비로움에 탄성이 절로 나온다.

VII
통계

숨마쿰라우데® 개념기본서

INTRO to Chapter VII

통계

SUMMA CUM LAUDE - MIDDLE SCHOOL MATHEMATICS

세금을 걷기 위해 통계가 시작되다...

현재 각 국가에서 대규모로 실시되는 센서스(Census)는 원래 세금이라는 뜻을 지닌 라틴어 censere에서 유래된 것으로 로마는 전투자의 수와 세금을 부과할 목적으로 5년간의 간격으로 조사를 시행하였는데, 로마 제국의 멸망으로 이러한 조사는 사라진 듯 하다가 17세기에 들어서 서유럽에서 등장하게 되었다.

17세기는 통계학의 발전에 있어서 중요한 시기였다. 국가나 사회에서 일어나는 여러 현상들을 설명하는데 있어서 통계 자료가 유용하게 쓰이게 되었다. 또한 17세기는 과거의 연역적 사고 방식에서 벗어나 귀납적 방법을 통한 과학적 탐구 방법, 즉 실험과학이 등장하게 되는데 베이컨(1561~1626)에 의해 체계적으로 발전된 이 방법은 많은 경험적 데이타를 분류하고 정리함으로써 새로운 지식을 얻는 방법을 말한다. 사회, 경제 현상을 관찰하여 수량화하려는 형식적인 접근은 이때부터 시작되어 인구와 토지, 군사력, 세입과 세출을 표와 그림으로 나타내거나, 수집된 자료를 해석하여 그 의미를 공표하는 등 초보적인 통계적 접근이 이 시기에 이루어졌다.

하지만 이때에는 통계 조사가 힘들 정도의 인구 증가나 경제 성장이 크지 않았기 때문에 통계적 조사를 몇몇 교회 등에서 전담하여 맡아 왔고, 통계 자료 역시 출생, 혼인, 사망 등의 기초적인 수량 기록이거나 간단한 무역 활동 기록 정도로 미미하였다.

통계의 본격적인 발전은 19세기부터였다. 이때에는 급격한 사회 변화로 인해 국가 차원에서의 통계 조사가 필요하게 되었고, 유럽 국가들은 여러 사회 정책을 세우기 위한 보다 과학적인 근거를 마련하기 위해서 인구 조사를 실시하였다.

19세기 통계학을 발달시킨 통계학자 케틀레...

19세기 유럽 통계를 대표하는 인물로는 벨기에의 수학자이자 통계학자인 케틀레(1796~1874)가 있다. 그는 천문학 등에서만 쓰이던 통계이론을 사회 데이터에도 적용하려 했고, 인구 통계와 범죄통계를 연구하여 도덕현상이나 범죄현상과 같이 무질서해 보이는 사회 현상에도 일종의 규칙성이 존재함을 밝혔다. 그는 통계 자료를 연구한 결과, 매년 어느 국가의 범죄율, 자살률 등이 마치 물리학 법칙을 따르듯 일정하다는 사실로부터 통계를 이용하면 사회의 법칙을 찾을 수 있다고 생각하였다. 케틀레는 과학적인 통계 연구 방법을 처음으로 사회과학에 응용하여 큰 공적을 남기고 그 후의 발전의 시발점을 만든 사람이다.

자료를 분석할 줄 아는 능력을 기르자...

자료를 수집하고 정리하여 이로부터 미지의 사실에 대한 신빙성 있는 추론을 해야 하는데, 이를 목적으로 하는 학문이 통계학이다. 통계학은 주변에서 볼 수 있는 여러 현상들을 자료화하여 과학적으로 분석·추론함으로써 최적의 의사결정을 하고 미래를 예측할 수 있는 수단을 제공하는 학문이다.

이번 단원에서 우리는 통계학의 기초가 되는 대푯값과 산포도를 배운다.

자료를 대표하는 대푯값으로 평균, 중앙값, 최빈값에 대해 알아보고 주어진 자료에서 그 값을 구해 보도록 할 것이다. 또한 흩어져 있는 정도를 수치로 나타낸 산포도를 구하고, 이와 더불어 산점도를 통해 두 변량 사이의 관계도 파악해 볼 것이다.

자, 그럼 본격적으로 대푯값과 산포도를 공부해 보자.

LECTURE 01 대푯값

1. 대푯값

(1) 대푯값 : 자료 전체의 특징을 대표적으로 나타내는 값

대표값으로 평균, 중앙값, 최빈값 등이 있다.

① 평균 : 전체 자료의 합을 자료의 개수로 나눈 값

예 2, 5, 4, 3의 평균 ➡ $\dfrac{2+5+4+3}{4}=3.5$

② 중앙값 : 자료를 작은 값부터 크기순으로 나열할 때, 중앙에 위치한 값

예 • 4, 5, 7, 8, 10의 중앙값 ➡ 7

• 5, 7, 9, 11, 39, 47의 중앙값 ➡ $\dfrac{9+11}{2}=10$

③ 최빈값 : 자료 중에서 가장 많이 나타난 값

예 • 3, 4, 4, 4, 5, 7의 최빈값 ➡ 4

• 2, 3, 4, 3, 2, 6의 최빈값 ➡ 2, 3

• 6, 3, 9, 3, 6, 9의 최빈값 ➡ 없다.

1. 대푯값

우리는 일상생활에서 평균 점수, 평균 기온, 평균 성장률 등 자료의 특징을 알아보기 위한 값으로 평균을 주로 사용해 왔다.

하지만 평균을 단순히 (평균)=$\dfrac{(변량의\ 총합)}{(변량의\ 개수)}$ 이라는 정도의 식으로만 여길 뿐 자료에서 평균이 차지하는 의미는 생각해보지 않았을 것이다.

이 단원에서는 평균의 성질과 더불어 대푯값의 의미와 그 성질을 살펴보도록 하자.

Q 044 대푯값이란?

A 자료 전체의 특징을 대표적으로 나타내는 값

A 우리가 반을 대표할 수 있는 사람으로 반장을 뽑듯이 여러 자료에 대해서도

자료 전체의 특징을 대표적으로 나타내는 값

이 필요하게 되는데 이 값을 그 자료의 **대푯값**이라고 한다.

대푯값으로 우리에게 잘 알려진 것이 평균이다. 하지만 여기서 배울 대푯값에는 평균 이외에도 중앙값, 최빈값이 있다. 지금부터 평균, 중앙값, 최빈값을 구하는 방법과 그 쓰임새를 비교해 보도록 하자.

Q 045 평균은 변량의 □□을 변량의 개수로 나누어 구한다?

A 변량의 총합을 변량의 개수로 나누면 평균!

A 이전에 배웠듯이 평균은 여러 개의 자료의 양을 통일적으로 고르게 한 것으로 각 자료의 변량의 총합을 변량의 개수로 나누어 구한다.

$$(평균) = \frac{(변량의\ 총합)}{(변량의\ 개수)}$$

평균은 수들의 무게중심과 같다고 볼 수 있지.

예제 1 다음을 구하여라.

(1) 중간고사에서 국어 80점, 영어 70점, 수학 90점을 받았을 때, 이 세 과목의 평균

(2) 5개의 변량 85, 80, x, 90, 70의 평균이 81일 때, x의 값

풀이 (1) $\dfrac{80+70+90}{3} = \mathbf{80}$(점)

(2) $\dfrac{85+80+x+90+70}{5} = 81$이므로 $325+x=405$ ∴ $x=\mathbf{80}$

평균과 같이 자료를 하나의 수로 대표하여 나타내면 자료 전체의 중심적인 경향을 쉽게 알 수 있고, 다른 자료와도 비교하기 쉬워지게 된다.

다음 국가대표 축구 선수들의 연령과 키에 대한 두 자료를 살펴보자.

(브라질 월드컵 한국대표팀)
평균 연령은 26세,
평균 키는 184 cm

(호주 아시안컵 한국대표팀)
평균 연령은 27세,
평균 키는 182 cm

자료를 보면 평균을 통해 우리는 브라질 월드컵 때 출전한 선수들은 나이는 어리지만, 키는 더 크다는 사실을 알 수 있다.

하지만 자료 중에서

극단적으로 크거나 작은 값이 있는 경우에는 평균이 대푯값으로 적절하지 않다.

다음과 같이 스포츠센터에서 광고한 글을 자세히 살펴보자.

○○ 스포츠센터 회원 모집했습니다!
신입 회원 5명 100일 만에 운동만으로 평균 16 kg 감량!

많은 사람들이 이 광고를 보면 정말 100일 만에 16 kg의 몸무게를 줄일 수 있을 것이라고 기대할 수 있다. 하지만 5명의 회원이 있고, 감량한 무게가

2 kg, 3 kg, 60 kg, 5 kg, 10 kg

이라면? 홍보를 위한 허위 광고나 다름없다. 평균은 16 kg이지만 이 평균보다 더 많이 감량한 사람은 딱 한 사람 밖에 없기 때문이다. 극단적인 값 60 kg으로 인해 평균이 매우 높아졌기 때문에 평균 16 kg은 자료를 대표한다고 보기 힘들다.

이와 같이 자료의 변량 중에서 매우 크거나 매우 작은 극단적인 값이 있는 경우에 평균은 그 극단적인 값의 영향을 많이 받는다. 이와 같은 경우에는 평균 이외의 다른 대푯값을 생각할 필요가 있다.

Q 046 중앙값은 □□ 순으로 나열하여 구한다?

 크기

 자료의 변량을 작은 값부터 **크기순으로** 나열했을 때, 중앙에 있는 **값을 중앙값**이라고 한다.
일반적으로 자료 중에서 매우 크거나 매우 작은 극단적인 값이 있는 경우 평균에 영향을 주어 평균이 한 쪽으로 치우치는 경향이 있다. 이러한 경우에는 평균이 대푯값으로 적절하지 않고 중앙값이 대푯값으로 적절하다. 중앙값은 자료에 극단적인 값이 있을 때, 그 값에 영향을 받지 않는다는 장점이 있다.

중앙값을 구할 때는 자료를 작은 값부터 크기순으로 나열하여 자료의 개수가 홀수이면 가운데에 위치한 하나의 값을 중앙값으로 하고, 자료의 개수가 짝수이면 가운데에 위치한 두 값의 평균을 중앙값으로 한다. 예를 통해 살펴보도록 하자.

> 중앙값은 자료의 개수에 따라 구하는 방법이 약간 달라!

(1) 자료의 개수가 홀수인 경우
다음과 같이 자료의 개수가 7이면 가운데에 있는 4번째 값이 중앙값이 된다.
따라서 중앙값은 5이다.

중앙
1 3 3 (5) 8 10 12

(2) 자료의 개수가 짝수인 경우

다음과 같이 자료의 개수가 6이면 가운데는 3번째와 4번째 값의 중간이다.

따라서 중앙값은 두 값 8과 10의 평균인 $\dfrac{8+10}{2}=9$이다.

중앙

5   6   ⑧ ⑩   12   14

중앙값을 구하는 방법을 정리하면 다음과 같다.

> **n개의 자료를 작은 값부터 크기순으로 나열할 때,**
> (1) n이 홀수이면 가운데 위치한 값이 중앙값이다.
>
>   즉, $\dfrac{n+1}{2}$번째 값이 중앙값이다.
>
> (2) n이 짝수이면 가운데 위치한 두 값의 평균이 중앙값이다.
>
>   즉, $\dfrac{n}{2}$번째 값과 $\left(\dfrac{n}{2}+1\right)$번째 값의 평균이 중앙값이다.

예제 2 다음 자료의 중앙값을 구하여라.

   (1) 3, 1, 3, 8, 7, 10, 60

   (2) 23, 26, 18, 20, 22, 4

중앙값을 구하려면 먼저 변량을 작은 값부터 크기순으로 나열해!

풀이 (1) 크기순으로 나열하면 1, 3, 3, 7, 8, 10, 60   ∴ (중앙값)=**7**

       (2) 크기순으로 나열하면 4, 18, 20, 22, 23, 26   ∴ (중앙값)=$\dfrac{20+22}{2}=$**21**

중앙값의 특징을 정리해 보면 다음과 같다.

(1) 중앙값은 차이가 큰 극단적인 값에 영향을 받지 않는다.

(2) 순서가 변하지 않는 한 다른 변량의 값이 변하여도 중앙값은 변하지 않는다.

(3) 가운데의 값 이외에서는 자료의 값이 아닌 순서로만 이용되어 자료 자체의 값의 반영이 잘 되지 않는다.

(4) 자료의 수가 많을수록 순서를 정해야 하므로 불편하다.

|참고| 평균의 특징

       ① 차이가 큰 극단적인 값에 영향을 받는다.

       ② 모든 자료의 값이 반영된다.

A YES! 가장 많이 나타나는 값이 최빈값~

A 대푯값으로 평균이나 중앙값만이 유용하게 쓰이는 것은 아니다.

상황에 따라 평균이나 중앙값보다 다른 것이 필요할 때가 있다. 소비자의 요구, 선호도 등의 자료에서 대푯값을 구할 때 자료의 값 중에서 가장 많이 나타나는 값이 의미가 있는 경우가 있다.
이와 같이 자료 중에서 가장 많이 나타난 값을 그 자료의 **최빈값**이라고 한다.

평균이나 중앙값과는 달리 최빈값은 중앙에 해당하는 값과는 무관하지만 집단의 대표적인 성향을 가장 신속하게 파악할 수 있다. 최빈값은 보통 선호도 조사를 할 때 사용한다.

최빈값과 그 구하는 방법을 정리하면 다음과 같다.

---

❶ 자료의 값 중에서 가장 많이 나타난 값이 최빈값이다.

❷ 자료의 개수가 모두 같으면 최빈값은 없다.

❸ ❷의 경우를 제외하고, 자료의 개수가 가장 많은 값이 두 개 이상이면 그 값이 모두 최빈값이다.

예제 3 다음 자료의 최빈값을 구하여라.

(1) 15, 20, 5, 10, 15, 20, 15, 5, 10, 15

(2) 노랑, 노랑, 노랑, 파랑, 파랑, 파랑, 빨강, 빨강, 빨강

(3) 44, 55, 66, 44, 66, 77, 44, 77, 55, 66

풀이 (1) 15가 4번으로 가장 많이 나타나므로 최빈값은 **15**이다.

(2) 노랑, 파랑, 빨강이 모두 3번씩 나타나므로 최빈값은 **없다.**

(3) 44와 66이 가장 많이 나타나므로 최빈값은 **44**와 **66**이다.

A 평균은 모든 자료의 값을 사용하고, 최빈값은 모양에서 확인해.

A 그래프는 자료를 나타내는 또다른 방법일 뿐 그래프에서도 자료를 모두 읽을 수 있으므로 그 자료를 이용하여 대푯값을 구하면 된다.

이때 그래프에서는 크기순으로 나열되어 있으므로 중앙값과 최빈값은 조금 더 쉽게 구할 수 있다. 다음은 12명의 학생들의 줄넘기 횟수를 정리한 줄기와 잎 그림에서 평균, 중앙값, 최빈값을 구한 것이다.

줄넘기 횟수

(1|5는 15회)

줄기	잎
1	5 7
2	4 8
3	2 4 6
4	0 0 6
5	3 5

⟺ 12명의 횟수를 나열하면
15, 17, 24, 28, 32, 34, 36, 40, 40, 46, 53, 55

(1) 평균 : $\dfrac{15+17+24+28+32+34+36+40+40+46+53+55}{12}=\dfrac{420}{12}=35(회)$

(2) 중앙값 : 6번째 값인 34회와 7번째 값인 36회의 평균이므로 $\dfrac{34+36}{2}=35(회)$

(3) 최빈값 : 가장 많이 나온 값은 40회이다.

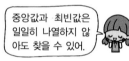

중앙값과 최빈값은 일일히 나열하지 않아도 찾을 수 있어.

이와 같이 표나 그래프로 자료가 주어진 경우에도 자료에서 평균, 중앙값, 최빈값을 각각 구할 수 있다.

예제 4 오른쪽 그림은 어느 학교 학생 15명의 음악 수행평가 점수를 나타낸 막대그래프이다. 음악 수행평가 점수의 평균, 중앙값, 최빈값을 각각 구하여라.

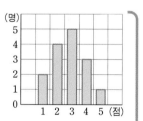

풀이 그래프를 표로 나타내면 다음과 같다.

점수(점)	1	2	3	4	5	합계
학생 수(명)	2	4	5	3	1	15

(i) 평균 : $\dfrac{1\times2+2\times4+3\times5+4\times3+5\times1}{15}=\dfrac{42}{15}=\mathbf{2.8(점)}$

(ii) 중앙값 : 8번째 학생의 점수이므로 **3점**

(iii) 최빈값 : 가장 많은 학생이 받은 점수이므로 **3점**

THINK Math

대칭되는 분포의 경우

다음 그림과 같이 자료의 분포가 어느 한 부분을 중심으로 좌우대칭을 이룰 때에는 평균과 중앙값이 서로 일치하게 된다.

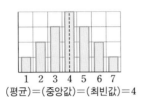

(평균)=(중앙값)=(최빈값)=4

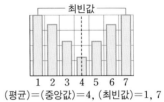

(평균)=(중앙값)=4, (최빈값)=1, 7

Q 049 대푯값으로 평균, 중앙값, 최빈값 중 어느 것을 사용하는 것이 좋을까?

A 자료에 따라 판단해야 해.

A 대푯값으로 평균, 중앙값, 최빈값 중 어느 것이 가장 좋다고 단정할 수는 없다. 주어진 자료에 따라 그 자료를 대표하는 대푯값으로 어느 것이 더 적절한지를 판단하여야 한다.

Q 046 에서 설명하였듯이 중앙값은 단지 크기 순서에 의하여 결정되므로 자료의 값이 모두 반영되지 않는 반면 평균은 자료의 값을 모두 이용한다. 이런 이유로 대푯값으로 평균을 흔히 사용한다. 하지만 자료에 극단적인 값이 있는 경우에는 중앙값이 평균보다 자료를 더 잘 나타낼 수 있다. 최빈값은 평균이나 중앙값과는 달리 자료 중에서 가장 많이 나타나는 값만 필요한 경우 사용된다.

평균, 중앙값, 최빈값을 비교하여 정리하면 다음과 같다.

	평균	중앙값	최빈값
한자	平(평평하다 평) 均(고르다 균)	中(가운데 중) 央(가운데 앙)	最(가장 최) 頻(자주 빈)
영어	mean	median	mode
뜻	전체 자료의 합을 자료의 개수로 나눈 값	자료의 변량을 작은 값부터 크기순으로 나열하였을 때, 중앙에 위치한 값	자료의 값 중에서 가장 많이 나타난 값
장점	자료의 값을 모두 사용한다.	자료의 값 중에 극단적인 값이 있을 때 평균에 비해 자료의 특성을 잘 나타낸다.	자료의 수가 많은 경우에 쉽게 구할 수 있고, 자료가 문자, 기호인 경우에도 사용 가능하다.
단점	자료의 값 중에 극단적인 값이 있는 경우에는 자료의 특징을 잘 반영하지 못한다.	자료의 모든 정보를 이용하지는 않는다.	자료의 수가 적으면 자료의 중심 경향을 잘 반영하지 못한다.
개수	각 자료에 대하여 그 값이 유일하다.	각 자료에 대하여 그 값이 유일하다.	각 자료에 대하여 두 개 이상인 경우도 있고, 없는 경우도 있다.

예제 5 다음은 경민이네 반 학생 5명의 자료이다. 자료를 보고 각 자료의 평균, 중앙값, 최빈값 중 대푯값으로 어느 것이 가장 적절한지 말하고, 그 대푯값을 구하여라.

(1) 키(cm)	163, 158, 160, 159, 190
(2) 몸무게(kg)	55, 54, 58, 57, 60
(3) 신발 크기(mm)	260, 260, 255, 260, 270

풀이 (1) 학생들의 키에는 극단적인 값 190 cm가 포함되어 있으므로 중앙값이 가장 적절하다.

크기순으로 나열하면 158, 159, 160, 163, 190

∴ (중앙값)=**160 cm**

(2) 학생들의 몸무게는 극단적인 값이 없으므로 평균이 적절하다.

∴ (평균)$=\dfrac{55+54+58+57+60}{5}=\dfrac{284}{5}=$**56.8(kg)**

(3) 신발 크기는 5 mm 간격으로 정해져 있는 상태이므로 최빈값이 가장 적절하다.

∴ (최빈값)=**260 mm**

Math STORY

리듬체조에서 사용하는 대푯값

올림픽 정식 종목 중 하나인 리듬체조는 줄, 후프, 공, 곤봉, 리본 등을 이용하여 음악의 리듬에 맞추어 신체 율동을 표현하는 여자 체조 경기이며 난이도, 구성 기술, 연기의 정확성, 안정성, 조화 등을 심사하여 점수를 매김으로써 등수가 정해진다. 개인전의 경우 4명의 심판원이 10점 만점으로 하여 채점을 하는데 점수는 4명의 심판원이 채점한 점수 중 최고점과 최저점을 제외한 나머지 점수의 평균으로 정한다. 이와 같이 최고점과 최저점을 제외하는 것은 어떤 특정한 심판이 극단적인 점수를 주어 평균 점수를 왜곡하는 것을 방지하기 위한 것이다. 이와 비슷한 방법으로 점수를 매기는 종목으로 피겨 스케이팅, 다이빙 등이 있다. 피겨 스케이팅, 다이빙은 심판원이 채점한 점수의 최고점과 최저점을 제외한 나머지 점수의 합을 이용해서 점수를 결정한다.

개념 CHECK

01. 대푯값

해설 BOOK **030**쪽

개념 **확인**

(1) ☐ : 자료 전체의 특징을 대표적으로 나타낸 값

(2) ☐ : 자료를 작은 값부터 크기순으로 나열할 때, 중앙에 위치한 값

(3) ☐ : 자료의 값 중에서 가장 많이 나타난 값

01 다음은 학생 10명의 일주일 동안의 용돈을 나타낸 표이다. 물음에 답하여라.

이름	지우	유진	은수	서진	선아	형진	민형	준수	인성	윤수
금액(원)	3000	5000	6000	10000	7000	4000	8000	13000	50000	6000

(1) 일주일 동안의 용돈의 평균, 중앙값, 최빈값을 각각 구하여라.

(2) 일주일 동안의 용돈의 대푯값으로 평균과 중앙값 중 어느 것을 선택하는 것이 좋을지 그 이유와 함께 말하여라.

02 오른쪽은 야구 선수 9명이 한 달 동안 경기에서 안타를 친 횟수를 조사하여 나타낸 것이다. 이 자료에 대하여 다음을 구하여라.

(1) 평균

(2) 중앙값

(3) 최빈값

안타를 친 횟수

(0|6은 6회)

줄기	잎
0	6 9
1	6 6 8
2	2 7 8
3	8

03 대푯값에 대한 설명으로 옳은 것에는 ○표, 틀린 것에는 ×표를 하여라.

(1) 대푯값으로 가장 많이 쓰이는 것은 평균이다. (   )

(2) 최빈값은 항상 1개만 존재한다. (   )

(3) 중앙값은 자료의 모든 값을 활용하여 구한다. (   )

(4) 평균은 극단적인 값에 영향을 받는다. (   )

(5) 20개의 변량을 크기가 작은 것부터 순서대로 나열할 때 9번째와 10번째 값의 평균이 중앙값이다. (   )

(6) 자료의 값 중 극단적으로 큰 값이 있는 경우는 중앙값이 평균보다 대푯값으로 적당하다. (   )

자기 **진단**

Q.044 ◐ 141쪽
대푯값이란?

Q.049 ◐ 146쪽
대푯값으로 평균, 중앙값, 최빈값 중 어느 것을 사용하는 것이 좋을까?

문제 이해도를 ☺, ☺, ☹으로 표시해 보세요.

해설 BOOK **031쪽** | 테스트 BOOK **044쪽**

유형 ① 평균, 중앙값, 최빈값의 이해

다음 자료는 민호네 반 학생 8명이 다니는 학원 개수를 조사하여 나타낸 것이다. 학원 개수의 평균, 중앙값, 최빈값을 각각 구하여라.

> 2, 5, 3, 3, 8, 3, 2, 10

Summa Point

- 평균 : $\dfrac{(자료의\ 총합)}{(자료의\ 개수)}$
- 중앙값 : 자료를 작은 값부터 크기순으로 나열할 때 중앙에 위치하는 값
- 최빈값 : 자료의 값 중에서 가장 많이 나타나는 값

141쪽 **Q 045** ↻

1-1 ☺☺☹

다음 자료는 정현이네 학교 3학년 11개 반의 안경을 낀 학생 수를 조사하여 나타낸 것이다. 안경을 낀 학생 수의 중앙값과 최빈값을 각각 구하여라.

(단위 : 명)

> 10, 15, 13, 17, 11, 14, 15
> 12, 15, 14, 13

1-2 ☺☺☹

다음 표는 지민이네 반 남학생, 여학생들의 영어 단어 시험 점수의 평균을 조사하여 나타낸 것이다. 지민이네 반 전체 학생 20명의 영어 단어 시험 점수의 평균을 구하여라.

	학생 수(명)	평균(점)
남학생	12	15
여학생	8	20

1-3 ☺☺☹

다음 자료는 A동호회와 B동호회 회원들의 나이를 조사하여 나타낸 것이다. A, B동호회 중 나이의 중앙값이 더 큰 동호회를 말하여라.

(단위 : 세)

> A동호회 : 22, 28, 23, 28, 29
> B동호회 : 22, 33, 24, 25, 40, 29

1-4 ☺☺☹

다음 표는 정미와 민준이의 양궁 점수를 조사하여 나타낸 것이다. 정미의 양궁 점수의 중앙값을 a점, 민준이의 양궁 점수의 최빈값을 b점이라고 할 때, $a-b$의 값을 구하여라.

(단위 : 점)

정미	1, 7, 3, 9, 3, 8, 10, 2
민준	3, 2, 10, 3, 7, 9, 3, 2

1-5 ☺☺☹

다음 중에서 최빈값이 하나인 경우는?

① 1, 2, 3, 4, 3, 2
② 2, 4, 6, 2, 4, 6
③ 1, 2, 3, 4, 5, 6
④ 7, 9, 7, 9, 7, 9
⑤ 1, 3, 5, 5, 6, 9

다음 자료의 중앙값이 32일 때, a의 값을 구하여라.

$$17, \quad a, \quad 45, \quad 18, \quad 47, \quad 19, \quad 47, \quad 27$$

Summa Point

자료를 작은 값부터 크기순으로 나열할 때, 자료가 짝수 개이면 중앙값은 중앙에 있는 두 값의 평균이다.

141쪽 Q 045

2-1 ☺☺☹

다음 표는 은주의 5과목의 중간고사 성적을 나타낸 것이다. 5과목 성적의 평균이 87점일 때, 영어 점수를 구하여라.

과목	국어	수학	사회	과학	영어
점수(점)	88	96	74	94	

2-2 ☺☺☹

아래 자료의 최빈값이 한 개뿐일 때, 다음 중 a의 값이 될 수 <u>없는</u> 것은?

$$6, \quad 7, \quad 8, \quad 9, \quad 9, \quad 10, \quad 11, \quad 11$$
$$12, \quad 12, \quad 12, \quad 13, \quad 14, \quad 14, \quad a$$

① 6   ② 8   ③ 10
④ 11   ⑤ 12

2-3 ☺☺☹

두 자연수 x, y에 대하여 5개의 변량 12, 14, 19, x, y의 중앙값이 17이고, 4개의 변량 11, 20, x, y의 중앙값이 18일 때, $y-x$의 값을 구하여라. (단, $x<y$)

다음 자료는 범준이네 모둠 학생 7명이 하루 동안 받은 이메일의 개수를 조사하여 나타낸 것이다. 평균과 최빈값이 같다고 할 때, x의 값을 구하여라.

$$4, \quad 2, \quad 8, \quad 4, \quad 5, \quad 4, \quad x$$

Summa Point

① 자료에서 최빈값을 구한다.
② (최빈값)=(평균)을 이용하여 변량 x의 값을 구한다.

141쪽 Q 045

3-1 ☺☺☹

다음 자료의 평균과 최빈값이 모두 0일 때, $a+2b$의 값을 구하여라. (단, $a<b$)

$$-5, \quad -2, \quad a, \quad 4, \quad b, \quad 0$$

3-2 ☺☺☹

3개의 변량 a, b, c의 평균이 10일 때, 3개의 변량 $2a+5$, $2b+5$, $2c+5$의 평균을 구하여라.

3-3 ☺☺☹

7개의 자연수 18, x, 31, 24, 20, 23, 28의 평균과 중앙값의 합이 48일 때, x의 값을 구하여라.

아래는 은서네 반 학생 10명이 방학 때 읽은 책 수를 조사하여 나타낸 줄기와 잎 그림이다. 다음을 구하여라.

(1|2는 12권)

줄기	잎
1	2 4 4
2	0 3 5 7
3	5 5
4	5

(1) 평균   (2) 중앙값   (3) 최빈값

Summa Point

• 평균 : $\dfrac{\text{자료의 총합}}{\text{자료의 개수}}$

• 중앙값 : 중앙에 위치한 값

• 최빈값 : 자료의 개수가 가장 많은 값

144쪽 Q048

4-1 ☺☺☹

다음 그림은 인호네 반 학생들의 과학 수행 평가 점수를 조사하여 나타낸 막대그래프이다. 과학 수행 평가 점수의 중앙값과 최빈값의 합을 구하여라.

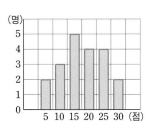

4-2 ☺☺☹

다음 표는 길원이네 반 학생 20명의 영어 단어 시험 점수를 조사하여 나타낸 것이다. 평균을 a점, 중앙값을 b점, 최빈값을 c점이라고 할 때, $a-b+c$의 값을 구하여라.

점수(점)	1	2	3	4	5	합계
학생 수(명)	x	4	5	8	2	20

4-3 ☺☺☹

다음 표는 어느 중학교 학생 20명의 6개월 동안 읽은 책 수를 조사하여 나타낸 것이다. 읽은 책 수의 평균이 9.2권일 때, 중앙값과 최빈값을 각각 구하여라.

책 수(권)	2	6	10	14	18	합계
학생 수(명)	2	a	b	5	1	20

4-4 ☺☹☹

다음 표는 학생 수가 같은 A반과 B반의 학생들을 대상으로 가족 수를 조사하여 나타낸 것이다. A반 가족 수의 최빈값을 a명, B반 가족 수의 중앙값을 b명이라고 할 때, $a+b$의 값을 구하여라.

가족 수(명)	학생 수(명)	
	A반	B반
3	6	4
4	7	10
5	x	3
6	2	3
7	1	0

해설 BOOK **033쪽** | 테스트 BOOK **047쪽**

Step 1 | 내·신·기·본

01 다음 중 옳지 <u>않은</u> 것을 모두 고르면? (정답 2개)

① 평균, 중앙값, 최빈값을 대푯값이라고 한다.
② 평균은 극단적인 값에 영향을 많이 받는다.
③ 자료의 개수가 짝수 개이면 중앙값은 구할 수 없다.
④ 평균은 주어진 자료의 일부분을 이용하여 계산한다.
⑤ 평균, 중앙값, 최빈값이 모두 같은 경우도 있다.

02 10개의 변량 a, b, c, ⋯, j의 평균이 20일 때, 12개의 변량 a, b, c, ⋯, j, 24, 28의 평균을 구하여라.

03 다음 자료는 어느 신발가게에서 이번 주에 판매된 운동화의 치수를 조사한 것이다. 이 가게의 주인이 다음 주에 판매할 운동화를 주문할 때, 가장 많이 주문해야 하는 운동화의 치수를 구하여라.

(단위 : mm)

240,	250,	245,	225,	240,
235,	230,	240,	240,	230

04 다음 자료 중에서 평균을 대푯값으로 하기에 적절하지 <u>않은</u> 것은?

① 5, 5, 5, 5, 5
② 7, 7, 7, 10, 10
③ 2, 4, 3, 7, 100
④ 20, 19, 20, 19, 20
⑤ 90, 90, 100, 110, 110

05 다음은 어느 스포츠센터 20명의 회원들이 하루 동안 러닝머신을 뛰는 시간을 조사하여 나타낸 줄기와 잎 그림이다. 러닝머신을 뛰는 시간의 중앙값을 a분, 최빈값을 b분이라고 할 때, $b-a$의 값을 구하여라.

(2|5는 25분)

줄기				잎			
2	5	7	8				
3	0	3	4	8			
4	5	5	5	7	7	8	9
5	0	0	0	0	5	9	

06 다음 표는 어느 반 학생 10명의 턱걸이 횟수를 조사하여 나타낸 것이다. 턱걸이 횟수의 평균이 7.8회일 때, $a-b$의 값을 구하여라.

횟수(회)	6	7	8	9	10	합계
학생 수(명)	a	3	b	1	2	10

07 다음 표는 소라네 반 학생들의 사회 수행 평가 점수를 조사하여 나타낸 것이다. 수행 평가 점수의 대푯값에 대한 설명으로 옳은 것은?

점수(점)	6	8	10	12	14	16	합계
학생 수(명)	4	6	10	10	6	4	40

① 평균은 12점이다.

② 중앙값은 11점이다.

③ 최빈값은 12점이다.

④ 주어진 자료의 대푯값으로 8점이 적절하다.

⑤ 상위 25 % 이내에 있는 학생들의 중앙값은 16점이다.

08 희정이가 올해 3번 본 수학 시험 성적이 82점, 90점, 94점이었다. 올해 4번의 수학 시험 성적의 평균이 90점이 되려면 한 번 남은 수학 시험에서 몇 점을 받아야 하는가?

① 88점 ② 90점 ③ 92점

④ 94점 ⑤ 96점

09 정수네 학교 3학년 학생 51명의 몸무게의 평균은 50 kg이었다. 그런데 한 한생이 전학을 가고 나니 몸무게의 평균은 50.1 kg이 되었다. 전학을 간 학생의 몸무게를 구하여라.

10 다음 두 가지 조건을 모두 만족시키는 자연수 a의 값을 구하여라.

> (가) 4개의 변량 35, 25, 48, a의 중앙값은 30이다.
> (나) 5개의 변량 15, 20, 25, 30, a의 중앙값은 25이다.

11 다음 자료는 어느 중학교 학생 7명의 한 달 동안 인터넷 사용 시간을 조사하여 나타낸 것이다. 사용 시간의 평균과 최빈값이 서로 같다고 할 때, x의 값은?

(단위 : 시간)

> 25, 26, 25, 28, x, 25, 24

① 21 ② 22 ③ 23

④ 24 ⑤ 25

12 다음 자료의 중앙값은 45이고, 최빈값은 50일 때, a의 값이 될 수 있는 것을 모두 고르면? (정답 2개)

> 50, 45, 37, 38, a, 50, 32

① 38 ② 41 ③ 45

④ 49 ⑤ 50

분산과 표준편차

SUMMA **NOTE**

1. 산포도

(1) 산포도 : 변량들이 흩어져 있는 정도를 하나의 수로 나타낸 값

　산포도로 분산과 표준편차를 많이 사용한다.

(2) 산포도가 작으면 변량들이 대푯값을 중심으로 가까이 모여 있고, 산포도가 크면 변량들이 대
　푯값으로부터 멀리 흩어져 있다.

2. 분산과 표준편차

(1) 편차 : 어떤 자료의 각 변량에서 평균을 뺀 값

$$(편차)=(변량)-(평균)$$

① 평균보다 큰 변량의 편차는 양수이고 평균보다 작은 변량의 편차는 음수이다.

② 편차의 총합은 항상 0이다.

(2) 분산 : 각 편차의 제곱의 평균

$$(분산)=\frac{\{(편차)^2의\ 총합\}}{(변량의\ 개수)}$$

(3) 표준편차 : 분산의 음이 아닌 제곱근

$$(표준편차)=\sqrt{(분산)}$$

1. 산포도

숨마와 이룸이가 다음과 같이 여행 준비를 하고 있다.
여행갈 곳이 낮과 밤의 기온 차이가 거의 없는 도시라
면 별 문제 없겠지만, 사막과 같이 일교차가 $20 \sim 30 ℃$
차이가 난다면 고생스러운 여행이 될 것이다.

이와 같이 통계 자료를 이용할 때에는 평균과 같은 대

푯값뿐만 아니라 자료가 흩어져 있는 정도를 살펴보는 것도 중요하다.

여기서는 자료의 흩어져 있는 정도, 즉 산포도에 대해 살펴보도록 하자.

Q 050 산포도란 무엇일까?

A 자료가 흩어져서 퍼져 있는 정도

A 산포도를 한자로 '散布度'라고 쓰는데 그 뜻을 살펴보면 다음과 같다.

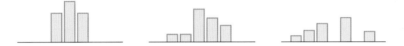

| 흩어지다 (산) | 퍼지다 (포) | 정도 (도) |

즉, **자료가 흩어져서 퍼져 있는 정도**를 **산포도**라고 한다. 자료의 산포도는 보통 하나의 수로 나타내어진다. 어떻게 수로 나타내는지는 **Q 053**에서 배우도록 하자.

학생들의 점수가 모두 80점으로 똑같다면 산포도는 명백히 0이 된다. 하지만 이런 가능성은 매우 희박하다. 점수가 높거나 낮은 학생들이 있으므로 다음과 같이 다양하게 분포하게 될 것이다.

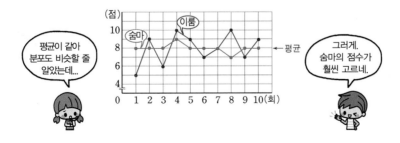

그림에서와 같이 자료들이 대푯값 주위에 모여 있을수록 산포도는 작아지고, 자료들이 대푯값에서 멀리 흩어져 있을수록 산포도는 커진다.

두 명의 양궁 선수 숨마와 이룸이가 있다고 하자. 이 두 선수가 활을 각각 10번씩 쏜 결과가 다음과 같다고 하자.

회	1	2	3	4	5	6	7	8	9	10	합계	
숨마(점)	8	8	8	9	8	8	8	7	8	8	80	← (평균)=$\frac{80}{10}$=8(점)
이룸(점)	5	9	6	10	9	7	8	10	7	9	80	← (평균)=$\frac{80}{10}$=8(점)

이때 두 선수의 평균 점수는 8점으로 같다. 하지만 그래프로 나타내면 숨마의 점수는 평균을 중심으로 모여 있고, 이룸이의 점수는 평균을 중심으로 멀리 흩어져 있다. 이 경우 숨마의 점수가 이룸이의 점수보다 고르게 분포되어 있다고 말한다. **Q 053**을 통해 산포도를 직접 구해 보면 숨마의 점수의 산포도가 이룸이의 점수의 산포도보다 작음을 확인할 수 있다.

2. 분산과 표준편차

앞에서 산포도는 '수'라고 하였다. 대푯값을 중심으로 그 모여 있는 정도를 어떻게 '수'로 표현할까? 산포도 중에서 가장 대표적으로 사용되는 분산과 표준편차를 통해 이를 알아보자.
분산과 표준편차는 대푯값을 평균으로 하여 구한 산포도이다.

Q 051   편차란 무엇일까?

A (편차)=(변량)−(평균)

A 자료의 흩어져 있는 정도, 다시 말해 자료의 **각 변량이 평균으로부터 얼마나 떨어져 있는지**를 나타내는 것이 산포도이므로 먼저 변량과 평균의 차를 조사할 필요가 있다.
이때 각 변량에서 평균을 뺀 값을 그 변량의 **편차**라고 한다. 즉,

$$(편차)=(변량)-(평균)$$

이다.
앞에서 숨마와 이룸이의 점수에 대한 편차를 각각 구해 보면 다음과 같다.

회	1	2	3	4	5	6	7	8	9	10
숨마(점)	8	8	8	9	8	8	8	7	8	8
편차(점)	0	0	0	1	0	0	0	−1	0	0

회	1	2	3	4	5	6	7	8	9	10
이룸(점)	5	9	6	10	9	7	8	10	7	9
편차(점)	−3	1	−2	2	1	−1	0	2	−1	1

위의 예를 통해 다음과 같은 편차의 성질을 알 수 있다.

❶ 편차가 0이면 (변량)=(평균)이다.
❷ 변량이 평균보다 크면 편차는 양수가 되고
   변량이 평균보다 작으면 편차는 음수가 된다.
❸ 편차의 절댓값이 클수록 변량은 평균에서 멀리 떨어져 있고,
   편차의 절댓값이 작을수록 변량은 평균 가까이에 있다.

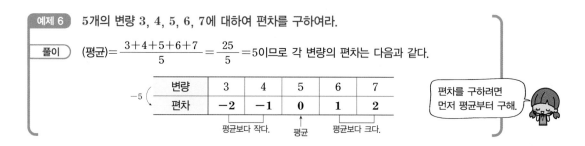

예제 6   5개의 변량 3, 4, 5, 6, 7에 대하여 편차를 구하여라.

풀이 $(평균)=\dfrac{3+4+5+6+7}{5}=\dfrac{25}{5}=5$이므로 각 변량의 편차는 다음과 같다.

변량	3	4	5	6	7
편차	−2	−1	0	1	2

평균보다 작다.   평균   평균보다 크다.

편차를 구하려면 먼저 평균부터 구해.

Q 052 편차의 총합은 항상 □이다?

A 0이다!

A 어떤 자료의 평균이 80이라는 말은 그 자료의 모든 변량을 80으로 볼 수 있다는 말이다.
모든 변량이 80이면 평균 80을 기준으로 구한 편차는 0이 될 수 밖에 없다. 이로부터

편차의 총합은 항상 0이 됨

을 알 수 있을 것이다. 다음과 같이 평균을 구하는 식을 통해 증명해 볼 수도 있다.

n개의 자료의 각 변량을 각각 m_1, m_2, $\cdots$, m_n이라 하고, 평균을 M이라고 하면

$$M = \frac{m_1 + m_2 + \cdots + m_n}{n}$$

이때 양변에 n을 곱하면 $M \times n = m_1 + m_2 + \cdots + m_n$ $\cdots\cdots$ ㉠

한편 편차는 각각 $m_1 - M$, $m_2 - M$, $\cdots$, $m_n - M$이므로 편차를 모두 더하면

$(m_1 - M) + (m_2 - M) + \cdots + (m_n - M)$
$= (m_1 + m_2 + \cdots + m_n) - M \times n$
$= M \times n - M \times n (\because ㉠) = 0$

예제 7 다음 표는 어느 반 학생 6명의 수학 점수의 편차를 나타낸 것이다. 6명의 수학 점수의 평균이 72점일 때, C의 점수를 구하여라.

학생	A	B	C	D	E	F
편차(점)	6	8	x	-2	-8	-3

풀이 편차의 합은 항상 0이므로 $6 + 8 + x + (-2) + (-8) + (-3) = 0$ $\therefore x = -1$
따라서 C의 점수는 $72 - 1 =$ **71(점)**

Q 053 분산이란 무엇일까?

A 편차의 제곱의 평균

A 산포도는 편차를 이용하여 구한다. 그런데 **Q 052**에서 알았듯이 편차의 총합은 항상 0이므로 편차의 평균은 의미가 없다. 그래서

편차를 제곱하여 사용한다!

즉, '편차'의 합 대신 '편차의 제곱'의 합을 사용하여 그 평균을 구하여 산포도로 사용한다.
이와 같이 어떤 자료의 **편차의 제곱의 평균**을 그 자료의 **분산**이라고 한다. 편차의 제곱을 이용하면 실제 떨어진 정도보다 더 크게 반영되어 통계적 분석에 도움이 된다.

$$(분산) = \frac{\{(편차)^2의\ 총합\}}{(변량의\ 개수)}$$

앞에서 구한 숨마와 이룸이의 점수의 편차를 이용하여 분산을 각각 구해 보면 다음과 같다.

숨마(점)	8	8	8	9	8	8	8	7	8	8	
편차(점)	0	0	0	1	0	0	0	−1	0	0	←총합 : 0
(편차)²	0	0	0	1	0	0	0	1	0	0	←총합 : 2

➡ 분산 : $\dfrac{0^2+0^2+0^2+1^2+0^2+0^2+0^2+(-1)^2+0^2+0^2}{10}=\dfrac{2}{10}=0.2$

이룸(점)	5	9	6	10	9	7	8	10	7	9	
편차(점)	−3	1	−2	2	1	−1	0	2	−1	1	←총합 : 0
(편차)²	9	1	4	4	1	1	0	4	1	1	←총합 : 26

➡ 분산 : $\dfrac{(-3)^2+1^2+(-2)^2+2^2+1^2+(-1)^2+0^2+2^2+(-1)^2+1^2}{10}=\dfrac{26}{10}=2.6$

결과를 비교하면 숨마의 점수의 분산이 이룸이의 점수의 분산보다 작다. 이로부터 우리는 숨마의 점수의 분포가 더 고르다고 확실하게 말할 수 있다!

예제 8 다음은 학생 5명의 몸무게를 조사하여 나타낸 자료이다. 5명의 몸무게의 분산을 구하여라.

(단위 : kg)

50,	52,	48,	47,	53

풀이 (평균)$=\dfrac{50+52+48+47+53}{5}=\dfrac{250}{5}=50\,(\text{kg})$

편차를 차례로 구하면 $0, 2, -2, -3, 3$ 이므로

(분산)$=\dfrac{0^2+2^2+(-2)^2+(-3)^2+3^2}{5}=\dfrac{26}{5}=5.2$

> 분산은 편차를 제곱한 것이니까 변량의 단위를 쓸 수 없어!

Q 054 표준편차란 무엇일까?

A 분산의 음이 아닌 제곱근!

A 분산의 음이 아닌 제곱근을 **표준편차**라고 한다. 위의 예에서

숨마의 점수의 분산이 0.2이므로 ➡ 표준편차는 $\sqrt{0.2}$점

이룸이의 점수의 분산이 2.6이므로 ➡ 표준편차는 $\sqrt{2.6}$점

> (표준편차)$=\sqrt{\text{분산}}$

이다. 사실 산포도는 분산만 구하는 것으로도 충분해 보인다. 하지만 표준편차를 구하는 이유는 따로 있다. 산포도를 자료의 단위와 같게 맞추기 위해서이다.

분산은 편차들을 제곱한 것이므로 자료의 단위를 쓸 수 없지만 제곱의 합으로 이루어진 분산의 제곱근인 표준편차의 단위는 자료의 단위와 같게 된다.

분산과 표준편차를 구하는 방법을 정리하면 다음과 같다. 분산과 같은 개념이므로 표준편차가 작을수록 평균을 중심으로 고르게 분포되어 있게 된다.

평균	➡	편차	➡	분산	➡	표준편차
	(변량)−(평균)		편차의 제곱의 평균		음이 아닌 제곱근	

예제 9 다음은 수빈이네 모둠 학생 8명의 1분 동안 윗몸일으키기 횟수를 조사하여 나타낸 자료이다. 윗몸일으키기 횟수의 분산과 표준편차를 각각 구하여라.

(단위 : 회)

| 40, | 41, | 38, | 36, | 44, | 37, | 43, | 41 |

풀이 (평균) $= \dfrac{40+41+38+36+44+37+43+41}{8} = \dfrac{320}{8} = 40$(회)

편차를 차례로 구하면 $0, 1, -2, -4, 4, -3, 3, 1$ 이다.

$\therefore$ (분산) $= \dfrac{0^2+1^2+(-2)^2+(-4)^2+4^2+(-3)^2+3^2+1^2}{8} = \dfrac{56}{8} = 7$

(표준편차) $= \sqrt{7}$ **(회)**

> 표준편차의 단위는 변량의 단위로!

Q 055   A, B, C 세 학생의 나이의 표준편차는 10년 후에도 같을까?

A YES! 나이의 차가 그대로이니까 표준편차도 변함이 없어!

A 나이가 각각 9세, 15세, 18세인 세 명의 학생이 있다. 이 세 학생의 평균 나이와 표준편차를 구하면 다음과 같다.

(평균) $=(9+15+18) \div 3 = 14$(세)

(표준편차) $= \sqrt{\dfrac{(9-14)^2+(15-14)^2+(18-14)^2}{3}} = \sqrt{14}$(세)

그렇다면 10년 후 이 학생들의 평균 나이와 표준편차는 얼마가 될까?

10년 후이면 19세, 25세, 28세가 되므로

(평균) $=(19+25+28) \div 3 = 24$(세)

(표준편차) $= \sqrt{\dfrac{(19-24)^2+(25-24)^2+(28-24)^2}{3}} = \sqrt{14}$(세)

하지만 굳이 위와 같은 계산을 하지 않아도 평균과 표준편차를 알 수 있다.

10년 후의 나이는 현재의 나이에 10을 더한 것이므로 평균도 10만큼 늘어나게 된다.

하지만 세 학생의 나이의 차는 그대로이므로 표준편차는 10년 후에도 변함이 없다.

이처럼 평균과 표준편차의 변화에 대해 무턱대고 계산을 하려는 것보다 먼저 그 변화에 대해 생각할 수 있도록 하자. 일정한 값만큼 더하거나 빼는 경우가 아닌 곱하는 경우에는 표준편차가 달라진다. 이에 대해서는 185쪽 **Advanced Lecture**에서 좀 더 살펴보도록 하자!

Q 056   표준편차가 작을수록 분포는 □□□?

Ā (바른) 고르다!

A (친절한) 분산과 표준편차를 정확하게 구하는 것만큼 중요한 것은 자료에서 분산과 표준편차가 의미하는 것이 무엇인지 알고 분석하는 것이다. 다음 자료를 살펴보자.
다음은 학생 수가 각각 10명인 A, B, C 세 모둠에서 학생들이 지난 주말에 읽은 책 수를 조사하여 각각 막대그래프로 나타낸 것이다.

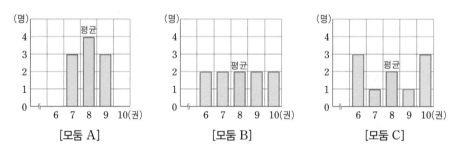

위의 그래프를 보면 모둠 A가 다른 모둠에 비해 평균 주위에 모여 있으므로 산포도가 가장 작다고 할 수 있으며, 모둠 C가 다른 모둠에 비해 평균으로부터 멀리 흩어져 있으므로 산포도가 가장 크다고 할 수 있다.

위의 자료처럼 그래프만으로도 산포도를 쉽게 비교할 수 있지만 보통 비슷비슷한 자료에 대한 산포도를 눈으로만 비교하기는 쉽지 않다. 이런 경우에는 분산과 표준편차를 구해 수의 크기로 산포도를 비교하는 것이 가장 확실하다.
이제 산포도를 이용하여 두 자료 중 어느 쪽 자료가 더 <u>고른</u>지 알아보자.

자료 A	10, 8, 8, 9, 7, 6
자료 B	7, 10, 8, 7, 7, 9

두 자료의 총합은 48로 같으므로 평균도 8로 같다.
이때 두 자료의 분산은 각각

$$(\text{A의 분산}) = \frac{2^2 + 0 + 0 + 1^2 + (-1)^2 + (-2)^2}{6} = \frac{5}{3}$$

$$(\text{B의 분산}) = \frac{(-1)^2 + 2^2 + 0 + (-1)^2 + (-1)^2 + 1^2}{6} = \frac{4}{3}$$

따라서 A, B의 표준편차는 각각 $\sqrt{\dfrac{5}{3}}=\dfrac{\sqrt{15}}{3}$, $\sqrt{\dfrac{4}{3}}=\dfrac{\sqrt{12}}{3}$ 이므로 표준편차가 작은 자료 B가 자료 A보다 더 고르다고 할 수 있다.

분산과 표준편차의 크기에 따른 두 자료의 분석

❶ 분산과 표준편차가 작을수록

　자료는 평균 주위에 모여 있다. ➡ 자료의 분포 상태가 고르다.

❷ 분산과 표준편차가 클수록

　자료는 평균 주위에 모여 있지 않다. ➡ 자료의 분포 상태가 고르지 않다.

예제 10 다음은 숨마와 이룸이가 5회에 걸쳐 본 영어 단어 시험의 점수를 조사하여 나타낸 것이다. 누구의 점수가 더 고른지 표준편차를 구해 비교하여라.

회	1회	2회	3회	4회	5회
숨마(점)	13	17	15	19	11
이룸(점)	14	15	17	16	13

풀이

숨마 : (평균)$=\dfrac{13+17+15+19+11}{5}=15$(점)이므로

(분산)$=\dfrac{(-2)^2+2^2+0^2+4^2+(-4)^2}{5}=\dfrac{40}{5}=8$

∴ (표준편차)$=\sqrt{8}=2\sqrt{2}$ (점)

이룸 : (평균)$=\dfrac{14+15+17+16+13}{5}=15$(점)이므로

(분산)$=\dfrac{(-1)^2+0^2+2^2+1^2+(-2)^2}{5}=\dfrac{10}{5}=2$

∴ (표준편차)$=\sqrt{2}$ (점)

따라서 $\sqrt{2}<2\sqrt{2}$ 이므로 **이룸**이의 점수가 더 고르다.

Q 057   두 집단의 분포를 통해 산포도를 비교할 수 있다?

빠른 A

산포도가 작을수록 평균 가까이에 모여 있다.

친절한 A

산포도가 크고 작음은 다음과 같이 분석할 수 있다.

산포도(＝표준편차)가 작다.	산포도(＝표준편차)가 크다.
변량 간의 격차가 작다. 변량이 평균 가까이에 모여 있다.	변량 간의 격차가 크다. 변량이 평균에서 멀리 떨어져 있다.

이때 표준편차를 구해서 수의 대소 비교로 판단해도 되지만 다음 친구들처럼 눈으로 그 분포를 쉽게 비교, 판단할 수도 있다.

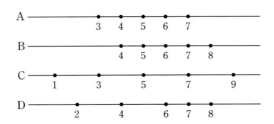

🧑 A와 B는 평균에 모여 있고, C, D는 평균에서 떨어져 분포하고 있어!

🧑 B의 경우 A의 값마다 1씩 증가할 뿐 각 변량 사이의 간격에는 변화가 없으므로 A와 B의 산포도는 같아.

🧑 C의 경우는 1부터 9까지 변량이 분포하지만 D의 경우는 2부터 8까지 변량이 분포하므로 D의 산포도가 C의 산포도보다 작아.

🧑 A, B, C, D의 산포도를 비교하면 A＝B＜D＜C야.

한편 다음과 같은 형태의 그래프가 주어진 경우에도 눈으로 그 분포를 비교, 판단할 수 있다.
이때 각 그래프는 점선 부분을 중심으로 좌우대칭이고, 이때 점선 부분은 평균에 해당한다.

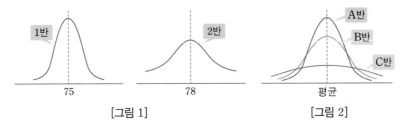

[그림 1]은 학생 수가 같은 두 반의 수학 점수의 분포를 나타낸 것이다.
평균은 2반이 높지만 평균 가까이에 모여 있는 반은 1반이므로 산포도는 1반이 2반보다 더 작다.
[그림 2]는 학생 수가 같은 세 반의 수학 점수의 분포를 나타낸 것이다.
세 반의 평균은 같지만 가장 높으면서 뾰족한 모양의 A반이 평균 가까이에 가장 많이 모여 있음을 알 수 있다. 따라서 세 반의 산포도를 비교하면 A＜B＜C이다.

개념 CHECK

해설 BOOK 034쪽

개념 확인

(1) (편차)=(변량)−(⬚)

(2) 편차의 합은 항상 ⬚ 이다.

(3) 분산은 ⬚ 의 제곱의 평균 이다.

(4) 표준편차는 ⬚ 의 음이 아 닌 제곱근이다.

01 다음은 주현이네 모둠 학생 5명의 사회 시험 점수에 대한 편차를 조사하여 나타낸 것이다. x의 값을 구하여라.

(단위 : 점)

2, 0, −3, −4, x

02 다음은 어느 반 학생 10명의 턱걸이 횟수를 조사하여 나타낸 것이다. 턱걸이 횟수의 분산과 표준편차를 각각 구하여라.

(단위 : 회)

11, 7, 9, 12, 8, 9, 7, 8, 9, 10

03 다음 자료의 평균과 최빈값이 모두 2일 때 분산을 구하여라. (단, $x>y$)

(단위 : 회)

−1, 3, x, 6, −2, 2, y

자기 진단

Q.051 ○ 156쪽
편차란 무엇일까?

Q.053 ○ 157쪽
분산이란 무엇일까?

Q.054 ○ 158쪽
표준편차란 무엇일까?

04 다음 표는 서울과 강릉 지역의 5일 동안의 최고 기온을 조사하여 나타낸 것이다. 두 지역 중 어느 지역의 최고 기온이 더 고른지 표준편차를 비교하여 말하여라.

지역 ＼ 일	1일	2일	3일	4일	5일
서울(℃)	24	26	25	22	28
강릉(℃)	25	20	21	22	27

SUMMA **NOTE**

1. 상관관계

(1) 산점도 : 두 변량 x, y의 순서쌍 (x, y)를 좌표평면 위에 점으로 나타
  낸 그래프

(2) 상관관계 : 두 변량 x, y 사이에 x의 값이 증가함에 따라 y의 값이 증
  가하거나 감소하는 경향이 있을 때, 두 변량 x, y 사이에 상관관계가 있
  다고 한다.

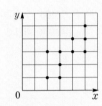

(3) 상관관계의 종류

① 양의 상관관계 : x의 값이 증가함에 따라 y의 값도 대체로 증가하는 관계

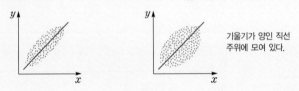

기울기가 양인 직선
주위에 모여 있다.

② 음의 상관관계 : x의 값이 증가함에 따라 y의 값은 대체로 감소하는 관계

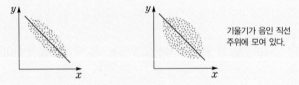

기울기가 음인 직선
주위에 모여 있다.

| 참고| 점들이 한 직선 주위에 몰려 있을수록 상관관계는 강하고 흩어져 있을수록 상관관계는 약
  하다고 한다.

③ 상관관계가 없다. : 다음 산점도와 같이 점들이 한 직선 주위에 모여 있지 않고 흩어져 있
  거나 x축 또는 y축에 평행하게 분포하는 경우

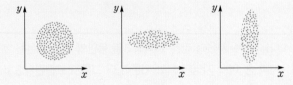

1. 상관관계

통계 자료에서 두 변량 사이의 관계를 그래프로 나타내면 그 관계를 쉽게 알아볼 수 있는 경우가
있다. 이 단원에서는 두 변량 사이의 관계를 산점도로 나타내고, 이를 이용하여 상관관계를 살펴
보도록 하자.

A 두 변량 x, y의 순서쌍 (x, y)를 좌표평면 위에 점으로 나타낸 그래프

A 다음은 12일 동안 서울에서 미세먼지와 초미세먼지를 측정하여 작성한 글이다.

미세먼지는 여러 가지 복합적 성분을 가진 대기 중에 떠다니는 물질로 자동차의 배기가스, 공장에서 연료의 연소 등에서 만들어진다. 지름이 2.5마이크로미터보다 크고 10마이크로미터보다 작은 입자를 미세먼지라고 부르며 지름이 2.5마이크로미터 이하인 미세먼지를 초미세먼지라고 한다. 미세먼지와 초미세먼지는 우리 몸에 여러 질병을 유발할 수 있어서 외출 시에는 마스크를 착용하고 손과 코를 잘 씻는 것이 좋다. 미세먼지 농도와 초미세먼지 농도 사이에는 어떤 관계가 있을까?

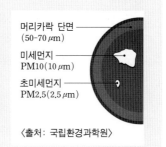

〈출처: 국립환경과학원〉

〈미세먼지와 초미세먼지 농도〉

일	1	2	3	4	5	6	7	8	9	10	11	12
미세먼지 농도(μg/m³)	33	31	42	10	29	15	27	20	39	41	45	36
초미세먼지 농도(μg/m³)	22	19	20	13	23	7	15	10	27	29	33	24

위 글에서 서로 대응하는 두 변량인 미세먼지 농도와 초미세먼지 농도를 각각 x, y라고 할 때, 순서쌍 (x, y)를 좌표로 하는 점을 좌표평면 위에 나타내면 다음 그림과 같다.

〈미세먼지와 초미세먼지 농도〉
(단위 : μg/m³)

표보다는 그래프가 보기 쉽지? 그래프의 장점을 통계에서도 확인할 수 있어.

위와 같이 두 변량 x, y의 순서쌍 (x, y)를 좌표로 하는 점을 좌표평면 위에 나타낸 그래프를 **산점도**라고 한다. 산점도를 보면 두 변량 사이의 관계를 쉽게 파악할 수 있다.

산점도
(흩을 散 점 點 그림 圖)
: 흩어진 정도를 나타낸 그림

Q 059 상관관계란 무엇일까?

A 두 변량 x, y 사이에 x의 값이 증가함에 따라 y의 값이 증가하거나 감소하는 경향이 있을 때, 두 변량 x, y 사이에 상관관계가 있다고 한다.

A **Q 058**의 미세먼지 농도와 초미세먼지 농도에 관한 산점도에서 점들은 어느 정도 흩어져 있기는 하지만 대체로 오른쪽 위로 올라가는 한 직선을 따라 그 주위에 분포되어 있다고 볼 수 있다.
이와 같이 두 변량 x, y 사이에 x의 값이 증가함에 따라 y의 값이 증가하거나 감소하는 경향이 있을 때, 두 변량 x, y 사이에 **상관관계**가 있다고 한다.

두 변량 x, y에 대한 산점도에서 x의 값이 증가함에 따라 y의 값도 대체로 증가하는 경향이 있을 때, 두 변량 x, y 사이에 <u>양의 상관관</u>계가 있다고 한다.
예를 들어 여름철 평균기온이 올라갈수록 냉방에 필요한 비용은 늘어나므로 여름철 평균기온과 냉방비는 양의 상관관계가 있다.

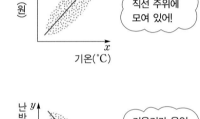

기울기가 양인 직선 주위에 모여 있어!

이와 반대로 두 변량 x, y에 대한 산점도에서 x의 값이 증가함에 따라 y의 값이 대체로 감소하는 경향이 있을 때, 두 변량 x, y 사이에 음의 상관관계가 있다고 한다.
예를 들어 겨울철 평균기온이 올라갈수록 난방에 필요한 비용은 감소하므로 겨울철 평균기온과 난방비는 음의 상관관계가 있다.

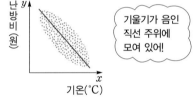

기울기가 음인 직선 주위에 모여 있어!

예제 11 아래 표는 10일 동안의 일평균 기온과 A마트의 아이스크림 판매량을 조사하여 나타낸 것이다. 일평균 기온을 x°C, A마트의 아이스크림 판매량을 y개라고 할 때, 다음 물음에 답하여라.

일평균 기온(℃)	28	30	32	27	28	29	30	31	32	33
판매량(개)	280	310	290	250	260	270	290	300	320	340

(1) 두 변량 x, y에 대한 산점도를 좌표평면 위에 나타내어라.

(2) 두 변량 x, y 사이에 어떤 상관관계가 있는지 말하여라.

풀이
(1) 순서쌍 (x, y)를 좌표평면 위에 점으로 나타내면 오른쪽 그림과 같다.

(2) 일평균 기온 x°C가 증가함에 따라 아이스크림 판매량 y개도 대체로 증가하는 경향이 있으므로 **양의 상관관계**가 있다.

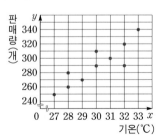

생활 주변에서 보통 양의 상관관계와 음의 상관관계를 가지는 경우는 다음과 같다.

양의 상관관계	음의 상관관계
통학 거리와 통학 시간	게임 시간과 공부 시간
출생율과 인구증가율	물건의 가격과 판매량
도시의 인구 수와 학교 수	낮의 길이와 밤의 길이
자동차의 속도와 제동거리	운동량과 비만도
인터넷 광고 수와 판매량	쌀 생산량과 쌀의 가격

예제 12 다음 두 변량 사이에 어떤 상관관계가 있는지 말하여라.

(1) 산의 높이와 정상에서의 기온

(2) 책가방의 무게와 신발 치수

(3) 키와 앉은키

풀이 (1) **음의 상관관계** (2) **상관관계가 없다.** (3) **양의 상관관계**

한편 상관관계는 그 관계성이 아주 높으면 강한 상관관계, 약하면 약한 상관관계라고 말한다. 이때 강하다는 말은 산점도의 점들이 한 직선 주위에 가까이 모여 있다는 것을 말한다.

오른쪽 그림의 산점도 ⑺, ⑷는 모두 두 변량 x, y가 양의 상관관계에 있다. 이때 산점도 ⑺의 점들이 한 직선 주위에 더 가까이 모여 있으므로 산점도 ⑺가 산점도 ⑷보다 강한 양의 상관관계이다.

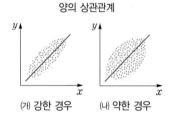

양의 상관관계

⑺ 강한 경우   ⑷ 약한 경우

또한 오른쪽 그림의 산점도 ⑸, ⑹는 모두 두 변량 x, y가 음의 상관관계에 있다. 이때도 산점도 ⑸의 점들이 한 직선 주위에 더 가까이 모여 있으므로 산점도 ⑸가 산점도 ⑹보다 강한 음의 상관관계이다.

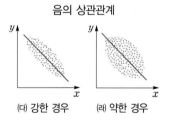

음의 상관관계

⑸ 강한 경우   ⑹ 약한 경우

Q 060 상관관계가 없을 수도 있을까?

두 변량 중 한 변량에 대해 다른 변량의 증가나 감소가 분명하지 않을 때, 상관관계가 없을 수 있다.

x의 값이 증가함에 따라 y의 값이 증가하거나 감소하는 경향이 분명하지 않을 때, x와 y 사이에는 상관관계가 없다고 한다.

다음 그림의 산점도 (마), (바)와 같이 점들이 좌표축에 평행하거나 산점도 (사)와 같이 점들이 한 직선 주위에 모여 있지 않고 흩어져 있는 경우도 x와 y 사이에는 상관관계가 없다고 한다.

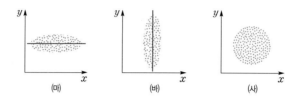

Q 059와 Q 060에서 다룬 상관관계를 한 줄로 정리하면 다음과 같다.

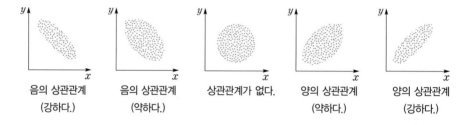

| 음의 상관관계 (강하다.) | 음의 상관관계 (약하다.) | 상관관계가 없다. | 양의 상관관계 (약하다.) | 양의 상관관계 (강하다.) |

THINK Math

상관관계는 인과관계가 아니다.

한 연구자가 아이스크림의 연간 판매량 증감 추이를 확인하고, 물놀이 중 사망자의 연간 증감 추이를 확인하다가 명백한 상관관계가 나타나고 있음을 발견하게 되었다. 데이터를 보면 아이스크림 판매량이 급증하는 동안, 물놀이 사망자 수도 급증하였고, 판매량이 감소하는 동안 물놀이 사망자 수도 감소하고 있었던 것이다. 이 연구자는 유레카를 외치며 다음과 같은 결론을 내렸다.

"물놀이 사망자 수의 증감은 아이스크림이 그 원인이다."

물론 연구자의 결론은 잘못된 것이다. 물놀이 사망자 수와 아이스크림의 판매량이 양의 상관관계를 가짐을 알 수 있지만 아이스크림이 물놀이 사망자 수 증가의 원인이라는 인과관계를 갖지는 않는다는 것이다.

상관관계는 조사한 대상에 대한 결과이지만 이 결과를 일반화하기에는 어려움이 있다.

두 변량 사이에 상관관계가 있다고 해서 모든 경우에 그렇다고 일반화할 수는 없다는 것이다.

Q 061 x, y의 산점도를 쉽게 분석하는 방법이 있을까?

A 기준이 되는 보조선을 이용해.

A x, y의 산점도를 분석할 때 다음과 같이 기준이 되는 보조선을 이용해 보자.

때때로 양의 상관관계, 음의 상관관계를 나타내는 산점도에서 특별한 조건을 만족시키는 값들을 찾는 경우가 있다. 이때 다음과 같이 보조선을 긋거나 색을 칠하여 <u>영역을 나누어 보면</u> 쉽게 답을 구할 수 있다.

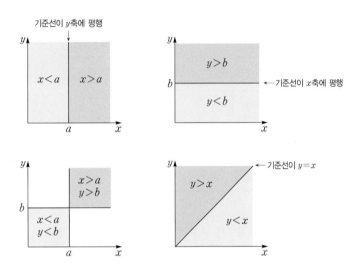

오른쪽 그림은 어느 반 학생 15명의 국어 점수와 수학 점수에 관한 산점도이다. 이 산점도에 대하여 위의 내용을 적용하여 조건에 맞는 학생 수를 구한 방법을 살펴보자.

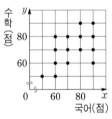

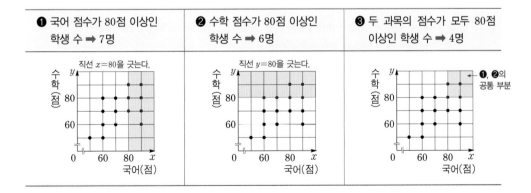

❶ 국어 점수가 80점 이상인 학생 수 ➡ 7명	❷ 수학 점수가 80점 이상인 학생 수 ➡ 6명	❸ 두 과목의 점수가 모두 80점 이상인 학생 수 ➡ 4명

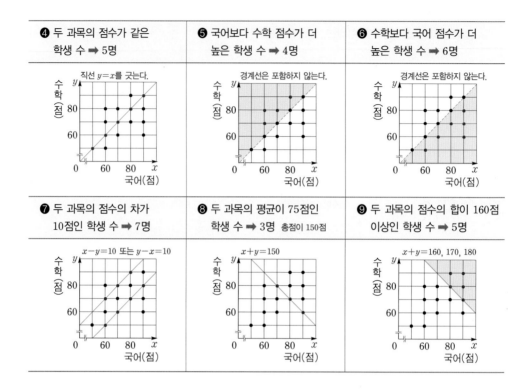

❹ 두 과목의 점수가 같은 학생 수 ➡ 5명	❺ 국어보다 수학 점수가 더 높은 학생 수 ➡ 4명	❻ 수학보다 국어 점수가 더 높은 학생 수 ➡ 6명
❼ 두 과목의 점수의 차가 10점인 학생 수 ➡ 7명	❽ 두 과목의 평균이 75점인 학생 수 ➡ 3명 총점이 150점	❾ 두 과목의 점수의 합이 160점 이상인 학생 수 ➡ 5명

위의 예에서와 같이 산점도를 볼 때 합이나 차가 같은 점이 한 직선 위에 있다는 것을 잘 기억해 두면 산점도 문제를 해결할 때 도움이 된다.

예제 13 오른쪽은 학생 **10**명의 미술과 음악 점수를 조사하여 나타 낸 산점도이다. 미술 점수가 **60**점 이하인 학생의 음악 점 수의 평균을 구하여라.

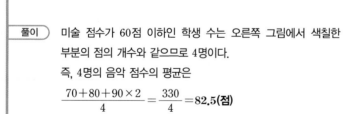

풀이 미술 점수가 60점 이하인 학생 수는 오른쪽 그림에서 색칠한 부분의 점의 개수와 같으므로 4명이다.
즉, 4명의 음악 점수의 평균은

$$\frac{70+80+90\times2}{4}=\frac{330}{4}=82.5\text{(점)}$$

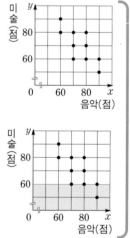

개념 확인

(1) 두 변량 x, y의 순서쌍 (x, y)를 좌표평면 위에 점으로 나타낸 그림을 [   ]라고 한다.

(2) x의 값이 증가함에 따라 y의 값이 증가하거나 감소하는 경향이 있을 때 [   ]가 있다고 한다.

(3) 산점도에서 점들이 한 직선에 가까이 모여 있을수록 상관관계가 강하다고 하고, 흩어져 있을수록 상관관계가 [   ]고 한다.

01 여러 종류의 자동차를 대상으로 주행 속도와 제동 거리를 조사하여 나타낸 표이다. 다음 물음에 답하여라.

자동차 종류	A	B	C	D	E	F	G	H	I	J
주행 속도(km/h)	60	75	65	70	80	100	95	125	110	115
제동 거리(m)	25	50	32	40	55	65	75	120	80	95

(1) 자동차의 주행 속도를 x km/h, 제동 거리를 y m라고 할 때, 두 변량 x, y에 대한 산점도를 오른쪽 좌표평면 위에 그려라.

(2) 두 변량 사이에 어떤 상관관계가 있는지 말하여라.

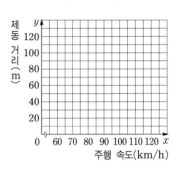

02 다음과 같은 관계를 나타내는 산점도를 보기에서 있는 대로 골라라.

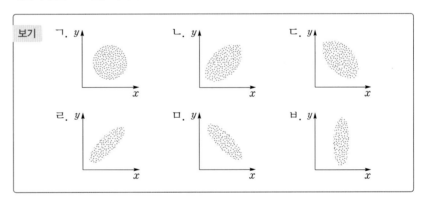

(1) 양의 상관관계　　　(2) 음의 상관관계　　　(3) 상관관계가 없다.

자기 진단

Q 058 ○ 165쪽
산점도란 무엇일까?

Q 059 ○ 166쪽
상관관계란 무엇일까?

Q 060 ○ 168쪽
상관관계가 없을 수도 있을까?

03 오른쪽은 어느 학교 학생들의 1일 컴퓨터 사용 시간과 공부 시간에 대한 산점도이다. 5명의 학생 A~E 중에서 컴퓨터 사용 시간이 긴 것에 비하여 공부 시간도 가장 긴 학생을 말하여라.

유형 EXERCISES

01. 분산과 표준편차
02. 상관관계

문제 이해도를 ☺, ☺, ☹으로 표시해 보세요.

해설 BOOK 035쪽 | 테스트 BOOK 049쪽

유형 1 편차의 뜻과 성질

다음 표는 A, B, C, D, E 5명의 학생의 중간고사 수학 성적에 대한 편차를 나타낸 것이다. 평균이 74점일 때, 두 학생 A와 C의 점수의 합을 구하여라.

학생	A	B	C	D	E
편차(점)	3	-2	x	5	$-2x$

Summa Point
• 편차의 총합은 항상 0임을 이용하여 자료의 편차를 구한다.
• (변량)=(평균)+(편차)임을 이용하여 변량을 구한다.

157쪽 **Q** 052 ◯

1-1 ☺☺☹

다음 자료는 학생 6명의 영어 시험 점수에 대한 편차를 나타낸 것이다. 평균이 80점일 때, 편차가 x점인 학생의 점수를 구하여라.

(단위 : 점)

$$-2, \quad 5, \quad 4, \quad -3, \quad -1, \quad x$$

1-2 ☺☺☹

다음 표는 독서 시간에 대한 편차와 학생 수를 나타낸 것이다. x의 값을 구하여라.

편차(시간)	-2	-1	0	1	2
학생 수(명)	6	4	3	2	x

유형 2 분산과 표준편차 구하기

다음 표는 A, B, C, D, E 5명의 학생의 미술 수행 평가 점수에 대한 편차를 나타낸 것이다. 미술 수행 평가 점수의 분산을 구하여라.

학생	A	B	C	D	E
편차(점)	1	-1	2	x	-1

Summa Point
$(분산)=\dfrac{\{(편차)^2의\ 총합\}}{(변량의\ 개수)}$, $(표준편차)=\sqrt{(분산)}$

157쪽 **Q** 053 ◯

2-1 ☺☺☹

다음 자료는 은지네 모둠 학생 8명의 턱걸이 횟수를 조사하여 나타낸 것이다. 턱걸이 횟수의 분산과 표준편차를 차례로 구하여라.

(단위 : 회)

$$12, \quad 9, \quad 12, \quad 11, \quad 8, \quad 10, \quad 8, \quad 10$$

2-2 ☺☺☹

아래 표는 A, B, C, D, E 학생 5명의 과학 시험 점수의 편차를 나타낸 것이다. 다음 중 옳지 <u>않은</u> 것은?

학생	A	B	C	D	E
편차(점)	4	-1		-1	9

① C학생의 점수가 가장 낮다.
② A학생과 B학생의 점수의 차는 5점이다.
③ 분산은 44이다.
④ 표준편차는 11점이다.
⑤ 평균이 몇 점인지는 알 수 없다.

172 Ⅶ. 통계

유형 **3** 산포도가 주어질 때 변량 구하기

다음 표는 5명의 학생 A, B, C, D, E의 국어 성적에 대한 편차를 나타낸 것이다. 국어 성적의 분산이 12일 때, xy의 값을 구하여라.

학생	A	B	C	D	E
편차(점)	x	-4	3	y	-1

Summa Point

다음 두 조건을 이용하여 x, y에 관한 두 식을 세운다.
(i) 편차의 총합은 0이다.   (ii) 분산은 12이다.

157쪽 **Q 053** ○

3-1 ☺☺☹

다음 표는 서진이가 1월부터 5월까지 운동한 날 수를 조사하여 나타낸 것이다. 운동한 날 수의 평균이 18일이고 분산이 19.6일 때, a^2+b^2의 값을 구하여라.

월	1월	2월	3월	4월	5월
날 수(일)	14	a	21	b	19

3-2 ☺☺☹

5개의 변량 x, 3, 7, 8, y의 평균이 7이고, 분산이 5.2일 때, xy의 값을 구하여라.

3-3 ☺☺☹

다음은 4명씩 구성된 A, B 두 모둠의 점수를 나타낸 것이다. A모둠의 점수의 표준편차가 $\sqrt{2.5}$점일 때, B모둠의 점수의 표준편차를 구하여라. (단, a는 자연수)

(단위 : 점)

> A모둠 : $4a$, 5, 6, 9
> B모둠 : $4a$, 2, 8, 2

유형 **4** 자료의 해석

다음 표는 5개 도시 A, B, C, D, E에서 한 달간의 오존 농도의 평균과 표준편차를 나타낸 것이다. 오존 농도의 변화가 가장 고른 도시를 말하여라.

도시	A	B	C	D	E
평균(ppm)	24	21	25	24	18
표준편차(ppm)	0.2	2.1	1.7	1.4	5.8

Summa Point

산포도(분산, 표준편차)가 작을수록
• 자료가 평균 주위에 밀집되어 있다.
• 자료의 분포 상태가 고르다.

160쪽 **Q 056** ○

4-1 ☺☺☹

다음 표는 5개 회사 A, B, C, D, E의 직원 임금에 대한 평균과 표준편차를 나타낸 것이다. 5개 회사 중 직원들간의 임금 격차가 가장 큰 회사를 말하여라. (단, 각 회사의 직원 수는 모두 같다.)

회사	A	B	C	D	E
평균(만 원)	190	200	175	210	190
표준편차(만 원)	27	35	$24\sqrt{2}$	$20\sqrt{3}$	34

4-2 ☺☺☹

3명의 양궁 선수 A, B, C가 7점부터 10점까지의 점수가 적혀 있는 과녁에 각각 화살을 10발을 쏘아서 맞힌 결과가 다음 그림과 같을 때, 얻은 점수의 분포가 가장 고른 선수는 누구인지 분산을 비교하여 구하여라.

  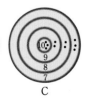

A   B   C

4-3 ☺😐☹

오른쪽 표는 A, B 두 학생이 8회에 걸쳐 본 영어 단어 시험 성적의 평균과 표준편차를 나타낸 것이다. 다음 중 옳은 것은?

학생	A	B
평균(점)	7	7
표준편차(점)	1	1.5

① A학생의 성적이 B학생의 성적보다 좋다.
② 분산은 B학생이 A학생보다 더 작다.
③ A학생의 성적이 B학생의 성적보다 고르다.
④ B학생의 성적이 A학생의 성적보다 평균 가까이에 더 모여 있다.
⑤ A, B 두 학생의 성적의 산포도는 같다.

4-4 ☺😐☹

아래 그림은 A, B 두 도시 주민들의 소득을 조사하여 나타낸 그래프이다. 다음 중 옳은 것은? (단, A, B의 그래프는 각각의 점선에 대하여 대칭이다.)

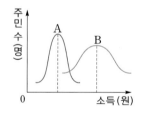

① 두 도시의 총 소득은 서로 같다.
② A도시의 평균 소득이 더 높다.
③ A도시의 소득 격차가 더 작다.
④ 두 도시의 평균 소득은 서로 같다.
⑤ 어느 도시의 소득 격차가 더 큰지 알 수 없다.

유형 **5** 상관관계

다음 중 두 변량 사이에 대체로 양의 상관관계가 있는 것은?

① 수학 성적과 앉은키
② 머리카락의 길이와 머리 둘레의 길이
③ 겨울철 기온과 난방비
④ 미세먼지 농도와 마스크 판매량
⑤ 비 올 확률과 선글라스 판매량

Summa Point
x의 값이 증가함에 따라 y의 값도 대체로 증가하는 관계를 양의 상관관계라고 한다.

166쪽 **Q 059** ○

5-1 ☺😐☹

다음 중 산의 높이 x m와 정상에서의 기온 y°C 사이의 상관관계를 나타낸 산점도로 알맞은 것은?

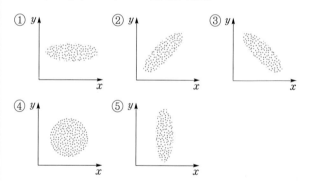

5-2 ☺😐☹

다음 보기 중 두 변량 사이에 상관관계가 <u>없는</u> 것을 모두 골라라.

─── 보 기 ───
ㄱ. 귤 수확량과 귤 가격   ㄴ. 키와 독서량
ㄷ. 발의 길이와 시력   ㄹ. 전기사용량과 전기요금

유형 **6** 산점도의 분석

오른쪽 그림은 어느 학교 학생들의 몸무게와 키에 대한 산점도이다. 5명의 학생 A~E 중에서 키에 비해 몸무게가 적게 나가는 학생을 말하여라.

Summa Point

키는 크지만 몸무게가 상대적으로 적게 나가는 학생의 위치는 오른쪽 위로 향하는 대각선 위쪽에 위치한다.

169쪽 **Q** 061 ○

6-1 ☺☺☹

오른쪽 그림은 우리나라 축구 선수들의 출전 경기 수와 골 득점 수에 대한 산점도이다. 선수 A~E 중 출전 경기 수에 비해 골 득점 수가 가장 많은 선수를 말하여라.

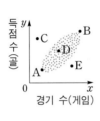

6-2 ☺☺☹

오른쪽 그림은 여러 도시에서 어느 날 운행된 자동차 수 x대와 대기오염도 y $\mu g/m^3$ 사이의 상관관계를 나타낸 산점도이다. 다음 중 옳은 것은?

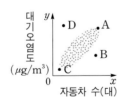

① 자동차 수와 대기오염도는 음의 상관관계가 있다.
② B도시는 A도시보다 운행된 자동차 수에 비해 대기오염도가 높다.
③ C도시는 B도시보다 운행된 자동차 수가 많다.
④ D도시가 C도시보다 대기오염도가 낮다.
⑤ D도시는 자동차 수에 비해 대기오염도가 높다.

6-3 ☺☺☹

오른쪽은 서진이네 반 학생들의 국어 성적과 수학 성적에 대한 산점도이다. 다음 중 이 산점도에 대한 설명으로 옳지 않은 것은?

(단, 중복되는 점은 없다.)

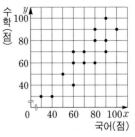

① 서진이네 반 학생 수는 15명이다.
② 국어와 수학 성적 사이에는 양의 상관관계가 있다.
③ 국어 성적이 가장 낮은 학생의 수학 성적은 20점이다.
④ 국어와 수학 성적이 같은 학생 수는 5명이다.
⑤ 수학 성적이 60점인 학생들의 국어 성적의 평균은 70점이다.

6-4 ☺☺☹

아래는 프로야구 선수 20명이 작년과 올해 친 홈런의 개수를 조사하여 나타낸 산점도이다. 다음 물음에 답하여라.

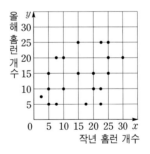

(1) 작년보다 올해 홈런을 더 많이 친 선수는 전체의 몇 %인지 구하여라.
(2) 작년과 올해 친 홈런의 개수의 합이 30 초과인 선수는 몇 명인지 구하여라.

해설 BOOK **038**쪽 | 테스트 BOOK **053**쪽

Step 1 | 내·신·기·본

01 다음 중 산포도에 대한 설명으로 옳은 것은?

① 변량에서 중앙값을 뺀 값을 편차라고 한다.
② 편차의 평균을 구하면 산포도를 알 수 있다.
③ 평균보다 큰 변량의 편차는 양수이다.
④ 편차의 제곱의 총합은 항상 0이다.
⑤ 평균이 같은 두 자료는 그 산포도도 같다.

02 다음 표는 지호네 반 학생 6명의 체육 수행 평가 점수에 대한 편차를 나타낸 것이다. 평균이 70점일 때, 상민이의 점수를 구하여라.

학생	지호	백현	한진	상민	예나	혜린
편차(점)	4	-3	-4	x	5	-4

03 아래 표는 유리네 반 학생 5명이 한 달 동안 읽은 책의 수에 대한 편차를 나타낸 것이다. 평균이 10권일 때, 다음 중 옳지 <u>않은</u> 것은?

학생	유리	화영	준식	미현	재원
편차(권)	2	x	-4	7	-2

① 미현이가 가장 많이 읽었다.
② 화영이는 7권 읽었다.
③ 재원이가 읽은 책의 수가 중앙값이다.
④ 분산은 16.4이다.
⑤ 평균보다 적게 읽은 학생은 2명이다.

04 다음은 8회에 걸친 은지의 수학 수행 평가 점수를 조사하여 나타낸 것이다. 수학 수행 평가 점수의 분산은?

(단위 : 점)

8, 9, 3, 6, 7, 4, 9, 10

① 5.4 ② 5.5 ③ 5.6
④ 5.7 ⑤ 5.8

05 다음 그림은 어느 반 학생 20명의 일주일 동안 마신 물의 양을 조사하여 나타낸 막대그래프이다. 마신 물의 양의 분산을 구하여라.

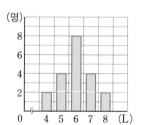

06 다음 표는 어느 중학교 학생 25명이 하루에 TV를 시청하는 시간을 조사하여 나타낸 것이다. TV를 시청하는 시간의 표준편차는?

시간 (분)	10	20	30	40	50
학생 수 (명)	2	4	6	x	5

① 11분 ② $\sqrt{130}$분 ③ 12분
④ $\sqrt{155}$분 ⑤ 13분

07 3개의 변량 $6-a$, 9, $6+a$의 표준편차가 $2\sqrt{2}$일 때, 양수 a의 값을 구하여라.

08 다음 표는 어느 야구 선수 5명의 지난 경기에 던진 공의 개수에 대한 편차를 나타낸 것이다. 분산이 6.8일 때, ab의 값을 구하여라.

선수	A	B	C	D	E
편차(개)	-2	a	4	2	b

09 세 자료

　　A : 1부터 7까지의 자연수

　　B : 1부터 14까지의 홀수

　　C : 1부터 14까지의 짝수

의 표준편차를 순서대로 a, b, c라고 할 때, 다음 중 a, b, c의 대소 관계를 바르게 나타낸 것은?

① $a=b=c$　　② $a=b<c$　　③ $a<b=c$

④ $a<b<c$　　⑤ $a<c<b$

10 아래 표는 학생 수가 같은 A, B, C 세 모둠의 수학 성적의 평균과 분산을 나타낸 것이다. 다음 중 옳은 것은?

모둠	A	B	C
평균(점)	90	90	85
분산	2	4	6

① 평균은 A, B, C 세 모둠이 같다.

② A, B 두 모둠의 산포도는 같다.

③ A모둠의 성적이 C모둠의 성적보다 우수하다.

④ 표준편차가 가장 작은 모둠은 C모둠이다.

⑤ 세 모둠 중 C모둠의 성적이 평균에 가장 가깝게 모여 있다.

11 다음 중 소금물에서 소금의 양과 소금물의 농도 사이의 상관관계와 같은 상관관계가 있는 두 변량인 것은?

① 줄넘기 횟수와 시력

② 배추 생산량과 배추 가격

③ 지원자 수와 합격률

④ 운동량과 비만도

⑤ 자동차가 움직인 거리와 연료 사용량

12 다음은 어느 여름 10일 동안 평균 기온 x°C에 따른 K 마트의 아이스크림 판매 개수 y를 나타낸 산점도이다. 평균 기온이 24°C 이하인 날과 32°C 이상인 날에 팔린 아이스크림 개수의 차를 구하여라.

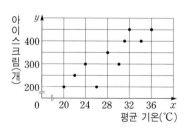

13 5개의 변량 3, 6, 5, x, y의 평균이 5이고 $xy=30$일 때, 분산을 구하여라.

14 5개의 변량 a, b, c, d, e의 평균이 5이고, 분산이 10일 때, $2a+1$, $2b+1$, $2c+1$, $2d+1$, $2e+1$의 평균과 분산을 각각 구하여라.

15 5명의 학생 A, B, C, D, E의 국어 수행 평가 점수가 다음과 같다. 이 자료의 평균을 a점, 표준편차를 b점이라고 하자. 5명의 학생의 점수를 모두 2점씩 올려주었을 때, 수행 평가 점수의 평균과 표준편차를 a, b를 사용하여 나타내어라.

학생	A	B	C	D	E
점수(점)	4	8	7	5	6

16 세 수 a, b, c의 평균이 12, 표준편차가 $3\sqrt{2}$일 때, $a^2+b^2+c^2$의 값을 구하여라.

17 오른쪽 그림은 어느 중학교 학생들의 국어 성적과 영어 성적에 대한 산점도이다. 다음 중 옳은 것은?

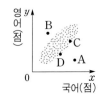

① 국어 성적과 영어 성적 사이에는 음의 상관관계가 있다.
② 학생 A는 국어 성적과 영어 성적이 모두 우수하다.
③ 학생 B는 학생 C보다 국어 성적이 우수하다.
④ 학생 B는 국어 성적보다 영어 성적이 우수하다.
⑤ 학생 D는 학생 C보다 국어 성적이 우수하다.

18 다음은 양궁선수 16명이 활을 2번 쏘아 얻은 점수를 조사하여 나타낸 산점도이다. 1차와 2차에 얻은 점수의 차가 2점 이상인 선수는 전체의 몇 %인지 구하여라.

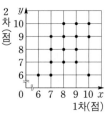

1. 대푯값

01. 대푯값

044 대푯값이란?
자료의 전체적인 특징을 나타내는 값으로 평균, 중앙값, 최빈값이 주로 쓰인다.

045 평균은 변량의 □□을 변량의 개수로 나누어 구한다?
$$(\text{평균}) = \frac{(\text{변량의 총합})}{(\text{변량의 개수})}$$

046 중앙값은 □□ 순으로 나열하여 구한다?
자료를 작은 값부터 크기 순으로 나열했을 때 중앙에 있는 값이 중앙값!

047 최빈값은 가장 많이 나오는 값으로 구한다?
자료 중에서 가장 많이 나타난 값을 그 값의 최빈값이라고 한다. 최빈값은 없을 수도 있고, 2개 이상일 수도 있고, 수가 아닌 문자일 수도 있다!

049 대푯값으로 평균, 중앙값, 최빈값 중 어느 것을 사용하는 것이 좋을까?
대푯값으로 평균을 주로 쓰지만 극단적인 값이 있을 경우에는 중앙값, 선호도 조사와 같은 경우에는 최빈값을 쓴다.

2. 산포도와 상관관계

01. 분산과 표준편차

050 산포도란 무엇일까?
자료가 흩어져 있는 정도를 산포도라 한다.

051 편차란 무엇일까?
$(\text{편차}) = (\text{변량}) - (\text{평균})$

052 편차의 총합은 항상 □이다?
모든 변량을 고르게 만들 수 있는 것이 평균이므로 편차의 총합은 0이 된다!

053 분산이란 무엇일까?
편차의 제곱의 평균을 분산이라 한다.
$$(\text{분산}) = \frac{(\text{편차의 제곱의 합})}{(\text{자료의 개수})}$$

054 표준편차란 무엇일까?
$(\text{표준편차}) = \sqrt{(\text{분산})}$

056 표준편차가 작을수록 분포는 □□□?
표준편차가 작을수록 분포는 고르다. 즉, 자료가 평균 가까이에 모여 있다.

02. 상관관계

058 산점도란 무엇일까?
두 변량 x, y의 순서쌍 (x, y)를 좌표평면 위에 점으로 나타낸 그래프

059 상관관계란 무엇일까?
두 변량 x, y 사이에 x의 값이 증가함에 따라 y의 값이 증가하거나 감소하는 경향이 있을 때, 두 변량 x, y 사이에 상관관계가 있다고 한다.
┌ 양의 상관관계
└ 음이 상관관계

061 x, y의 산점도를 쉽게 분석하는 방법이 있을까?
기준이 되는 보조선을 이용한다.

01 다음 중 옳지 <u>않은</u> 것은?

① 자료 1, 1, 2, 2, 5의 중앙값은 2이다.

② 자료의 값 중에서 극단적인 값이 있는 경우에는 대푯값으로 중앙값이 적절하다.

③ 자료 1, 1, 2, 3, 5의 최빈값은 1이다.

④ 자료 1, 1, 2, 3, 5, 5의 최빈값은 없다.

⑤ 우리 반 친구들의 생일이 가장 많은 달을 조사하는 경우에는 대푯값으로 최빈값이 적절하다.

[02~03] 다음은 진수네 반 학생 15명의 과학 수행 평가 점수를 조사하여 나타낸 줄기와 잎 그림이다. 물음에 답하여라.

(3|3은 33점)

줄기	잎
3	3 5 6 x
4	6 6 7 8 9
5	4 4 4 8
6	1 2

02 과학 수행 평가 점수의 중앙값과 최빈값의 차를 구하여라.

03 과학 수행 평가 점수의 평균이 48점일 때, x의 값을 구하여라.

04 7개의 자연수 중 4개의 수가 7, 5, 2, 5일 때, 이 7개의 자연수의 중앙값의 최댓값을 구하여라.

05 다음 자료는 민수의 10회에 걸친 수학 성적을 조사하여 나타낸 것이다. 수학 성적의 평균이 80점 이상 83점 미만일 때, x의 값으로 적당하지 <u>않은</u> 것은?

(단위 : 점)

> 75, 80, 90, 85, 75, x, 85, 80, 90, 85

① 55   ② 62   ③ 74

④ 78   ⑤ 85

06 동하네 모둠 학생 11명의 중간고사 수학 점수의 평균을 구하는데 65점인 동하의 점수를 잘못 보고 계산하여 평균이 1점 높아졌다. 잘못 본 동하의 점수를 구하여라.

아래 표는 어느 학교의 학생 28명의 턱걸이 횟수를 조사하여 나타낸 것이다. 다음 중 옳지 <u>않은</u> 것은?

횟수(회)	학생 수(명)
3	2
4	5
5	8
6	A
7	6
52	1
합계	28

① 평균은 7회이다.
② 중앙값은 5회이다.
③ 최빈값은 6회이다.
④ 평균은 대푯값으로 적절하지 않다.
⑤ 편차가 -1회인 학생은 6명이다.

08 다음 자료의 평균과 중앙값이 모두 5일 때, 표준편차를 구하여라. (단, $a < b$)

$$2, \ 3, \ 6, \ a, \ 7, \ 4, \ b$$

09 다음 표는 지우네 모둠 학생 5명의 과학 성적에 대한 편차를 나타낸 것이다. 과학 성적의 표준편차는?

학생	지우	소리	정연	진호	미라
편차(점)	3	x	-6	5	-4

① 1점   ② 2점   ③ $2\sqrt{2}$점
④ $2\sqrt{3}$점   ⑤ $3\sqrt{2}$점

10 5개의 변량 5, x, 6, y, 7의 평균이 6이고 분산이 2일 때, $x^2 + y^2$의 값을 구하여라.

11 다음 표는 어느 반 학생 40명의 통학 시간을 조사하여 나타낸 것이다. 통학 시간의 평균이 21분일 때, 통학 시간의 표준편차는?

통학 시간 (분)	학생 수(명)
5	a
15	18
25	14
35	b
합계	40

① 5분   ② 6분   ③ 7분
④ 8분   ⑤ 9분

12 다음은 5개 모둠의 영어 수행 평가 점수를 조사하여 나타낸 막대그래프이다. 영어 수행 평가 점수에 대한 표준편차가 가장 작은 모둠은?

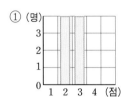
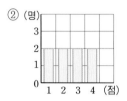
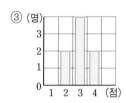
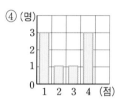
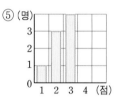

14 다음 표는 학생 5명의 하루 동안의 공부 시간의 평균과 표준편차를 조사하여 나타낸 것이다. 공부 시간이 가장 고르지 <u>않은</u> 학생을 말하여라.

학생	정현	건영	태림	현주	이영
평균(시간)	2	2.3	1.8	3	1
표준편차 (시간)	1.3	2	1.6	1.9	0.7

15 두 변량의 상관관계가 오른쪽 그림과 같이 나타나는 것은?

① 도시의 인구 수와 학교 수
② 가족 수와 수도사용량
③ 몸무게와 국어 성적
④ 쌀의 생산량과 쌀의 가격
⑤ 키와 충치의 개수

13 A, B 두 반의 수학 점수의 평균은 서로 같고, 분산은 A반이 더 클 때, 다음 중 옳은 것은?

① A반의 점수가 더 우수하다.
② B반의 점수가 더 우수하다.
③ A반이 B반보다 점수가 더 고르게 분포되어 있다.
④ B반이 A반보다 점수가 평균 가까이에 더 많이 모여 있다.
⑤ 두 반 전체에서 최고 점수를 받은 학생은 A반에 있다.

16 오른쪽 그림은 어느 학교 학생들의 왼쪽 시력과 오른쪽 시력에 대한 산점도이다. 오른쪽 시력에 비해 왼쪽 시력이 가장 좋다고 말할 수 있는 학생은?

① A   ② B   ③ C
④ D   ⑤ E

17 오른쪽 그림은 민주네 모둠 15명의 1일 평균 학습 시간과 학업 성적에 대한 산점도이다. 다음 설명 중 옳지 않은 것은?

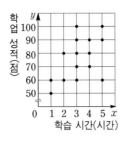

① 학업 성적이 60점 미만인 학생은 1명이다.

② 학업 성적이 90점 이상인 학생은 5명이다.

③ 학습 시간이 4시간 이상인 학생은 6명이다.

④ 학습 시간과 학업 성적은 대체로 양의 상관관계가 있다.

⑤ 학습 시간이 3시간 이하이고 학업 성적이 90점 이상인 학생은 3명이다.

18 오른쪽 그림은 어느 학급 학생 20명의 중간고사 성적과 기말고사 성적에 대한 산점도이다. 기말고사 성적이 중간고사 성적보다 향상된 학생은 전체의 몇 %인지 구하여라.

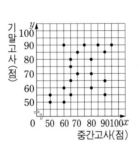

19 오른쪽 그림은 어느 학급 학생 8명의 한 달 동안 읽은 책의 수와 휴대전화 사용시간 사이의 관계를 나타낸 산점도이다. 읽은 책의 수의 중앙값보다 더 많은 책을 읽은 학생의 휴대전화 사용 시간의 평균을 구하여라.

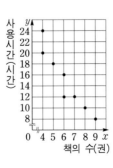

서술형

20 다음은 세 학생의 한 달 저축액을 조사하여 나타낸 것이다. 한 달 저축액의 평균이 가장 작은 학생의 저축액의 중앙값을 구하여라.

(단위 : 만 원)

> A : 5, 8, 5, 9, 9
> B : 8, 8, 8, 8, 8
> C : 6, 7, 3, 4, 8

답 _____

21 다음 표는 어느 반 학생 50명의 일주일 동안 읽은 책 수를 조사하여 나타낸 것이다. 읽은 책 수가 (평균)−(표준편차)보다 많고, (평균)+(표준편차)보다 적은 학생은 전체의 몇 %인지 말하여라.

책 수(권)	0	1	2	3	4	5	6	7
학생 수(명)	1	2	5	10	15	8	5	4

답 _____

VII Advanced Lecture

분산을 구하는 또 다른 방법

본문에서 분산에 대해 다음과 같이 배웠다.

분산은 편차의 제곱의 평균이다.

그런데 이를 구하는 과정에서 또 다른 방법을 얻을 수 있다.

분산은 제곱의 평균에서 평균의 제곱을 뺀 값이다.

다음은 위 두 방법대로 세 수 a, b, c의 평균이 m일 때 세 수의 분산을 구한 것이다.

[방법 ❶] 편차의 제곱의 평균	[방법 ❷] (제곱의 평균)−(평균의 제곱)
a, b, c의 평균이 m이므로 편차는 $a-m$, $b-m$, $c-m$ 편차를 제곱하면 $(a-m)^2$, $(b-m)^2$, $(c-m)^2$ 따라서 a, b, c의 분산은 $\dfrac{(a-m)^2+(b-m)^2+(c-m)^2}{3}$	a, b, c의 제곱의 평균은 $\dfrac{a^2+b^2+c^2}{3}$ a, b, c의 평균이 m이므로 a, b, c의 평균의 제곱은 m^2 따라서 a, b, c의 분산은 $\dfrac{a^2+b^2+c^2}{3}-m^2$

식으로 볼 때에는 분명 다른 것처럼 보이지만 두 값은 같다. 다음과 같이 [방법 ❶]에서의 결과를 전개하면 [방법 ❷]에서의 결과를 얻을 수 있기 때문이다.

$$\frac{(a-m)^2+(b-m)^2+(c-m)^2}{3}$$

$$=\frac{(a^2-2am+m^2)+(b^2-2bm+m^2)+(c^2-2cm+m^2)}{3}$$

$$=\frac{(a^2+b^2+c^2)-2m(a+b+c)+3m^2}{3}$$

$$=\frac{a^2+b^2+c^2}{3}-2m\times\frac{(a+b+c)}{3}+m^2$$

$$=\frac{a^2+b^2+c^2}{3}-2m\times m+m^2$$

$$=\frac{a^2+b^2+c^2}{3}-m^2$$

[방법 ❷]는 고등 과정에서 분산을 구할 때 자주 쓰이게 된다. 보통 편차의 제곱보다 제곱의 평균이 계산하기에 간단할 때 [방법 ❷]를 쓰면 편리하다.

유제 01   5개의 수 2, 3, 4, 7, 8의 분산을 위의 두 가지 방법으로 구하여라.

'아는 만큼 보이고, 보는 만큼 느낀다.'는 말은 수학에서도 일맥상통합니다.
교과서 밖으로 나와 더 넓은 수학을 접하여 나만의 사고력을 한 단계 높여 보세요!

해설 BOOK **042쪽**

TOPIC 2 $2a+1$, $2b+1$, $2c+1$의 평균과 분산, 표준편차

본문에서 배운 내용을 떠올리며 다음 문제를 생각해 보자.

> a, b, c의 평균이 4, 표준편차가 $\sqrt{2}$일 때, 다음 변량의 평균과 표준편차를 각각 구하여라.
> (1) $a+1$, $b+1$, $c+1$ (2) $2a+1$, $2b+1$, $2c+1$

위의 문제 (1), (2)는 식으로 풀어도 되지만 다음과 같이 직관적으로 이해할 수 있다.

(1) 변량이 모두 1씩 커졌다면 평균 역시 1만큼 커지게 된다. 하지만 변량 사이의 간격은 변함없으므로 표준편차는 그대로이다. 따라서 평균은 $4+1=5$, 표준편차는 $\sqrt{2}$이다.

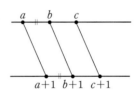

(2) 변량을 모두 2배하고 1을 더했다면 평균 역시 2배에 1을 더한 값이 된다. 또한 변량 사이의 간격은 2배로 되어 표준편차도 2배로 커지게 된다. ←1을 더한 것은 표준편차에 영향을 주지 않는다! 따라서 평균은 $2\times4+1=9$, 표준편차는 $2\times\sqrt{2}=2\sqrt{2}$이다. 이때 표준편차가 2배가 되므로 분산은 2^2배가 된다!

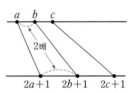

따라서 일정한 값을 더하거나 곱하는 경우에 대해 평균, 분산, 표준편차를 다음과 같이 구할 수 있다.

> **평균, 분산, 표준편차**
> 변량 a, b, c의 평균이 M, 분산이 S^2, 표준편차가 S일 때,
> 변량 $ma+n$, $mb+n$, $mc+n$의 평균은 $mM+n$이고, 분산은 m^2S^2, 표준편차는 mS이다.

유제 02 다섯 개의 변량 a, b, c, d, e의 평균이 8이고 표준편차가 4일 때, 변량 $2a+3$, $2b+3$, $2c+3$, $2d+3$, $2e+3$의 분산을 구하여라.

01 통계의 함정에 빠지지 않기!

요즘 대중들이 가장 쉽게 의존하고 그만큼 가장 쉽게 함정에 빠지는 것이 통계자료이다. 우리가 보는 통계는 우리가 알고자 하는 대상을 추정할 수 있는 믿을 수 있는 자료를 통한 것이어야 한다. 하지만, 우리가 일상에서 통계를 가장 가까이 접할 수 있는 TV나 신문에서조차 우리는 제대로 된 통계를 접하지 못할 때가 많다.

통계의 위험성을 말할 때 주로 언급되는 사례가 평균의 함정이다. 자료의 분포가 고르지 않고 극단적인 값이 있는 경우, 평균을 자료의 대푯값으로 정하는 것은 때에 따라 매우 위험하다.

다음 이야기는 평균의 함정을 풍자적으로 제시한 것이다.

> 전쟁을 치르는 지휘관이 강가에 다다랐다. 강을 건너기 위해 그 강의 평균 수심을 물었더니, 한 부하가 "강의 평균 수심은 1.4m이고 병사들의 평균 키는 1.6m입니다."라고 답했다. 1.4와 1.6이라는 수치만 생각하고서 모든 병사가 강을 충분히 건널 수 있다고 판단한 지휘관은 부하들에게 행군을 명하게 된다. 하지만 안타깝게도 강 가운데의 수심은 평균보다 훨씬 깊었고, 그 곳에서 병사들이 모두 물에 빠져 죽고 말았다.

위 이야기와 더불어 평균의 함정과 관련한 말이 있다. 때때로 한 번쯤은 되새겨봄직한 말이다.

> 한 발은 오븐에 넣고, 다른 한 발은 얼음 양동이에 넣는다고 생각해 보라.
> 통계적으로 당신은 완벽하게 편안한 상태이다

$$\varphi = \frac{1}{3} \cdot \left[h_I \left(r_{I_2}^3 - r_{I_1}^3 \right) + h_{II} \left(r_{II_2}^3 - r_{II_1}^3 \right) + h_{III} \left(r_{III_2}^3 - r_{III_1}^3 \right) \right]$$

"벌거벗은 통계"라는 책에는 '통계의 함정에 빠지지 않기 위한 6가지 방법을 제시하였다.

첫째, 너무 구체적인 숫자는 믿지 말라.

둘째, 평균의 함정에 빠지지 말라

셋째, 표본이 어떻게 수집되었는가를 꼭 살펴라.

넷째, 그래프에서 기준축이 되는 수치를 반드시 점검하라.

다섯째, 설문조사 결과를 그대로 신뢰하지 말라.

여섯째, 사실이라기엔 너무 좋아 보이는 수치는 실제로 사실이 아닌 경우가 많다.

여기서 잠시 표본에 대해 이해하고 넘어가자. 통계 조사를 통해 어떤 정보를 얻고자 할 때, 관련된 대상이 너무 많아 직접 조사가 곤란할 경우가 있다. 이러한 경우 그 대상 중 전체를 대표할 수 있는 일부만을 관찰하여 나온 결과를 전체에 대한 본보기나 기준으로 삼기도 한다. 이때, 전체를 대표할 수 있는 본보기나 기준을 표본이라고 한다. 대표적인 예가 여론 조사이다. 전 국민을 상대로 의견을 묻고 수렴하기가 힘들므로 일정한 집단을 표본으로 놓고 조사함으로써 전체 의견을 예측하는 것이다. 표본을 뽑을 때 가장 중요한 것은 뭐니뭐니해도 전체를 대표할 수 있는 표본을 뽑아야 한다는 것이다. 이러한 기본적인 전제도 지키지 않은 통계들이 TV나 신문에 나와 마치 실제 사실인양 속이는 사례가 많다.

21세기를 살아가는 우리들에게 정보와 데이터의 양은 가히 홍수라 할 수 있을 만큼 폭발적으로 증가하고 있다. 이런 시대에서는 데이터를 처리하고 분석해 적합한 판단을 빠르게 내리는 능력이 필수적이라고 할 수 있다. 과거에는 육체적인 능력으로 사냥을 하는 것이 가장 중요했다면, 지금은 통계적인 능력으로 적합한 정보를 이해하고 적시에 처리할 수 있는 능력이 가장 중요한 시대인 것이다. 그리고 그러한 능력은 통계적 사고가 바탕이 되지 않으면 얻을 수 없다.

삼각비의 표

각	사인(sin)	코사인(cos)	탄젠트(tan)	각	사인(sin)	코사인(cos)	탄젠트(tan)
0°	0.0000	1.0000	0.0000	45°	0.7071	0.7071	1.0000
1°	0.0175	0.9998	0.0175	46°	0.7193	0.6947	1.0355
2°	0.0349	0.9994	0.0349	47°	0.7314	0.6820	1.0724
3°	0.0523	0.9986	0.0524	48°	0.7431	0.6691	1.1106
4°	0.0698	0.9976	0.0699	49°	0.7547	0.6561	1.1504
5°	0.0872	0.9962	0.0875	50°	0.7660	0.6428	1.1918
6°	0.1045	0.9945	0.1051	51°	0.7771	0.6293	1.2349
7°	0.1219	0.9925	0.1228	52°	0.7880	0.6157	1.2799
8°	0.1392	0.9903	0.1405	53°	0.7986	0.6018	1.3270
9°	0.1564	0.9877	0.1584	54°	0.8090	0.5878	1.3764
10°	0.1736	0.9848	0.1763	55°	0.8192	0.5736	1.4281
11°	0.1908	0.9816	0.1944	56°	0.8290	0.5592	1.4826
12°	0.2079	0.9781	0.2126	57°	0.8387	0.5446	1.5399
13°	0.2250	0.9744	0.2309	58°	0.8480	0.5299	1.6003
14°	0.2419	0.9703	0.2493	59°	0.8572	0.5150	1.6643
15°	0.2588	0.9659	0.2679	60°	0.8660	0.5000	1.7321
16°	0.2756	0.9613	0.2867	61°	0.8746	0.4848	1.8040
17°	0.2924	0.9563	0.3057	62°	0.8829	0.4695	1.8807
18°	0.3090	0.9511	0.3249	63°	0.8910	0.4540	1.9626
19°	0.3256	0.9455	0.3443	64°	0.8988	0.4384	2.0503
20°	0.3420	0.9397	0.3640	65°	0.9063	0.4226	2.1445
21°	0.3584	0.9336	0.3839	66°	0.9135	0.4067	2.2460
22°	0.3746	0.9272	0.4040	67°	0.9205	0.3907	2.3559
23°	0.3907	0.9205	0.4245	68°	0.9272	0.3746	2.4751
24°	0.4067	0.9135	0.4452	69°	0.9336	0.3584	2.6051
25°	0.4226	0.9063	0.4663	70°	0.9397	0.3420	2.7475
26°	0.4384	0.8988	0.4877	71°	0.9455	0.3256	2.9042
27°	0.4540	0.8910	0.5095	72°	0.9511	0.3090	3.0777
28°	0.4695	0.8829	0.5317	73°	0.9563	0.2924	3.2709
29°	0.4848	0.8746	0.5543	74°	0.9613	0.2756	3.4874
30°	0.5000	0.8660	0.5774	75°	0.9659	0.2588	3.7321
31°	0.5150	0.8572	0.6009	76°	0.9703	0.2419	4.0108
32°	0.5299	0.8480	0.6249	77°	0.9744	0.2250	4.3315
33°	0.5446	0.8387	0.6494	78°	0.9781	0.2079	4.7046
34°	0.5592	0.8290	0.6745	79°	0.9816	0.1908	5.1446
35°	0.5736	0.8192	0.7002	80°	0.9848	0.1736	5.6713
36°	0.5878	0.8090	0.7265	81°	0.9877	0.1564	6.3138
37°	0.6018	0.7986	0.7536	82°	0.9903	0.1392	7.1154
38°	0.6157	0.7880	0.7813	83°	0.9925	0.1219	8.1443
39°	0.6293	0.7771	0.8098	84°	0.9945	0.1045	9.5144
40°	0.6428	0.7660	0.8391	85°	0.9962	0.0872	11.4301
41°	0.6561	0.7547	0.8693	86°	0.9976	0.0698	14.3007
42°	0.6691	0.7431	0.9004	87°	0.9986	0.0523	19.0811
43°	0.6820	0.7314	0.9325	88°	0.9994	0.0349	28.6363
44°	0.6947	0.7193	0.9657	89°	0.9998	0.0175	57.2900
45°	0.7071	0.7071	1.0000	90°	1.0000	0.0000	

SUMMA CUM LAUDE
MIDDLE SCHOOL MATHEMATICS

SUMMA CUM LAUDE
MIDDLE SCHOOL MATHEMATICS

숨마쿰라우데
중학수학 개념기본서 3-하

홈페이지를 방문하시면 온라인으로 편리하게 교재 평가에 참여할 수 있습니다!
(매월 우수 평가자를 선정하여 소정의 교재를 보내드립니다.)
www.erumenb.com

이 름		남☐ 여☐		학교(학원)	학년
Mobile		E-mail			

숨마쿰라우데 중학수학 개념기본서 3-하

■ **교재를 구입하게 된 동기는 무엇입니까?**

① 서점에서 보고   ② 선생님의 추천   ③ 학교 보충수업용   ④ 학원 수업용
⑤ 과외 수업용   ⑥ 공부방 수업용   ⑦ 부모, 형제, 친구의 추천   ⑧ 서점에서 추천

■ **교재의 전체적인 디자인 및 내용 구성에 대한 의견을 들려주세요.**

❷ 표지디자인: ① 매우 좋다   ② 좋다   ③ 보통이다   ④ 좋지 않다
     그 이유는? _____

❷ 본문디자인: ① 매우 좋다   ② 좋다   ③ 보통이다   ④ 좋지 않다
     그 이유는? _____

❷ 내용 구성: ① 매우 좋다   ② 좋다   ③ 보통이다   ④ 좋지 않다
     그 이유는? _____

■ **교재의 세부적인 내용에 대한 의견을 들려주세요.**

QA를 통한 본문 설명	내 용	① 매우 좋다	② 좋다	③ 보통이다	④ 좋지 않다
	분 량	① 많다	② 적당하다	③ 조금 부족하다	④ 부족하다
EXERCISES (유형·중단원·대단원)	분 량	① 많다	② 적당하다	③ 조금 부족하다	④ 부족하다
	난이도	① 쉽다	② 적당하다	③ 약간 어렵다	④ 어렵다
대단원 심화 학습· 수학으로 보는 세상	내 용	① 매우 좋다	② 좋다	③ 보통이다	④ 좋지 않다
	분 량	① 많다	② 적당하다	③ 조금 부족하다	④ 부족하다
테스트 BOOK	내 용	① 매우 좋다	② 좋다	③ 보통이다	④ 좋지 않다
	분 량	① 많다	② 적당하다	③ 조금 부족하다	④ 부족하다
	난이도	① 쉽다	② 적당하다	③ 약간 어렵다	④ 어렵다

■ **이 책에 대해 느낀 점이나 바라는 점을 자유롭게 적어주세요.**

....
....
....
....

성의껏 작성해서 보내주신 엽서는 뽑아서 선물을 보내드립니다.

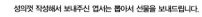

튼튼한 **개념!** 흔들리지 않는 **실력!**

숨마쿰라우데 중학수학

개념기본서

테스트 BOOK

Q&A를 통한 스토리텔링
수학 학습의 결정판!

EBS 중학프리미엄 인터넷강의 교재

SUMMA CUM LAUDE

MATHEMATICS

FAIL

자기주도 학습서 베스트 1위
**새교육
과정**
숨 마 쿰 라 우 데

3-하

튼튼한 **개념!** 흔들리지 않는 **실력!**

숨마쿰라우데 중학수학

개념기본서

3-하

테스트 BOOK

유형 TEST

01. 삼각비
02. 삼각비의 값

SUMMA CUM LAUDE

해설 BOOK 043쪽
개념 BOOK 038쪽

유형 ① 삼각비의 값 구하기

01 오른쪽 그림과 같이 ∠B=90°인 직각삼각형 ABC에서 $\overline{AB}=8$, $\overline{CA}=10$일 때, $\tan A + \dfrac{1}{\sin C}$ 의 값을 구하여라.

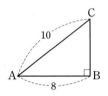

02 오른쪽 그림과 같은 직각삼각형 ABC에서 $\overline{AC}=3$, $\overline{BC}=2$일 때, $(\sin C + \cos C)(\tan C - 1)$의 값을 구하여라.

03 오른쪽 그림에서 △ABC는 ∠C=90°인 직각이등변삼각형 이다. $\overline{AC}$의 중점을 D라고 할 때, $\sin x$의 값을 구하여라.

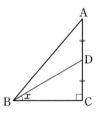

유형 ② 삼각비의 값을 이용하여 변의 길이 구하기

04 오른쪽 그림과 같은 직각삼 각형 ABC에서 $\overline{CA}=\sqrt{6}$, $\tan B = \dfrac{\sqrt{15}}{5}$일 때, $\overline{AB}$ 의 길이를 구하여라.

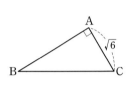

05 오른쪽 그림과 같은 직각삼각형 ABC에서 $\overline{AB}=8$ cm, $\cos B = \dfrac{3}{4}$일 때, $\overline{AC}$의 길이를 구하여라.

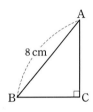

06^{up} 오른쪽 그림과 같은 직각삼각형 ABC에서 $\overline{AB}=4$, $\sin A = \dfrac{\sqrt{5}}{3}$ 일 때, △ABC의 둘레의 길이를 구하여라.

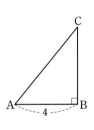

07 오른쪽 그림과 같은 △ABC에서 $\overline{BC} \perp \overline{AH}$ 이고 $\overline{AB}=8$ cm, $\sin B = \dfrac{\sqrt{3}}{2}$, $\sin C = \dfrac{\sqrt{3}}{3}$ 일 때, $\overline{BC}$의 길이를 구하여라.

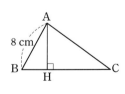

002 Ⅴ. 삼각비

08 ∠B=90°인 직각삼각형 ABC에서 $\sin A = \dfrac{1}{3}$일 때, $\tan A$의 값을 구하여라. (단, $0° < A < 90°$)

09 오른쪽 그림과 같은 직각삼각형 ABC에서 $\overline{BC} : \overline{CA} = 1 : \sqrt{2}$일 때, $\cos B$의 값을 구하여라.

10 오른쪽 그림과 같은 직각삼각형 ABC에서 $\cos A = \dfrac{5}{7}$일 때, 다음 중 옳지 <u>않은</u> 것은?

① $\sin A = \dfrac{2\sqrt{6}}{7}$ ② $\sin C = \dfrac{5}{7}$

③ $\cos C = \dfrac{2\sqrt{6}}{7}$ ④ $\tan A = \dfrac{2\sqrt{6}}{5}$

⑤ $\tan C = \dfrac{2\sqrt{6}}{7}$

11 $\tan A = 2$일 때, $\dfrac{3\sin A + 2\cos A}{\sin A + 2\cos A}$의 값을 구하여라.
(단, $0° < A < 90°$)

12 오른쪽 그림과 같이 ∠A=90°인 직각삼각형 ABC에서 $\overline{AH} \perp \overline{BC}$이고 $\overline{BC}=2$, $\overline{CA}=1$일 때, $\tan x$의 값은?

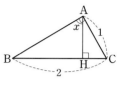

① $\dfrac{\sqrt{3}}{3}$ ② $\dfrac{\sqrt{6}}{3}$ ③ $\sqrt{2}$

④ $\sqrt{3}$ ⑤ $\sqrt{6}$

13 오른쪽 그림과 같은 직각삼 각형 ABC에서 다음 중 $\sin x$를 나타내는 것이 <u>아닌</u> 것은?

① $\dfrac{\overline{DE}}{\overline{AD}}$ ② $\dfrac{\overline{AC}}{\overline{BC}}$ ③ $\dfrac{\overline{AB}}{\overline{AD}}$

④ $\dfrac{\overline{CD}}{\overline{AC}}$ ⑤ $\dfrac{\overline{CE}}{\overline{DC}}$

14 ^{up} 오른쪽 그림에서 $\overline{BD}=4\sqrt{2}$, $\overline{AD}=\overline{DC}=\overline{BC}=4$일 때, $\cos x$의 값을 구하여라.

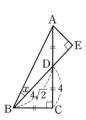

15 일차함수 $y=-\dfrac{1}{2}x+5$의 그래프와 x축, y축과의 교점을 각각 A, B라고 할 때, $\triangle$AOB에서 $\sin A+\sin B$의 값을 구하여라. (단, 점 O는 원점이다.)

16 오른쪽 그림과 같이 직선 $y=\dfrac{5}{4}x+2$가 x축의 양의 방향과 이루는 각의 크기를 a라고 할 때, $\tan a$의 값을 구하여라.

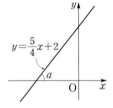

17 오른쪽 그림과 같이 일차방정식 $x-2y+5=0$의 그래프가 x축과 만나서 생기는 예각의 크기를 a라고 할 때, $\tan a$의 값을 구하여라.

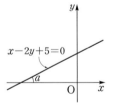

18 일차방정식 $3x+4y-12=0$의 그래프가 x축과 이루는 예각의 크기를 a라고 할 때, $\sin a$의 값을 구하여라.

19 오른쪽 그림과 같이 한 모서리의 길이가 5인 정육면체에서 $\cos x$의 값을 구하여라.

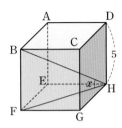

20 오른쪽 그림과 같은 직육면체에서 $\angle$DBH$=\angle x$라고 할 때, $\sin x\times\cos x+\tan x$의 값을 구하여라.

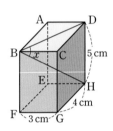

21^{up} 오른쪽 그림과 같이 한 모서리의 길이가 2인 정사면체에서 $\overline{BC}$의 중점을 E라고 하자. $\angle$AED$=\angle x$일 때, $\sin x$의 값을 구하여라.

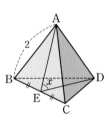

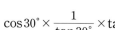

22 다음을 계산하여라.

$$\cos 30° \times \frac{1}{\tan 30°} \times \tan 60° - \sin 60°$$

23 다음 보기 중 옳은 것을 모두 골라라.

┤ 보 기 ├

ㄱ. $\sin 30° + \cos 60° = 1$

ㄴ. $\sqrt{2}\sin 45° + \sqrt{3}\cos 30° = \frac{3}{2}$

ㄷ. $2\sqrt{3}\sin 60° = 3\tan 45°$

24^{up} 이차방정식 $2x^2 - ax + 3 = 0$의 한 근이
$\sin 60° + \cos 30°$일 때, 상수 a의 값을 구하여라.

25 $\cos x = \frac{\sqrt{3}}{2}$ 일 때, $\tan 2x$의 값을 구하여라.

(단, $0° \leq x \leq 90°$)

26 오른쪽 그림에서 $\overline{AB} = 6$,
$\angle ABC = \angle BCD = 90°$,
$\angle A = 30°$, $\angle D = 45°$일 때,
$\overline{BD}$의 길이를 구하여라.

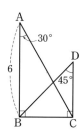

27 다음 그림에서 $\overline{AB} = 10$, $\angle BAC = \angle D = 90°$,
$\angle B = 60°$, $\angle DAC = 30°$일 때, $\square ABCD$의 둘레의 길
이를 구하여라.

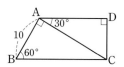

28 오른쪽 그림과 같은 $\triangle ABC$
에서 $\overline{AH} \perp \overline{BC}$, $\overline{AB} = 6$ cm
이고 $\angle BAH = 30°$,
$\angle CAH = 45°$일 때, $\overline{BC}$의
길이를 구하여라.

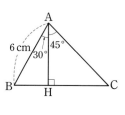

29^{up} 다음 그림과 같은 직각삼각형 ABC에서 $\angle CDB = 30°$,
$\overline{BC} = 2$, $\overline{AD} = \overline{CD}$일 때, $\tan 15°$의 값을 구하여라.

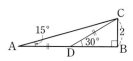

30 오른쪽 그림과 같이 좌표평면 위의 원점 O를 중심으로 하고 반지름의 길이가 1인 사분원에서 다음 중 옳지 <u>않은</u> 것은?

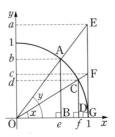

① $\cos x = f$

② $\tan x = d$

③ $\sin y = b$

④ $\cos y = e$

⑤ $\tan y = a$

31 오른쪽 그림과 같이 반지름의 길이가 1인 사분원에서 $\cos x$를 나타내는 선분을 구하여라.

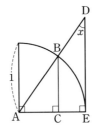

32 다음 중 오른쪽 그림을 이용하여 삼각비의 값을 구한 것 중 옳은 것은?

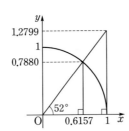

① $\sin 52° = 0.6157$

② $\cos 52° = 0.7880$

③ $\tan 52° = 1.2799$

④ $\sin 38° = 0.7880$

⑤ $\cos 38° = 0.6157$

33 다음 중 옳은 것은?

① $\sin 0° = \cos 0° = \tan 0°$

② $\sin 45° = \cos 45° = \tan 45°$

③ $\sin 90° = \cos 0° = \tan 45°$

④ $\sin 0° = \cos 90° = \tan 45°$

⑤ $\sin 90° = \cos 0° = \tan 90°$

34 다음 중 옳지 <u>않은</u> 것은?

① $\cos 90° \div \sin 90° = 0$

② $(2 - \cos 0°)(1 + \tan 45°) = 4$

③ $\sin 0° \times \cos 90° - \sin 90° \times \cos 0° = -1$

④ $\tan 45° - \sin 90° \times \cos 60° = \dfrac{1}{2}$

⑤ $\sin 60° \times \tan 60° - \sin 0° \times \tan 45° = \dfrac{3}{2}$

35 다음을 계산하여라.

$$\sin 0° \times \cos 60° \times \tan 45° + \sin 90° \times \tan 60°$$

36^{up} 일차방정식 $\sqrt{3}x - y + 2\sqrt{3} = 0$의 그래프가 x축의 양의 방향과 이루는 예각의 크기를 a라고 할 때, $\sin a \times \cos 0° + \tan 30°$의 값을 구하여라.

37 $45°<A<90°$일 때, 다음 중 $\sin A$, $\cos A$, $\tan A$의 대소 관계로 옳은 것은?

① $\cos A<\sin A<\tan A$

② $\cos A<\tan A<\sin A$

③ $\sin A<\tan A<\cos A$

④ $\sin A<\cos A<\tan A$

⑤ $\tan A<\cos A<\sin A$

38 (중요) 다음 보기에 주어진 삼각비 중 그 값이 가장 큰 것과 가장 작은 것을 각각 골라라.

┤ 보 기 ├

ㄱ. $\sin 30°$　　ㄴ. $\cos 0°$　　ㄷ. $\sin 80°$

ㄹ. $\tan 50°$　　ㅁ. $\cos 70°$

39 $0°<x<45°$일 때, $\sqrt{(\tan x-1)^2}-\sqrt{(1-\tan x)^2}$을 간단히 하여라.

40 $0°<A<45°$일 때, $\sqrt{(\cos A-\sin A)^2}-\sqrt{(\sin A-\cos A)^2}$을 간단히 하여라.

41 다음 삼각비의 표를 이용하여

$$\tan 62°+\sin 65°-\cos 63°$$

의 값을 구하여라.

각도	사인(sin)	코사인(cos)	탄젠트(tan)
62°	0.8829	0.4695	1.8807
63°	0.8910	0.4540	1.9626
64°	0.8988	0.4384	2.0503
65°	0.9063	0.4226	2.1445

42 (중요) 오른쪽 그림과 같은 직각삼각형 ABC에서 삼각비의 표를 이용하여 x의 값을 구하여라.

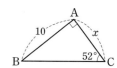

각도	사인(sin)	코사인(cos)	탄젠트(tan)
36°	0.5878	0.8090	0.7265
37°	0.6018	0.7986	0.7536
38°	0.6157	0.7880	0.7813
39°	0.6293	0.7771	0.8098

43 오른쪽 그림과 같이 반지름의 길이가 1인 사분원에서 $\overline{OC}=0.59$일 때, 삼각비의 표를 이용하여 $\overline{AB}$의 길이를 구하여라.

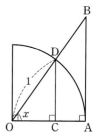

각도	사인(sin)	코사인(cos)	탄젠트(tan)
53°	0.80	0.60	1.33
54°	0.81	0.59	1.38
55°	0.82	0.57	1.43
56°	0.83	0.56	1.48

●●○
01 오른쪽 그림과 같이 $\overline{\text{AD}} /\!/ \overline{\text{BC}}$인 등변사다리꼴 ABCD에서 $\overline{\text{AB}}=6$ cm, $\overline{\text{BC}}=9$ cm, $\overline{\text{AD}}=5$ cm일 때, $\tan B$의 값을 구하여라.

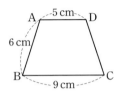

꼭짓점 A, D에서 $\overline{\text{BC}}$에 수선을 그어 직각삼각형을 만들어 본다.

●●●
02 오른쪽 그림과 같은 직사각형 모양의 종이 ABCD를 꼭짓점 A가 꼭짓점 C에 겹쳐지도록 $\overline{\text{PQ}}$를 접는 선으로 하여 접었다. $\overline{\text{AB}}=2$ cm, $\overline{\text{AP}}=3$ cm, $\angle\text{CPQ}=\angle x$일 때, $\tan x$의 값을 구하여라.

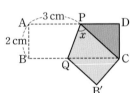

$\angle\text{APQ}=\angle\text{CPQ}$ (접은 각)
$=\angle\text{PQC}$ (엇각)
이므로 △CPQ는 이등변삼각형이다.

●●○ 서술형
03 오른쪽 그림과 같이 직선 $y=mx+n$과 x축, y축의 교점을 각각 A, B라 하고 $\overline{\text{AB}}\perp\overline{\text{OH}}$, $\overline{\text{OH}}=1$, $\tan A=\dfrac{3}{4}$일 때, 상수 m, n에 대하여 $m-n$의 값을 구하여라.

(단, O는 원점이다.)

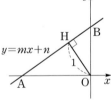

서술 TIP
$\tan A$의 값과 △AOB의 넓이를 이용하여 점 B의 좌표를 구한다.

....

....

답 _____

04 오른쪽 그림과 같이 한 모서리의 길이가 2인 정육면체에서 M, N은 각각 $\overline{BF}$와 $\overline{GH}$의 중점이다. $\angle BNM = \angle x$라고 할 때, $\cos x$의 값을 구하여라.

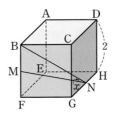

점 M에서 $\overline{BN}$에 수선을 그어 $\angle x$를 한 각으로 하는 직각삼각형을 만들어 본다.

05 오른쪽 그림과 같이 $\angle C = 90°$인 직각삼각형 ABC에서 $\angle B = 30°$이고, $\overline{BC} = 2\sqrt{3}$ cm일 때, 내접원의 반지름의 길이를 구하여라.

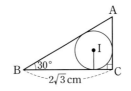

$\triangle ABC$
$= \triangle IBC + \triangle ICA + \triangle IAB$

06 오른쪽 그림과 같은 직각삼각형 ABC와 DBC에서 $\angle ACB = 45°$, $\angle BDC = 60°$, $\overline{CD} = 8$일 때, $\triangle EBC$의 넓이를 구하여라.

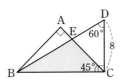

점 E에서 $\overline{BC}$에 내린 수선의 발을 H라고 하면 $\triangle BEH = 60°$이고 $\triangle EHC$는 직각이등변삼각형이다.

07 오른쪽 그림에서 $\triangle DEF$는 정삼각형이고 $\overline{AB} = 12$, $\angle CAB = 90°$, $\angle ABC = 60°$, $\angle EAC = 45°$일 때, $\overline{EF}$의 길이를 구하여라.

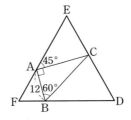

$\triangle EAC \backsim \triangle FAB$

08 오른쪽 그림과 같은 직각삼각형 ABC에서 $\overline{BC}=24$ cm, ∠B=60°일 때, △ADE의 넓이를 구하여라.

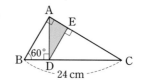

....

....

답 _____

09 오른쪽 그림과 같이 반지름의 길이가 1인 사분원에서 $\overline{AC}\perp\overline{BC}$, $\overline{AE}\perp\overline{DE}$이고 ∠BAC=60°일 때, □BCED의 넓이를 구하여라.

삼각비의 값을 이용하여 $\overline{BC}$, $\overline{CE}$, $\overline{DE}$의 길이를 구한다.

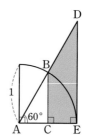

10 오른쪽 그림과 같은 △ABC에서 ∠A=80°, ∠B=55°, $\overline{AB}=50$일 때, 삼각비의 표를 이용하여 $\overline{BC}$의 길이를 구하여라.

삼각비의 표에서 주어진 삼각비의 값을 찾아 가로줄의 각도를 읽는다.

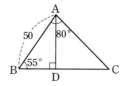

각도	사인(sin)	코사인(cos)	탄젠트(tan)
35°	0.6	0.8	0.7
55°	0.8	0.6	1.4
80°	0.9	0.2	5.7

유형 **1** 직각삼각형의 변의 길이 구하기

01 오른쪽 그림과 같은 직각삼각형 ABC에서 ∠A=37°, $\overline{AC}$=20일 때, △ABC의 둘레의 길이를 구하 여라. (단, sin37°=0.60, cos37°=0.80, tan37°=0.75로 계산한다.)

02 오른쪽 그림과 같이 밑면의 반지름 의 길이가 6 cm인 원뿔이 있다. ∠ABO=60°일 때, 이 원뿔의 부 피를 구하여라.

유형 **2** 실생활에서 직각삼각형의 변의 길이 구하기

03 길이가 10 m인 사다리가 오른쪽 그 림과 같이 벽에 걸쳐 있다. 사다리와 지면이 이루는 각의 크기가 62°일 때, 지면으로부터 사다리가 걸쳐진 곳까지의 높이를 구하여라.
(단, sin62°=0.88, cos62°=0.47, tan62°=1.88로 계산한다.)

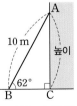

04 오른쪽 그림의 나무의 높이를 구하기 위해 나무로부터 10 m 떨어진 B지점에서 나무의 꼭대 기를 올려다본 각의 크기가 44° 일 때, 나무의 높이를 구하여라.
(단, sin44°=0.70, cos44°=0.72, tan44°=0.97로 계산한다.)

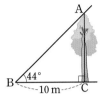

05 오른쪽 그림과 같이 신혜가 어 떤 건물로부터 20 m 떨어진 지점에서 그 건물의 꼭대기를 올려다본 각의 크기가 50°이고 신혜의 눈의 높이가 1.5 m일 때, 이 건물의 높이를 구하여 라. (단, sin50°=0.77, cos50°=0.64, tan50°=1.19 로 계산한다.)

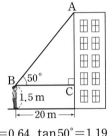

06 똑바로 서 있던 나무가 오른쪽 그림과 같이 부러졌다.
∠A=90°일 때, 이 나무가 부 러지기 전의 높이를 구하여라.
(단, sin57°=0.84, cos57°=0.54, tan57°=1.54로 계 산한다.)

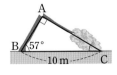

07 오른쪽 그림과 같이 간격이 30 m인 두 건물이 있다. 낮은 건물의 옥상에서 높은 건물을 올려다본 각의 크기가 45°이고, 내려다본 각의 크기가 30°일 때, 높은 건물의 높이를 구하여라.

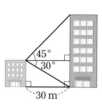

유형 **3** 일반 삼각형의 변의 길이 구하기 (1)

08 오른쪽 그림과 같은 △ABC에서 ∠B=45°, $\overline{BC}=7$, $\overline{AB}=3\sqrt{2}$일 때, $\overline{AC}$의 길이를 구하여라.

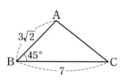

09 호수의 두 지점 A, C 사이의 거리를 구하기 위하여 오른쪽 그림과 같이 측량하였다. 두 지점 A, C 사이의 거리를 구하여라.

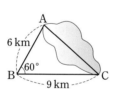

10 다음 그림과 같이 $\overline{AB}=6$ cm, $\overline{BC}=8\sqrt{2}$ cm인 △ABC에서 $\cos B=\dfrac{\sqrt{2}}{2}$일 때, $\overline{AC}$의 길이를 구하여라.

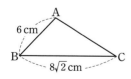

유형 **4** 일반 삼각형의 변의 길이 구하기 (2)

11 오른쪽 그림과 같은 △ABC에서 $\overline{BC}=12$ cm, ∠B=45°, ∠C=75°일 때, $\overline{AC}$의 길이를 구하여라.

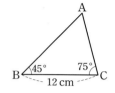

12 오른쪽 그림과 같은 △ABC에서 ∠A=45°, ∠C=30°, $\overline{AB}=20$일 때, △ABC의 둘레의 길이를 구하여라.

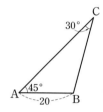

유형 **5** 예각삼각형의 높이 구하기

13 오른쪽 그림과 같은 △ABC에서 ∠B=30°, ∠C=60°, $\overline{BC}=8$일 때, $\overline{AH}$의 길이를 구하여라.

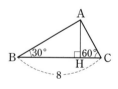

14 3 km 떨어진 지면의 두 지점 A, B에서 하늘에 있는 비행기를 올려다본 각의 크기가 각각 58°, 60°이었다. 비행기는 지면에서 몇 km 상공에 있는지 구하여라. (단, A, B, C는 지면에 수직인 같은 평면 위에 있고, tan 32°=0.62, tan 30°=0.58로 계산한다.)

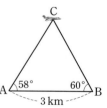

둔각삼각형의 높이 구하기

15 다음 그림과 같이 20 m 떨어진 두 지점 B, C에서 건물의 꼭대기를 올려다본 각의 크기가 각각 30°, 60°이었다. 이때 이 건물의 높이를 구하여라.

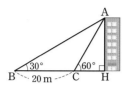

16 오른쪽 그림과 같이 100 m 떨어진 두 지점 A, B에서 열기구를 올려다본 각의 크기가 각각 65°, 72°이었다. 이때 열기구의 높이는?

① $\dfrac{100}{\sin 25° - \sin 18°}$ m

② $\dfrac{100}{\tan 25° - \tan 18°}$ m

③ $\dfrac{100}{\tan 72° - \tan 65°}$ m

④ $\dfrac{\sin 25° - \sin 18°}{100}$ m

⑤ $\dfrac{\tan 25° - \tan 18°}{100}$ m

유형 7

예각삼각형의 넓이 구하기

17 오른쪽 그림과 같은 △ABC의 넓이를 구하여라.

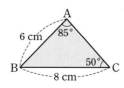

18 오른쪽 그림에서 $\overline{AE} \parallel \overline{DC}$일 때, □ABED의 넓이를 구하여라.

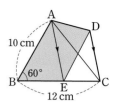

19^{up} 오른쪽 그림은 세로의 길이가 4 cm인 직사각형 모양의 종이를 $\overline{AC}$를 접는 선으로 하여 접은 것이다.
∠ABC=45°일 때, △ABC의 넓이를 구하여라.

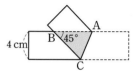

유형 8

둔각삼각형의 넓이 구하기

20 다음 그림과 같은 △ABC에서 $\overline{AB}=5$, $\overline{AC}=8$, ∠A=145°일 때, △ABC의 넓이를 구하여라.
(단, sin 35°=0.57, cos 35°=0.82로 계산한다.)

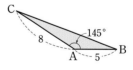

21 오른쪽 그림과 같이 지름의 길이가 12인 반원에서 ∠CAB=15°일 때, 색칠한 부분의 넓이를 구하여라.
(단, $\overline{AB}$는 원 O의 지름이다.)

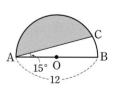

22 오른쪽 그림과 같은 □ABCD의 넓이를 구하여라.

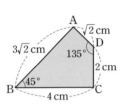

23 오른쪽 그림과 같은 □ABCD의 넓이를 구하여라.

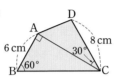

24^{up} 오른쪽 그림과 같이 반지름의 길이가 6 cm인 원 O에 내접하는 정팔각형의 넓이를 구하여라.

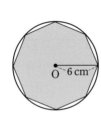

25 오른쪽 그림과 같이 $\overline{BC}=6$ cm, $\overline{CD}=2\sqrt{2}$ cm, ∠C=135°인 평행사변형 ABCD의 넓이를 구하여라.

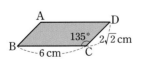

26 오른쪽 그림과 같이 $\overline{AB}=4$ cm, $\overline{AD}=6$ cm인 평행사변형 ABCD에서 ∠ABC=60°일 때, △APD의 넓이를 구하여라.

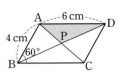

27 오른쪽 그림의 평행사변형 ABCD에서 $\overline{BC}=a$, $\overline{AC}=b$이고, ∠BAC=80°, ∠ADC=55°일 때, □ABCD의 넓이를 a, b에 대한 식으로 나타내어라.

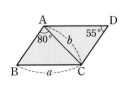

28 오른쪽 그림과 같이 두 대각선의 길이가 모두 8 cm이고 두 대각선이 이루는 각의 크기가 135°인 사각형 ABCD의 넓이를 구하여라.

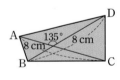

29 오른쪽 그림과 같은 □ABCD에서 $\overline{AC}=9$ cm, $\overline{BD}=12$ cm이고, □ABCD의 넓이가 $27\sqrt{3}$ cm²일 때, 두 대각선의 이루는 각 중에서 예각의 크기를 구하여라.

해설 BOOK 051쪽
개념 BOOK 063쪽

01 오른쪽 그림과 같이 한 변의 길이가 6 cm인 정사각형 ABCD를 점 A를 중심으로 30°만큼 회전시켜 정사각형 AB′C′D′을 만들었다. 이때 두 정사각형이 겹치는 부분의 넓이를 구하여라.

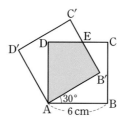

$\overline{AE}$를 그어 보면 두 삼각형 AED 와 AEB′이 닮음이다.

02 오른쪽 그림과 같이 반지름의 길이가 10 cm인 원에 내접하는 정구각형의 한 변의 길이를 구하여라. (단, $\sin 20° = 0.34$, $\cos 20° = 0.94$, $\tan 20° = 0.36$으로 계산한다.)

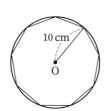

정구각형의 한 변의 양 끝 점과 원의 중심을 선으로 이어 삼각형 을 만들어 본다.

03 ^{서술형} 오른쪽 그림과 같은 직육면체에서 ∠CFG=45°, ∠DGH=60°, $\overline{GH}$=12이다. ∠AFC=∠x라고 할 때, $\tan x$의 값을 구하여라.

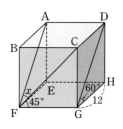

답 _____

서술 **TIP**
△AFC를 그려 본 후 꼭짓 점 A에서 $\overline{FC}$에 수선을 내 린다.

04 오른쪽 그림과 같이 ∠C=90°인 직각삼각형 ABC에서 ∠B=45°, ∠DBC=30°, ∠AEC=75°이다. $\overline{BE}=a$일 때, $\overline{AD}$의 길이를 a에 대한 식으로 나타내어라. (단, tan75°=2+√3으로 계산한다.)

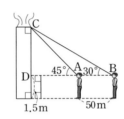

$\overline{EC}=x$라고 하면 △ABC는 직각이등변삼각형이므로 $\overline{AC}=a+x$이다.

05 오른쪽 그림과 같이 50 m 떨어진 두 지점 A, B에서 굴뚝을 올려다본 각의 크기가 각각 45°, 30°이고 눈높이가 1.5 m일 때, 굴뚝의 높이를 구하여라. (단, √3=1.7로 계산한다.)

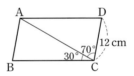

$\overline{CD}=h$ m로 놓고 $\overline{AD}$, $\overline{BD}$를 h에 대한 식으로 나타내 본다.

06 오른쪽 그림과 같이 $\overline{CD}$=12 cm이고 ∠ACB=30°, ∠ACD=70°인 평행사변형 ABCD가 있다. 점 A에서 $\overline{CD}$까지의 거리를 구하여라. (단, tan10°=0.2, tan20°=0.4로 계산한다.)

점 A에서 $\overline{CD}$까지의 거리를 나타내는 선을 긋는다.

07 오른쪽 그림과 같이 두 직각삼각형 ABC와 DBC를 겹쳐 놓았을 때, 겹쳐진 부분인 △EBC의 넓이를 구하여라.

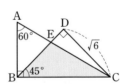

△EBC의 밑변인 $\overline{BC}$의 길이를 먼저 구한 후 높이를 구한다.

●●○ 서술형

08 오른쪽 그림의 원 O에서 $\widehat{AB} : \widehat{BC} : \widehat{CA} = 3 : 4 : 5$이고
반지름의 길이가 12 cm일 때, △ABC의 넓이를 구하여라.

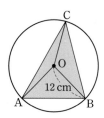

서술 **TIP**

△ABC
= △AOB + △BOC
            + △AOC

....

....

답 _____

●●○

09 오른쪽 그림과 같이 학원의 위치를 H라고 할 때, 학교와 학
원 사이의 직선 거리 AH를 구하여라.

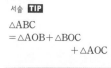

$\overline{BC}$의 길이와 △ABC의 넓이를
구해 본다.

●●●

10 오른쪽 그림에서 □ABCD는 정사각형이고, 두 점 M, N은
각각 $\overline{AD}$, $\overline{CD}$의 중점일 때, $\sin x$의 값을 구하여라.

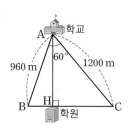

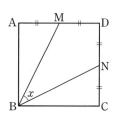

주어진 정사각형의 한 변의 길이
를 $2a$로 놓고, 정사각형의 넓이를
삼각형의 넓이의 합으로 나타낸다.

01 오른쪽 그림과 같은 직각삼각형 ABC에서 $\sin A \times \sin B$의 값은?

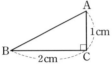

① $\dfrac{1}{5}$ ② $\dfrac{2}{5}$

③ $\dfrac{3}{5}$ ④ $\dfrac{4}{5}$ ⑤ 1

02 오른쪽 그림과 같은 직각삼각형 ABC 에서 $\sin B = \dfrac{3}{4}$이고, $\overline{AB} = 8$일 때, xy의 값을 구하여라.

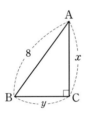

03 오른쪽 그림과 같은 직각삼각형 ABC에서 $\overline{DE} \perp \overline{BC}$일 때, $\cos x + \cos y$의 값을 구하여라.

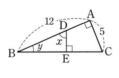

04 다음 보기 중 옳은 것을 모두 고른 것은?

┤ 보 기 ├
ㄱ. $\sin^2 30° + \cos^2 30° = 1$
ㄴ. $\sin 30° = \cos 30° \times \tan 30°$
ㄷ. $\sin 30° + \sin 60° = \sin 90°$
ㄹ. $\tan 30° = \dfrac{1}{\tan 60°}$

① ㄱ, ㄴ   ② ㄱ, ㄷ   ③ ㄴ, ㄹ
④ ㄱ, ㄴ, ㄹ   ⑤ ㄴ, ㄷ, ㄹ

05 직선 $x \sin 30° + y \sin 45° = 1$이 x축과 이루는 예각의 크기를 a라고 할 때, $\cos a$의 값을 구하여라.

06 서술형 오른쪽 그림과 같은 직각삼각형 ABC에서 $\overline{AD} = \overline{BD}$일 때, $\tan A$의 값을 구하여라.

07 오른쪽 그림과 같이 ∠A=90°
인 직각삼각형 ABC에서
$\overline{AH} \perp \overline{BC}$일 때, $x+y$의 값을
구하여라.

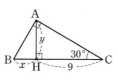

08 오른쪽 그림과 같이 ∠B=90°인 직각삼
각형 ABD에서 $\overline{AB}=1$, ∠CAB=60°
이고 $\overline{AC}=\overline{CD}$일 때, tan75°의 값은?

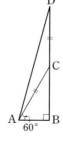

① $2+\sqrt{3}$　　② $2-\sqrt{3}$

③ $\dfrac{4+\sqrt{3}}{2}$　　④ $\dfrac{4-\sqrt{3}}{2}$

⑤ $\dfrac{6+\sqrt{2}}{4}$

09 오른쪽 그림과 같이 반지름의
길이가 1인 사분원에서
∠AOF=∠x라고 할 때,
다음 중 옳지 <u>않은</u> 것은?

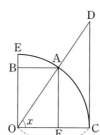

① $\overline{AF}=\sin x$

② $\overline{OF}=\cos x$

③ $\overline{DC}=\tan x$

④ $\overline{FC}=1-\tan x$

⑤ $\overline{OB}=\cos(90°-x)$

10 $0° \leq A \leq 90°$일 때, 다음 중 옳지 <u>않은</u> 것은?

① A의 크기가 커지면 $\cos A$의 값은 작아진다.

② A의 크기가 커지면 $\tan A$의 값도 커진다.

③ $\cos A$의 최솟값은 0, 최댓값은 1이다.

④ $45° < A < 90°$일 때, $\sin A < \cos A$

⑤ $45° < A < 90°$일 때, $\cos A < \tan A$

11 오른쪽 그림과 같이 현
진이가 나무로부터
$10\sqrt{3}$ m 떨어진 A지점
에서 나무의 꼭대기를
올려다본 각의 크기가
30°이고, 현진이의 눈높
이를 1.5 m라고 할 때, 이 나무의 높이를 구하여라.

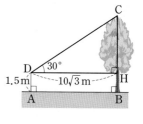

12 오른쪽 그림과 같은
△ABC에서 $\overline{AB}=4$,
$\overline{AC}=6$이고 ∠B=60°
일 때, $\overline{BC}$의 길이는?

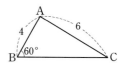

① $\sqrt{3}$　　　② 3　　　③ $1+\sqrt{6}$

④ $2+2\sqrt{6}$　　⑤ $3+3\sqrt{6}$

13 오른쪽 그림과 같이
∠B=30°, ∠C=45°인
△ABC에서 $\overline{AH} \perp \overline{BC}$일
때, x와 y 사이의 관계를 식으로 나타내면?

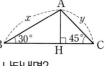

① $y=\dfrac{1}{2}x$　　② $y=\dfrac{\sqrt{2}}{2}x$　　③ $y=\dfrac{\sqrt{3}}{2}x$

④ $y=\dfrac{\sqrt{5}}{2}x$　　⑤ $y=\dfrac{\sqrt{6}}{2}x$

14 오른쪽 그림과 같이 배가 A지점에서 출발하여서 12 km 떨어진 B 지점을 지나, 10 km 떨어진 C 지점까지 움직였다. 이때 두 지점 A, C 사이의 거리를 구하여라.

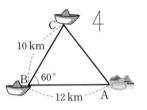

15 오른쪽 그림과 같은 직육면체에서 $\angle BHF = \angle x$라고 할 때, $\sin x \times \cos x \times \tan x$의 값을 구하여라.

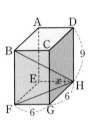

16 오른쪽 그림과 같은 $\triangle ABC$에서 $\angle B = 30°$, $\angle C = 45°$, $\overline{BC} = 20$일 때, $\triangle ABC$의 넓이를 구하여라.

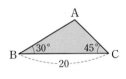

17 길이가 a, b, c인 세 선분 중 각각 2개씩의 선분을 골라 다음 그림과 같이 작도하였더니 세 삼각형의 넓이가 모두 같았을 때, $a : b : c$는?

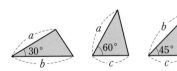

① $2 : \sqrt{3} : 1$ ② $\sqrt{2} : 3 : 1$

③ $\sqrt{2} : \sqrt{3} : 1$ ④ $\sqrt{2} : 1 : \sqrt{3}$

⑤ $2 : 1 : \sqrt{3}$

18 오른쪽 그림과 같이 $\overline{AB}$를 지름으로 하는 반원과 $\overline{AC}$의 교점을 P라고 할 때, 색칠한 부분의 넓이를 구하여라.

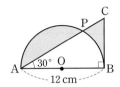

19 오른쪽 그림과 같은 평행사변형 ABCD에서 $\overline{BC}$의 중점을 M이라고 할 때, $\triangle AMC$의 넓이를 구하여라.

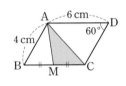

20 오른쪽 그림과 같은 등변사다리꼴 ABCD에서 $\overline{AD} = 4$, $\overline{BC} = 8$, $\overline{AC} = 12$이고, $\angle DPC = 120°$일 때, $\overline{AB}$의 길이를 구하여라.

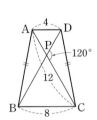

창의 사고력 TEST

V. 삼각비

SUMMA CUM LAUDE

해설 BOOK 056쪽

01

오른쪽 그림과 같이 각도가 60°가 되는 갈림길이 있다. 두 자동차가 O지점을 동시에 출발하여 A는 윗길로 시속 100 km로, B는 아랫길로 시속 80 km로 달렸다. 30분 후 두 자동차 사이의 거리를 구하여라. (단, 도로의 폭은 무시한다.)

① 두 자동차 A, B가 각각 간 거리는?
② 두 자동차 A, B 사이의 거리는?

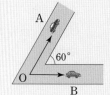

02

오른쪽 그림과 같은 △ABC에서 $\overline{AB}=6$, $\overline{AC}=8$, ∠BAC=120°이다. 점 B를 지나는 $\overline{AB}$의 수선과 점 C를 지나는 $\overline{AC}$의 수선이 만나는 점을 D라고 할 때, $\overline{BD}$의 길이를 구하여라.

① 점 A에서 $\overline{BD}$와 평행하게 선을 그어 $\overline{CD}$와 만나는 점을 E라고 할 때, $\overline{AE}$의 길이는?
② 점 E에서 $\overline{BD}$에 내린 수선의 발을 F라고 할 때, $\overline{FD}$의 길이는?
③ $\overline{BD}$의 길이는?

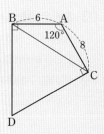

유형 **1** 원의 중심과 현의 수직이등분선

01 오른쪽 그림의 원 O에서
$\overline{AB} \perp \overline{OM}$이고, $\overline{CO}=7$ cm,
$\overline{OM}=3$ cm일 때, $\overline{AB}$의 길이를
구하여라.

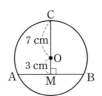

02 오른쪽 그림과 같이 반지름의 길이
가 8인 원 O에서 $\overline{AB} \perp \overline{OC}$이고
$\overline{OH}=2$일 때, $\overline{BC}$의 길이를 구하
여라.

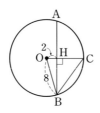

03 오른쪽 그림에서 $\overline{AB}$는 원 O의
지름이고, $\overline{AB}=10$ cm,
$\overline{BC}=6$ cm일 때, △OBC의
넓이를 구하여라.

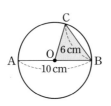

04 오른쪽 그림과 같이 중심이 같은
두 원에서 $\overline{AB}=14$ cm,
$\overline{CD}=8$ cm일 때, $\overline{AC}$의 길이
를 구하여라.

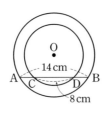

유형 **2** 현의 수직이등분선의 성질의 응용

05 오른쪽 그림과 같이 원 위의 네
점 A, B, C, D에 대하여 $\overline{AC}$와
$\overline{BD}$의 교점을 M이라고 한다.
$\overline{AC} \perp \overline{BD}$일 때, 이 원의 둘레의
길이를 구하여라.

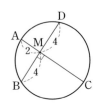

06 오른쪽 그림에서 $\overarc{AB}$는 원의
일부분이다. $\overline{AB} \perp \overline{CM}$이고,
$\overline{AB}=14$, $\overline{CM}=5$일 때, 이
원의 반지름의 길이를 구하여라.

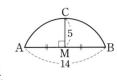

07 ^{up} 원 모양의 접시의 깨진 조각을
측정하였더니 오른쪽 그림과
같았다. 깨지기 전의 원래 접
시의 둘레의 길이를 구하여라.

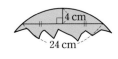

08 오른쪽 그림과 같이 원 O의 원주
위의 점 P가 원의 중심 O에 겹쳐
지도록 접었다. $\overline{AB}=10\sqrt{3}$일 때,
이 원 O의 반지름의 길이를 구하
여라.

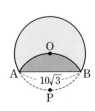

09 오른쪽 그림의 원 O에서 $\overline{AB}\perp\overline{OM}$, $\overline{CD}\perp\overline{ON}$이고 $\overline{OM}=\overline{ON}=4$ cm, $\overline{OB}=4\sqrt{2}$ cm일 때, $\overline{CD}$의 길이를 구하여라.

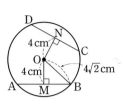

10 오른쪽 그림의 원 O에서 $\overline{AB}\perp\overline{OM}$이고, $\overline{AB}=\overline{CD}$이다. $\overline{OD}=5\sqrt{2}$, $\overline{OM}=5$일 때, $\triangle OCD$의 넓이를 구하여라.

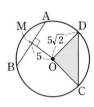

11 오른쪽 그림에서 $\overline{BC}$는 원 O의 지름이다. $\overline{AB}/\!/\overline{CD}$이고, $\overline{OB}=5$, $\overline{AB}=\overline{CD}=8$일 때, 두 현 AB, CD 사이의 거리를 구하여라.

12 오른쪽 그림과 같은 $\triangle ABC$의 외접원 O에서 $\overline{OM}=\overline{ON}$이고, $\angle ABC=64°$일 때, $\angle x$의 크기를 구하여라.

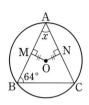

13 오른쪽 그림의 원 O에서 $\overline{AB}\perp\overline{OM}$, $\overline{AC}\perp\overline{ON}$이고 $\overline{OM}=\overline{ON}$이다. $\angle MON=110°$일 때, $\angle x$의 크기를 구하여라.

14 오른쪽 그림의 원 O에서 $\overline{AB}\perp\overline{OM}$, $\overline{AC}\perp\overline{ON}$이고 $\overline{OM}=\overline{ON}$이다. $\overline{AB}=10$, $\overline{BC}=8$일 때, $\triangle AMN$의 둘레의 길이를 구하여라.

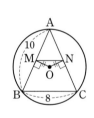

15 오른쪽 그림의 원 O에서 $\overline{AB}\perp\overline{OP}$, $\overline{AC}\perp\overline{OQ}$이고 $\overline{OP}=\overline{OQ}$이다. $\overline{AB}=8\sqrt{3}$ cm, $\angle A=60°$일 때, 다음 중 옳지 <u>않은</u> 것은?

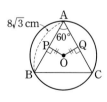

① $\overline{AQ}=4\sqrt{3}$ cm   ② $\overline{OP}=4$ cm

③ $\overline{OA}=8$ cm   ④ $\triangle ABC=16\sqrt{3}$ cm^2

⑤ (원 O의 넓이)$=64\pi$ cm^2

16 오른쪽 그림에서 점 A는 점 P 에서 원 O에 그은 접선의 접점 이다. $\overline{PA}=4$ cm, $\overline{PB}=2$ cm 일 때, 원 O의 반지름의 길이를 구하여라.

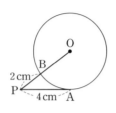

17 오른쪽 그림에서 두 점 A, B는 점 P에서 원 O에 그은 두 접선의 접점이다. $\angle APO=30°$, $\overline{OA}=2$ cm 일 때, $\overline{PB}$의 길이를 구하여 라.

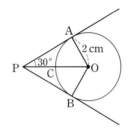

18 오른쪽 그림에서 두 점 A, B 는 점 P에서 원 O에 그은 두 접선의 접점이고 $\overline{AC}$는 원 O 의 지름이다. $\angle BAC=27°$ 일 때, $\angle x$의 크기를 구하여 라.

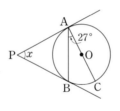

19 오른쪽 그림에서 두 점 A, B는 점 P에서 원 O 에 그은 두 접선의 접점 이다. $\angle APB=42°$일 때, $\angle OBA$의 크기를 구하여라.

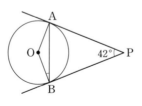

20 오른쪽 그림에서 두 점 A, B는 점 P에서 원 O에 그은 두 접선의 접점이다. $\overline{OB}=4$ cm, $\angle APB=45°$ 일 때, 부채꼴 AOB의 넓이 를 구하여라.

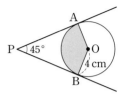

21 다음 그림에서 $\overline{PA}$, $\overline{PB}$, $\overline{PC}$가 원 O 또는 원 O'의 접 선이고 세 점 A, B, C는 그 접점일 때, x의 값을 구하 여라.

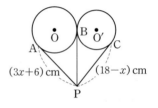

$(3x+6)$ cm $(18-x)$ cm

22 오른쪽 그림에서 두 점 A, B는 점 P에서 원 O에 그은 두 접선의 접 점이다. $\overline{OQ}=5$, $\overline{PQ}=18$일 때, $\overline{AB}$의 길이를 구하여라.

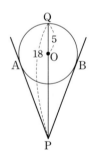

23^{up} 오른쪽 그림과 같이 점 P에 서 지름의 길이가 12 cm인 원 O에 그은 접선의 접점을 T라고 하자. $\angle PAT=30°$ 일 때, $\overline{PT}$의 길이를 구하여 라.

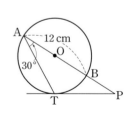

24 다음 그림에서 두 직선 AD, AF와 $\overline{BC}$가 각각 세 점 D, F, E에서 원 O에 접한다. $\overline{AB}=9$ cm, $\overline{AC}=7$ cm, $\overline{BC}=6$ cm일 때, $\overline{BD}$의 길이를 구하여라.

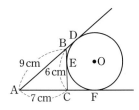

25 오른쪽 그림에서 두 직선 PT, PT′과 $\overline{AB}$가 각각 세 점 T, T′, C에서 원 O에 접한다. $\overline{OT}=5$, $\overline{OP}=13$일 때, △PAB의 둘레의 길이를 구하여라.

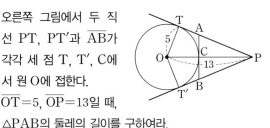

26 오른쪽 그림에서 $\overline{CD}$는 반원 O의 지름이고 $\overline{AD}$, $\overline{AB}$, $\overline{BC}$는 반원 O의 접선이다. $\overline{AD}=2$ cm, $\overline{BC}=3$ cm일 때, $\overline{AC}$의 길이를 구하여라.

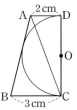

27 오른쪽 그림에서 $\overline{AB}$는 반원 O의 지름이고, $\overline{AD}$, $\overline{BC}$, $\overline{CD}$는 반원 O의 접선이다. $\overline{AO}=4$ cm, $\overline{CD}=11$ cm일 때, □ABCD의 넓이를 구하여라.

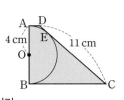

28 오른쪽 그림에서 원 O는 △ABC의 내접원이고, 세 점 D, E, F는 접점이다. $\overline{BC}=15$ cm, $\overline{AC}=12$ cm, $\overline{DB}=7$ cm일 때, x의 값을 구하여라.

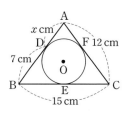

29 오른쪽 그림에서 원 O는 △ABC의 내접원이고 세 점 D, E, F는 접점이다. $\overline{PQ}$는 원 O와 점 R에서 접하고 $\overline{AB}=8$ cm, $\overline{BC}=7$ cm, $\overline{CA}=9$ cm일 때, △AQP의 둘레의 길이를 구하여라.

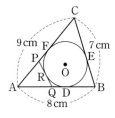

30 오른쪽 그림에서 원 O는 △ABC의 내접원이고, 세 점 D, E, F는 접점이다. $\overline{AB}=9$ cm, $\overline{BE}=5$ cm, $\overline{OG}=3$ cm일 때, $\overline{AG}$의 길이를 구하여라.

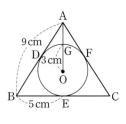

31 오른쪽 그림에서 원 O는 ∠B=90°인 직각삼각형 ABC의 내접원이고 점 D는 접점일 때, △ABC의 넓이를 구하여라.

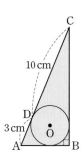

32 오른쪽 그림과 같이 □ABCD
는 원 O에 외접하고 네 점
E, F, G, H는 접점이다.
$\overline{AE}=4$, $\overline{BF}=5$, $\overline{CG}=3$,
$\overline{DH}=2$일 때, □ABCD의
둘레의 길이를 구하여라.

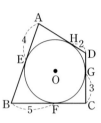

33 오른쪽 그림과 같이 원 O에
외접하는 등변사다리꼴
ABCD에서 $\overline{AD}=8$ cm,
$\overline{BC}=18$ cm일 때, 원 O의
반지름의 길이를 구하여라.

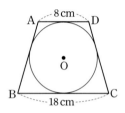

34 오른쪽 그림과 같이 원 O가
∠C=90°인 □ABCD의 각 변
과 접한다. $\overline{AB}=20$ cm,
$\overline{BC}=15$ cm, $\overline{BD}=17$ cm일
때, $\overline{AD}$의 길이를 구하여라.

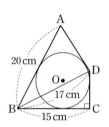

35 오른쪽 그림과 같이
∠B=90°인 사다리꼴
ABCD가 원 O에 외접하
고, 네 점 P, Q, R, S는
접점이다. $\overline{BC}=13$ cm,
$\overline{CD}=12$ cm, $\overline{OQ}=5$ cm
일 때, $\overline{DS}$의 길이를 구하여라.

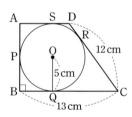

36 다음 그림에서 원 O는 직사각형 ABCD의 세 변 AB,
BC, AD와 각각 점 E, F, H에서 접하고, $\overline{DI}$가 원 O
와 점 G에서 접한다. $\overline{AB}=8$, $\overline{AD}=12$, $\overline{BF}=4$일
때, $\overline{DI}$의 길이를 구하여라.

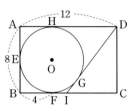

37 오른쪽 그림과 같이 가로, 세
로의 길이가 각각 9, 8인 직
사각형 ABCD의 내부에서
두 원 O, O′이 서로 접할 때,
원 O′의 반지름의 길이를 구
하여라.

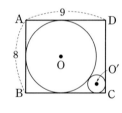

38^{up} 다음 그림과 같이 반지름의 길이가 8인 반원 O의 내부
에서 두 원 P, Q가 접하고 있다. 이때 원 Q의 반지름의
길이를 구하여라.

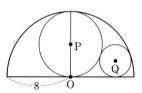

01 오른쪽 그림과 같이 중심이 같고 반지름의 길이가 각각 6, 10 인 두 원이 있다. 큰 원의 두 현 AB, CD가 작은 원과 각각 점 P, Q에서 접하고 $\overline{AB}\perp\overline{CD}$이다. $\overline{AB}$와 $\overline{CD}$의 교점을 R 라고 할 때, $\overline{AR}$의 길이를 구하여라.

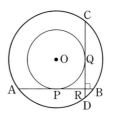

$\overline{OP}\perp\overline{AB}$, $\overline{OQ}\perp\overline{CD}$이고 원의 중심에서 현에 내린 수선은 그 현을 이등분함을 이용한다.

02 [서술형] 오른쪽 그림과 같이 $\overline{AB}=\overline{AC}=5$인 △ABC에 외접하는 원 O가 있다. $\overline{BC}=8$일 때, 원 O의 둘레의 길이를 구하여라.

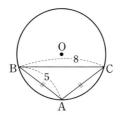

서술 **TIP**
점 A에서 $\overline{BC}$에 내린 수선의 연장선은 점 O를 지남을 이용한다.

답 _____

03 오른쪽 그림과 같이 두 원 O, O'은 두 점 A, B에서 만나고, $\overline{AB}\perp\overline{OO'}$이다. $\overline{OA}=5$ cm, $\overline{O'A}=5\sqrt{3}$ cm, $\overline{OO'}=10$ cm일 때, 두 원의 공통인 현 AB의 길이를 구하여라.

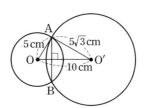

△AOO'는 어떤 삼각형인지 알아본다.

04 오른쪽 그림과 같이 중심이 한 직선 위에 있고, 반지름의 길이가 10 cm인 3개의 원 O_1, O_2, O_3가 서로 접하고 있다. $\overline{AB}$는 원 O_3의 접선이고, $\overline{AB}$와 원 O_2의 교점을 P, Q라고 할 때, $\overline{PQ}$의 길이를 구하여라.

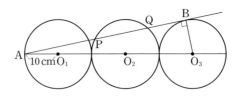

점 O_2에서 $\overline{PQ}$에 내린 수선의 발을 H라 하고 닮음을 이용하여 $\overline{O_2H}$의 길이를 구해 본다.

05 오른쪽 그림과 같이 원 O가 정사각형 ABCD의 두 변 AB, BC에 접하고, 나머지 두 변 CD, AD와 각각 서로 다른 두 점에서 만나고 있다. $\overline{BC}=9$, $\overline{CG}=2$일 때, $\overline{HG}$의 길이를 구하여라.

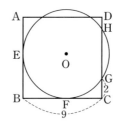

점 O에서 $\overline{HG}$에 내린 수선의 발을 M이라고 할 때 △OMG에서의 변의 길이를 생각해 본다.

06 오른쪽 그림과 같이 정육각형 안에 크기가 같은 7개의 원이 서로 접하고 있다. 이 원의 반지름의 길이가 1일 때, 외접하는 정육각형의 한 변의 길이를 구하여라.

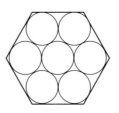

한 변에 접한 두 원의 중심과 그 변의 꼭짓점을 이어서 사다리꼴을 만들어 본다.

07 오른쪽 그림과 같이 ∠C=90°, $\overline{BC}=8$ cm인 △ABC 안에 지름의 길이가 8 cm인 반원 O가 내접하고 있다. $\overline{CD}=8$ cm일 때, $\overline{AE}$의 길이를 구하여라.

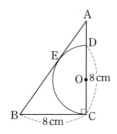

보조선 OE를 그어 닮은 두 삼각형을 찾아본다.

08 오른쪽 그림과 같이 ∠C=90°인 직각삼각형 ABC에 내접하는 원 O가 있고, 점 A와 원 O의 중심을 지나는 직선이 $\overline{BC}$와 만나는 점을 D라고 하자. $\overline{BD}$=4 cm, $\overline{CD}$=3 cm일 때, 원 O의 반지름의 길이를 구하여라.

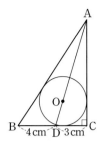

∠BAD=∠DAC이므로 각의 이등분선의 성질에 의해
$\overline{AB} : \overline{AC} = \overline{BD} : \overline{DC} = 4 : 3$

09 서술형

오른쪽 그림과 같이 ∠A=∠B=90°, $\overline{AD}$=6 cm, $\overline{BC}$=12 cm인 사다리꼴 ABCD에 원 O가 내접하고 있다. 이때 색칠한 부분의 넓이를 구하여라.

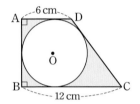

....

....

답 _____

서술 **TIP**
□ABCD가 원 O에 외접하므로
$\overline{AB} + \overline{DC} = \overline{AD} + \overline{BC}$

10 오른쪽 그림과 같이 반지름의 길이가 12 cm인 부채꼴 BOA에 원 O′이 내접한다. 이때 원 O′의 넓이를 구하여라.

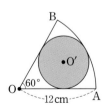

$\overset{\frown}{AB}$와 원 O′가 만나는 점을 D라고 할 때, $\overline{OD}$를 그어 보면
∠BOD=∠AOD

유형 **1** 원주각과 중심각의 크기

01 오른쪽 그림에서 $\angle x$, $\angle y$의 크기를 각각 구하여라.

중요
02 오른쪽 그림의 원 O에서 $\angle ABO=23°$, $\angle ACO=37°$일 때, $\angle x$의 크기를 구하여라.

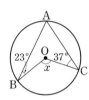

03 오른쪽 그림에서 $\overline{AC}$, $\overline{BD}$가 각각 원 O의 지름일 때, $\angle x$의 크기를 구하여라.

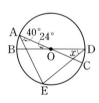

04 다음 그림과 같이 원 O 밖의 한 점 P에서 원 O에 그은 두 접선의 접점을 각각 A, B라고 하자. $\angle AQB=105°$일 때, $\angle x$의 크기를 구하여라.

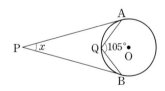

유형 **2** 원주각의 성질

05 오른쪽 그림에서 $\angle x$의 크기를 구하여라.

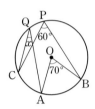

중요
06 오른쪽 그림에서 $\angle y-\angle x$의 크기를 구하여라.

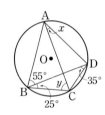

07 다음 그림에서 점 P는 두 현 BA, CD의 연장선의 교점이다. $\angle BAC=45°$, $\angle BPC=23°$일 때, $\angle ABD$의 크기를 구하여라.

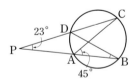

08 오른쪽 그림에서 △ABC가 원 O에 내접하고 $\overline{OD}\perp\overline{AB}$이다. $\angle BAD=25°$일 때, $\angle x$의 크기를 구하여라.

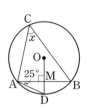

09 오른쪽 그림의 원 O에서 $\overline{AB}$,
$\overline{CD}$는 원 O의 지름이고 $\overline{CE}$는
∠ACB의 이등분선이다.
∠AOD=64°일 때, ∠DCE의
크기를 구하여라.

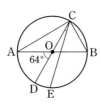

10 오른쪽 그림에서 $\overline{AC}$가 원 O의
지름이고, ∠DBC=34°,
∠BDC=28°일 때, ∠y-∠x
의 크기를 구하여라.

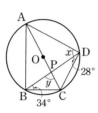

11 오른쪽 그림과 같이 $\overline{BC}$는 반원 O
의 지름이고, ∠E=46°일 때,
∠AOD의 크기를 구하여라.

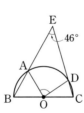

12^{up} 오른쪽 그림과 같이 작은 원 O′
은 큰 원 O의 반지름을 지름으
로 하는 원이고, $\overline{AP}$는 원 O′의
접선이다. 큰 원 O의 반지름의
길이가 6 cm일 때, $\overline{AQ}$의 길이를 구하여라.

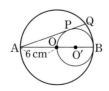

13 오른쪽 그림과 같이 반지름
의 길이가 2인 반원 O 위의
점 C에서 지름 AB에 내린
수선의 발을 D라고 하자.
∠CAB=30°일 때, $\overline{CD}$의 길이를 구하여라.

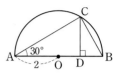

14 오른쪽 그림과 같이 원 O에 내
접하는 △ABC의 꼭짓점 C에
서 지름 AB에 내린 수선의 발
을 D라고 한다. $\overline{AB}$=15,
$\overline{BC}$=9일 때, $\sin x + \cos x$의
값을 구하여라.

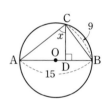

15 오른쪽 그림과 같이 원 O에
내접하는 △ABC에서 ∠A=60°,
$\overline{BC}$=6 cm일 때, 원 O의 반지름
의 길이를 구하여라.

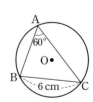

16 오른쪽 그림에서 $\widehat{AB}=\widehat{BC}$이고 $\angle BRC=36°$일 때, $\angle x$의 크기를 구하여라.

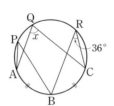

17 오른쪽 그림에서 $\overline{AB}$는 반원 O의 지름이고, $\widehat{AD}=\widehat{DC}$, $\angle BAC=20°$일 때, $\angle x$의 크기를 구하여라.

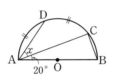

18 오른쪽 그림과 같이 $\overline{AB}$를 지름으로 하는 반원 O에서 $\widehat{AE}=\widehat{EC}$일 때, $\angle x$의 크기를 구하여라.

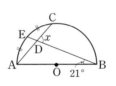

19 오른쪽 그림에서 $\overline{AD}$는 원 O의 지름이고 $\overline{AD}//\overline{BC}$, $\widehat{AB}=\widehat{BC}$일 때, $\angle x$의 크기를 구하여라.

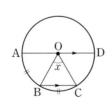

20 오른쪽 그림의 원 O에서 점 P는 두 현 AC, BD의 교점이고 $\widehat{BC}=2\pi$, $\angle BAC=15°$, $\angle APD=60°$일 때, $\widehat{AD}$의 길이를 구하여라.

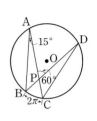

21 오른쪽 그림과 같이 $\overline{AB}$, $\overline{CD}$가 지름인 원 O에서 $\widehat{BE}=2\widehat{CE}$, $\angle CDE=18°$일 때, $\angle x+\angle y$의 크기를 구하여라.

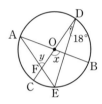

22 오른쪽 그림의 원 O에서 $\widehat{PA}:\widehat{PB}=1:2$일 때, $\angle x$의 크기를 구하여라.

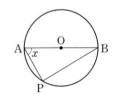

23 오른쪽 그림에서 $\widehat{AB}$의 길이는 원주의 $\frac{1}{5}$이고, $\widehat{CD}$의 길이는 $\widehat{AB}$의 길이의 $\frac{4}{3}$일 때, $\angle x$의 크기를 구하여라.

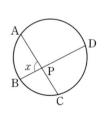

유형 ❶ 네 점이 한 원 위에 있을 조건

01 다음 중 네 점 A, B, C, D가 한 원 위에 있는 것은?

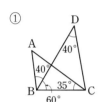 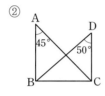

 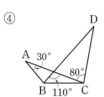

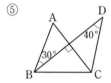

02 오른쪽 그림에서 네 점 A, B, C, D가 한 원 위에 있을 때, ∠x의 크기를 구하여라.

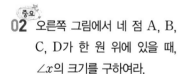

03 오른쪽 그림에서 네 점 A, B, C, D가 한 원 위에 있을 때, ∠x+∠y의 크기를 구하여라.

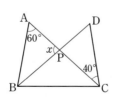

유형 ❷ 원에 내접하는 사각형의 성질 (1)

04 오른쪽 그림에서 □ABCD가 원 O에 내접하고 $\overline{AD}$는 원 O의 지름이다. ∠BCD=140°일 때, ∠x의 크기를 구하여라.

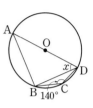

05 오른쪽 그림에서 오각형 ABCDE는 원 O에 내접하고, ∠COD=84°일 때, ∠x+∠y의 크기를 구하여라.

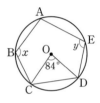

06 오른쪽 그림과 같이 □ABCD가 원 O에 내접할 때, ∠x의 크기를 구하여라.

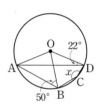

07^{up} 오른쪽 그림과 같이 원에 내접하는 육각형 ABCDEF에서 ∠a+∠b+∠c+∠d+∠e+∠f의 크기를 구하여라.

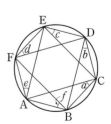

08 오른쪽 그림과 같이 원 O에 내접하는 □ACDB에서 두 변 AB, CD의 연장선의 교점을 P라고 하자. ∠PDA=30°, ∠DBC=35°일 때, ∠x의 크기를 구하여라.

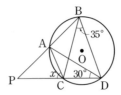

09 오른쪽 그림에서 □ABCD가 원에 내접할 때, $2\angle x + \angle y + \angle z$의 크기를 구하여라.

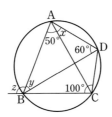

10 오른쪽 그림에서 □ABCD는 원에 내접하고 ∠AED=30°, ∠ABC=55°일 때, ∠x의 크기를 구하여라.

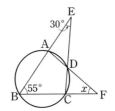

11 오른쪽 그림과 같이 두 원 O, O′의 교점 P, Q를 지나는 두 직선과 두 원이 만나는 점을 A, B, C, D라고 하자. ∠PO′D=160°일 때, ∠x의 크기를 구하여라.

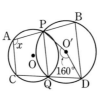

12 다음 중 □ABCD가 원에 내접하지 <u>않는</u> 것을 모두 고르면? (정답 2개)

①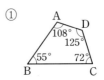

②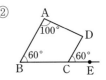

③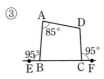

④

⑤

13 다음 보기 중 항상 원에 내접하는 사각형을 모두 골라라.

┤ 보 기 ├
ㄱ. 사다리꼴   ㄴ. 등변사다리꼴
ㄷ. 평행사변형   ㄹ. 직사각형
ㅁ. 마름모   ㅂ. 정사각형

14 오른쪽 그림의 □ABCD에서 ∠BAD=∠DCE=92°, ∠ACB=45°일 때, ∠ADB의 크기를 구하여라.

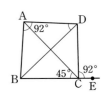

15 오른쪽 그림에서 △ABC는 원 O
에 내접하고, 직선 BQ는 원 O의
접선이다. ∠BOC=100°일 때,
∠CBQ의 크기를 구하여라.

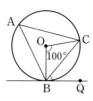

16 다음 그림에서 $\overline{PT}$가 원 O의 접선이고, ∠BAT=40°,
∠ACT=95°일 때, ∠x의 크기를 구하여라.

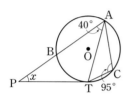

17 오른쪽 그림에서 직선 CE가
원의 접선이고, 점 C는 접점이
다. ∠DAB=83°,
∠CDB=26°일 때, ∠x의 크
기를 구하여라.

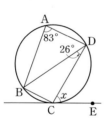

18 오른쪽 그림에서 원 O는
△ABC의 내접원이면서
△PQR의 외접원이다.
∠BAC=72°,
∠QPR=64°일 때,
∠x, ∠y의 크기를 각각 구하여라.

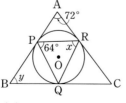

19 오른쪽 그림에서 직선 BT는 원
O의 접선이고 $\overline{AC}$는 원 O의 지
름이다. $\overline{AD}$∥$\overline{BT}$이고,
∠CBT=10°일 때, ∠APD의
크기를 구하여라.

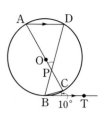

20 오른쪽 그림에서 원 O의 지
름 AB의 연장선과 점 C에
서의 접선의 교점을 D라고
할 때, $\overline{BD}$의 길이를 구하여
라.

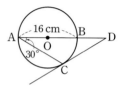

21 오른쪽 그림에서 직선 TT′은
두 원의 공통인 접선이다.
∠CAP=40°, ∠BDC=105°
일 때, ∠x의 크기를 구하여라.

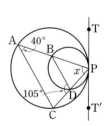

22 다음 그림에서 직선 PQ는 점 T에서 접하는 두 원의 공
통인 접선이고 점 T를 지나는 두 직선이 원과 만나는
점을 각각 A, B, C, D라고 하자. ∠TAB=34°,
∠TDC=62°일 때, ∠DTC의 크기를 구하여라.

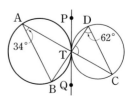

●●○
01 오른쪽 그림의 원 O에서 ∠ABO=32°, ∠ACO=14°일 때, ∠BOC의 크기를 구하여라.

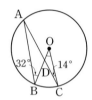

$\angle A = \frac{1}{2} \angle BOC$

●●○
02 오른쪽 그림에서 두 현 AC, BD의 교점을 Q, 두 현 AB, CD의 연장선의 교점을 P라고 하자. ∠BPC=40°, ∠BQC=76°일 때, ∠ABD의 크기를 구하여라.

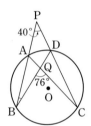

△PBD에서
∠PBD+∠BPD
=∠BDC

●●●
서술형
03 오른쪽 그림과 같이 원 O 위의 세 점 A, B, C에 대하여 $\widehat{AB}=5\pi$ cm, $\widehat{BC}=4\pi$ cm, $\widehat{CA}=3\pi$ cm이고, $\overline{CH} \perp \overline{AB}$ 이다. 이때 △AHC의 넓이를 구하여라.

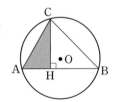

서술 **TIP**
호의 길이가 원의 둘레의 길이의 $\frac{1}{k}$이면 그 호에 대한 원주각의 크기는 $180° \times \frac{1}{k}$이다.

답 _____

04 오른쪽 그림의 원에서 두 현 AC, BD의 교점을 P라고 하자. ∠CPD=60°일 때, $\overset{\frown}{AB}+\overset{\frown}{CD}$의 길이는 이 원의 둘레의 길이의 몇 배인지 구하여라.

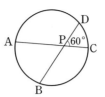

$\overline{BC}$를 그어 $\overset{\frown}{AB}$와 $\overset{\frown}{CD}$의 원주각의 크기의 합을 구해 본다.

05 오른쪽 그림에서 $\overset{\frown}{AE}=\overset{\frown}{ED}$, ∠BCE=75°일 때, ∠APE의 크기를 구하여라.

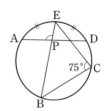

$\overline{AB}$, $\overline{CD}$를 그으면 □ABCD는 원에 내접하므로 ∠DAB+∠DCB=180°

06 서술형 오른쪽 그림에서 $\overline{AB}=\overline{AC}$, $\overset{\frown}{AD}:\overset{\frown}{DC}=2:1$이다. ∠CED=36°일 때, ∠$x$의 크기를 구하여라.

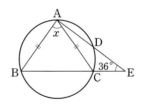

서술 **TIP**

$\overline{BD}$를 그으면
$\overset{\frown}{AD}:\overset{\frown}{DC}=2:1$이므로
∠ABD : ∠CBD=2 : 1

답 _____

07 오른쪽 그림과 같이 원 O에 내접하는 △ABC에서 $\overline{BC}$의 연장선과 점 A를 접점으로 하는 직선과의 교점을 D라 하고, ∠ADB의 이등분선과 $\overline{AB}$의 교점을 E라고 하자. ∠BAC=62°일 때, ∠AED의 크기를 구하여라.

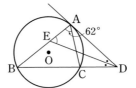

△BDE에서
∠AED=∠EBD+∠EDB

08 오른쪽 그림과 같이 원 O의 중심에서 지름 AB에 접하는 원 O′이 있다. ∠OAP=35°일 때, ∠POQ의 크기를 구하여라.

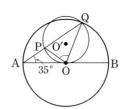

접선과 현이 이루는 각의 크기에 의해
∠PQO=∠AOP,
∠QPO=∠QOB

서술형

09 오른쪽 그림과 같이 $\overline{AB}$는 원 O의 지름이고 직선 TH는 원 O에 접한다. $\overline{BH} \perp \overline{TH}$일 때, □ATHB의 넓이를 구하여라.

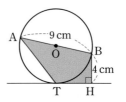

답 _____

서술 **TIP**
$\overline{TB}$를 그어 닮은 두 삼각형을 찾는다.

10 오른쪽 그림에서 직선 AB는 두 원 O, O'의 공통인 접선이고, 두 점 C, D는 두 원 O, O'의 교점이다. ∠ACB=36°일 때, ∠AOC+∠BO'C의 크기를 구하여라.

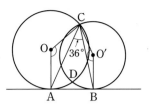

호 AC와 호 BC의 원주각과 크기가 같은 각을 각각 찾아본다.

11 오른쪽 그림과 같이 $\overline{AB}$, $\overline{CB}$를 각각 지름으로 하는 두 반원이 있다. $\overline{AQ}$는 작은 반원과 점 P에서 접하고 ∠PAC=20°일 때, $\angle x$의 크기를 구하여라.

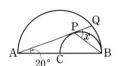

$\overline{CP}$를 긋고 접선과 현이 이루는 각의 성질을 이용하여 크기가 같은 것을 찾는다.

12 오른쪽 그림과 같이 직선 BA는 원의 접선이고, ∠B의 이등분선이 $\overline{AC}$, $\overline{AD}$와 만나는 점을 각각 F, E라고 하자. ∠AFE=65°일 때, ∠EAF의 크기를 구하여라.

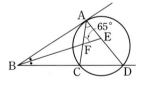

접선과 현이 이루는 각의 성질을 이용하여 크기가 같은 것을 찾는다.

01 오른쪽 그림의 원 O에서 $\overline{AB} \perp \overline{OP}$이고, $\overline{AB}=8$, $\overline{MP}=2$일 때, 원 O의 둘레의 길이를 구하여라.

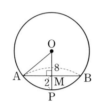

04 오른쪽 그림에서 두 직선 AT, AT'과 $\overline{BC}$는 원 O 의 접선이고, 세 점 T, T', D는 원 O의 접점이다. $\overline{AO}=17$ cm, $\overline{OT}=8$ cm 일 때, △ABC의 둘레의 길이는?

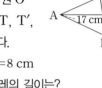

① 20 cm   ② 24 cm   ③ 30 cm

④ 34 cm   ⑤ 48 cm

02 오른쪽 그림과 같이 중심이 같은 두 원에서 $\overline{OP}$가 작은 원과 만나는 점을 M, 큰 원의 현 PQ가 작은 원과 접하는 점을 T라고 하자. $\overline{OM}=3$ cm, $\overline{PM}=2$ cm일 때, $\overline{PQ}$의 길이를 구하여라.

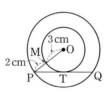

05 오른쪽 그림에서 원 O는 ∠A=90°인 직각삼각형 ABC와 세 점 P, Q, R 에서 접한다. $\overline{OP}=2$, $\overline{BC}=10$일 때, △ABC 의 둘레의 길이를 구하여라.

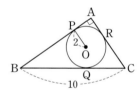

03 오른쪽 그림의 원 O에서 $\overline{AB}=\overline{CD}$, $\overline{AB} \perp \overline{OM}$이다. $\overline{OD}=10$ cm, $\overline{OM}=6$ cm일 때, △OCD의 넓이를 구하여라.

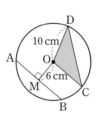

06 오른쪽 그림에서 원 O는 △ABC의 내접원이고 $\overline{DE}$는 원 O의 접선이다. $\overline{AB}=15$ cm, $\overline{BC}=13$ cm, $\overline{CA}=12$ cm일 때, △CDE의 둘레의 길이를 구하여라.

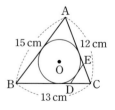

07 오른쪽 그림의 원 O가 직사각형 ABCD의 세 변과 접하고, $\overline{DE}$가 원 O의 접선이다. $\overline{CD}=8$, $\overline{DE}=10$일 때, $\overline{BE}$의 길이는?

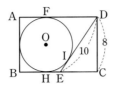

① 4 　　② 5 　　③ 6

④ 7 　　⑤ 8

08 오른쪽 그림과 같이 12등분 된 원 O의 점 A의 위치에서 서로 이웃한 두 점 B, C를 바라보는 각의 크기를 구하여라.

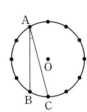

09 오른쪽 그림에서 $\overline{AC}\perp\overline{BD}$이고, $\overline{AB}=10$ cm, $\overline{AH}=6$ cm, $\overline{AD}=9$ cm일 때, 원 O의 반지름의 길이를 구하여라.

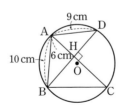

10 오른쪽 그림에서 $\overline{AB}$는 원 O의 지름이고, $\overset{\frown}{AD}=\overset{\frown}{CD}$이다. $\angle CAB=22°$일 때, $\angle x$의 크기를 구하여라.

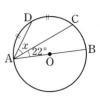

11 오른쪽 그림의 원 O에서 $\overline{OD}=\overline{OE}$이고, $\angle ABC=70°$, $\overset{\frown}{AC}=21\pi$일 때, $\overset{\frown}{BC}$의 길이를 구하여라.

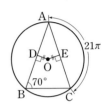

12 오른쪽 그림의 원 O에서 점 P는 두 현 AB와 CD의 교점이다. $\angle ACD=13°$, $\angle BPC=73°$, $\overset{\frown}{BC}=7$일 때, 이 원의 둘레의 길이는?

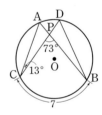

① 14 　　② 16 　　③ 18

④ 20 　　⑤ 21

13 서술형 오른쪽 그림에서 $\overline{AC}$와 $\overline{BD}$의 교점을 P, $\overline{AB}$와 $\overline{DC}$의 연장선의 교점을 Q라고 한다. $\angle AQD=30°$, $\angle APD=70°$일 때, $\angle x$의 크기를 구하여라.

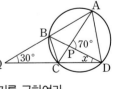

14 오른쪽 그림에서 두 점 G, D 는 두 원의 교점이다. □FBDG와 □GDCE가 두 원에 각각 내접하고 ∠GFB=80°일 때, ∠GEC 의 크기는?

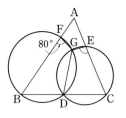

① 60°　　② 70°　　③ 80°
④ 90°　　⑤ 100°

15 오른쪽 그림에서 네 점 A, B, C, D가 한 원 위 에 있을 때, ∠x의 크기 를 구하여라.

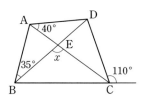

16 오른쪽 그림과 같이 점 P에서 반지름의 길이가 4 cm인 원 O 에 그은 접선의 접점을 T라고 하자. ∠PBT=30°일 때, $\overline{PT}$의 길이를 구하여라.

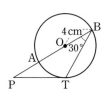

17 오른쪽 그림에서 직선 PC 는 원의 접선이다. ∠ADC=85°, ∠APC=40°일 때, ∠x의 크기를 구하여라.

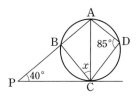

18 오른쪽 그림에서 두 점 A, B는 두 원 O, O′의 교점이고, $\overline{AD}$, $\overline{AC}$는 각 각 두 원 O, O′의 접선이 다. ∠CBD=170°일 때, ∠x의 크기를 구하여라.

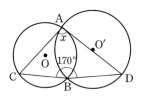

19 오른쪽 그림에서 $\overline{AB}$의 연 장선과 원 O 위의 점 T에 서의 접선의 교점을 P라고 하자. $\overline{TC}$는 ∠ATB의 이 등분선이고 ∠TCB=70° 일 때, ∠CTP의 크기를 구하여라.

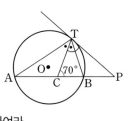

01

오른쪽 그림과 같은 △ABC에 대하여 세 꼭짓점에서 그 대변에 내린 수선이 만나는 점을 H라고 하자. 7개의 점 A, B, C, D, E, F, H 중에서 네 점을 연결하여 사각형을 만들 때, 원에 내접하는 사각형은 모두 몇 개인지 구하여라.

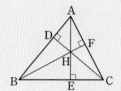

① 한 선분에 대하여 같은 쪽에 있는 두 각의 크기가 같은 사각형은?
② 한 쌍의 대각의 크기의 합이 180°인 사각형은?

02

오른쪽 그림에서 △ABC는 원에 내접하고 $\overline{AB}=\overline{AC}=6$ cm 인 이등변삼각형이다. $\overline{AP}=4$ cm일 때, $\overline{PQ}$의 길이를 구하여라.

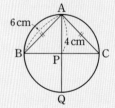

한 호에 대한
① 원주각의 크기는 모두 같은가?
② 닮음인 두 삼각형은?

해설 BOOK 070쪽
개념 BOOK 149쪽

유형 1 평균, 중앙값, 최빈값의 이해

01 다음 보기 중 대푯값에 대한 설명으로 옳은 것을 모두 골라라.

보기
ㄱ. 변량을 크기 순으로 나열할 때, 가운데에 위치하는 값을 평균이라고 한다.
ㄴ. 최빈값은 대푯값 중의 하나이다.
ㄷ. 자료 중에 극단적인 값이 있을 때에는 대푯값으로 평균을 사용하는 것이 좋다.
ㄹ. 평균을 구할 때에는 자료를 모두 사용하여 계산한다.

02 다음 중에서 자료의 평균을 대푯값으로 사용하기에 적절하지 않은 것은?

① 3, 4, 5, 6, 7 ② 5, 5, 5, 5, 6
③ 2, 4, 6, 8, 10 ④ 10, 10, 20, 20, 25
⑤ 10, 10, 10, 10, 100

03 다음 자료는 A, B 두 모둠 학생들의 턱걸이 기록을 조사하여 나타낸 것이다. A, B 두 모둠 중 턱걸이 횟수의 중앙값이 더 큰 모둠을 말하여라.

(단위 : 회)

A모둠 : 3, 4, 1, 5, 8, 6
B모둠 : 5, 2, 10, 7, 3

04 다음 표는 정연이네 반 학생 20명이 키우는 애완 동물을 조사하여 나타낸 것이다. 이 자료에 대한 최빈값을 구하여라.

애완 동물	학생 수(명)
햄스터	1
고양이	3
강아지	7
토끼	4
금붕어	5

05 다음 자료 중 중앙값과 최빈값이 서로 같은 것은?

① 4, 5, 1, 9, 6 ② 7, 8, 7, 8, 7, 8
③ 7, 3, 8, 2, 8 ④ 5, 6, 6, 6, 5, 6
⑤ 2, 2, 3, 5, 4

06 다음 자료는 수연이네 반 학생 12명의 여름방학 동안의 봉사활동 시간을 조사하여 나타낸 것이다. 이 자료의 중앙값과 최빈값을 각각 구하여라.

(단위 : 시간)

12, 5, 3, 23, 15, 6, 23, 15, 13, 11, 3, 3

중요
07 다음은 시중에 판매되는 연필 10자루의 길이를 나타낸 자료이다. 연필의 길이의 평균, 중앙값, 최빈값 중 가장 작은 값은 몇 cm인지 구하여라.

(단위 : cm)

16, 17, 16, 18, 19, 17, 17, 17, 16, 15

08 다음은 문정이네 반 학생 18명이 30초 동안 한 윗몸일으키기 횟수를 조사하여 나타낸 줄기와 잎 그림이다. 윗몸일으키기 횟수의 중앙값과 최빈값의 합을 구하여라.

(0|5는 5회)

줄기	잎
0	5 6 6 7 9
1	1 2 2 5 6 7 8 8 8 9
2	3 5 6

09 다음 표는 은주네 반 학생 20명의 수학 수행 평가 점수를 조사하여 나타낸 것이다. 평균을 a점, 중앙값을 b점, 최빈값을 c점이라고 할 때, $a+b+c$의 값을 구하여라.

점수(점)	6	7	8	9	10	합계
학생 수(명)	1	3	6	7	3	20

10 다음 그림은 정현이네 반 학생 25명의 영어 성적을 조사하여 나타낸 막대그래프이다. 영어 성적의 평균이 a점, 중앙값이 b점, 최빈값이 c점일 때, $a+b+c$의 값을 구하여라.

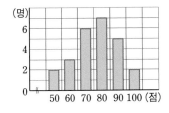

유형 **②** 대푯값이 주어졌을 때 변량 구하기 (1)

11 5개의 변량 a, b, c, d, e의 평균이 5일 때, 다음 5개의 변량의 평균을 구하여라.

$$a+3, \quad b-2, \quad c-4, \quad d+7, \quad e+1$$

12 유진이가 3회에 걸쳐 본 수학 시험 점수의 평균은 88점이었다. 4회째의 시험에서 몇 점 이상을 받아야 4회까지의 평균이 90점 이상이 되는지 구하여라.

13 다음 표는 어느 중학교 남, 여학생들의 과학 성적의 평균을 조사하여 나타낸 것이다. 전체 학생 200명의 과학 성적의 평균이 72점일 때, 여학생들의 과학 성적의 평균을 구하여라.

	학생 수(명)	평균(점)
남학생	120	70
여학생	80	

14 아래 6개의 자료를 보고, 다음 물음에 답하여라.

$$5, \quad x, \quad 6, \quad 9, \quad 12, \quad 11$$

(1) 중앙값이 8일 때, x의 값을 구하여라.

(2) 중앙값이 9.5일 때, x의 값을 구하여라.

15 4개의 변량 13, 11, 20, a의 중앙값이 14일 때, a의 값을 구하여라.

16 3개의 변량 4, 9, x의 중앙값이 9이고, 5개의 변량 7, 13, 15, 16, x의 중앙값이 13일 때, 다음 중 x의 값이 될 수 없는 것은?

① 9　　　　② 10　　　　③ 12
④ 13　　　　⑤ 14

17 다음 자료는 희수네 모둠 학생 10명이 한 달 동안 읽은 책의 수를 조사하여 나타낸 것이다. 읽은 책의 수의 평균이 9권일 때, 중앙값과 최빈값을 각각 구하여라.

(단위 : 권)

11, 10, 8, 6, 8, 7, 9, x, 11, 12

18 평균이 10이고 중앙값이 12인 서로 다른 3개의 자연수가 있다. 다음 중 이 자연수들의 최댓값과 최솟값의 차가 될 수 없는 수는?

① 10　　　　② 12　　　　③ 14
④ 16　　　　⑤ 18

유형 **③** 대푯값이 주어졌을 때 변량 구하기 (2)

19 다음 자료의 평균과 최빈값이 서로 같다고 할 때, x의 값을 구하여라.

6, 5, 5, 5, x, 3, 5

20 다음은 어느 동호회 회원 5명의 나이에 대한 설명이다. 이때 회원 5명의 나이의 중앙값을 구하여라.

- 나이의 최빈값은 20세이다.
- 회원 중에서 한 사람의 나이는 18세이다.
- 나이가 가장 적은 회원은 11세이다.
- 회원 5명의 평균 나이는 17.6세이다.

21 다음 자료의 평균과 중앙값이 서로 같다고 할 때, 자연수 x의 값을 모두 구하여라.

8, 11, 9, x, 6

22^{up} 다음 자료의 중앙값이 7, 최빈값이 8일 때, 자연수 a, b, c에 대하여 $a+b+c$의 값을 구하여라.

3, 3, 4, 8, 9, a, b, c

01 다음 표는 영미네 반 학생 20명의 미술 수행평가 점수를 나타낸 것이다. 점수의 평균이 3.5점일 때, 중앙값을 구하여라.

점수(점)	1	2	3	4	5	합계
학생 수(명)	2	a	4	5	b	20

$(평균)=\dfrac{(변량의\ 총합)}{(변량의\ 개수)}$

02 $5a+2$, $5b+2$, $5c+2$, $5d+2$의 평균이 M일 때 a, b, c, d의 평균을 M에 대한 식으로 나타내어라.

....

....

답 _____

서술 **TIP**
$5a+2$, $5b+2$, $5c+2$, $5d+2$의 평균을 구하는 식을 세워본다.

03 서술형 성현이는 4번의 영어 시험에서 각각 85점, 88점, 92점, x점을 받았다. 시험 점수의 중앙값은 90점이지만 평균은 90점 미만이었다고 할 때, 이를 만족시키는 자연수 x의 값을 모두 구하여라.

중앙값과 평균을 이용하여 x의 값의 범위를 알아본다.

04 다음 두 자료 A, B에 대하여 자료 A의 중앙값은 15이고, 전체 자료의 중앙값은 16일 때, 자연수 a와 b의 값을 각각 구하여라. (단, $a<b$)

A	12, 9, b, 18, a
B	a, $b-1$, $a+3$, 14, 19

미지수를 제외한 나머지 자료들을 작은 값부터 크기순으로 나열해 본다.

05 다음은 예진이네 반 학생 23명의 주말 동안의 컴퓨터 게임 시간을 조사하여 만든 표이다. 중앙값이 3시간, 최빈값이 5시간이 되도록 하는 자연수 a, b의 순서쌍 (a, b)의 개수를 구하여라.

중앙값은 12번째 학생의 게임 시간이다.

게임 시간(시간)	1	3	5	7	합계
학생 수(명)	8	a	b	1	23

06 다음은 수민이네 모둠 친구들 8명의 턱걸이 횟수를 조사하여 나타낸 것이다. 턱걸이 횟수의 평균이 23회, 최빈값이 25회일 때, 중앙값을 구하여라.

(단위 : 회)

$$25, \quad a, \quad 18, \quad 16, \quad b, \quad 18, \quad 38, \quad c$$

....

....

답 _____

서술 TIP
최빈값을 이용하여 턱걸이 횟수가 25회인 학생 수를 알아본다.

07 다음은 자연수로 된 7개의 변량에 대한 설명이다. 이 자료 중 가장 작은 변량을 A라고 할 때, A의 최솟값을 구하여라.

(가) 평균은 51이다.
(나) 중앙값은 50이다.
(다) 최빈값은 45이다.
(라) 가장 큰 변량은 60이다.

중앙값과 최빈값을 이용하여 조건에 맞게 자료를 작은 값부터 크기 순으로 나열해 본다.

유형 TEST 》》 01. 분산과 표준편차
02. 상관관계

SUMMA CUM LAUDE

해설 BOOK 073쪽
개념 BOOK 172쪽

chapter Ⅶ

유형 **1** 편차의 뜻과 성질

01 아래 표는 학생 5명이 수학 쪽지 시험에서 얻은 성적에 대한 편차를 나타낸 것이다. 다음 물음에 답하여라.

학생	A	B	C	D	E
편차(점)	4	−1	−2		1

(1) D학생의 편차를 구하여라.

(2) 평균보다 높은 성적을 받은 학생을 모두 말하여라.

(3) 평균과 C학생의 성적을 비교하여라.

중요
02 다음은 경진이네 반 학생 4명의 영어 단어 시험 점수에 대한 편차를 나타낸 것이다. 평균이 20점일 때, C학생의 점수를 구하여라.

학생	A	B	C	D
편차(점)	−7	5	x	6

03 다음 표는 농구 경기에서 어느 팀이 최근 6회의 경기에서 넣은 3점 슛의 개수에 대한 편차를 나타낸 것이다. 4회 경기에서 넣은 3점 슛의 개수가 11일 때, 2회 경기에서 넣은 3점 슛의 개수를 구하여라.

경기	1회	2회	3회	4회	5회	6회
편차	1	1	3	a	−3	−2

04 다음 표는 지민이네 반 학생 20명의 영어 수행 평가 점수에 대한 편차와 학생 수를 나타낸 것이다. $2a-b$의 값을 구하여라.

편차(점)	−2	−1	0	1	2
학생 수(명)	a	6	3	4	b

유형 **2** 분산과 표준편차 구하기

중요
05 다음 자료는 학생 5명의 몸무게의 편차를 나타낸 것이다. 몸무게의 분산을 구하여라.

(단위 : kg)

$$-15, \quad -5, \quad x, \quad 20, \quad 10$$

06 아래 표는 민정이의 5과목의 중간고사 성적에 대한 편차를 나타낸 것이다. 다음 보기에서 옳은 것을 모두 골라라.

과목	국어	영어	수학	과학	사회
편차(점)	2	0	4		−1

┤ 보 기 ├

ㄱ. 성적이 가장 좋은 과목은 영어이다.

ㄴ. 과학과 사회의 성적은 평균보다 낮다.

ㄷ. 분산은 9이다.

ㄹ. 평균은 90점이다.

07 다음은 서진이의 5회에 걸친 과학 수행 평가 점수를 조사하여 나타낸 것이다. 평균이 8점일 때, 과학 수행 평가 점수의 표준편차를 구하여라.

(단위 : 점)

$$6, \quad 7, \quad 8, \quad x, \quad 10$$

08 다음은 예진이네 모둠 학생 8명의 농구 경기에서의 자유투 성공 횟수를 조사한 자료이다. 이 자료의 평균과 최빈값이 7회로 같을 때, 분산과 표준편차를 각각 구하여라. (단, $x>y$)

(단위 : 회)

$$4 \quad 8 \quad x \quad 5 \quad 6 \quad y \quad 10 \quad 7$$

유형 **3** 산포도가 주어질 때 변량 구하기

09 5개의 변량의 편차가 -2, x, 2, y, 0이고, 표준편차가 2일 때, xy의 값을 구하여라.

10 다음 5개의 변량의 평균이 2이고, 분산이 9.2일 때, a^2+b^2의 값을 구하여라.

$$a, \quad b, \quad 2, \quad 4, \quad 6$$

11 3개의 변량 2, $2a+2$, $a+2$의 분산이 4일 때, 양수 a의 값을 구하여라.

유형 **4** 변량이 달라질 때 산포도 구하기

12 변량 a, b, c의 평균이 8이고, 표준편차가 4일 때, 변량 $a+3$, $b+3$, $c+3$의 평균과 표준편차를 각각 구하여라.

13^{up} 변량 a, b, c, d의 평균이 2이고, 분산이 3일 때, 변량 $3a$, $3b$, $3c$, $3d$의 평균과 표준편차를 각각 구하여라.

14 다음 표는 A, B 두 모둠 학생들의 음악 실기 점수를 조사하여 나타낸 것이다. 보기에서 옳은 것을 모두 골라라.

점수(점)	A모둠(명)	B모둠(명)
10	2	6
20	6	2
30	8	4
40	4	8
합계	20	20

┤ 보 기 ├

ㄱ. A모둠의 평균과 B모둠의 평균은 같다.
ㄴ. A모둠의 편차의 합과 B모둠의 편차의 합은 같다.
ㄷ. A모둠의 표준편차가 B모둠의 표준편차보다 크다.

15 다음 표는 A, B 두 모둠의 봉사 활동 시간의 평균과 분산을 나타낸 것이다. 두 모둠 전체 학생 10명에 대한 봉사 활동 시간의 평균과 표준편차를 각각 구하여라.

모둠	학생 수(명)	평균(시간)	분산
A	4	10	9
B	6	10	4

16^{up} 효정이네 반에서 영어 시험을 치른 결과 남학생 8명과 여학생 12명의 평균은 같고, 분산은 각각 16, x이었다. 전체 학생 20명의 영어 시험 성적의 분산이 10이었을 때, x의 값을 구하여라.

17 다음 표는 5개씩 포장된 A, B 두 개의 달걀 상자에 들어 있는 달걀의 무게를 조사하여 나타낸 것이다. 어느 상자의 달걀의 무게가 더 고른지 말하여라.

A상자(g)	56	58	60	62	64
B상자(g)	58	59	60	61	62

18 다음 표는 A, B, C, D, E 다섯 반의 과학 성적의 평균과 표준편차를 나타낸 것이다. 과학 성적이 가장 고르게 분포된 반을 말하여라.
(단, 각 반의 학생 수는 모두 같다.)

반	A	B	C	D	E
평균(점)	74	75	76	77	78
표준편차(점)	$2\sqrt{2}$	$3\sqrt{2}$	$\sqrt{13}$	$\sqrt{6}$	$\sqrt{2}$

19 아래 표는 학생 수가 같은 A, B, C 세 모둠의 학생들의 국어 성적의 평균과 표준편차를 나타낸 것이다. 다음 보기에서 옳은 것을 모두 골라라.

모둠	A	B	C
평균(점)	22	26	24
표준편차(점)	$\sqrt{5}$	$\sqrt{6}$	$\sqrt{14}$

┤ 보 기 ├

ㄱ. 성적이 가장 우수한 학생은 A모둠에 있다.
ㄴ. B모둠의 성적이 A, C모둠의 성적보다 더 우수하다.
ㄷ. A모둠의 성적이 B, C모둠의 성적보다 더 고르다.
ㄹ. C모둠의 성적이 A, B모둠보다 넓게 퍼져 있다.

20 다음 중 두 변량 사이에 대체로 음의 상관관계가 있는 것은?

① 출생율과 인구증가율
② 자동차 수와 대기오염도
③ 한 달 생활비에서 저축액과 지출액
④ 운동량과 심장 박동 수
⑤ 수학 성적과 몸무게

21 여름철 에어컨 온도가 내려갈수록 감기 환자 수가 증가한다고 한다. 에어컨 온도를 x℃, 감기 환자 수를 y명이라고 할 때, 다음 중에서 x와 y 사이의 상관관계를 나타낸 산점도로 알맞은 것은?

① 환자 수(명) / 온도(℃)
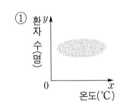

② 환자 수(명) / 온도(℃)

③ 환자 수(명) / 온도(℃)
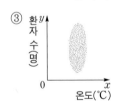

④ 환자 수(명) / 온도(℃)

⑤ 환자 수(명) / 온도(℃)
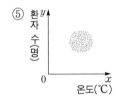

22 아래는 워드 프로세서 시험에 응시한 학생 15명의 필기 점수와 실기 점수에 대한 산점도이다. 다음 물음에 답하여라.

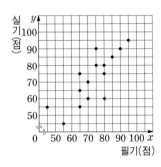

(1) 필기 점수와 실기 점수 사이의 상관관계를 말하여라.
(2) 필기 점수와 실기 점수가 같은 학생은 전체의 몇 %인지 구하여라.
(3) 필기와 실기가 모두 80점 이상인 학생 수를 구하여라.

23 오른쪽 그림은 어느 학교 학생들의 키와 앉은키에 대한 산점도이다. 다음 설명 중 옳지 <u>않은</u> 것은?

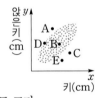

① 키가 큰 사람은 대체로 앉은키도 크다.
② 키와 앉은키 사이에는 양의 상관관계가 있다.
③ C는 키에 비해 앉은키가 작은 편이다.
④ A~E 중 키에 비해 앉은키가 큰 편인 학생은 A와 D이다.
⑤ E는 키에 비해 앉은키가 큰 편이다.

01 다음 표는 학생 5명의 사회 시험 점수에 대한 편차를 나타낸 것이다. 평균이 68점일 때, 점수가 가장 낮은 학생의 점수를 구하여라. (단, $x > 0$)

학생	A	B	C	D	E
편차(점)	$2x^2$	-1	$x^2 - 2x$	-2	$-x^2 - 1$

편차의 총합은 항상 0이다.

02 서술형 다음 표는 해리네 모둠 학생 4명의 과학 실험 점수와 그 편차를 나타낸 것이다. $2x + y$의 값을 구하여라.

학생	해리	은애	민수	동석
점수(점)	27	x	28	y
편차(점)	a	-4	b	1

....

....

....

답 _____

서술 **TIP**
해리, 민수의 점수와 편차를 이용하여 a, b의 관계를 알 수 있다.

03 다음 표는 혜원이네 모둠 학생 5명 각각의 쪽지 시험 점수에서 혜원이의 점수를 뺀 값을 나타낸 것이다. 쪽지 시험 점수의 분산을 구하여라.

학생	유경	정은	혜원	건호	하은
{(점수)−(혜원이의 점수)}(점)	-8	-5	0	1	2

쪽지 시험 점수의 평균과 혜원이의 점수 사이의 관계를 식으로 나타내 본다.

04 오른쪽 그림과 같이 밑면의 가로의 길이가 x, 세로의 길이가 y, 높이가 10인 직육면체에서 12개의 모서리의 길이의 평균이 10, 표준편차가 $\sqrt{6}$이다. 이때 $2xy$의 값을 구하여라.

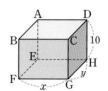

직육면체에는 길이가 같은 모서리가 4개씩 있다.

05 서술형
5개의 수 12, 14, 8, x, y의 평균이 9, 분산이 12일 때, x와 y의 값을 각각 구하여라.
(단, $x < y$)

답 _____

서술 **TIP**
평균이 9, 분산이 12임을 이용하여 x, y에 대한 두 식을 세운 후 조건에 맞는 x와 y의 값을 각각 구해 본다.

06 서술형
오른쪽 표는 정규네 반 학생들의 제자리멀리뛰기 기록을 조사하여 나타낸 것인데 일부가 찢어져서 보이지 않는다. 제자리멀리뛰기 기록의 평균이 145 cm일 때, 제자리멀리뛰기 기록의 표준편차를 구하여라.

기록(cm)	학생 수(명)
130	2
140	9
150	6
160	
합계	

답 _____

서술 **TIP**
(편차)×(학생 수)의 총합이 0임을 이용하여 표의 찢어진 부분의 값을 구한다.

[07~09] 오른쪽 그림은 어느 반 학생 20명의 사회 성적과 국어 성적에 대한 산점도이다. 다음 물음에 답하여라.

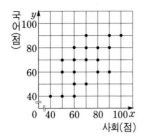

○●○
07 사회 성적보다 국어 성적이 좋은 학생은 전체의 몇 %인지 구하여라.

사회 성적과 국어 성적이 같은 경우를 나타내는 대각선을 기준으로 위쪽에 위치한 점들을 찾는다.

○●○
08 두 과목 중 적어도 한 과목의 성적이 50점 이하인 학생 수를 구하여라.

국어 성적이 50점 이하이거나 사회 성적이 50점 이하인 학생 수를 구한다.

○●○
09 국어 성적이 70점인 학생들의 사회 성적의 평균을 구하여라.

국어 성적이 70점인 학생은 4명이다.

●●○
10 오른쪽 그림은 어느 반 학생 20명의 수학 성적과 영어 성적에 대한 산점도이다. 다음 조건을 만족시키는 학생은 전체의 몇 %인지 구하여라.

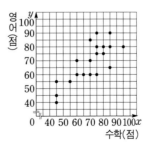

조건 ㈎, ㈏를 만족시키는 점 중에 조건 ㈐를 만족시키는 점의 개수를 구한다.

> ㈎ 영어 성적이 80점 이하이다.
> ㈏ 수학 성적이 60점 이상이다.
> ㈐ 수학 성적이 영어 성적보다 10점 이상 높다.

01 다음 중 옳은 것은?

① 자료 전체의 특징을 대표적으로 나타내는 값을 계급값이라고 한다.

② 편차는 어떤 자료의 각 변량에서 그 자료의 중앙값을 뺀 값을 말한다.

③ 최빈값은 자료에 따라 하나로 정해지지 않는 경우도 있다.

④ 분산이 작을수록 변량은 평균을 중심으로 넓게 퍼져 있다.

⑤ 편차의 평균이 작을수록 변량은 고르게 분포되어 있다.

02 다음은 서현이의 10일간의 수면 시간을 조사한 것이다. 수면 시간의 평균, 중앙값, 최빈값을 각각 a시간, b시간, c시간이라고 할 때, a, b, c의 대소 관계를 구하여라.

(단위 : 시간)

8, 8, 8, 8, 7, 7, 6, 9, 7, 6

03 다음 자료는 어떤 회사에 근무하는 직원 10명의 연간 소득을 나타낸 것이다. 연간 소득의 평균이 3000만 원일 때, 중앙값을 구하여라.

(단위 : 백만 원)

26, 26, 42, 50, 14, 21, x, 33, 27, 31

04 서술형 다음을 모두 만족시키는 a의 값 중 자연수를 모두 구하여라.

(개) 5개의 수 7, 12, 17, 22, a의 중앙값은 17이다.
(내) 4개의 수 18, 28, 31, a의 중앙값은 23이다.

05 다음은 예빈이네 반 학생 17명의 윗몸일으키기 횟수를 조사하여 나타낸 줄기와 잎 그림이다. 27회를 한 학생 1명을 추가할 때, 중앙값과 최빈값을 각각 구하여라.

(1|1은 11회)

줄기	잎
1	1 4 7
2	2 3 5 7 7
3	1 4 5 6 8 8 9
4	2 3

06 다음 표는 연우네 반 학생 24명의 수학 수행 평가 점수를 나타낸 것이다. 이 학생들의 수행 평가 점수의 중앙값과 최빈값을 각각 a점, b점이라고 할 때, $a+b$의 값을 구하여라.

점수(점)	6	7	8	9	10	합계
학생 수(명)	2	4	6	7	5	24

07 다음 표는 지은이네 반 학생들이 여름방학 동안 읽은 책 수를 조사하여 나타낸 것이다. 학생들이 평균 4권의 책을 읽었다고 할 때, 최빈값을 구하여라.

책 수(권)	1	3	5	7
학생 수(명)	3	x	5	4

08 아래 표는 학생 4명의 수학 성적에 대한 편차를 나타낸 것이다. 다음 중 옳은 것은?

학생	A	B	C	D
편차(점)	3	-3	x	2

① A학생의 성적이 가장 낮다.
② 중앙값은 C학생의 성적과 같다.
③ B학생의 점수와 D학생의 점수의 차는 2점이다.
④ 분산은 6.5이다.
⑤ 평균이 90점이면 C학생의 점수는 92점이다.

09 다음 자료의 표준편차를 구하여라.

8, 6, 5, 9, 7

10 다음 표는 A, B, C, D, E 5명의 학생들의 1분당 맥박 수의 편차를 나타낸 것이다. 맥박 수의 분산을 구하여라.

학생	A	B	C	D	E
편차(회)	-2	x	3	-2	3

서술형
11 3개의 수 a, b, c의 평균이 4, 분산이 5일 때, a^2, b^2, c^2의 평균을 구하여라.

12 학생 5명의 과학 성적의 평균이 56점이고, 분산이 12이다. 5명 중 점수가 56점인 학생 한 명을 뺀 나머지 4명의 과학 성적의 분산을 구하여라.

13 A, B 두 모둠의 턱걸이 기록을 조사하였더니 A모둠 5명의 평균은 7회, 표준편차는 1회이고, B모둠 6명의 평균은 7회, 표준편차는 $\sqrt{3}$회였다. 이때 A, B모둠 11명 전체의 분산을 구하여라.

14 네 수 a, b, c, d의 평균을 30, 표준편차를 2라고 할 때, 네 수 $a+3$, $b+3$, $c+3$, $d+3$의 평균과 표준편차를 각각 구하여라.

15 다음은 현석이와 승준이가 5회에 걸쳐 시행한 턱걸이 횟수를 기록한 것이다. 현석이와 승준이 중 누구의 기록이 더 고른지 말하여라.

(단위 : 회)

	1회	2회	3회	4회	5회
현석	11	13	15	17	19
승준	13	14	15	16	17

16 오른쪽 표는 A, B 두 반의 수학 성적의 평균과 분산을 나타낸 것이다. 다음 중 옳은 것은? (단, 두 반의 학생 수는 같다.)

반	평균(점)	분산
A	75	2
B	75	4

① A반의 성적이 B반의 성적보다 더 높다.
② B반의 성적이 A반의 성적보다 더 높다.
③ A반의 성적이 B반의 성적보다 더 고르다.
④ B반의 성적이 A반의 성적보다 더 고르다.
⑤ A, B 두 반의 성적의 산포도는 같다.

17 오른쪽 그림은 학생 수가 같은 A, B 두 반의 음악 수행 평가 성적을 조사하여 나타낸 그래프이다. 두 곡선 모두 점선에 대하여 대칭일 때, 다음 중 옳은 것을 모두 고르면?(정답 2개)

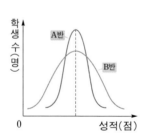

① A반과 B반의 성적의 평균이 서로 같다.
② A반의 성적이 더 우수하다.
③ B반의 성적이 더 우수하다.
④ A반의 성적이 더 고르다.
⑤ B반의 성적이 더 고르다.

18 다음 중 두 변량 사이에 대체로 양의 상관관계가 있는 것은?

① 시력과 수학 성적
② 산의 높이와 나무 둘레의 길이
③ 가방의 무게와 성적
④ 통학 거리와 통학 시간
⑤ 하루 중 낮의 길이와 밤의 길이

19 오른쪽 그림은 호승이네 학교 학생들의 영어 성적과 국어 성적에 대한 산점도이다. 다음 중 옳은 것은?

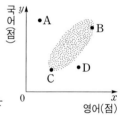

① 영어 성적과 국어 성적은 상관관계가 없다.
② 학생 D는 국어 성적이 영어 성적보다 높다.
③ 학생 C는 국어 성적과 영어 성적이 모두 낮다.
④ 학생 B는 학생 A보다 영어 성적이 낮다.
⑤ 학생 A는 학생 D보다 국어, 영어 성적이 모두 높다.

20 오른쪽 그림은 어느 반 학생 16명의 수학 성적과 영어 성적에 대한 산점도이다. 다음 물음에 답하여라.

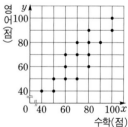

(1) 수학 성적과 영어 성적이 모두 80점 이상인 학생들의 영어 성적의 평균을 구하여라.
(2) 수학 성적과 영어 성적의 점수 차가 10점 이상 나는 학생 수를 구하여라.

01

오른쪽 표는 A, B 두 반의 남녀 학생들의 수학 시험 점수의 평균을 나타낸 것이다. A, B반의 남학생 전체의 수학 시험 점수의 평균을 구하여라.

① A반 전체 평균을 구하는 식을 세우면?
② B반 전체 평균을 구하는 식을 세우면?
③ 여학생 전체 평균을 구하는 식을 세우면?
④ 남학생 전체 평균은?

	남학생(점)	여학생(점)	전체(점)
A반	71	76	74
B반	81	90	84
전체		84	

02

오른쪽 표는 네 수 a, b, c, d 중에서 a, b와 c, d의 평균과 표준편차를 각각 나타낸 것이다. 네 수 a, b, c, d의 표준편차를 구하여라.

① $a+b$와 $c+d$의 값을 각각 구하면?
② a^2+b^2과 c^2+d^2의 값을 각각 구하면?
③ a, b, c, d의 분산과 표준편차는?

	a, b	c, d
평균	5	7
분산	2	6

SUMMA CUM LAUDE
MIDDLE SCHOOL MATHEMATICS

튼튼한 **개념!** 흔들리지 않는 **실력!**

숨마쿰라우데 중학수학 3-하
개념기본서

숨마쿰라우데란 최고의 영예를 뜻하는 말입니다

숨마쿰라우데라는 말은 라틴어로 SUMMA CUM LAUDE라고 씁니다. 이는 최고의 영예를 뜻하는 말인데요. 보통 미국 아이비리그 명문 대학들의 최우수 졸업자에게 부여되는 칭호입니다. 우리나라로 치면 '수석 졸업'이라는 뜻이지요. 그러나 모든 일에 있어서 그렇듯 공부에 있어서도 결과 뿐 아니라 과정이 중요합니다. 최선을 다하는 과정이 있으면 좋은 결과가 따라올 뿐 아니라, 그 과정을 통해 얻어진 깨달음이 평생을 함께하기 때문입니다. 이룸이앤비 숨마쿰라우데는 바로 최선을 다하는 사람 모두에게 최고의 영예를 선사합니다.

개념을 확실히 잡으면 어떤 문제도 두렵지 않다!

수학 공부 도대체 어떻게 해야 할까요? 수많은 공부법과 요령들이 난무하지만 어떤 주장에도 빠지지 않는 내용이 바로 개념 이해의 필요성입니다. 덧셈을 배우면 덧셈을 통해 뺄셈을 배우고, 곱셈을 배우면 곱셈을 통해 나눗셈을 배웁니다. 역사 이야기처럼 수학 개념도 꼬리에 꼬리를 무는 연속성이 있는 것이므로 중간에 하나라도 빠진다면 그 다음 개념을 완벽히 이해할 수 없게 됩니다. 단계적 연계 학습을 하는 숨마쿰라우데로 흔들리지 않는 개념을 잡으세요. 수학의 참 재미를 발견하고, 어떤 문제가 나와도 두렵지 않을 것입니다.

스토리텔링 수학 학습의 결정판!

스토리텔링 학습이란 다양한 예나 이야기를 접목하여 개념과 원리를 쉽고 재미있게 설명하는 학습 방법입니다. "숨마쿰라우데 중학 수학"은 스토리텔링 방식으로 수학을 재미있게 설명해 놓은 최고의 스토리텔링 수학 학습서입니다. QA를 통해 개념을 스스로 묻고 답하면서 공부해 보세요. 수학이 쉽고 재미있게 다가올 것입니다.

학습 교재의 새로운 신화! 이룸이앤비가 만듭니다!

Q&A를 통한 스토리텔링식 수학 기본서의 결정판!

튼튼한 **개념!** 흔들리지 않는 **실력!**

숨마쿰라우데 중학수학

개념기본서

새교육과정에
맞춘 최고의
개념기본서

1-상 1-하
2-상 2-하
3-상 3-하

why

왜! 수학 개념이 중요하지? 문제만 많이 풀면 되잖아

모든 수학 문제는 수학 개념을 잘 이해하고 있는지를 측정합니다.
같은 개념이라도 다양한 형태의 문제로 출제되지요.
개념을 정확히 이해하고 있다면 이들 다양한 문제들을 쉽게 해결할 수 있습니다.
개념 하나를 제대로 공부하는 것이 열 문제를 푸는 것보다 더 중요한 이유입니다!

How

어떻게 개념 학습을 해야 재미있고, 기억에 오래 남을까?

수학도 이야기입니다. 흐름을 이해하며 개념을 공부하면 이야기처럼
머릿속에 차근차근 기억이 됩니다.
『숨마쿰라우데 개념기본서』는 묻고 답하는 형식으로 개념을
설명하였습니다. 대화를 나누듯 공부할 수 있어 재미있고
쉽게 이해가 됩니다.

숨마쿰라우데 중학수학 「실전문제집」으로
학교시험 100점 맞자!

기출문제로 개념 잡고 내신만점 맞자!
숨마쿰라우데 중학수학
실전문제집

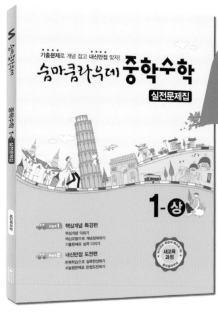

새교육과정에
맞춘 단기 완성
실전문제집

1-상 1-하
2-상 2-하
3-상 3-하

Part 1 핵심개념 특강편
핵심개념 익히기
핵심유형으로 개념정복하기
기출문제로 실력 다지기

Part 2 내신만점 도전편
반복학습으로 실력완성하기
서술형문제로 만점도전하기

한 개념 한 개념씩 쉬운 문제로 매일매일 꾸준히
공부하는 기초 쌓기 최적의 수학 교재!

한 개념씩 쉬운 문제로 **매일매일** 공부하자!
숨마쿰라우데 중학수학
스타트업

새교육과정에 맞춘
반복 수학 문제집
스타트업

1-상 1-하
2-상 2-하
3-상 3-하

핵심개념으로
개념 잡고

쉬운문제로
반복학습

학교시험
100점!!

THINK MORE ABOUT YOUR FUTURE

튼튼한 **개념!** 흔들리지 않는 **실력!**

숨마쿰라우데 중학수학

개념기본서

해설 BOOK

Q&A를 통한 스토리텔링
수학 학습의 결정판!

EBS 중학프리미엄 인터넷강의 교재

자기주도 학습서 베스트 1위
★ 새교육 과정 ★
숨 마 쿰 라 우 데

3-하

튼튼한 **개념!** 흔들리지 않는 **실력!**

숨마쿰라우데 중학수학

개념기본서

3-하

해설 BOOK

Ⅴ 삼각비

1. 삼각비

개념 CHECK 01. 삼각비 · 026쪽

개념 확인 (1) a (2) $\dfrac{c}{b}$ (3) $\dfrac{c}{a}$

01 (1) $\dfrac{\sqrt{5}}{5}$, $\dfrac{2\sqrt{5}}{5}$, $\dfrac{1}{2}$ (2) $\dfrac{2\sqrt{5}}{5}$, $\dfrac{\sqrt{5}}{5}$, 2

02 $\dfrac{\sqrt{5}}{2}$　　03 $\dfrac{24}{35}$　　04 $\dfrac{3\sqrt{5}}{5}$　　05 $\dfrac{\sqrt{5}}{5}$

01 $\overline{AC}=\sqrt{2^2+1^2}=\sqrt{5}$

02 $\cos A=\dfrac{\overline{AB}}{9}=\dfrac{\sqrt{5}}{3}$ 이므로 $\overline{AB}=3\sqrt{5}$

$\therefore \overline{BC}=\sqrt{9^2-(3\sqrt{5})^2}=6\ (\because \overline{BC}>0)$

$\therefore \tan C=\dfrac{3\sqrt{5}}{6}=\dfrac{\sqrt{5}}{2}$

03 $\cos A=\dfrac{5}{7}$ 이므로 오른쪽 그림과 같이

$\angle B=90°$, $\overline{AB}=5$, $\overline{CA}=7$인 직각

삼각형을 그려 보면

$\overline{BC}=\sqrt{7^2-5^2}=2\sqrt{6}$

즉, $\sin A=\dfrac{2\sqrt{6}}{7}$, $\tan A=\dfrac{2\sqrt{6}}{5}$ 이므로

$\sin A \times \tan A=\dfrac{2\sqrt{6}}{7}\times\dfrac{2\sqrt{6}}{5}=\dfrac{24}{35}$

04 △ABD∽△CAD∽△CBA(AA 닮음)이므로

$\angle x=\angle BAD=\angle BCA$

$\angle y=\angle DAC=\angle ABC$

△ABC에서 $\overline{BC}=\sqrt{2^2+4^2}=2\sqrt{5}$이므로

$\sin x+\sin y=\dfrac{2}{2\sqrt{5}}+\dfrac{4}{2\sqrt{5}}=\dfrac{3}{\sqrt{5}}=\dfrac{3\sqrt{5}}{5}$

05 일차방정식 $2x-4y-10=0$의 그
래프의 x절편은 5, y절편은 $-\dfrac{5}{2}$이
므로 오른쪽 그림의 직각삼각형
OAB에서

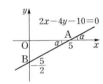

$\overline{OA}=5$, $\overline{OB}=\dfrac{5}{2}$,

$\overline{AB}=\sqrt{5^2+\left(\dfrac{5}{2}\right)^2}=\dfrac{5\sqrt{5}}{2}$

$\therefore \sin\alpha=\dfrac{\overline{OB}}{\overline{AB}}=\dfrac{5}{2}\div\dfrac{5\sqrt{5}}{2}=\dfrac{1}{\sqrt{5}}=\dfrac{\sqrt{5}}{5}$

개념 CHECK 02. 삼각비의 값 · 037쪽

개념 확인 (1) $\dfrac{\sqrt{2}}{2}$, $\dfrac{\sqrt{3}}{2}$, $\dfrac{\sqrt{3}}{2}$, $\dfrac{\sqrt{2}}{2}$, $\dfrac{1}{2}$, $\dfrac{\sqrt{3}}{3}$, 1, $\sqrt{3}$

　　　　(2) $90, 0$ (3) $0, 1$

01 (1) $2\sqrt{3}$ (2) $\dfrac{\sqrt{3}}{6}$ (3) $\sqrt{2}$ (4) $\dfrac{1}{2}$

02 $x=3\sqrt{2}, y=2\sqrt{6}$

03 (1) 0.59 (2) 0.80 (3) 0.73

04 (1) 0.9744 (2) 0.2079 (3) 5.1446

01 (1) $\tan 60°+\sin 60°+\cos 30°=\sqrt{3}+\dfrac{\sqrt{3}}{2}+\dfrac{\sqrt{3}}{2}=2\sqrt{3}$

(2) $\sin 30°\times\tan 30°=\dfrac{1}{2}\times\dfrac{\sqrt{3}}{3}=\dfrac{\sqrt{3}}{6}$

(3) $\tan 45°\div\cos 45°=1\div\dfrac{\sqrt{2}}{2}=\sqrt{2}$

(4) $\dfrac{\sin 30°-\cos 30°}{\tan 45°-\tan 60°}=\dfrac{\dfrac{1}{2}-\dfrac{\sqrt{3}}{2}}{1-\sqrt{3}}=\dfrac{1}{2}$

02 △ABH에서 $\sin 45°=\dfrac{x}{6}=\dfrac{\sqrt{2}}{2}$

$\therefore x=3\sqrt{2}$

$\triangle$AHC에서 $\sin 60° = \dfrac{3\sqrt{2}}{y} = \dfrac{\sqrt{3}}{2}$

$\therefore y = \dfrac{6\sqrt{2}}{\sqrt{3}} = 2\sqrt{6}$

유형 EXERCISES

유형 ❶	③	1-1 $\dfrac{1}{3}$	1-2 ⑤
유형 ❷	9	2-1 $4\sqrt{5}$	2-2 $\dfrac{2\sqrt{3}}{7}$
		2-3 $\cos A = \dfrac{12}{13},\ \tan C = \dfrac{12}{5}$	
유형 ❸	$\dfrac{7}{5}$	3-1 $\dfrac{15}{17}$	3-2 $\dfrac{7}{5}$
유형 ❹	2	4-1 ④	4-2 $\dfrac{1}{4}$	4-3 $35°$
유형 ❺	1	5-1 $2\sqrt{6}$	5-2 $2+2\sqrt{6}$
		5-3 10	
유형 ❻	④	6-1 2.25	6-2 ③
유형 ❼	④	7-1 ⑤	7-2 ⑤	7-3 2
유형 ❽	13.928	8-1 $48°$	8-2 0.4452

유형 ❶

$\overline{AB} = \sqrt{17^2 - 15^2} = 8$이므로

① $\sin A = \dfrac{\overline{BC}}{\overline{AC}} = \dfrac{15}{17}$ ② $\cos A = \dfrac{\overline{AB}}{\overline{AC}} = \dfrac{8}{17}$

③ $\tan A = \dfrac{\overline{BC}}{\overline{AB}} = \dfrac{15}{8}$ ④ $\sin C = \dfrac{\overline{AB}}{\overline{AC}} = \dfrac{8}{17}$

⑤ $\cos C = \dfrac{\overline{BC}}{\overline{AC}} = \dfrac{15}{17}$

1-1 $\overline{AC} = \sqrt{(\sqrt{3})^2 + (\sqrt{6})^2} = \sqrt{9} = 3$이므로

$\sin A = \dfrac{\sqrt{3}}{3},\ \cos C = \dfrac{\sqrt{3}}{3}$

$\therefore \sin A \times \cos C = \dfrac{\sqrt{3}}{3} \times \dfrac{\sqrt{3}}{3} = \dfrac{1}{3}$

1-2 ⑤ $\tan A = \dfrac{a}{b}$ $\therefore a = b\tan A$

유형 ❷

$\sin A = \dfrac{\overline{BC}}{15} = \dfrac{4}{5}$이므로 $\overline{BC} = 12$

$\therefore \overline{AC} = \sqrt{15^2 - 12^2} = 9$

2-1 $\cos A = \dfrac{\overline{AB}}{6} = \dfrac{\sqrt{5}}{3}$이므로 $\overline{AB} = 2\sqrt{5}$

$\therefore \overline{BC} = \sqrt{6^2 - (2\sqrt{5})^2} = 4$

$\therefore \triangle ABC = \dfrac{1}{2} \times 2\sqrt{5} \times 4 = 4\sqrt{5}$

2-2 $\tan A = \dfrac{\sqrt{3}}{2}$이므로 오른쪽 그림과

같이 $\angle B = 90°$, $\overline{AB} = 2$, $\overline{BC} = \sqrt{3}$

인 직각삼각형 ABC를 그릴 수 있다.

$\therefore \overline{AC} = \sqrt{2^2 + (\sqrt{3})^2} = \sqrt{7}$

$\therefore \sin A \times \cos A = \dfrac{\sqrt{3}}{\sqrt{7}} \times \dfrac{2}{\sqrt{7}} = \dfrac{2\sqrt{3}}{7}$

2-3 $\angle B = 90°$이면서 $\sin A = \dfrac{5}{13}$를

만족시키는 직각삼각형 ABC를 그

리면 오른쪽 그림과 같으므로

$\overline{AB} = \sqrt{13^2 - 5^2} = 12$

$\therefore \cos A = \dfrac{12}{13},\ \tan C = \dfrac{12}{5}$

유형 ❸

$\triangle ABC \backsim \triangle DBA \backsim \triangle DAC$(AA 닮음)이므로

$\angle B = \angle CAD = \angle y$

$\angle C = \angle BAD = \angle x$

또 직각삼각형 ABC에서

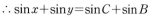

$\overline{BC} = \sqrt{4^2 + 3^2} = 5\text{(cm)}$

$\therefore \sin x + \sin y = \sin C + \sin B$

$= \dfrac{4}{5} + \dfrac{3}{5} = \dfrac{7}{5}$

3-1 $\triangle ABC \backsim \triangle AED$(AA 닮음)이므로

$\angle B = \angle AED$

또 직각삼각형 ABC에서

$\overline{AB} = \sqrt{8^2 + 15^2} = 17$

$\therefore \sin x = \sin B = \dfrac{15}{17}$

Ⅴ. 삼각비   **003**

3-2 $\triangle ABD$는 직각삼각형이므로

$\overline{BD}=\sqrt{6^2+8^2}=10$

$\triangle ABD \backsim \triangle HBA$ (AA 닮음)이므로

$\angle ADB = \angle HAB = \angle x$

따라서 직각삼각형 ABD에서

$\sin x + \cos x = \dfrac{6}{10}+\dfrac{8}{10}=\dfrac{7}{5}$

유형 ❹

(주어진 식)$=\sqrt{3}\times\dfrac{\sqrt{3}}{2}+1\times\dfrac{1}{2}=\dfrac{3}{2}+\dfrac{1}{2}=2$

4-1 ① $\tan 45°=1$

② $\sin 30°+\cos 60°=\dfrac{1}{2}+\dfrac{1}{2}=1$

③ $\sin 45° \div \cos 45° = \dfrac{\sqrt{2}}{2} \div \dfrac{\sqrt{2}}{2}=1$

④ $\tan 60° - \tan 30° = \sqrt{3}-\dfrac{\sqrt{3}}{3}=\dfrac{2\sqrt{3}}{3}$

⑤ $\sin 60° \times \tan 30° + \cos 60°$

$\quad = \dfrac{\sqrt{3}}{2}\times\dfrac{\sqrt{3}}{3}+\dfrac{1}{2}=1$

4-2 $A=180°\times\dfrac{1}{1+2+3}=30°$

$\therefore \sin A \times \cos A \times \tan A$

$\quad = \sin 30° \times \cos 30° \times \tan 30°$

$\quad = \dfrac{1}{2}\times\dfrac{\sqrt{3}}{2}\times\dfrac{\sqrt{3}}{3}=\dfrac{1}{4}$

4-3 $12.5° \leq x \leq 57.5°$에서 $0° \leq 2x-25° \leq 90°$

$\cos 45° = \dfrac{\sqrt{2}}{2}$ 이므로

$2x-25°=45°, 2x=70° \qquad \therefore x=35°$

유형 ❺

$\triangle DBC$에서 $\tan 45° = \dfrac{\overline{BC}}{\sqrt{3}}=1$

$\therefore \overline{BC}=\sqrt{3}$

$\triangle ABC$에서 $\tan 60° = \dfrac{\sqrt{3}}{\overline{AB}}=\sqrt{3}$

$\therefore \overline{AB}=1$

5-1 $\triangle ADC$에서 $\tan 60° = \dfrac{\overline{AD}}{2}=\sqrt{3}$

$\therefore \overline{AD}=2\sqrt{3}$

$\triangle ABD$에서 $\sin 45° = \dfrac{2\sqrt{3}}{\overline{AB}}=\dfrac{\sqrt{2}}{2}$

$\therefore \overline{AB}=2\sqrt{6}$

5-2 $\triangle ABH$에서 $\cos 60° = \dfrac{\overline{BH}}{4}=\dfrac{1}{2}$

$\therefore \overline{BH}=2$

$\sin 60° = \dfrac{\overline{AH}}{4}=\dfrac{\sqrt{3}}{2}$

$\therefore \overline{AH}=2\sqrt{3}$

$\triangle AHC$는 직각삼각형이므로

$\overline{CH}=\sqrt{6^2-(2\sqrt{3})^2}=2\sqrt{6}$

$\therefore \overline{BC}=\overline{BH}+\overline{CH}=2+2\sqrt{6}$

5-3 $\triangle ADC$에서 $\cos 60° = \dfrac{5}{\overline{AD}}=\dfrac{1}{2}$ $\therefore \overline{AD}=10$

$\triangle ABD$에서 $\angle DAB+30°=60°$

$\therefore \angle DAB = 60°-30°=30°$

즉, $\angle DAB = \angle B = 30°$이므로 $\triangle ABD$는

$\overline{AD}=\overline{BD}$인 이등변삼각형이다.

$\therefore \overline{BD}=\overline{AD}=10$

유형 ❻

① $\sin x = \dfrac{\overline{BC}}{\overline{AB}}=\dfrac{\overline{BC}}{1}=\overline{BC}$

② $\cos y = \dfrac{\overline{BC}}{\overline{AB}}=\dfrac{\overline{BC}}{1}=\overline{BC}$

③ $\cos x = \dfrac{\overline{AC}}{\overline{AB}}=\dfrac{\overline{AC}}{1}=\overline{AC}$

④ $\sin z = \sin y = \dfrac{\overline{AC}}{\overline{AB}}=\dfrac{\overline{AC}}{1}=\overline{AC}$

⑤ $\tan x = \dfrac{\overline{DE}}{\overline{AE}}=\dfrac{\overline{DE}}{1}=\overline{DE}$

6-1 $\sin 40° = \dfrac{\overline{AB}}{\overline{OA}}=\overline{AB}=0.64$

$\tan 40° = \dfrac{\overline{CD}}{\overline{OC}}=\overline{CD}=0.84$

$\triangle AOB$에서 $\angle OAB = 90°-40°=50°$이므로

$$\sin 50° = \frac{\overline{OB}}{\overline{OA}} = \overline{OB} = 0.77$$

$$\therefore \sin 40° + \sin 50° + \tan 40°$$
$$= 0.64 + 0.77 + 0.84 = 2.25$$

6-2 $\overline{OB} = \cos x$, $\overline{AB} = \sin x$이므로 점 A의 좌표는
③ $(\cos x, \sin x)$이다.

유형 ⑦

① $0° \leq A \leq 90°$일 때, A의 크기가 커지면 $\sin A$의 값도 커진다.

② $\cos 45° = \sin 45° = \dfrac{\sqrt{2}}{2}$

③ $0° \leq A \leq 90°$일 때, A의 크기가 커지면 $\cos A$의 값은 작아진다.

④ $0° \leq A \leq 90°$일 때, A의 크기가 커지면 $\tan A$의 값도 커지므로 $\tan 45° < \tan 46°$

⑤ $\sin 30° = \dfrac{1}{2}$, $\cos 30° = \dfrac{\sqrt{3}}{2}$이므로
$\sin 30° < \cos 30°$

7-1 ⑤ $\tan A$의 최댓값은 알 수 없다.

7-2 ① $\cos 0° = 1$

② $\sin 60° = \dfrac{\sqrt{3}}{2}$

③ $\sin 60° < \sin 85° < \sin 90°$이므로
$\dfrac{\sqrt{3}}{2} < \sin 85° < 1$

④ $\tan 30° = \dfrac{\sqrt{3}}{3}$

⑤ $\tan 45° = 1$이고 $\tan 50° > \tan 45°$이므로
$\tan 50° > 1$
따라서 가장 큰 값은 ⑤ $\tan 50°$이다.

7-3 $0° \leq x \leq 90°$일 때, $0 \leq \sin x \leq 1$이므로
$\sin x + 1 > 0$, $\sin x - 1 \leq 0$
$\therefore$ (주어진 식) $= (\sin x + 1) - (\sin x - 1)$
$= \sin x + 1 - \sin x + 1$
$= 2$

유형 ⑧

$\angle BCA = 90° - 35° = 55°$

$$\sin 55° = \frac{x}{10} = 0.8192 \qquad \therefore x = 8.192$$

$$\cos 55° = \frac{y}{10} = 0.5736 \qquad \therefore y = 5.736$$

$\therefore x + y = 8.192 + 5.736 = 13.928$

8-1 $\cos x = \dfrac{67}{100} = 0.67$이므로
$\angle x = 48°$

8-2 $\sin x = 0.3907$에서 $\angle x = 23°$
$\cos y = 0.9063$에서 $\angle y = 25°$
$\therefore \tan\left(\dfrac{x+y}{2}\right) = \tan 24° = 0.4452$

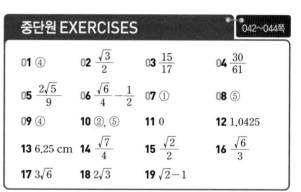

중단원 EXERCISES

042~044쪽

01 ④	**02** $\dfrac{\sqrt{3}}{2}$	**03** $\dfrac{15}{17}$	**04** $\dfrac{30}{61}$
05 $\dfrac{2\sqrt{5}}{9}$	**06** $\dfrac{\sqrt{6}}{4} - \dfrac{1}{2}$	**07** ①	**08** ⑤
09 ④	**10** ②, ⑤	**11** 0	**12** 1.0425
13 6.25 cm	**14** $\dfrac{\sqrt{7}}{4}$	**15** $\dfrac{\sqrt{2}}{2}$	**16** $\dfrac{\sqrt{6}}{3}$
17 $3\sqrt{6}$	**18** $2\sqrt{3}$	**19** $\sqrt{2} - 1$	

01 $\overline{AC} = \sqrt{3^2 + (\sqrt{7})^2} = 4$

① $\sin A = \dfrac{\sqrt{7}}{4}$ 　　　② $\cos A = \dfrac{3}{4}$

③ $\tan A = \dfrac{\sqrt{7}}{3}$ 　　　⑤ $\tan C = \dfrac{3\sqrt{7}}{7}$

02 $\overline{AB} = k$, $\overline{BC} = 2k(k>0)$라고 하면
$\overline{AC} = \sqrt{(2k)^2 - k^2} = \sqrt{3}k$
$\therefore \cos C = \dfrac{\overline{AC}}{\overline{BC}} = \dfrac{\sqrt{3}k}{2k} = \dfrac{\sqrt{3}}{2}$

03 직각삼각형 ADE에서
$\overline{AE} = \sqrt{8^2 + 15^2} = 17$
$\therefore \cos C = \cos(\angle AED) = \dfrac{\overline{DE}}{\overline{AE}} = \dfrac{15}{17}$

04 일차방정식 $6x-5y+30=0$의 그래프의 x절편은 -5, y절편은 6이므로 직각삼각형 AOB에서
$\overline{AO}=5$, $\overline{BO}=6$,
$\overline{AB}=\sqrt{5^2+6^2}=\sqrt{61}$

$\therefore \sin B \times \cos B = \dfrac{5}{\sqrt{61}} \times \dfrac{6}{\sqrt{61}} = \dfrac{30}{61}$

05 $\triangle ABC \backsim \triangle ADE$ (AA 닮음)이므로
$\angle DEA = \angle C$, $\angle ADE = \angle B$
또 직각삼각형 AED에서
$\overline{AE}=\sqrt{3^2-2^2}=\sqrt{5}$

$\therefore \sin B \times \sin C = \dfrac{\sqrt{5}}{3} \times \dfrac{2}{3} = \dfrac{2\sqrt{5}}{9}$

06 $\tan 30° + \cos 45° \times (\sin 60° - \sin 45°)$
$\qquad\qquad\qquad\qquad -\tan 45° \div \tan 60°$

$= \dfrac{\sqrt{3}}{3} + \dfrac{\sqrt{2}}{2} \times \left(\dfrac{\sqrt{3}}{2} - \dfrac{\sqrt{2}}{2} \right) - 1 \div \sqrt{3}$

$= \dfrac{\sqrt{3}}{3} + \dfrac{\sqrt{6}}{4} - \dfrac{1}{2} - \dfrac{\sqrt{3}}{3}$

$= \dfrac{\sqrt{6}}{4} - \dfrac{1}{2}$

07 직선과 x축, y축과의 교점을 각각 A, B라고 하면 $\triangle AOB$에서
$\tan 30° = \dfrac{\overline{BO}}{3} = \dfrac{\sqrt{3}}{3}$

$\therefore \overline{BO}=\sqrt{3}$

$\therefore B(0, \sqrt{3})$

이때 직선의 기울기는 $\tan 30° = \dfrac{\sqrt{3}}{3}$이므로 구하는 직선의 방정식은
$y = \dfrac{\sqrt{3}}{3} x + \sqrt{3}$

08 ⑤ $\tan y = \dfrac{\overline{OD}}{\overline{CD}} = \dfrac{1}{\overline{CD}}$

09 ㄱ. $\sin 90° + \tan 45° = 1 + 1 = 2$
ㄴ. $\sin 0° + \cos 0° + \tan 0° = 0 + 1 + 0 = 1$
ㄷ. $\sin 60° \times \cos 0° \times \tan 60° = \dfrac{\sqrt{3}}{2} \times 1 \times \sqrt{3} = \dfrac{3}{2}$

따라서 옳은 것은 ㄴ, ㄷ이다.

10 ① A의 크기가 커지면 $\cos A$의 값은 작아진다.
② $\sin 0° = 0$, $\sin 90° = 1$이므로 최솟값은 0, 최댓값은 1이다.
③ $\cos 0° = 1$, $\tan 0° = 0$이므로 $\cos 0° > \tan 0°$
④ $0° < A < 45°$일 때, $0 < \sin A < \cos A < 1$
⑤ $\sin 45° = \dfrac{\sqrt{2}}{2}$, $\cos 45° = \dfrac{\sqrt{2}}{2}$이므로 $A = 45°$일 때
$\sin A = \cos A$이다.

11 $45° < A < 90°$일 때, $\cos A < \sin A$이므로
$\sin A - \cos A > 0$, $\cos A - \sin A < 0$

$\therefore \sqrt{(\sin A - \cos A)^2} - \sqrt{(\cos A - \sin A)^2}$
$= (\sin A - \cos A) - \{-(\cos A - \sin A)\}$
$= \sin A - \cos A + \cos A - \sin A = 0$

12 $\sin 15° + \cos 12° - \tan 11°$
$= 0.2588 + 0.9781 - 0.1944$
$= 1.0425$

13 $\sin 40° = \dfrac{4}{\overline{AB}} = 0.64$

$\therefore \overline{AB} = \dfrac{4}{0.64} = 6.25 \text{(cm)}$

14 $\triangle CAH$에서 $\sin A = \dfrac{\overline{CH}}{10} = \dfrac{3}{5}$

$\therefore \overline{CH} = 6$
$\triangle CHB$에서 $\overline{BH} = \sqrt{8^2-6^2} = 2\sqrt{7}$

$\therefore \cos B = \dfrac{\overline{BH}}{\overline{BC}} = \dfrac{2\sqrt{7}}{8} = \dfrac{\sqrt{7}}{4}$

15 $\triangle ABC$에서 $\sin x = \dfrac{3}{\overline{AB}} = \dfrac{1}{3}$

$\therefore \overline{AB} = 9$
이때 $\overline{AC} = \sqrt{9^2-3^2} = 6\sqrt{2}$이므로
$\triangle ADC$에서
$\tan(x+y) = \dfrac{\overline{CD}}{\overline{AC}} = \dfrac{6}{6\sqrt{2}} = \dfrac{\sqrt{2}}{2}$

16 정육면체의 한 모서리의 길이를 a라고 하면
$\overline{GE} = \sqrt{2}a$, $\overline{CE} = \sqrt{3}a$
$\triangle CEG$는 $\angle EGC = 90°$인 직각삼각형이므로

$$\cos x = \frac{\overline{GE}}{\overline{CE}} = \frac{\sqrt{2}}{\sqrt{3}} = \frac{\sqrt{6}}{3}$$

17 $\triangle ABC$에서 $\tan 30° = \dfrac{6}{\overline{BC}} = \dfrac{\sqrt{3}}{3}$

$\therefore \overline{BC} = 6 \times \dfrac{3}{\sqrt{3}} = 6\sqrt{3}$

$\triangle DBC$에서 $\sin 45° = \dfrac{\overline{DC}}{6\sqrt{3}} = \dfrac{\sqrt{2}}{2}$

$\therefore \overline{DC} = 6\sqrt{3} \times \dfrac{\sqrt{2}}{2} = 3\sqrt{6}$

18 $\triangle ABC$에서 $\sin 30° = \dfrac{\overline{AC}}{12} = \dfrac{1}{2}$

$\therefore \overline{AC} = 6$

$\angle DAC = 30°$이므로 $\triangle ADC$에서

$\tan 30° = \dfrac{y}{6} = \dfrac{\sqrt{3}}{3}$ $\therefore y = 2\sqrt{3}$

$\sin 30° = \dfrac{2\sqrt{3}}{\overline{AD}} = \dfrac{1}{2}$ $\therefore \overline{AD} = 4\sqrt{3}$

$\triangle ABD$는 $\angle DAB = \angle DBA$이므로 $\overline{AD} = \overline{BD}$인 이등변 삼각형이다.

$\therefore x = \overline{AD} = 4\sqrt{3}$

$\therefore x - y = 4\sqrt{3} - 2\sqrt{3} = 2\sqrt{3}$

19 $\overline{OA} = \overline{OB} = 2$, $\angle COA = 180° - 135° = 45°$이므로 직각삼각형 ACO에서

$\sin 45° = \dfrac{\overline{AC}}{2} = \dfrac{\sqrt{2}}{2}$

$\therefore \overline{AC} = \sqrt{2}$

또 $\cos 45° = \dfrac{\overline{OC}}{2} = \dfrac{\sqrt{2}}{2}$ $\therefore \overline{OC} = \sqrt{2}$

$\therefore \tan x = \dfrac{\overline{AC}}{\overline{BC}} = \dfrac{\sqrt{2}}{2 + \sqrt{2}}$

$= \dfrac{\sqrt{2}(2 - \sqrt{2})}{(2 + \sqrt{2})(2 - \sqrt{2})}$

$= \sqrt{2} - 1$

2. 삼각비의 활용

개념 CHECK 01. 삼각비의 활용(1)–길이 구하기   053쪽

개념 확인 (1) B, C (2) C, B, C

01 (1) 1.54 (2) 6.25

02 $(2\sqrt{3} + 6)\,\text{m}$

03 (1) $4\sqrt{3}$ (2) $2\sqrt{6}$

04 (1) $50(3 - \sqrt{3})$ (2) $20(\sqrt{3} + 1)$

01 (1) $x = 2\cos 40° = 2 \times 0.77 = 1.54$

(2) $\angle A = 90° - 50° = 40°$

$\therefore x = \dfrac{4}{\sin 40°} = \dfrac{4}{0.64} = 6.25$

02 $\triangle ABD$에서

$\overline{BD} = \overline{AD}\tan 30° = 6 \times \dfrac{\sqrt{3}}{3} = 2\sqrt{3}\,(\text{m})$

$\triangle ACD$에서 $\overline{CD} = \overline{AD}\tan 45° = 6\,(\text{m})$

$\therefore \overline{BC} = \overline{BD} + \overline{CD} = 2\sqrt{3} + 6\,(\text{m})$

03 (1) 꼭짓점 A에서 $\overline{BC}$에 내린 수선의 발을 H라고 하면 $\triangle ABH$에서

$\overline{AH} = 4\sin 60°$

$= 4 \times \dfrac{\sqrt{3}}{2} = 2\sqrt{3}\,(\text{cm})$

$\overline{BH} = 4\cos 60° = 4 \times \dfrac{1}{2} = 2\,(\text{cm})$

$\therefore \overline{CH} = \overline{BC} - \overline{BH} = 8 - 2 = 6\,(\text{cm})$

$\triangle AHC$에서 $x = \sqrt{6^2 + (2\sqrt{3})^2} = 4\sqrt{3}$

(2) 꼭짓점 B에서 $\overline{AC}$에 내린 수선의 발을 H라고 하면 $\triangle BCH$에서

$\overline{BH} = 6\sin 45°$

$= 6 \times \dfrac{\sqrt{2}}{2} = 3\sqrt{2}\,(\text{cm})$

$\triangle ABH$에서

$x = \dfrac{3\sqrt{2}}{\cos 30°} = 3\sqrt{2} \times \dfrac{2}{\sqrt{3}} = 2\sqrt{6}$

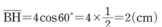

04 (1) $\angle BAH = 45°$, $\angle CAH = 30°$이므로

$\overline{BH} = h\tan 45° = h$

$$\overline{\text{CH}}=h\tan 30°=\frac{\sqrt{3}}{3}h$$

이때 $\overline{\text{BC}}=\overline{\text{BH}}+\overline{\text{CH}}$이므로

$$100=h+\frac{\sqrt{3}}{3}h, \ \frac{3+\sqrt{3}}{3}h=100$$

$$\therefore h=100\times\frac{3}{3+\sqrt{3}}=50(3-\sqrt{3})$$

(2) $\angle\text{BAH}=60°$, $\angle\text{CAH}=45°$이므로

$$\overline{\text{BH}}=h\tan 60°=\sqrt{3}h$$

$$\overline{\text{CH}}=h\tan 45°=h$$

이때 $\overline{\text{BC}}=\overline{\text{BH}}-\overline{\text{CH}}$이므로

$$40=\sqrt{3}h-h, \ (\sqrt{3}-1)h=40$$

$$\therefore h=\frac{40}{\sqrt{3}-1}=20(\sqrt{3}+1)$$

개념 CHECK 02. 삼각비의 활용 (2) — 넓이 구하기 058쪽

개념 CHECK   02. 삼각비의 활용(2)-넓이 구하기   058쪽

개념 확인   (1) ① $\sin B$ ② $\sin(180°-B)$ (2) $ab\sin x$

01 $12\sqrt{5}$ 02 $55\sqrt{3}$

03 $4\sqrt{3}$ 04 $12\sqrt{3}$

05 24

01 $\triangle\text{ABC}=\dfrac{1}{2}\times 4\sqrt{5}\times\overline{\text{BC}}\times\sin 30°$

$$=\frac{1}{2}\times 4\sqrt{5}\times\overline{\text{BC}}\times\frac{1}{2}=60$$

$$\therefore \overline{\text{BC}}=12\sqrt{5}$$

02 보조선 BD를 그으면

$\triangle\text{ABD}=\dfrac{1}{2}\times\overline{\text{AB}}\times\overline{\text{AD}}$

$$\times\sin(180°-120°)$$

$$=\frac{1}{2}\times 6\times 10\times\frac{\sqrt{3}}{2}=15\sqrt{3}$$

$\triangle\text{BCD}=\dfrac{1}{2}\times\overline{\text{BC}}\times\overline{\text{CD}}\times\sin 60°$

$$=\frac{1}{2}\times 16\times 10\times\frac{\sqrt{3}}{2}=40\sqrt{3}$$

$\therefore \square\text{ABCD}=\triangle\text{ABD}+\triangle\text{BCD}$

$$=15\sqrt{3}+40\sqrt{3}=55\sqrt{3}$$

03 $\square\text{ABCD}=6\times\overline{\text{AD}}\times\sin(180°-120°)$

$$=6\times\overline{\text{AD}}\times\frac{\sqrt{3}}{2}=36$$

$$\therefore \overline{\text{AD}}=4\sqrt{3}$$

---

04 $\square\text{ABCD}=\dfrac{1}{2}\times 6\times 8\times\sin(180°-120°)$

$$=\frac{1}{2}\times 6\times 8\times\frac{\sqrt{3}}{2}=12\sqrt{3}$$

05 꼭짓점 A에서 $\overline{\text{BC}}$에 내린 수선의 발을 H라고 하면

직각삼각형 ABH에서

$\overline{\text{AH}}=\overline{\text{AB}}\sin 45°$

$$=4\sqrt{2}\times\frac{\sqrt{2}}{2}=4$$

$\overline{\text{BH}}=\overline{\text{AB}}\cos 45°=4\sqrt{2}\times\dfrac{\sqrt{2}}{2}=4$

$\overline{\text{AD}}=\overline{\text{CH}}=\overline{\text{BC}}-\overline{\text{BH}}=8-4=4$

$$\therefore \square\text{ABCD}=\frac{1}{2}\times(4+8)\times 4=24$$

유형 EXERCISES   059~062쪽

유형 ①	14.1	1-1 ⑤	1-2 $60\sqrt{3}$
유형 ②	84 m	2-1 $12\sqrt{3}$ m	2-2 10분
유형 ③	$\sqrt{31}$ cm	3-1 $10\sqrt{3}$ m	3-2 $\sqrt{34}$
		3-3 $\sqrt{37}$ cm	3-4 $4\sqrt{2}$ cm
		3-5 $2\sqrt{6}$ cm	
		3-6 $50(\sqrt{6}+\sqrt{2})$ m	
유형 ④	$30(3-\sqrt{3})$ cm		
		4-1 $100(\sqrt{3}-1)$ cm^2	
		4-2 $2(\sqrt{3}+1)$ cm	4-3 10 m
유형 ⑤	12	5-1 25 cm^2	5-2 45°
		5-3 $4\sqrt{3}$	
유형 ⑥	$20\sqrt{3}$ cm^2	6-1 $5\sqrt{3}$ cm	
		6-2 6 cm^2	6-3 $14\sqrt{3}$ cm^2
유형 ⑦	$20\sqrt{2}$ cm^2	7-1 $28\sqrt{3}$ cm^2	
		7-2 $50\sqrt{2}$ cm^2	7-3 $4\sqrt{2}$ cm

유형 ①

$x=10\sin 41°=10\times 0.66=6.6$

$y=10\cos 41°=10\times 0.75=7.5$

$\therefore x+y=6.6+7.5=14.1$

1-1 $\overline{\text{AC}}=7\tan 46°$

또한 $\angle\text{C}=90°-46°=44°$이므로

008   정답 및 풀이

008   정답 및 풀이

$$\overline{AC}=\frac{7}{\tan 44^\circ}$$

1-2 $\overline{EG}=\sqrt{3^2+4^2}=5$

$\triangle CEG$에서 $\overline{CG}=5\tan 60^\circ=5\sqrt{3}$

$\therefore$ (부피)$=3\times 4\times 5\sqrt{3}=60\sqrt{3}$

유형 ❷

$\overline{AB}=100\tan 40^\circ=100\times 0.84=84(\text{m})$

2-1 $\overline{AB}=12\tan 30^\circ=12\times\frac{\sqrt{3}}{3}=4\sqrt{3}(\text{m})$

$\overline{AC}=\frac{12}{\cos 30^\circ}=12\times\frac{2}{\sqrt{3}}=8\sqrt{3}(\text{m})$

따라서 부러지기 전의 나무의 높이는

$\overline{AB}+\overline{AC}=4\sqrt{3}+8\sqrt{3}=12\sqrt{3}(\text{m})$

2-2 $\overline{AC}=\frac{300}{\sin 37^\circ}=\frac{300}{0.6}=500(\text{m})$

따라서 A지점에서 C지점까지 분속 50 m의 속력으로 걸었으므로 가는 데 걸린 시간은

$\frac{500}{50}=10(\text{분})$

유형 ❸

꼭짓점 A에서 $\overline{BC}$에 내린 수선의 발을
H라고 하면 $\triangle ABH$에서

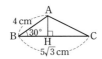

$\overline{AH}=4\sin 30^\circ=4\times\frac{1}{2}=2(\text{cm})$

$\overline{BH}=4\cos 30^\circ=4\times\frac{\sqrt{3}}{2}=2\sqrt{3}(\text{cm})$

즉, $\triangle AHC$에서 $\overline{CH}=5\sqrt{3}-2\sqrt{3}=3\sqrt{3}(\text{cm})$이므로
$\overline{AC}=\sqrt{2^2+(3\sqrt{3})^2}=\sqrt{31}(\text{cm})$

3-1 꼭짓점 A에서 $\overline{BC}$에 내린 수선의
발을 H라고 하면 $\triangle ABH$에서
$\overline{AH}=10\sin 60^\circ$

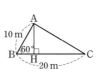

$\quad=10\times\frac{\sqrt{3}}{2}=5\sqrt{3}(\text{m})$

$\overline{BH}=10\cos 60^\circ=10\times\frac{1}{2}=5(\text{m})$

즉, $\triangle AHC$에서 $\overline{CH}=\overline{BC}-\overline{BH}=15(\text{m})$이므로
$\overline{AC}=\sqrt{(5\sqrt{3})^2+15^2}=10\sqrt{3}(\text{m})$

3-2 꼭짓점 A에서 $\overline{BC}$에 내린 수선
의 발을 H라고 하면
$\triangle ABH$에서

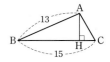

$\overline{AH}=13\sin B=13\times\frac{5}{13}=5$

$\overline{BH}=\sqrt{13^2-5^2}=12$

즉, $\triangle AHC$에서

$\overline{CH}=\overline{BC}-\overline{BH}=15-12=3$

$\therefore \overline{AC}=\sqrt{5^2+3^2}=\sqrt{34}$

3-3 꼭짓점 A에서 $\overline{BC}$의 연장선에
내린 수선의 발을 H라고 하면
$\triangle ACH$에서

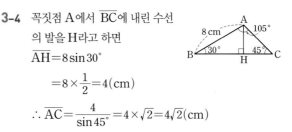

$\angle ACH=180^\circ-120^\circ=60^\circ$

$\therefore \overline{AH}=4\sin 60^\circ=4\times\frac{\sqrt{3}}{2}=2\sqrt{3}(\text{cm})$

$\overline{CH}=4\cos 60^\circ=4\times\frac{1}{2}=2(\text{cm})$

따라서 $\overline{BH}=3+2=5(\text{cm})$이므로
$\overline{AB}=\sqrt{5^2+(2\sqrt{3})^2}=\sqrt{37}(\text{cm})$

3-4 꼭짓점 A에서 $\overline{BC}$에 내린 수선
의 발을 H라고 하면
$\overline{AH}=8\sin 30^\circ$

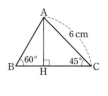

$\quad=8\times\frac{1}{2}=4(\text{cm})$

$\therefore \overline{AC}=\frac{4}{\sin 45^\circ}=4\times\sqrt{2}=4\sqrt{2}(\text{cm})$

3-5 꼭짓점 A에서 $\overline{BC}$에 내린 수선
의 발을 H라고 하면
$\triangle ACH$에서
$\overline{AH}=6\sin 45^\circ$

$\quad=6\times\frac{\sqrt{2}}{2}=3\sqrt{2}(\text{cm})$

$\triangle ABH$에서

$\overline{AB}=\frac{3\sqrt{2}}{\sin 60^\circ}=3\sqrt{2}\times\frac{2}{\sqrt{3}}=2\sqrt{6}(\text{cm})$

3-6 꼭짓점 C에서 $\overline{AB}$에 내린 수선의
발을 H라고 하면 $\triangle BCH$에서
$\overline{CH}=100\sin 45^\circ$

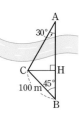

$\quad=100\times\frac{\sqrt{2}}{2}=50\sqrt{2}(\text{m})$

$$\overline{BH}=100\cos45°$$
$$=100\times\frac{\sqrt{2}}{2}=50\sqrt{2}(m)$$

△ACH에서

$$\overline{AH}=\frac{50\sqrt{2}}{\tan30°}=50\sqrt{2}\times\sqrt{3}=50\sqrt{6}(m)$$

$$\therefore\overline{AB}=\overline{AH}+\overline{BH}=50\sqrt{6}+50\sqrt{2}$$
$$=50(\sqrt{6}+\sqrt{2})(m)$$

유형 ④

∠BAH=45°, ∠CAH=30°이므로

$\overline{AH}=h$ cm라고 하면

$$\overline{BH}=h\tan45°=h(cm)$$

$$\overline{CH}=h\tan30°=\frac{\sqrt{3}}{3}h(cm)$$

$$\overline{BC}=\overline{BH}+\overline{CH}=\frac{3+\sqrt{3}}{3}h=60(cm)$$

$$\therefore h=60\times\frac{3}{3+\sqrt{3}}=30(3-\sqrt{3})$$

■ 다른 풀이 ■

△ABH는 직각이등변삼각형이므로

$\overline{AH}=\overline{BH}=h$ cm라고 하면 $\overline{CH}=(60-h)$cm

△AHC에서

$$\tan60°=\frac{h}{60-h}=\sqrt{3}$$

$$\therefore h=30(3-\sqrt{3})$$

4-1 꼭짓점 A에서 $\overline{BC}$에 내린 수선
의 발을 H라고 하면
∠HAB=60°, ∠CAH=45°
$\overline{AH}=h$ cm라고 하면
$\overline{BH}=h\tan60°=\sqrt{3}h(cm)$,
$\overline{CH}=h\tan45°=h(cm)$이므로
$\overline{BC}=\overline{BH}+\overline{CH}=(\sqrt{3}+1)h=20(cm)$

$$\therefore h=\frac{20}{\sqrt{3}+1}=10(\sqrt{3}-1)$$

$$\therefore\triangle ABC=\frac{1}{2}\times20\times10(\sqrt{3}-1)$$
$$=100(\sqrt{3}-1)(cm^2)$$

4-2 ∠BAH=60°, ∠CAH=45°이므로
$\overline{AH}=h$ cm라고 하면
$\overline{BH}=h\tan60°=\sqrt{3}h(cm)$

$$\overline{CH}=h\tan45°=h(cm)$$

$$\overline{BC}=\overline{BH}-\overline{CH}=(\sqrt{3}-1)h=4(cm)$$

$$\therefore h=\frac{4}{\sqrt{3}-1}=2(\sqrt{3}+1)$$

■ 다른 풀이 ■

$\overline{AH}=h$ cm라고 하면

△ACH에서

$\overline{CH}=h$ cm, $\overline{BH}=(4+h)$cm

$\tan30°=\frac{h}{4+h}$, $\frac{\sqrt{3}}{3}=\frac{h}{4+h}$이므로

$$\sqrt{3}h=4+h$$

$$\therefore h=\frac{4}{\sqrt{3}-1}=2(\sqrt{3}+1)$$

4-3 꼭짓점 A에서 $\overline{BC}$의 연장
선에 내린 수선의 발을 H
라고 하면
∠BAH=77°, ∠CAH=53°
$\overline{AH}=h$ m라고 하면
$\overline{BH}=h\tan77°=4.3h(m)$
$\overline{CH}=h\tan53°=1.3h(m)$
$\overline{BC}=\overline{BH}-\overline{CH}$
$=(4.3-1.3)h=30(m)$

$$\therefore h=\frac{30}{3}=10$$

유형 ⑤

$$\triangle ABC=\frac{1}{2}\times6\times8\times\sin30°$$
$$=\frac{1}{2}\times6\times8\times\frac{1}{2}=12$$

5-1 ∠A=180°-2×75°=30°

$$\therefore\triangle ABC=\frac{1}{2}\times10\times10\times\sin30°$$
$$=\frac{1}{2}\times10\times10\times\frac{1}{2}=25(cm^2)$$

5-2 △ABC의 넓이가 $\frac{15\sqrt{2}}{2}$ cm²이므로

$$\frac{1}{2}\times6\times5\times\sin B=\frac{15\sqrt{2}}{2}$$

$$15\sin B=\frac{15\sqrt{2}}{2} \qquad \therefore\sin B=\frac{\sqrt{2}}{2}$$

이때 0°< ∠B<90°이므로 ∠B=45°이다.

5-3 $\triangle ABC = \frac{1}{2} \times 8 \times 12 \times \sin 60°$

$\qquad = \frac{1}{2} \times 8 \times 12 \times \frac{\sqrt{3}}{2} = 24\sqrt{3}$

$\therefore \triangle GBD = \frac{1}{6}\triangle ABC = \frac{1}{6} \times 24\sqrt{3} = 4\sqrt{3}$

유형 ⑥

$\triangle ABC = \frac{1}{2} \times 8 \times 10 \times \sin(180° - 120°)$

$\qquad = \frac{1}{2} \times 8 \times 10 \times \frac{\sqrt{3}}{2} = 20\sqrt{3} \, (\text{cm}^2)$

6-1 $\triangle ABC$의 넓이가 $10\sqrt{3} \, \text{cm}^2$이므로

$\frac{1}{2} \times 8 \times \overline{AC} \times \sin(180° - 150°) = 10\sqrt{3}$

$\frac{1}{2} \times 8 \times \overline{AC} \times \frac{1}{2} = 10\sqrt{3}$

$\therefore \overline{AC} = 5\sqrt{3} \, (\text{cm})$

6-2 $\overline{CE} = 4\sin 60° = 4 \times \frac{\sqrt{3}}{2} = 2\sqrt{3} \, (\text{cm})$

$\angle ECD = 30°$이므로

$\angle BCE = 90° + 30° = 120°$

$\therefore \triangle BCE = \frac{1}{2} \times 4 \times 2\sqrt{3} \times \sin(180° - 120°)$

$\qquad = \frac{1}{2} \times 4 \times 2\sqrt{3} \times \frac{\sqrt{3}}{2} = 6 \, (\text{cm}^2)$

6-3 보조선 $\overline{BD}$를 그으면

$\square ABCD$

$= \triangle ABD + \triangle BCD$

$= \frac{1}{2} \times 4 \times 2\sqrt{3} \times \sin(180° - 150°)$

$\quad + \frac{1}{2} \times 6 \times 8 \times \sin 60°$

$= 2\sqrt{3} + 12\sqrt{3} = 14\sqrt{3} \, (\text{cm}^2)$

유형 ⑦

$\square ABCD = \frac{1}{2} \times 8 \times 10 \times \sin 45°$

$\qquad = \frac{1}{2} \times 8 \times 10 \times \frac{\sqrt{2}}{2} = 20\sqrt{2} \, (\text{cm}^2)$

7-1 $\square ABCD = 7 \times 8 \times \sin 60°$

$\qquad = 7 \times 8 \times \frac{\sqrt{3}}{2} = 28\sqrt{3} \, (\text{cm}^2)$

7-2 $\square ABCD = 10 \times 10 \times \sin(180° - 135°)$

$\qquad = 10 \times 10 \times \frac{\sqrt{2}}{2} = 50\sqrt{2} \, (\text{cm}^2)$

7-3 $\square ABCD$는 등변사다리꼴이므로

$\overline{AC} = \overline{BD} = x$ cm라고 하면

$\frac{1}{2} \times x \times x \times \sin(180° - 120°) = 8\sqrt{3}$

$\frac{\sqrt{3}}{4} x^2 = 8\sqrt{3}, \ x^2 = 32$

$\therefore x = 4\sqrt{2} \ (\because x > 0)$

063~065쪽

중단원 EXERCISES

01 ④	**02** $(27\sqrt{3} + 54) \, \text{cm}^2$	**03** $24\sqrt{3} \, \text{cm}^2$
04 8.8 m	**05** $8\sqrt{3}$ m	**06** $4\sqrt{19}$ cm
07 $81(3 - \sqrt{3}) \, \text{cm}^2$	**08** $50\sqrt{3}$ m	**09** ①
10 $16\sqrt{3}$	**11** $\frac{9\sqrt{3}}{2} + 12$	**12** $\angle x = 30°, \angle y = 150°$
13 302 m	**14** $200\sqrt{6}$ m	**15** $4\sqrt{6}$ m	**16** $\frac{40\sqrt{3}}{9}$
17 ③	**18** $28 \, \text{cm}^2$	

01 ④ $c = a\tan C$

02 $\overline{AB} = 6\cos 60° = 6 \times \frac{1}{2} = 3 \, (\text{cm})$

$\overline{AC} = 6\sin 60° = 6 \times \frac{\sqrt{3}}{2} = 3\sqrt{3} \, (\text{cm})$

따라서 삼각기둥의 겉넓이는

$2 \times \left(\frac{1}{2} \times 3 \times 3\sqrt{3} \right) + 6 \times \left(3 + 6 + 3\sqrt{3} \right)$

$= 27\sqrt{3} + 54 \, (\text{cm}^2)$

03 $\overline{CO} = \overline{AO} = 8$ cm, $\angle COD = 180° - 120° = 60°$

이므로 $\triangle COD$에서

$\overline{OD} = 8\cos 60° = 8 \times \frac{1}{2} = 4 \, (\text{cm})$

$\overline{CD} = 8\sin 60° = 8 \times \frac{\sqrt{3}}{2} = 4\sqrt{3} \, (\text{cm})$

$\therefore \triangle CAD = \frac{1}{2} \times (8 + 4) \times 4\sqrt{3} = 24\sqrt{3} \, (\text{cm}^2)$

04 △ABC에서

$\overline{BC} = 10\tan 36° = 10 \times 0.73 = 7.3(m)$

∴ (나무의 높이) = $\overline{BC}$ + (사람의 눈높이)

$= 7.3 + 1.5 = 8.8(m)$

05 전봇대의 꼭대기를 C라 하고, C지 점에서 $\overline{AB}$에 내린 수선의 발을 H라고 하면

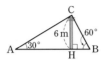

△CAH에서

$\overline{AH} = \dfrac{6}{\tan 30°} = 6 \times \sqrt{3} = 6\sqrt{3}(m)$

△CHB에서

$\overline{BH} = \dfrac{6}{\tan 60°} = \dfrac{6}{\sqrt{3}} = 2\sqrt{3}(m)$

∴ $\overline{AB} = \overline{AH} + \overline{BH} = 6\sqrt{3} + 2\sqrt{3} = 8\sqrt{3}(m)$

06 꼭짓점 A에서 $\overline{BC}$에 내린 수선의 발을 H라고 하면

$\dfrac{1}{2} \times 20 \times \overline{AH} = 60\sqrt{3}$

∴ $\overline{AH} = 6\sqrt{3}(cm)$

△ABH에서

$\overline{BH} = \dfrac{\overline{AH}}{\tan 60°} = \dfrac{6\sqrt{3}}{\sqrt{3}} = 6(cm)$

∴ $\overline{CH} = 20 - 6 = 14(cm)$

따라서 △ACH에서

$\overline{AC} = \sqrt{(6\sqrt{3})^2 + 14^2} = 4\sqrt{19}(cm)$

07 꼭짓점 A에서 $\overline{BC}$에 내린 수선의 발을 H, $\overline{AH} = h\,cm$라고 하면

$\angle HAB = 45°$, $\angle CAH = 30°$ 이므로

$\overline{BH} = h\tan 45° = h(cm)$

$\overline{CH} = h\tan 30° = \dfrac{\sqrt{3}}{3}h(cm)$

$\overline{BC} = \overline{BH} + \overline{CH} = h + \dfrac{\sqrt{3}}{3}h = 18(cm)$이므로

$h = 18 \times \dfrac{3}{3 + \sqrt{3}} = 9(3 - \sqrt{3})$

∴ △ABC $= \dfrac{1}{2} \times 18 \times 9(3 - \sqrt{3})$

$= 81(3 - \sqrt{3})(cm^2)$

08 $\angle ABH = 60°$, $\angle CBH = 30°$이므로 $\overline{BH} = h\,m$라고 하면

$\overline{AH} = h\tan 60° = \sqrt{3}h(m)$

$\overline{CH} = h\tan 30° = \dfrac{\sqrt{3}}{3}h(m)$

$\overline{AC} = \overline{AH} - \overline{CH} = \sqrt{3}h - \dfrac{\sqrt{3}}{3}h = 100(m)$

∴ $h = 100 \times \dfrac{3}{2\sqrt{3}} = 50\sqrt{3}$

09 △AOC는 이등변삼각형이므로

$\angle ACO = \angle CAO = 30°$

∴ $\angle AOC = 180° - (30° + 30°) = 120°$

∴ (색칠한 부분의 넓이)

= (부채꼴 AOC의 넓이) − △AOC

$= \pi \times 2^2 \times \dfrac{120}{360} - \dfrac{1}{2} \times 2 \times 2 \times \sin(180° - 120°)$

$= \dfrac{4}{3}\pi - \sqrt{3}$

10 꼭짓점 A에서 $\overline{BC}$에 내린 수선의 발을 H라고 하면

$\overline{AH} = 4\sin 60°$

$= 4 \times \dfrac{\sqrt{3}}{2} = 2\sqrt{3}$

∴ □ABCD $= \dfrac{1}{2} \times (6 + 10) \times 2\sqrt{3} = 16\sqrt{3}$

11 △ABC에서

$\overline{BC} = \dfrac{3\sqrt{3}}{\tan 60°} = 3\sqrt{3} \times \dfrac{1}{\sqrt{3}} = 3$

∴ $\overline{AC} = \sqrt{(3\sqrt{3})^2 + 3^2} = 6$

∴ □ABCD = △ABC + △ACD

$= \dfrac{1}{2} \times 3\sqrt{3} \times 3 + \dfrac{1}{2} \times 6 \times 8 \times \sin 30°$

$= \dfrac{9\sqrt{3}}{2} + 12$

12 □ABCD $= 5 \times 8 \times \sin x = 20(cm^2)$이므로

$40\sin x = 20$, $\sin x = \dfrac{1}{2}$

∴ $\angle x = 30°$, $\angle y = 150°$

13 경사도가 20%이므로

$\tan A \times 100 = 20$ ∴ $\tan A = \dfrac{1}{5}$

따라서 오른쪽 그림에서

$\sin A = \dfrac{\sqrt{26}}{26}$ 이므로 현재 위치는

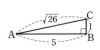

$$200+520\sin A=200+520\times\frac{\sqrt{26}}{26}$$
$$=200+102=302\,(\text{m})$$

14 $\overline{AH}=1200\sin45°=1200\times\dfrac{\sqrt2}{2}=600\sqrt2\,(\text{m})$

$\therefore \overline{CH}=600\sqrt2\tan30°$

$\qquad =600\sqrt2\times\dfrac{\sqrt3}{3}=200\sqrt6\,(\text{m})$

15 꼭짓점 A에서 $\overline{BC}$에 내린 수선의 발
을 H라고 하면 $\angle CAH=30°$,
$\angle BAH=45°$이므로 △ACH에서

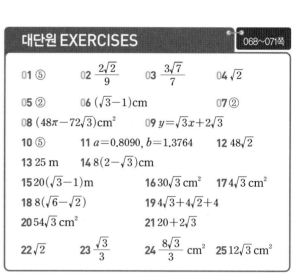

$\overline{AH}=8\sin60°=8\times\dfrac{\sqrt3}{2}$

$\qquad =4\sqrt3\,(\text{m})$

△ABH에서

$\overline{AB}=\dfrac{4\sqrt3}{\sin45°}=4\sqrt3\times\sqrt2=4\sqrt6\,(\text{m})$

16 △ABC=△ABD+△ADC이므로

$\dfrac12\times10\times8\times\sin60°$

$=\dfrac12\times10\times\overline{AD}\times\sin30°+\dfrac12\times8\times\overline{AD}\times\sin30°$

$20\sqrt3=\dfrac92\overline{AD}$

$\therefore \overline{AD}=\dfrac{40\sqrt3}{9}$

17 $\overline{AB}=x,\overline{BC}=y$라고 하면

$\overline{A'B}=\dfrac{80}{100}x=\dfrac45x$

$\overline{BC'}=\dfrac{120}{100}y=\dfrac65y$

$\triangle ABC=\dfrac12xy\sin B$

$\triangle A'BC'=\dfrac12\times\dfrac45x\times\dfrac65y\times\sin B$

$\qquad =\dfrac{24}{25}\times\dfrac12xy\sin B$

$\qquad =\dfrac{24}{25}\triangle ABC$

따라서 $\dfrac{24}{25}=\dfrac{96}{100}$이므로 4 % 줄어든다.

18 두 대각선이 이루는 예각의 크기를 x라고 하면

$\square ABCD=\dfrac12\times7\times8\times\sin x=28\sin x\,(\text{cm}^2)$

$0°<x\le90°$일 때, $0<\sin x\le1$이므로
$\sin x=1$, 즉 $x=90°$일 때, $\square ABCD$의 넓이의 최댓값은
$28\,\text{cm}^2$이다.

068~071쪽

대단원 EXERCISES

01 ⑤	**02** $\dfrac{2\sqrt2}{9}$	**03** $\dfrac{3\sqrt7}{7}$	**04** $\sqrt2$
05 ②	**06** $(\sqrt3-1)\text{cm}$		**07** ②
08 $(48\pi-72\sqrt3)\text{cm}^2$		**09** $y=\sqrt3x+2\sqrt3$	
10 ⑤	**11** $a=0.8090,\ b=1.3764$		**12** $48\sqrt2$
13 25 m	**14** $8(2-\sqrt3)\text{cm}$		
15 $20(\sqrt3-1)\text{m}$		**16** $30\sqrt3\ \text{cm}^2$	**17** $4\sqrt3\ \text{cm}^2$
18 $8(\sqrt6-\sqrt2)$		**19** $4\sqrt3+4\sqrt2+4$	
20 $54\sqrt3\ \text{cm}^2$		**21** $20+2\sqrt3$	
22 $\sqrt2$	**23** $\dfrac{\sqrt3}{3}$	**24** $\dfrac{8\sqrt3}{3}\ \text{cm}^2$	**25** $12\sqrt3\ \text{cm}^2$

01 $\overline{BC}=\sqrt{13^2-5^2}=12$이므로

$\qquad$ ⑤ $\tan C=\dfrac{5}{12}$

02 $\overline{AB}=k,\overline{AC}=3k\,(k>0)$라고 하면

$\overline{BC}=\sqrt{(3k)^2-k^2}=2\sqrt2k$

즉, $\sin A=\dfrac{2\sqrt2k}{3k}=\dfrac{2\sqrt2}{3}$, $\cos A=\dfrac{k}{3k}=\dfrac13$이므로

$\sin A\times\cos A=\dfrac{2\sqrt2}{3}\times\dfrac13=\dfrac{2\sqrt2}{9}$

03 $\sin A=\dfrac{\overline{BC}}{12}=\dfrac34$이므로 $\overline{BC}=9$

$\therefore \overline{AB}=\sqrt{12^2-9^2}=3\sqrt7$

$\therefore \tan A=\dfrac{9}{3\sqrt7}=\dfrac{3\sqrt7}{7}$

04 $\sin A=\dfrac{\sqrt3}{3}$이므로 오른쪽 그림과 같이
$\angle C=90°$, $\overline{AB}=3$, $\overline{BC}=\sqrt3$인 직각삼
각형을 그릴 수 있다.

즉, $\overline{CA}=\sqrt{3^2-(\sqrt3)^2}=\sqrt6$이므로

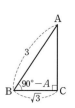

$$\tan(90°-A)=\tan B=\frac{\overline{AC}}{\overline{BC}}=\frac{\sqrt{6}}{\sqrt{3}}=\sqrt{2}$$

05 $\overline{AC}=\sqrt{5^2-4^2}=3$

$\triangle ABC \backsim \triangle HAC$(AA 닮음)이므로

$\angle B=\angle HAC=\angle x$

$\therefore \tan x=\tan B=\dfrac{3}{4}$

06 $\tan 30°=\dfrac{\overline{AC}}{2\sqrt{3}}=\dfrac{\sqrt{3}}{3}$

$\therefore \overline{AC}=2(cm)$

$\cos 30°=\dfrac{2\sqrt{3}}{\overline{AB}}=\dfrac{\sqrt{3}}{2}$

$\therefore \overline{AB}=4(cm)$

내접원 I의 반지름의 길이를 r cm라고 하면

$\triangle ABC=\triangle IBC+\triangle ICA+\triangle IAB$이므로

$\dfrac{1}{2}\times 2\sqrt{3}\times 2=\dfrac{1}{2}\times(2\sqrt{3}+2+4)\times r$

$(3+\sqrt{3})r=2\sqrt{3}$

$\therefore r=\dfrac{2\sqrt{3}}{3+\sqrt{3}}=\sqrt{3}-1$

07 $\triangle ABD$에서 $\angle BAD=30°-15°=15°$

따라서 $\triangle ABD$는 이등변삼각형이므로

$\overline{AD}=\overline{BD}=4$ cm

$\triangle ADC$에서 $\sin 30°=\dfrac{\overline{AC}}{4}=\dfrac{1}{2}$

$\therefore \overline{AC}=2(cm)$

$\cos 30°=\dfrac{\overline{DC}}{4}=\dfrac{\sqrt{3}}{2}$

$\therefore \overline{DC}=2\sqrt{3}(cm)$

즉, $\overline{BC}=\overline{BD}+\overline{DC}=4+2\sqrt{3}(cm)$이므로

$\tan 15°=\dfrac{\overline{AC}}{\overline{BC}}=\dfrac{2}{4+2\sqrt{3}}=2-\sqrt{3}$

08 부채꼴의 반지름의 길이를 r cm라고 하면

$2\pi r\times\dfrac{30}{360}=4\pi$ $\therefore r=24$

$\triangle AOH$에서 $\sin 30°=\dfrac{\overline{AH}}{24}=\dfrac{1}{2}$

$\therefore \overline{AH}=12(cm)$

$\cos 30°=\dfrac{\overline{OH}}{24}=\dfrac{\sqrt{3}}{2}$

$\therefore \overline{OH}=12\sqrt{3}(cm)$

$\therefore$ (색칠한 부분의 넓이)

$=$(부채꼴 AOB의 넓이)$-\triangle AOH$

$=\pi\times 24^2\times\dfrac{30}{360}-\dfrac{1}{2}\times 12\sqrt{3}\times 12$

$=48\pi-72\sqrt{3}(cm^2)$

09 직선의 기울기는 $\tan 60°=\sqrt{3}$

이 직선의 y절편을 b라고 하면

직선 $y=\sqrt{3}x+b$가 점 $(-2, 0)$을 지나므로

$0=-2\sqrt{3}+b$ $\therefore b=2\sqrt{3}$

따라서 구하는 직선의 방정식은

$y=\sqrt{3}x+2\sqrt{3}$

10 ⑤ x의 크기가 커지면 $\cos x$의 값은 작아진다.

11 $\cos x=0.5878$이므로 $\angle x=54°$

$\therefore a=\sin 54°=0.8090$, $b=\tan 54°=1.3764$

12 $\triangle ABE$에서 $\overline{BE}=8\cos 45°=8\times\dfrac{\sqrt{2}}{2}=4\sqrt{2}$

$\therefore \square EBCF=12\times 4\sqrt{2}=48\sqrt{2}$

13 손에서 연까지의 높이는

$50\sin 28°=50\times 0.47=23.5(m)$

따라서 지면에서 연까지의 높이는 $1.5+23.5=25(m)$

14 점 B에서 $\overline{OA}$에 내린 수선의 발을

H라고 하면 $\triangle OBH$에서

$\overline{OH}=16\cos 30°$

$=16\times\dfrac{\sqrt{3}}{2}=8\sqrt{3}(cm)$

$\therefore \overline{AH}=\overline{OA}-\overline{OH}$

$=16-8\sqrt{3}=8(2-\sqrt{3})(cm)$

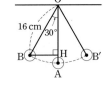

15 $\angle DBC=45°$이므로

$\overline{CD}=\overline{BC}=20$ m

$\triangle ABC$에서

$\overline{AC}=\overline{BC}\tan 60°$

$=20\times\sqrt{3}=20\sqrt{3}(m)$

$\therefore \overline{AD}=\overline{AC}-\overline{CD}$

$=20\sqrt{3}-20=20(\sqrt{3}-1)(m)$

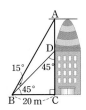

16 △ABH에서

$\overline{AH}=8\sin 60°=8\times\dfrac{\sqrt{3}}{2}=4\sqrt{3}\,(\text{cm})$

$\overline{BH}=8\cos 60°=8\times\dfrac{1}{2}=4\,(\text{cm})$

따라서 $\overline{BC}=4+11=15\,(\text{cm})$이므로

$\triangle ABC=\dfrac{1}{2}\times15\times4\sqrt{3}=30\sqrt{3}\,(\text{cm}^2)$

17 △ABD는 ∠DAB=∠B인 이등변삼각형이므로

$\overline{AD}=\overline{BD}=4\ \text{cm}$

∠BAC=2∠B이므로

∠BAC+∠B=3∠B=90°

∴ ∠B=30°

따라서 ∠BDA=180°−(30°+30°)=120°이므로

$\triangle ABD=\dfrac{1}{2}\times4\times4\times\sin(180°-120°)$

$\qquad\quad=\dfrac{1}{2}\times4\times4\times\dfrac{\sqrt{3}}{2}=4\sqrt{3}\,(\text{cm}^2)$

18 꼭짓점 A에서 $\overline{BC}$에 내린 수선의
발을 H, $\overline{AH}=h$라고 하면
∠BAH=60°, ∠CAH=45°
이므로

$\overline{BH}=h\tan 60°=\sqrt{3}h$

$\overline{CH}=h\tan 45°=h$

$\overline{BC}=\overline{BH}+\overline{CH}=(\sqrt{3}+1)h=16$

$\therefore h=\dfrac{16}{\sqrt{3}+1}=8(\sqrt{3}-1)$

$\therefore \overline{AC}=\dfrac{h}{\cos 45°}=8(\sqrt{3}-1)\times\sqrt{2}=8(\sqrt{6}-\sqrt{2})$

19 꼭짓점 C에서 $\overline{BA}$의 연장선에
내린 수선의 발을 H라 하고,
$\overline{CH}=a$라고 하면 $\overline{AH}=a$

$\overline{AC}=\dfrac{a}{\sin 45°}=a\times\sqrt{2}=\sqrt{2}a$

$\overline{BC}=\dfrac{a}{\sin 30°}=a\times2=2a$

$\overline{BH}=\dfrac{a}{\tan 30°}=a\times\sqrt{3}=\sqrt{3}a$

$\overline{AB}=\overline{BH}-\overline{AH}=\sqrt{3}a-a=(\sqrt{3}-1)a$

△ABC의 넓이가 $8(\sqrt{3}-1)$이므로

$\dfrac{1}{2}\times(\sqrt{3}-1)a\times a=8(\sqrt{3}-1)$

$\therefore a=4\ (\because a>0)$

따라서 $\overline{AB}=4(\sqrt{3}-1)$, $\overline{BC}=8$, $\overline{AC}=4\sqrt{2}$이므로

(△ABC의 둘레의 길이)$=4(\sqrt{3}-1)+8+4\sqrt{2}$

$\qquad\qquad\qquad\qquad\quad=4\sqrt{3}+4\sqrt{2}+4$

20 $\overline{OB}$를 그으면 △OAB는 정삼각형
이므로

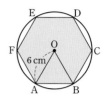

(정육각형의 넓이)

$=6\times\triangle OAB$

$=6\times\left(\dfrac{1}{2}\times6\times6\times\sin 60°\right)$

$=6\times\left(18\times\dfrac{\sqrt{3}}{2}\right)$

$=54\sqrt{3}\,(\text{cm}^2)$

21 $\overline{AC}$를 그으면

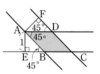

$\square ABCD$

$=\triangle ABC+\triangle ACD$

$=\dfrac{1}{2}\times4\sqrt{2}\times10\times\sin 45°$

$\quad+\dfrac{1}{2}\times4\times2\sqrt{3}\times\sin(180°-150°)$

$=20+2\sqrt{3}$

22 오른쪽 그림과 같이 겹쳐진 부분을
$\square ABCD$라 하고 점 A에서 $\overline{BC}$,
$\overline{DC}$의 연장선에 내린 수선의 발을
E, F라고 하면

$\triangle AEB$에서 $\overline{AB}=\dfrac{1}{\sin 45°}=1\times\sqrt{2}=\sqrt{2}$

$\triangle ADF$에서 $\overline{AD}=\dfrac{1}{\sin 45°}=1\times\sqrt{2}=\sqrt{2}$

따라서 $\square ABCD$는 한 변의 길이가 $\sqrt{2}$인 마름모이므로

$\square ABCD=\sqrt{2}\times\sqrt{2}\times\sin 45°$

$\qquad\qquad=\sqrt{2}\times\sqrt{2}\times\dfrac{\sqrt{2}}{2}=\sqrt{2}$

23 $0°<A<45°$일 때, $\sin A<\cos A$이므로

$\cos A+\sin A>0$, $\sin A-\cos A<0$

$\therefore \sqrt{(\cos A+\sin A)^2}+\sqrt{(\sin A-\cos A)^2}$

$\quad=\cos A+\sin A-(\sin A-\cos A)$

$\quad=2\cos A=\sqrt{3}$ ······ ❶

즉, $\cos A=\dfrac{\sqrt{3}}{2}$이므로 $A=30°$ ······ ❷

$\therefore \tan A=\tan 30°=\dfrac{\sqrt{3}}{3}$ ······ ❸

채점 기준	배점
❶ 주어진 식 간단히 하기	50 %
❷ A의 크기 구하기	30 %
❸ $\tan A$의 값 구하기	20 %

24 △BOA에서 $\overline{OB}=\dfrac{3}{\cos 30°}=3\times\dfrac{2}{\sqrt{3}}=2\sqrt{3}\,(\text{cm})$

△COB에서

$\overline{OC}=\dfrac{2\sqrt{3}}{\cos 30°}=2\sqrt{3}\times\dfrac{2}{\sqrt{3}}=4\,(\text{cm})$ $\cdots\cdots$ ❶

△DOC에서

$\overline{CD}=4\tan 30°=4\times\dfrac{\sqrt{3}}{3}=\dfrac{4\sqrt{3}}{3}\,(\text{cm})$ $\cdots\cdots$ ❷

$\therefore △DOC=\dfrac{1}{2}\times 4\times\dfrac{4\sqrt{3}}{3}=\dfrac{8\sqrt{3}}{3}\,(\text{cm}^2)$ $\cdots\cdots$ ❸

채점 기준	배점
❶ $\overline{OB}$, $\overline{OC}$의 길이 구하기	50 %
❷ $\overline{CD}$의 길이 구하기	30 %
❸ △DOC의 넓이 구하기	20 %

25 점 A에서 $\overline{BC}$의 연장선에 내린 수
선의 발을 H라고 하면

$\overline{AH}=6\,\text{cm}$, ∠ABH=60°

$\overline{AB}=\dfrac{6}{\sin 60°}=6\times\dfrac{2}{\sqrt{3}}=4\sqrt{3}\,(\text{cm})$ $\cdots\cdots$ ❶

∠DAC=∠BAC(접은 각), ∠DAC=∠BCA(엇각)이므
로 ∠BAC=∠BCA

따라서 △ABC는 $\overline{AB}=\overline{BC}$인 이등변삼각형이므로

$\overline{BC}=\overline{AB}=4\sqrt{3}\,\text{cm}$ $\cdots\cdots$ ❷

$\therefore △ABC=\dfrac{1}{2}\times 4\sqrt{3}\times 4\sqrt{3}\times\sin(180°-120°)$

$\qquad\quad=\dfrac{1}{2}\times 4\sqrt{3}\times 4\sqrt{3}\times\dfrac{\sqrt{3}}{2}$

$\qquad\quad=12\sqrt{3}\,(\text{cm}^2)$ $\cdots\cdots$ ❸

채점 기준	배점
❶ $\overline{AB}$의 길이 구하기	30 %
❷ $\overline{BC}$의 길이 구하기	30 %
❸ △ABC의 넓이 구하기	40 %

 원의 성질

1. 원과 직선

개념 CHECK — 01. 원의 현 — 085쪽

개념 확인 (1) $\overline{BM}$ (2) $\overline{ON}$ (3) $\overline{CD}$

01 8 **02** 15
03 2 **04** 52°

01 $\overline{AD}=\overline{DB}=12$

직각삼각형 OAD에서 $\overline{OD}=\sqrt{13^2-12^2}=5$

$\therefore \overline{CD}=13-5=8$

02 원의 중심을 O라고 하면 $\overline{CM}$의 연장
선은 이 원의 중심 O를 지난다.
원의 반지름의 길이를 r라고 하면
직각삼각형 OAM에서

$r^2=12^2+(r-6)^2$ $\therefore r=15$

따라서 원의 반지름의 길이는 15이다.

03 $\overline{AB}=2\overline{MB}=4$이므로 $\overline{AB}=\overline{CD}$

$\therefore \overline{OM}=\overline{ON}=x$

한편 $\overline{AM}=\overline{MB}=2$이므로

직각삼각형 OAM에서 $x=\sqrt{(2\sqrt{2})^2-2^2}=2$

04 $\overline{OM}=\overline{ON}$이므로 $\overline{AB}=\overline{AC}$

따라서 △ABC는 이등변삼각형이므로 ∠C=∠B=64°

$\therefore \angle x=180°-2\times 64°=52°$

개념 CHECK — 02. 원의 접선 — 092쪽

개념 확인 (1) $\overline{AF}$, $\overline{BD}$, $\overline{CF}$ (2) 180

01 $4\sqrt{5}\,\text{cm}^2$ **02** $18+6\sqrt{3}$
03 $\dfrac{23}{2}$ **04** 2 cm
05 72

01 ∠PTO=90°이므로 △POT는 직각삼각형이다.

$\therefore \overline{PT}=\sqrt{6^2-4^2}=2\sqrt{5}\,(\text{cm})$

$\therefore △POT=\dfrac{1}{2}\times 2\sqrt{5}\times 4=4\sqrt{5}\,(\text{cm}^2)$

02 $\angle PAO=90°$이므로 $\triangle APO$에서

$\overline{PA}=6\sqrt{3}\cos 30°=6\sqrt{3}\times\dfrac{\sqrt{3}}{2}=9$

$\overline{AO}=6\sqrt{3}\sin 30°=6\sqrt{3}\times\dfrac{1}{2}=3\sqrt{3}$

또한 $\overline{PB}=\overline{PA}=9$, $\overline{BO}=\overline{AO}=3\sqrt{3}$이므로

$\square APBO$의 둘레의 길이는

$2(9+3\sqrt{3})=18+6\sqrt{3}$

03 $\overline{AE}=\dfrac{1}{2}\times(\overline{AB}+\overline{BC}+\overline{AC})$

$=\dfrac{1}{2}\times(9+6+8)=\dfrac{23}{2}$

04 $\overline{BE}=\overline{BD}=6\,(\text{cm})$,

$\overline{CF}=\overline{CE}=10-6=4\,(\text{cm})$이므로

$\overline{AD}=\overline{AF}=x\,\text{cm}$라고 하면

$(\triangle ABC$의 둘레의 길이$)=2\times(6+4+x)=24$

$\therefore x=2$

따라서 $\overline{AD}$의 길이는 $2\,\text{cm}$이다.

05 $\overline{CD}=8+8=16$

$\therefore (\square ABCD$의 둘레의 길이$)=\overline{AB}+\overline{BC}+\overline{CD}+\overline{AD}$

$=2(\overline{AB}+\overline{CD})$

$=2\times(20+16)=72$

유형 EXERCISES 093~096쪽

유형 ❶	$6\sqrt{3}\,\text{cm}$	1-1 $4\sqrt{5}$	1-2 5	1-3 $\dfrac{25}{3}\,\text{cm}$
유형 ❷	$\dfrac{13}{2}$	2-1 $2\,\text{cm}$	2-2 $6\sqrt{3}\,\text{cm}$	
유형 ❸	$3\sqrt{2}$	3-1 15	3-2 $12\,\text{cm}^2$	
		3-3 $108\pi\,\text{cm}^2$		
유형 ❹	$69°$	4-1 $50°$	4-2 $60°$	4-3 $12\pi\,\text{cm}^2$
유형 ❺	$50°$	5-1 $28\,\text{cm}$	5-2 $2\sqrt{21}\,\text{cm}$	
		5-3 ③		
유형 ❻	$5\,\text{cm}$	6-1 $16\,\text{cm}$	6-2 $2\sqrt{15}$	
유형 ❼	$6\,\text{cm}$	7-1 $13\,\text{cm}$	7-2 $16\,\text{cm}$	7-3 $1\,\text{cm}$
유형 ❽	2	8-1 4	8-2 2	8-3 $\dfrac{25}{2}\,\text{cm}$

유형 ❶

직각삼각형 OAM에서

$\overline{AM}=\sqrt{6^2-3^2}=3\sqrt{3}\,(\text{cm})$

$\overline{AB}\perp\overline{OM}$이므로 $\overline{AM}=\overline{BM}$

$\therefore \overline{AB}=2\overline{AM}=2\times 3\sqrt{3}=6\sqrt{3}\,(\text{cm})$

1-1 $\overline{DN}=\dfrac{1}{2}\overline{CD}=6$이므로 직각삼각형 DON에서

$\overline{OD}=\sqrt{6^2+3^2}=3\sqrt{5}$

$\overline{OA}=\overline{OD}=3\sqrt{5}$이므로 직각삼각형 OAM에서

$\overline{AM}=\sqrt{(3\sqrt{5})^2-5^2}=2\sqrt{5}$

$\therefore \overline{AB}=2\overline{AM}=2\times 2\sqrt{5}=4\sqrt{5}$

1-2 $\overline{AB}\perp\overline{OD}$이므로 $\overline{AC}=\overline{BC}=4$

원 O의 반지름의 길이를 r라고 하면

$\overline{OA}=r$, $\overline{OC}=r-2$

직각삼각형 OAC에서 $r^2=4^2+(r-2)^2$

$4r=20$ $\therefore r=5$

따라서 원 O의 반지름의 길이는 5이다.

1-3 $\overline{AB}\perp\overline{OC}$이므로

$\overline{AM}=\overline{BM}=\dfrac{1}{2}\overline{AB}=\dfrac{1}{2}\times 16=8\,(\text{cm})$

직각삼각형 BCM에서

$\overline{CM}=\sqrt{10^2-8^2}=6\,(\text{cm})$

이때 $\overline{OA}=\overline{OC}=r\,\text{cm}$라고 하면

$\overline{OM}=\overline{OC}-\overline{CM}=r-6\,(\text{cm})$

직각삼각형 OMA에서 $r^2=(r-6)^2+8^2$

$12r=100$ $\therefore r=\dfrac{25}{3}$

$\therefore \overline{OA}=\dfrac{25}{3}\,\text{cm}$

유형 ❷

원의 반지름의 길이를 r라고 하면

$\overline{OM}=\overline{OC}-\overline{CM}=r-4$

직각삼각형 OMA에서

$\overline{OA}^2=\overline{AM}^2+\overline{OM}^2$이므로

$r^2=6^2+(r-4)^2$, $8r=52$

$\therefore r=\dfrac{13}{2}$

따라서 원의 반지름의 길이는 $\dfrac{13}{2}$이다.

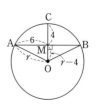

2-1 원의 중심을 O라고 하면
$\overline{OM} \perp \overline{AB}$이므로
$\overline{AM} = \overline{BM} = \dfrac{1}{2}\overline{AB}$

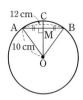

$\qquad = \dfrac{1}{2} \times 12 = 6\,(\text{cm})$

직각삼각형 OMA에서
$\overline{OM} = \sqrt{10^2 - 6^2} = 8\,(\text{cm})$
$\therefore \overline{CM} = \overline{OC} - \overline{OM} = 10 - 8 = 2\,(\text{cm})$

2-2 원의 중심 O에서 $\overline{AB}$에 내린 수선의
발을 M, $\overline{OM}$의 연장선이 호 AB와
만나는 점을 C라고 하면 원의 반지
름의 길이가 6 cm이므로

$\overline{OA} = \overline{OC} = 6\,\text{cm}$
이때 $\overline{OM} = \overline{CM}$이므로
$\overline{OM} = \dfrac{1}{2}\overline{OC} = \dfrac{1}{2} \times 6 = 3\,(\text{cm})$

직각삼각형 OAM에서
$\overline{AM} = \sqrt{6^2 - 3^2} = 3\sqrt{3}\,(\text{cm})$
$\overline{AB} \perp \overline{OC}$이므로 $\overline{AM} = \overline{BM}$
$\therefore \overline{AB} = 2\overline{AM} = 6\sqrt{3}\,(\text{cm})$

유형 ③
$\overline{OM} = \overline{ON} = 3$이므로 $\overline{CD} = \overline{AB} = 6$
이때 $\overline{ON} \perp \overline{CD}$이므로 $\overline{CN} = \overline{DN} = 3$
따라서 직각삼각형 OCN에서 $x = \sqrt{3^2 + 3^2} = 3\sqrt{2}$

3-1 $\overline{AM} = \overline{BM}$이므로 $x = 5$
$\overline{OM} = \overline{ON}$이므로 $\overline{CD} = \overline{AB} = 10\,\text{cm}$ $\therefore y = 10$
$\therefore x + y = 5 + 10 = 15$

3-2 원의 중심 O에서 $\overline{CD}$에 내린
수선의 발을 N이라고 하면
$\overline{AB} = \overline{CD}$이므로
$\overline{ON} = \overline{OM} = 3\,\text{cm}$
직각삼각형 OCN에서
$\overline{CN} = \sqrt{5^2 - 3^2} = 4\,(\text{cm})$
즉, $\overline{CD} = 2\overline{CN} = 8\,(\text{cm})$이므로
$\triangle OCD = \dfrac{1}{2} \times 8 \times 3 = 12\,(\text{cm}^2)$

3-3 $\overline{OE} = \overline{OF}$이므로 $\overline{AB} = \overline{CD} = 18\,(\text{cm})$

$\therefore \overline{EB} = \dfrac{1}{2}\overline{AB} = 9\,(\text{cm})$
따라서 직각삼각형 OBE에서
$\overline{OB} = \dfrac{9}{\cos 30°} = 9 \times \dfrac{2}{\sqrt{3}} = 6\sqrt{3}\,(\text{cm})$
$\therefore (\text{원 O의 넓이}) = \pi \times (6\sqrt{3})^2 = 108\pi\,(\text{cm}^2)$

유형 ④
$\overline{OM} = \overline{ON}$이므로 $\overline{AB} = \overline{AC}$이다.
따라서 △ABC는 이등변삼각형이므로
$\angle x = \dfrac{1}{2} \times (180° - 42°) = 69°$

4-1 □MBHO에서
$\angle B = 360° - (90° + 90° + 115°) = 65°$
한편, $\overline{OM} = \overline{ON}$에서 $\overline{AB} = \overline{AC}$, 즉 △ABC는
이등변삼각형이므로 $\angle C = \angle B = 65°$
$\therefore \angle x = 180° - 65° \times 2 = 50°$

4-2 $\overline{OL} = \overline{OM} = \overline{ON}$이므로 $\overline{AB} = \overline{BC} = \overline{CA}$
따라서 △ABC는 정삼각형이므로 $\angle x = 60°$

4-3 $\overline{OD} = \overline{OE} = \overline{OF}$이므로 $\overline{BC} = \overline{CA} = \overline{AB} = 6\,\text{cm}$
즉, △ABC는 정삼각형이므로 $\angle CAB = 60°$
$\therefore \angle OAF = \dfrac{1}{2} \times 60° = 30°$
$\overline{AF} = \dfrac{1}{2}\overline{AB} = 3\,(\text{cm})$이고, 직각삼각형 AFO에서
$\overline{AO} = \dfrac{\overline{AF}}{\cos 30°} = 3 \times \dfrac{2}{\sqrt{3}} = 2\sqrt{3}$
따라서 구하는 원 O의 넓이는
$\pi \times (2\sqrt{3})^2 = 12\pi\,(\text{cm}^2)$

■ 다른 풀이 ■
△ABD에서 $\angle B = 60°$이므로
$\overline{AD} = 6\sin 60° = 6 \times \dfrac{\sqrt{3}}{2} = 3\sqrt{3}\,(\text{cm})$
원의 중심 O는 △ABC의 무게중심이므로
$\overline{AO} = 3\sqrt{3} \times \dfrac{2}{3} = 2\sqrt{3}\,(\text{cm})$

유형 ⑤
$\overline{PA} = \overline{PB}$이므로 △APB는 이등변삼각형이다.
$\therefore \angle PBA = \angle PAB = 65°$
$\therefore \angle x = 180° - (65° + 65°) = 50°$

5-1 $\overline{PA}\perp\overline{OA}$이므로 △APO에서
$\overline{OA}=\sqrt{10^2-8^2}=6\,(cm)$
$\overline{PB}=\overline{PA}=8\,(cm)$
∴ (□APBO의 둘레의 길이)$=2\times(8+6)=28\,(cm)$

5-2 $\overline{OQ}=\overline{AO}=4\,cm$
∠PAO$=90°$이므로 △APO는 직각삼각형이다.
∴ $\overline{PA}=\sqrt{(6+4)^2-4^2}=\sqrt{84}=2\sqrt{21}\,(cm)$

5-3 △PAO와 △PBO에서
$\overline{PO}$는 공통, ∠PAO$=$∠PBO$=90°$, $\overline{OA}=\overline{OB}$
∴ △PAO≡△PBO (RHS 합동)
△PAO에서 ∠APO$=30°$, $\overline{AO}=\overline{BO}=3\,cm$이므로
③ $\overline{PA}=\dfrac{3}{\tan30°}=3\times\dfrac{3}{\sqrt{3}}=3\sqrt{3}\,(cm)$
④ $\overline{PO}=\dfrac{3}{\sin30°}=3\times2=6\,(cm)$

유형 ⑥
$\overline{BD}=\overline{BE}$, $\overline{CE}=\overline{CF}$이므로
(△ABC의 둘레의 길이)$=\overline{AD}+\overline{AF}=2\overline{AD}$
$7+\overline{BC}+6=2\times9$
∴ $\overline{BC}=5\,(cm)$

6-1 ∠OPA$=$∠OQA$=90°$이므로
$\overline{AP}=\overline{AQ}=\sqrt{10^2-6^2}=8\,(cm)$
이때 $\overline{BD}=\overline{BP}$, $\overline{CD}=\overline{CQ}$이므로
(△ABC의 둘레의 길이)
$=\overline{AP}+\overline{AQ}=8+8=16\,(cm)$

6-2 $\overline{AE}=\overline{AB}=6$, $\overline{DE}=\overline{DC}=10$이
므로 $\overline{AD}=6+10=16$
점 A에서 $\overline{DC}$에 내린 수선의
발을 H라고 하면 $\overline{AH}=\overline{BC}$이
고, $\overline{DH}=10-6=4$이므로
$\overline{BC}=\overline{AH}=\sqrt{16^2-4^2}=4\sqrt{15}$
따라서 반원 O의 반지름의 길이는 $\dfrac{1}{2}\times4\sqrt{15}=2\sqrt{15}$

유형 ⑦
$\overline{AP}=\overline{AR}=x\,cm$라고 하면
$\overline{BQ}=\overline{BP}=(10-x)\,cm$, $\overline{CQ}=\overline{CR}=(8-x)\,cm$

이때 $\overline{BC}=\overline{CQ}+\overline{BQ}$이므로 $6=(8-x)+(10-x)$
$2x=12$ ∴ $x=6$
∴ $\overline{AP}=6\,(cm)$

7-1 $\overline{AD}=\overline{AF}=x\,cm$라고 하면
$\overline{BD}=\overline{BE}=7\,(cm)$, $\overline{CF}=\overline{CE}=5\,(cm)$이므로
(△ABC의 둘레의 길이)$=2(x+7+5)=36$
∴ $x=6$
∴ $\overline{AB}=6+7=13\,(cm)$

7-2 △AGH의 둘레의 길이가 20 cm이므로
$\overline{AD}=\overline{AF}=\dfrac{1}{2}\times20=10\,(cm)$
$\overline{BE}=\overline{BD}=18-10=8\,(cm)$
$\overline{CF}=\overline{CE}=14-8=6\,(cm)$
∴ $\overline{AC}=\overline{AF}+\overline{CF}=10+6=16\,(cm)$

7-3 직각삼각형 ABC에서
$\overline{AB}=\sqrt{5^2-4^2}=3\,(cm)$
원 O의 반지름의 길이를
$r\,cm$라고 하면
$\overline{BD}=\overline{BE}=r\,cm$
$\overline{CF}=\overline{CE}=(4-r)\,cm$
$\overline{AF}=\overline{AD}=(3-r)\,cm$
이때 $\overline{AC}=\overline{AF}+\overline{CF}$이므로
$5=(3-r)+(4-r)$ ∴ $r=1$
따라서 원 O의 반지름의 길이는 1 cm이다.

유형 ⑧
$4+(3x+1)=5+(x+4)$이므로
$2x=4$ ∴ $x=2$

8-1 $\overline{CE}=x$라고 하면
$5+(8+x)=10+7$ ∴ $x=4$
∴ $\overline{CE}=4$

8-2 원 O의 반지름의 길이는
$\overline{AE}=\overline{AF}=\overline{BF}=\overline{BG}=4$
∴ $\overline{DE}=12-4=8$
점 C에서 $\overline{AD}$에 내린 수선의
발을 I라 하고 $\overline{GC}=x$라고
하면 직각삼각형 CDI에서

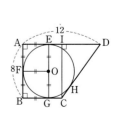

$$\overline{DI}=8-x, \overline{CD}=x+8 \text{이므로}$$
$$(x+8)^2=8^2+(8-x)^2, 32x=64 \qquad \therefore x=2$$
$$\therefore \overline{GC}=2$$

8-3 $\overline{DE}=x$ cm라고 하면 $\overline{DP}=\overline{DC}=10$ cm이므로
$$\overline{EB}=\overline{EP}=(x-10)\text{cm}$$
$$\overline{AE}=\overline{AB}-\overline{BE}=10-(x-10)=20-x(\text{cm})$$
직각삼각형 AED에서 $x^2=(20-x)^2+10^2$
$$\therefore x=\frac{25}{2} \qquad \therefore \overline{DE}=\frac{25}{2}\text{cm}$$

중단원 EXERCISES 097~099쪽

01 ② **02** ① **03** 10 m **04** ④
05 ⑤ **06** 6 cm **07** $4\sqrt{10}$ cm **08** ④
09 2 cm **10** ② **11** 4π **12** 2 cm
13 $6+3\sqrt{2}$ **14** $4\sqrt{3}-\frac{4}{3}\pi$ **15** 3 cm **16** ⑤
17 ③ **18** $2\sqrt{6}$ cm **19** $\frac{3}{2}$ cm

01 $\overline{BH}=\frac{1}{2}\overline{AB}=4(\text{cm})$

직각삼각형 OHB에서 $\overline{OH}=\sqrt{6^2-4^2}=2\sqrt{5}(\text{cm})$

02 $\overline{AM}=\overline{BM}=\frac{1}{2}\overline{AB}=12$

직각삼각형 AOM에서 $\overline{OA}=\sqrt{12^2+5^2}=13$
이때 $\overline{OC}=\overline{OA}=13$이므로 $\overline{CM}=8$
직각삼각형 BCM에서 $\overline{BC}=\sqrt{12^2+8^2}=4\sqrt{13}$

03 원의 중심을 O라 하고 원 O의 반
지름의 길이를 r m라고 하면
$$\overline{OC}=\overline{AC}-\overline{AO}=16-r(\text{m})$$
$$\overline{CD}=\frac{1}{2}\overline{BD}=8(\text{m})$$
따라서 직각삼각형 OCD에서
$r^2=(16-r)^2+8^2, 32r=320 \qquad \therefore r=10$
따라서 구하는 반지름의 길이는 10 m이다.

04 직각삼각형 OMA에서 $\overline{AM}=\sqrt{6^2-3^2}=3\sqrt{3}(\text{cm})$
$$\therefore \overline{AB}=2\overline{AM}=6\sqrt{3}(\text{cm})$$
이때 $\overline{OM}=\overline{ON}$이므로 $\overline{CD}=\overline{AB}=6\sqrt{3}$ cm

05 $\overline{OD}=\overline{OE}$이므로 $\overline{BC}=\overline{AC}$이고 $\angle B=\angle A=55°$
$\triangle ABC$에서 $\angle x=180°-2\times55°=70°$

06 $\square ADOE$에서
$$\angle EAD=360°-(90°+120°+90°)=60°$$
$\overline{OD}=\overline{OE}$이므로 $\overline{AB}=\overline{AC}$
$$\therefore \angle B=\angle C=\frac{1}{2}\times(180°-60°)=60°$$
따라서 $\triangle ABC$는 정삼각형이므로
$$\overline{BC}=\overline{AB}=2\overline{AD}=6(\text{cm})$$

07 $\overline{CO}=\overline{BO}=3$ cm이므로 $\overline{PO}=4+3=7(\text{cm})$
직각삼각형 POB에서
$$\overline{PB}=\sqrt{7^2-3^2}=2\sqrt{10}(\text{cm})$$
$$\therefore \overline{PA}+\overline{PB}=2\overline{PB}=4\sqrt{10}(\text{cm})$$

08 $\overrightarrow{PB}$가 원 O의 접선이므로 $\overline{OB}\perp\overline{PB}$
즉, $\angle OBP=90°$이므로
$$\angle ABP=90°-24°=66°$$
이때 $\overline{PB}=\overline{PA}$이므로 $\triangle ABP$는 이등변삼각형이다.
$$\therefore \angle x=180°-2\times66°=48°$$

09 원 밖의 한 점 P에서 원 O에 그은 두 접선의 길이는 같으므
로 $\overline{PA}=\overline{PB}, \overline{CA}=\overline{CE}, \overline{DB}=\overline{DE}$
$$\therefore \overline{PA}+\overline{PB}=(\overline{PC}+\overline{CA})+(\overline{PD}+\overline{DB})$$
$$=\overline{PC}+\overline{CE}+\overline{PD}+\overline{DE}$$
$$=\overline{PC}+\overline{PD}+\overline{CD}$$
$$=7+8+5=20(\text{cm})$$
따라서 $\overline{PB}=\frac{1}{2}\times20=10(\text{cm})$이므로
$$\overline{DB}=10-8=2(\text{cm})$$

10 $\overline{BC}=x$라 하고 점 D에서 $\overline{BC}$에
내린 수선의 발을 H라고 하면
$$\overline{BH}=\overline{AD}=4\text{이므로}$$
$$\overline{CH}=x-4$$

$\overline{\text{CD}}=\overline{\text{DE}}+\overline{\text{CE}}$
$\qquad =\overline{\text{AD}}+\overline{\text{BC}}=4+x$

직각삼각형 CDH에서 $\overline{\text{DH}}=\overline{\text{AB}}=12$이므로

$(4+x)^2=12^2+(x-4)^2,\ 16x=144 \qquad \therefore x=9$

따라서 $\overline{\text{BC}}$의 길이는 9이다.

11 원 O의 반지름의 길이를 r라고 하면

$\overline{\text{CF}}=\overline{\text{CE}}=r,\ \overline{\text{AD}}=\overline{\text{AF}}=6,$
$\overline{\text{BD}}=\overline{\text{BE}}=4$이므로
$\overline{\text{AC}}=r+6,\ \overline{\text{BC}}=r+4$

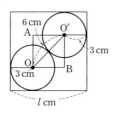

직각삼각형 ABC에서 $(r+6)^2+(r+4)^2=10^2$이므로
$r^2+10r-24=0,\ (r+12)(r-2)=0$
$\therefore r=2\ (\because r>0)$

따라서 원 O의 넓이는 $\pi\times 2^2=4\pi$

12 $\overline{\text{BR}}=\overline{\text{BQ}}=3\,\text{cm},\ \overline{\text{CS}}=\overline{\text{CR}}=8-3=5\,(\text{cm})$
$\therefore \overline{\text{PD}}=\overline{\text{DS}}=7-5=2\,(\text{cm})$

13 두 음료수캔의 밑면인 원의 중심을 각각 O, O′이라 하고, 각 변이 상자의 테두리와 평행한 정사각형 AOBO′을 그린다.

이때 $\overline{\text{OO}'}=6\,\text{cm}$이므로
$\overline{\text{OB}}=\dfrac{6}{\sqrt{2}}=3\sqrt{2}\,(\text{cm})$
$\therefore l=6+3\sqrt{2}$

14 $\angle\text{OTP}=\angle\text{OT}'\text{P}=90°$이므로
$\angle\text{T}'\text{OT}=360°-(90°+60°+90°)=120°$

이때 $\angle\text{T}'\text{OP}=\dfrac{1}{2}\angle\text{T}'\text{OT}=60°$이므로
$\overline{\text{OT}'}=4\cos 60°=4\times\dfrac{1}{2}=2$
$\overline{\text{T}'\text{P}}=4\sin 60°=4\times\dfrac{\sqrt{3}}{2}=2\sqrt{3}$

$\therefore$ (색칠한 부분의 넓이)
$=\square\text{OTPT}'-(\text{부채꼴 T}'\text{OT의 넓이})$
$=2\times\left(\dfrac{1}{2}\times 2\sqrt{3}\times 2\right)-\pi\times 2^2\times\dfrac{120}{360}$
$=4\sqrt{3}-\dfrac{4}{3}\pi$

15 직각삼각형 ABC에서
$\overline{\text{AC}}=\sqrt{12^2+5^2}=13\,(\text{cm})$
$\overline{\text{AD}}=\dfrac{1}{2}\times(\triangle\text{ABC의 둘레의 길이})$
$\qquad =\dfrac{1}{2}\times(12+5+13)=15\,(\text{cm})$

따라서 원 O의 반지름의 길이는
$\overline{\text{BD}}=\overline{\text{AD}}-\overline{\text{AB}}=15-12=3\,(\text{cm})$

16 $\triangle\text{ABC}$의 내접원의 반지름의 길이를 r라고 하면 $\triangle\text{ABC}$의 넓이가 42이므로
$\dfrac{1}{2}\times r\times(10+12+6)=42$
$\therefore r=3$

$\overline{\text{BD}}=\overline{\text{BE}}=a$라고 하면
$\overline{\text{EC}}=\overline{\text{FC}}=12-a,\ \overline{\text{AD}}=\overline{\text{AF}}=10-a$
이때 $\overline{\text{AC}}=\overline{\text{AF}}+\overline{\text{FC}}$이므로
$(10-a)+(12-a)=6 \qquad \therefore a=8$
$\triangle\text{BOD}$는 직각삼각형이므로
$\overline{\text{BO}}=\sqrt{8^2+3^2}=\sqrt{73}$

17 $\overline{\text{DS}}=4\,\text{cm}$이므로 $\overline{\text{DR}}=4\,\text{cm}$
$\overline{\text{ER}}=\overline{\text{EQ}}=x\,\text{cm}$라고 하면
$\overline{\text{EC}}=(4-x)\,\text{cm},$
$\overline{\text{DE}}=(4+x)\,\text{cm}$
$\triangle\text{CDE}$에서 $(4+x)^2=(4-x)^2+4^2$
$8x=-8x+16 \qquad \therefore x=1$

따라서 $\overline{\text{EC}}=4-1=3\,(\text{cm}),\ \overline{\text{DC}}=4\,\text{cm}$이므로
$\triangle\text{DEC}=\dfrac{1}{2}\times 3\times 4=6\,(\text{cm}^2)$

18 점 O′에서 $\overline{\text{OA}}$에 내린 수선의 발을 H라고 하면
$\overline{\text{OH}}=\overline{\text{OA}}-\overline{\text{AH}}$
$\qquad =\overline{\text{OA}}-\overline{\text{BO}'}$
$\qquad =6-4=2\,(\text{cm})$
$\overline{\text{OO}'}=\overline{\text{OT}}+\overline{\text{O}'\text{T}}=\overline{\text{OA}}+\overline{\text{O}'\text{B}}=6+4=10\,(\text{cm})$
직각삼각형 OHO′에서
$\overline{\text{O}'\text{H}}=\sqrt{10^2-2^2}=4\sqrt{6}\,(\text{cm})$
한편 $\overline{\text{PA}}=\overline{\text{PT}}=\overline{\text{PB}}$이므로
$\overline{\text{PT}}=\dfrac{1}{2}\overline{\text{AB}}=\dfrac{1}{2}\overline{\text{O}'\text{H}}=2\sqrt{6}\,(\text{cm})$

19 점 O'에서 $\overline{OA}$에 내린 수선의 발을 C라 하고 원 O'의 반지름의 길이를 r cm라고 하면

$\overline{OO'}=\overline{OD}-\overline{O'D}=6-r(\text{cm})$

$\overline{AF}=\dfrac{1}{2}\overline{AB}=2(\text{cm})$

$\triangle O'OC\backsim\triangle AOF$이므로

$\overline{O'O}:\overline{O'C}=\overline{AO}:\overline{AF}$

즉, $(6-r):r=6:2$이므로 $r=\dfrac{3}{2}$

따라서 원 O'의 반지름의 길이는 $\dfrac{3}{2}$ cm이다.

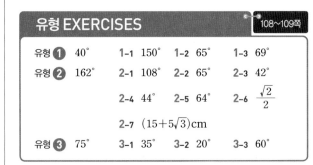

2. 원주각

107쪽

개념 CHECK
01. 원주각

개념 확인 (1) $\angle$BQC (2) 2

01 (1) $104°$ (2) $63°$　　**02** (1) $30°$ (2) $65°$

03 (1) $25°$ (2) $16°$　　**04** $60°$

01 (1) $\overline{CO}$를 그으면 $\angle$BOC$=2\angle$BAC$=2\times24°=48°$
$\angle$COD$=2\angle$CED$=2\times28°=56°$
$\therefore \angle x=\angle$BOC$+\angle$COD$=48°+56°=104°$

(2) $\angle$CBA$=\dfrac{1}{2}\times(360°-\angle$COA$)$
$\quad\quad\quad=\dfrac{1}{2}\times(360°-110°)=125°$
$\therefore \angle x=360°-(110°+62°+125°)=63°$

02 (1) $\overparen{\text{AD}}$에 대하여 $\angle$ABD$=\angle$ACD$=60°$
$\overline{AB}$가 원 O의 지름이므로 $\angle$ADB$=90°$
$\therefore \angle x=180°-(90°+60°)=30°$

(2) $\overparen{\text{CA}}$에 대하여 $\angle$CDA$=\angle$CBA$=25°$
$\overline{AB}$가 원 O의 지름이므로 $\angle$ADB$=90°$
$\therefore \angle x=90°-25°=65°$

03 (1) $\overparen{\text{AB}}=\overparen{\text{CD}}=4$이므로 $\angle$CED$=\angle$AFB$=25°$
$\therefore \angle x=25°$

(2) $\overparen{\text{AB}}:\overparen{\text{CD}}=6:18=1:3$이므로
$\angle$AOB$:\angle$COD$=1:3$, $\angle$AOB$:96°=1:3$

03 $3\angle$AOB$=96°$　　$\therefore \angle$AOB$=32°$
$\therefore \angle x=\dfrac{1}{2}\angle$AOB$=\dfrac{1}{2}\times32°=16°$

04 $20°:\angle$DBC$=3:6$이므로
$3\angle$DBC$=120°$　　$\therefore \angle$DBC$=40°$
$\therefore \angle x=20°+40°=60°$

유형 EXERCISES
108~109쪽

유형 ❶	$40°$	1-1 $150°$	1-2 $65°$	1-3 $69°$
유형 ❷	$162°$	2-1 $108°$	2-2 $65°$	2-3 $42°$
		2-4 $44°$	2-5 $64°$	2-6 $\dfrac{\sqrt{2}}{2}$
		2-7 $(15+5\sqrt{3})$cm		
유형 ❸	$75°$	3-1 $35°$	3-2 $20°$	3-3 $60°$

유형 ❶
$\angle$AOB$=2\angle$ACB$=2\times50°=100°$
$\triangle$OAB는 $\overline{OA}=\overline{OB}$인 이등변삼각형이므로
$\angle x=\angle$OBA$=\dfrac{1}{2}\times(180°-100°)=40°$

1-1 $\angle$BCD는 $\overparen{\text{BAD}}$에 대한 원주각이므로 $\overparen{\text{BAD}}$에 대한 중심각의 크기는 $2\angle$BCD$=2\times130°=260°$
$\angle x=360°-260°=100°$
$\angle y=\dfrac{1}{2}\angle x=\dfrac{1}{2}\times100°=50°$
$\therefore \angle x+\angle y=100°+50°=150°$

1-2 $\overline{OT}$를 그으면 $\angle$PTO$=90°$
이므로 직각삼각형 OPT에서
$\angle$POT$=180°-(40°+90°)$
$\quad\quad\quad=50°$
$\angle$TOB$=180°-50°=130°$
$\therefore \angle x=\dfrac{1}{2}\angle$TOB$=\dfrac{1}{2}\times130°=65°$

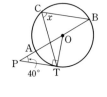

1-3 $\overline{OA}$, $\overline{OB}$를 그으면 $\angle$PAO$=\angle$PBO$=90°$이므로
$\angle$AOB$=180°-42°=138°$
$\therefore \angle x=\dfrac{1}{2}\angle$AOB$=\dfrac{1}{2}\times138°=69°$

유형 ❷

$\overline{CD}$가 원 O의 지름이므로 $\angle CBD=90°$

$\angle ABC=\angle ADC=33°$이므로 $\angle x=90°-33°=57°$

$\angle y=180°-(42°+33°)=105°$

$\therefore \angle x+\angle y=57°+105°=162°$

2-1 $\angle y=\angle BDC=36°,\ \angle x=2\times36°=72°$

$\therefore \angle x+\angle y=72°+36°=108°$

2-2 $\triangle BCQ$에서 $\angle ABC=29°+36°=65°$

$\therefore \angle x=\angle ABC=65°$

2-3 $\overline{AC}$가 원 O의 지름이므로 $\angle ABC=90°$

$\angle ACB=\angle ADB=48°$

$\therefore \angle x=90°-48°=42°$

2-4 $\overline{BC}$를 그으면 $\overline{AB}$가 원 O의 지름이므로 $\angle ACB=90°$

$\triangle ACB$에서 $\angle CBA=180°-(90°+46°)=44°$

$\therefore \angle x=\angle CBA=44°$

2-5 $\overline{AD}$를 그으면 $\overline{AB}$가 원 O의 지름

이므로 $\angle ADB=90°$

$\therefore \angle ADP=90°$

$\angle CAD=\dfrac{1}{2}\angle COD$

$=\dfrac{1}{2}\times52°=26°$

$\triangle PAD$에서

$\angle x=180°-(90°+26°)=64°$

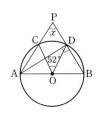

2-6 $\overline{BO}$의 연장선과 원 O의 교점을

P라고 하면 $\angle BAC=\angle BPC$

$\overline{BP}$가 원 O의 지름이므로

$\angle BCP=90°$

$\overline{BP}=2\times4=8(cm)$이므로

$\sin A=\sin P=\dfrac{4\sqrt{2}}{8}=\dfrac{\sqrt{2}}{2}$

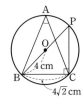

2-7 $\overline{AB}$가 원 O의 지름이므로 $\triangle ABC$는 $\angle BCA=90°$인

직각삼각형이다. 즉,

$\overline{BC}=10\sin30°=10\times\dfrac{1}{2}=5(cm)$

$\overline{CA}=10\cos30°=10\times\dfrac{\sqrt{3}}{2}=5\sqrt{3}(cm)$

따라서 $\triangle ABC$의 둘레의 길이는

$\overline{AB}+\overline{BC}+\overline{CA}=10+5+5\sqrt{3}=15+5\sqrt{3}(cm)$

유형 ❸

$\widehat{BC}=\widehat{CD}$이므로 $\angle CBD=\angle BAC=30°$

$\triangle ABC$에서 $\angle x=180°-(30°+45°+30°)=75°$

3-1 $\widehat{AQ}=\widehat{BP}$이므로 $\angle BQP=\angle APQ=\angle x$

$\overline{PQ}$가 원 O의 지름이므로 $\angle QBP=90°$

$\triangle QBP$에서 $\angle x+90°+(20°+\angle x)=180°$이므로

$2\angle x+110°=180°$ $\therefore \angle x=\dfrac{1}{2}\times70°=35°$

3-2 $\widehat{AD}:\widehat{CB}=1:3$이므로 $\angle x:\angle CAB=1:3$

$\therefore \angle CAB=3\angle x$

즉, $\triangle ACP$에서 $3\angle x+\angle x=80°$이므로

$4\angle x=80°$ $\therefore \angle x=20°$

3-3 $\widehat{AB}:\widehat{BC}:\widehat{CA}=2:3:4$이므로

$\angle C:\angle A:\angle B=2:3:4$

그런데 $\angle A+\angle B+\angle C=180°$이므로

$\angle A=180°\times\dfrac{3}{2+3+4}=60°$

개념 CHECK 02. 원주각의 활용(1)-원과 사각형 **114쪽**

개념 확인 (1) 180 (2) 180

01 40°   **02** 110°

03 70°   **04** 45°

01 $\angle BAC=\angle BDC$이어야 하므로

$\angle BDC=50°$

$\therefore \angle x=\angle BEC-\angle BDC=90°-50°=40°$

02 $\angle BOD=2\times70°=140°$

$\angle BCD=180°-70°=110°$

$\square OBCD$에서 $\angle x+\angle y=360°-(140°+110°)=110°$

03 $\triangle DPC$에서 $\angle PDC=180°-30°-80°=70°$

$\square ABCD$가 원 O에 내접하므로 $\angle PBA=\angle ADC=70°$

04 ∠BAD=∠DCE=92°이므로 □ABCD는 원에 내접한다.   ∴ ∠ADB=∠ACB=45°

개념 CHECK 03. 원주각의 활용(2)-접선과 현이 이루는 각   119쪽

개념 확인 (1) ∠BCA (2) ∠CAT′

01 30°   **02** 38°

03 ∠x=140°, ∠y=20°   **04** 60°

01 $\overline{AB}$가 지름이므로 ∠BCA=90°
∠ABC=∠ACT=60°
∴ ∠x=180°−(60°+90°)=30°

02 $\overline{AT}$를 그으면 ∠ATB=90°
∠ATP=∠PBT=26°
∴ ∠PTB=90°+26°=116°
△PBT에서 ∠x+26°+116°=180°
∴ ∠x=38°

03 ∠BCA=∠BAT=70°
∴ ∠x=2∠BCA=2×70°=140°
이때 △OAB는 이등변삼각형이므로
$\angle y=\dfrac{1}{2}\times(180°-140°)=20°$

04 ∠DTP=∠CTQ=∠CAT=75°
∠BTQ=∠BDT=45°
∴ ∠x=180°−(75°+45°)=60°

유형 EXERCISES   120~122쪽

유형 ❶	37°	**1-1** ㄴ, ㄹ	**1-2** 50°
유형 ❷	108°	**2-1** ∠x=80°, ∠y=100°	
		2-2 ∠x=75°, ∠y=75°	**2-3** 80°
유형 ❸	105°	**3-1** ∠x=78°, ∠y=156°	
		3-2 55°	**3-3** ②
유형 ❹	40°	**4-1** 85°	**4-2** 40° **4-3** 72°
유형 ❺	69°	**5-1** 30°	**5-2** $18\sqrt{3}\,\text{cm}^2$
		5-3 5 cm	
유형 ❻	70°	**6-1** 46°	**6-2** ②

유형 ❶
네 점 A, B, C, D가 한 원 위에 있으므로
∠BDC=∠BAC=43°
△DBC에서 43°+∠x+(42°+58°)=180°
∴ ∠x=37°

1-1 ㄱ. ∠ACB≠∠ADB
ㄴ. ∠ADB=180°−(25°+90°)=65°이므로
∠ADB=∠ACB=65°
ㄷ. ∠ACB=180°−(85°+40°)=55°이므로
∠ADB≠∠ACB
ㄹ. ∠ADB=180°−(50°+25°+40°)=65°이므로
∠ADB=∠ACB=65°
따라서 네 점 A, B, C, D가 한 원 위에 있는 것은 ㄴ, ㄹ
이다.

1-2 네 점 A, B, C, D가 한 원 위에 있으므로
∠ADB=∠ACB=15°
△EBC에서 ∠EBC=80°−15°=65°
△DPB에서 ∠x=65°−15°=50°

유형 ❷
$\overline{AD}=\overline{BD}$이므로 △ABD는 이등변삼각형이다.
$\therefore \angle DAB=\dfrac{1}{2}\times(180°-36°)=72°$
□ABCD가 원에 내접하므로 ∠BAD+∠x=180°
∴ ∠x=180°−72°=108°

2-1 ∠x=180°−(53°+47°)=80°
∠y=180°−∠x=180°−80°=100°

2-2 ∠x+105°=180°이므로
∠x=75°
△PCD에서 ∠y=180°−(30°+75°)=75°

2-3 $\overline{BD}$를 그으면 □ABDE가
원 O에 내접하므로
∠BDE=180°−90°=90°
즉, ∠BDC=130°−90°=40°
이므로
∠x=2×40°=80°

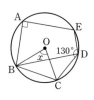

유형 ❸

∠BDC＝∠BAC＝50°

□ABCD가 원에 내접하므로

∠ABE＝∠CDA＝55°＋50°＝105°

3-1 □ABCD가 원에 내접하므로 ∠x＝78°

∴ ∠y＝2∠x＝2×78°＝156°

3-2 △ABQ에서 ∠PAD＝∠x＋30°, ∠ADP＝∠x

따라서 △PAD에서

40°＋(∠x＋30°)＋∠x＝180°

∴ ∠x＝55°

■ 다른 풀이 ■

∠x＝∠PDA＝∠CDQ이고 원에 내접하는 사각형의

한 쌍의 대각의 크기의 합은 180°이므로

∠BAD＋∠BCD＝(40°＋∠x)＋(∠x＋30°)＝180°

2∠x＝110°   ∴ ∠x＝55°

3-3 ① 100°＋∠BQP＝180°   ∴ ∠BQP＝80°

③ ∠PQC＝∠PAB＝100°이므로

100°＋∠CDP＝180°   ∴ ∠CDP＝80°

④ ∠PAB＋∠CDP＝100°＋80°＝180°이므로

$\overline{AB}$∥$\overline{DC}$

⑤ ∠ABQ＝∠DPQ이므로

∠DPQ＋∠DCQ＝180°에서

∠ABQ＋∠DCQ＝180°

유형 ❹

∠BCA＝∠BAT＝50°

∴ ∠BOA＝2∠BCA＝2×50°＝100°

△OAB는 $\overline{OA}$＝$\overline{OB}$인 이등변삼각형이므로

∠x＝$\frac{1}{2}$×(180°－100°)＝40°

4-1 $\overline{AC}$를 그으면

∠DCA＝∠DAT＝50°

∠ACB＝∠ADB＝35°

∴ ∠x＝50°＋35°＝85°

4-2 □ABTC가 원 O에 내접하므로

∠PBT＝∠ACT＝86°

∠PTB＝180°－(86°＋54°)＝40°

∴ ∠x＝∠PTB＝40°

4-3 $\overline{AT}$를 그으면 ∠BAT＝∠BTP＝42°

∠BAT : ∠CAT＝$\overparen{BT}$: $\overparen{CT}$이므로

42° : ∠CAT＝7 : 5

∴ ∠CAT＝30°

∴ ∠x＝42°＋30°＝72°

유형 ❺

$\overline{AB}$를 그으면 ∠ABC＝90°

∠CAB＝∠CBQ＝∠x

△APB에서 ∠ABP＝∠x－48°

∠PBQ＝180°에서

(∠x－48°)＋90°＋∠x＝180°

2∠x＋42°＝180°   ∴ ∠x＝69°

5-1 $\overline{DB}$가 원 O의 지름이므로 ∠BCD＝90°

따라서 ∠ACD＝90°－50°＝40°이므로

∠ABD＝∠ACD＝40°

직선 AT가 원 O의 접선이므로 ∠ABC＝∠SAC＝70°

∴ ∠x＝70°－40°＝30°

5-2 ∠ABT＝∠ATP＝30°

$\overline{AB}$가 지름이므로 ∠ATB＝90°

따라서 직각삼각형 ATB에서

$\overline{AB}$＝12 cm이므로

$\overline{AT}$＝12 sin 30°＝12×$\frac{1}{2}$＝6(cm)

$\overline{BT}$＝12 cos 30°＝12×$\frac{\sqrt{3}}{2}$＝6$\sqrt{3}$(cm)

∴ △ATB＝$\frac{1}{2}$×6×6$\sqrt{3}$＝18$\sqrt{3}$(cm²)

5-3 원 O의 지름 AD를 그으면

∠ADB＝∠ABT＝∠ACB＝∠x

따라서 직각삼각형 ABD에서

$\overline{AB}$＝6 cm이므로

tan x＝$\frac{6}{\overline{BD}}$＝$\frac{3}{4}$ ∴ $\overline{BD}$＝8(cm)

∴ $\overline{AD}$＝$\sqrt{6^2＋8^2}$＝10(cm)

따라서 원 O의 반지름의 길이는 5 cm이다.

$\overline{PA}=\overline{PB}$이므로

$\angle PAB=\angle PBA=\dfrac{1}{2}\times(180°-40°)=70°$

이때 직선 PA는 원 O의 접선이므로

$\angle BCA=\angle PAB$ $\therefore \angle x=70°$

6-1 △APB에서 $\overline{PA}=\overline{PB}$이므로

$\angle PAB=\angle PBA=\dfrac{1}{2}\times(180°-58°)=61°$

$\therefore \angle CAB=180°-(61°+73°)=46°$

이때 직선 PE는 원 O의 접선이므로

$\angle CBE=\angle CAB=46°$

6-2 ① $\angle ABT=\angle ATP=\angle CTQ=\angle TDC$

② $\angle BAT=\angle BTQ=\angle PTD=\angle TCD$

③ ①에서 $\angle ABT=\angle TDC$(엇각)이므로

$\overline{AB}/\!/\overline{CD}$

④ △ABT와 △CDT에서

$\angle ABT=\angle CDT,\ \angle ATB=\angle CTD$

$\therefore △ABT\backsim△CDT$ (AA 닮음)

⑤ △ABT∽△CDT이므로 $\overline{AT}:\overline{CT}=\overline{BT}:\overline{DT}$

중단원 EXERCISES

123~125쪽

01 ③	**02** 38°	**03** 15°	**04** 14°
05 ④	**06** $\angle x=36°, \angle y=54°$		**07** 96°
08 ②	**09** 200°	**10** ③	**11** 60°
12 $8\sqrt{3}$ cm²	**13** 5π cm	**14** 21°	**15** $6\sqrt{3}$ m
16 136°	**17** 30°	**18** 70°	**19** 90°

---

01 $\overline{BQ}$를 그으면

$\angle BQC=\dfrac{1}{2}\angle BOC=\dfrac{1}{2}\times100°=50°$

$\angle AQB=75°-50°=25°$이므로

$\angle APB=\angle AQB=25°$

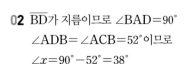

---

02 $\overline{BD}$가 지름이므로 $\angle BAD=90°$

$\angle ADB=\angle ACB=52°$이므로

$\angle x=90°-52°=38°$

---

03 $\angle BOC=x°$라고 하면 $\overset{\frown}{BC}=3\pi$ cm이므로

$2\pi\times18\times\dfrac{x}{360}=3\pi$ $\therefore x=30$

$\therefore \angle BAC=\dfrac{1}{2}\angle BOC=\dfrac{1}{2}\times30°=15°$

---

04 $\overset{\frown}{AC}$에 대한 원주각의 크기가 같으므로 $\angle ADC=\angle x$

△PCB에서 $\angle BCD=\angle x+40°$

△QCD에서 $\angle QCD+\angle QDC=68°$이므로

$(\angle x+40°)+\angle x=68°$ $\therefore \angle x=14°$

---

05 $\overline{BC}$를 그으면 $\overset{\frown}{CD}$의 길이가 원의 둘레의 길이의 $\dfrac{1}{10}$이므

로 $\angle DBC=\dfrac{1}{10}\times180°=18°$

$\overset{\frown}{AB}:\overset{\frown}{CD}=5:3$이므로

$\angle ACB:\angle DBC=5:3$

$\therefore \angle ACB=\dfrac{5}{3}\angle DBC$

$=\dfrac{5}{3}\times18°=30°$

따라서 △PBC에서 $\angle x=18°+30°=48°$

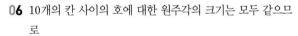

---

06 10개의 칸 사이의 호에 대한 원주각의 크기는 모두 같으므
로

$\angle x=\dfrac{2}{10}\times180°=36°$

$\therefore \angle y=\dfrac{3}{10}\times180°=54°$

---

07 $\overline{AC}$를 그으면

$\angle BAC=180°\times\dfrac{1}{3}=60°$

$\angle CAD=180°\times\dfrac{1}{5}=36°$

□ABCD가 원 O에 내접하므로

$\angle x=\angle BAD=60°+36°=96°$

---

08 $\overline{BE}$를 그으면

$\angle ABE=\dfrac{1}{2}\angle AOE=36°$

□BCDE가 원 O에 내접하므로

$\angle EBC+\angle CDE=180°$

$\therefore \angle x+\angle y=\angle ABE+\angle EBC+\angle CDE$

$=36°+180°=216°$

---

09 □PQCD가 원 O′에 내접하므로

$\angle PQB = \angle PDC = 80°$

□ABQP가 원 O에 내접하므로

$\angle PAB + \angle PQB = 180°$에서

$\angle PAB = 180° - 80° = 100°$

$\therefore \angle x = 2\angle PAB = 200°$

10 $\angle BCE = \angle BDE = 60°$이므로 △BCF에서

$\angle x = 25° + 60° = 85°$

□ABDE가 원 O에 내접하므로

$\angle y + 60° = 180°$ $\therefore \angle y = 120°$

$\therefore \angle y - \angle x = 120° - 85° = 35°$

11 $\overarc{AB} : \overarc{BC} = 4 : 3$이고, $\angle ABC = 40°$이므로

$\angle BAC = (180° - 40°) \times \dfrac{3}{4+3} = 60°$

$\therefore \angle CBT = \angle BAC = 60°$

12 $\angle ABC = \angle CAT = 60°$

원 O의 넓이가 $16\pi \text{ cm}^2$이므로 반지름의 길이는 4 cm이다.

$\therefore \overline{BC} = 2 \times 4 = 8(\text{cm})$

따라서 $\overline{AB} = 8\cos 60° = 4(\text{cm})$,

$\overline{AC} = 8\sin 60° = 4\sqrt{3}(\text{cm})$이므로

$\triangle ABC = \dfrac{1}{2} \times 4 \times 4\sqrt{3} = 8\sqrt{3}(\text{cm}^2)$

13 내심은 각의 이등분선의 교점이므로

$\angle ABQ = \angle CBQ$,

$\angle ACP = \angle BCP$

$\overarc{PAQ}$의 원주각의 크기는

$\angle ACP + \angle ABQ$

$= \dfrac{1}{2} \times (180° - 30°) = 75°$

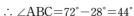

이고 $\overarc{PAQ}$의 중심각의 크기는 $2 \times 75° = 150°$이다.

$\therefore \overarc{PAQ} = 2\pi \times 6 \times \dfrac{150}{360} = 5\pi(\text{cm})$

14 △ACE에서 $\angle BAC = \angle x + 32°$

$\overline{BD}$를 그으면

$\overarc{AB} = \overarc{BC} = \overarc{CD}$이므로

$\angle BCA = \angle CBD = \angle BAC$

$\qquad\qquad = \angle x + 32°$

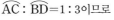

한편 $\angle ABD = \angle ACD = \angle x$이므로 △BCE에서

$(\angle x + 32° + \angle x) + (\angle x + 32° + \angle x) + 32° = 180°$

$4\angle x + 96° = 180°$ $\therefore \angle x = 21°$

15 한 호에 대한 원주각의 크기는 모두 같고, 반원에 대한 원주각의 크기는 90°이므로 $\angle BAP = 90°$가 되도록 원 O 위에 점 P를 잡으면 $\overline{BP}$는 원 O의 지름이고, $\angle APB = 60°$이다.

직각삼각형 APB에서

$\sin 60° = \dfrac{\overline{AB}}{\overline{BP}}$이므로

$\overline{BP} = \overline{AB} \times \dfrac{1}{\sin 60°} = 9 \times \dfrac{2}{\sqrt{3}} = 6\sqrt{3}(\text{m})$

따라서 원형 극장의 지름의 길이는 $6\sqrt{3}$ m이다.

16 $\overline{OB}$를 그으면 △OAB와 △OCB는 각각 이등변삼각형이므로

$\angle OBA = \angle OAB = 72°$,

$\angle OBC = \angle OCB = 28°$

$\therefore \angle ABC = 72° - 28° = 44°$

□ABCD가 원 O에 내접하므로

$\angle ADC = 180° - \angle ABC = 180° - 44° = 136°$

17 $\overline{AD}$를 그으면 $\overline{DT}$가 원 O의 접선이므로 $\angle BAD = \angle BDT = 45°$

$\overarc{AC} : \overarc{BD} = 1 : 3$이므로

$\angle CDA : \angle BAD = 1 : 3$

$\therefore \angle CDA = \dfrac{1}{3}\angle BAD = \dfrac{1}{3} \times 45° = 15°$

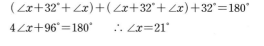

△APD에서 $\angle BPD = 45° - 15° = 30°$

18 $\angle ABC = \angle a$, $\angle ADE = \angle BDE = \angle b$라고 하면

$\angle CAD = \angle ABC = \angle a$

△ABD에서

$(40° + \angle a) + \angle a + 2\angle b = 180°$

$\therefore \angle a + \angle b = 70°$

△EBD에서 $\angle x = \angle a + \angle b = 70°$

19 $\overline{BT}$를 그으면 $\angle BTA = 90°$,

$\angle ABT = \angle ATT' = 30°$이므로

$\angle BAT = 180° - (90° + 30°) = 60°$

$\angle BCT = \angle BAT = 60°$이고

$\overline{BC} /\!/ \overline{TT'}$이므로

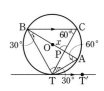

$\angle CTT' = \angle BCT = 60°$(엇각)

$\therefore \angle CTA = 60° - 30° = 30°$

$\triangle PTA$에서 $\angle x = \angle APT = 180° - (30° + 60°) = 90°$

대단원 EXERCISES

128~131쪽

01 24	**02** $12\sqrt{3}\ cm^2$	**03** ③	**04** $40\ cm^2$
05 $(12+12\sqrt{3})cm$	**06** ①		**07** 8 cm
08 4 cm	**09** 36°	**10** 110°	**11** ④
12 80°	**13** ③	**14** 62°	**15** 84°
16 75°	**17** 85°	**18** ①	**19** ③
20 69°	**21** 44°	**22** 60°	**23** 10 cm
24 $2\sqrt{3}$	**25** 144π		

01 $\overline{OA} = \overline{OD} = 15$, $\overline{OM} = 15 - 6 = 9$

직각삼각형 AOM에서 $\overline{AM} = \sqrt{15^2 - 9^2} = 12$

$\therefore \overline{AB} = 2\overline{AM} = 24$

02 $\overline{OM} = \overline{ON}$이므로 $\overline{AB} = \overline{AC}$

$\therefore \angle ABC = \angle BCA = 60°$

즉, $\angle CAB = 60°$이므로 $\triangle ABC$는 정삼각형이다.

$\overline{OC}$를 그으면 $\triangle OCN$에서

$\angle OCN = 30°$이므로

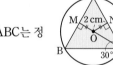

$\overline{OC} = \dfrac{\overline{ON}}{\sin 30°} = 4\ (cm)$, $\overline{CN} = \dfrac{\overline{ON}}{\tan 30°} = 2\sqrt{3}\ (cm)$

$\therefore \overline{AC} = 2 \times 2\sqrt{3} = 4\sqrt{3}\ (cm)$

$\triangle AOC = \dfrac{1}{2} \times 4\sqrt{3} \times 2 = 4\sqrt{3}\ (cm^2)$

$\therefore \triangle ABC = 3 \times \triangle AOC = 12\sqrt{3}\ (cm^2)$

03 $\overline{OT}$를 그으면 $\overline{OT} \perp \overline{TP}$

직각삼각형 OTP에서

$\overline{TH}^2 = 5 \times 10 = 50$이므로

$\overline{TH} = \sqrt{50} = 5\sqrt{2}$

$\therefore \overline{TT'} = 2\overline{TH} = 10\sqrt{2}$

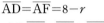

04 $\overline{AC} = \overline{CP}$, $\overline{BD} = \overline{DP}$이므로

$\overline{AC} + \overline{BD} = \overline{CD} = 10\ (cm)$

$\therefore \square ABDC = \dfrac{1}{2} \times 10 \times 8 = 40\ (cm^2)$

05 $\overline{PB}$가 원 O의 접선이므로 $\overline{OB} \perp \overline{PB}$

$\triangle OBP$가 직각삼각형이므로 원 O의 반지름의 길이를 r cm라고 하면

$\sin 30° = \dfrac{r}{r+6}$, $\dfrac{1}{2} = \dfrac{r}{r+6}$ $\quad \therefore r = 6$

$\overline{OB} = \overline{OC} = 6\ cm$, $\overline{BP} = \overline{CP} = 6\sqrt{3}\ cm$

따라서 $\square OBPC$의 둘레의 길이는

$2(6 + 6\sqrt{3}) = 12 + 12\sqrt{3}\ (cm)$

06 직각삼각형 ABC에서 $\overline{AC} = \sqrt{17^2 - 15^2} = 8$

원 O의 반지름의 길이를 r라 하고 점 O에서 $\overline{AB}$, $\overline{BC}$, $\overline{CA}$에 내린 수선의 발을 각각 D, E, F라고 하면

$\overline{CE} = \overline{CF} = r$

$\overline{BD} = \overline{BE} = 15 - r$

$\overline{AD} = \overline{AF} = 8 - r$

이때 $\overline{AB} = \overline{BD} + \overline{AD}$이므로

$17 = (15 - r) + (8 - r)$

$\therefore r = 3$

따라서 원 O의 반지름의 길이는 3이다.

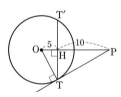

07 $\overline{BD} = \overline{BE} = 5\ cm$, $\overline{CF} = \overline{CE} = 7\ cm$

$\overline{AD} = \overline{AF} = x\ cm$라고 하면 $\triangle ABC$의 둘레의 길이가 30 cm이므로

$2 \times (5 + 7 + x) = 30$ $\quad \therefore x = 3$

$\therefore \overline{AB} = \overline{AD} + \overline{BD} = 3 + 5 = 8\ (cm)$

08 직각삼각형 APB에서 $\overline{PB} = \sqrt{10^2 - 6^2} = 8\ (cm)$

$\overline{PC} + \overline{PD} = 10 + 6 + 8 = 24\ (cm)$

$\therefore \overline{PC} = \overline{PD} = \dfrac{1}{2} \times 24 = 12\ (cm)$

$\therefore \overline{BD} = 12 - 8 = 4\ (cm)$

09 $\overset{\frown}{AB} = \overset{\frown}{BC} = \overset{\frown}{CD} = \overset{\frown}{DE} = \overset{\frown}{EA}$이므로

$\angle ADB = 180° \times \dfrac{1}{5} = 36°$

10 $\overset{\frown}{AD} = \overset{\frown}{DE} = \overset{\frown}{BE}$이므로

$\angle ACD = \angle DCE = \angle ECB$

$\overline{AB}$가 원 O의 지름이므로

$\angle ACB = 3\angle x = 90°$ $\quad \therefore \angle x = 30°$

또 $\overparen{AC}:\overparen{CB}=5:4$이므로

$\angle ABC:\angle BAC=5:4$

$\therefore \angle ABC=\dfrac{5}{5+4}\times90°=50°$

이때 $\triangle CGB$에서

$\angle y=\angle x+\angle ABC=30°+50°=80°$

$\therefore \angle x+\angle y=30°+80°=110°$

11 $\overparen{BAC}=\overparen{BPA}+\overparen{ARC}$

$\qquad =2\overparen{PA}+2\overparen{AR}=2\overparen{PAR}$

즉, $\overparen{BAC}=2\overparen{PAR}$이므로

$\angle BQC=2\angle PQR=2\times65°=130°$

$\square ABQC$가 원에 내접하므로

$\angle BAC+\angle BQC=180°$, $\angle x+130°=180°$

$\therefore \angle x=50°$

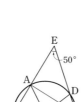

12 $\overline{AC}$를 그으면 $\angle EAC=90°$이므로

$\angle ACE=90°-50°=40°$

이때 $\angle AOD$는 $\overparen{AD}$의 중심각이므로

$\angle AOD=2\angle ACD=80°$

13 $\overline{AD}$를 그으면 $\square ADEF$가 원에 내접

하므로 $\angle E+\angle FAD=180°$

또 $\square ABCD$가 원에 내접하므로

$\angle DAB+\angle C=180°$

$\therefore \angle A+\angle C+\angle E$

$\qquad =(\angle FAD+\angle DAB)+\angle C+\angle E$

$\qquad =180°+180°=360°$

14 $\overline{BC}$를 그으면 $\angle BCA=90°$

$\overparen{CD}=\overparen{AD}$이므로

$\angle CBD=\angle ABD=28°$

$\triangle CPB$에서

$\angle x=180°-(90°+28°)=62°$

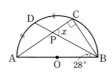

15 $\overline{BT}=\overline{BP}$이므로 $\angle BTP=\angle BPT=32°$

$\overline{PT}$가 원의 접선이므로 $\angle BAT=\angle BTP=32°$

$\triangle ATP$에서 $32°+(\angle x+32°)+32°=180°$

$\therefore \angle x=84°$

16 $\overline{PQ}$를 그으면

$\angle PQC=\angle PAB=105°$

$\therefore \angle D=180°-105°=75°$

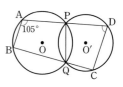

17 $\angle APB=\angle CPD=45°$(맞꼭지각),

$\angle ABP=\angle CDP=50°$

$\triangle ABP$에서 $\angle x=180°-(50°+45°)=85°$

18 $\overline{AT}$, $\overline{BT}$를 그으면 $\overline{AB}$가 원

O의 지름이므로 $\angle ATB=90°$

이때 $\angle BAT=\angle BCT=55°$이

므로 $\triangle ATB$에서

$\angle ABT=180°-(90°+55°)$

$\qquad =35°$

이때 $\angle ATP=\angle ABT=35°$이므로

$\triangle APT$에서 $\angle x=55°-35°=20°$

19 $\overline{PB}$를 그으면

$\angle CBP=\angle APC=\angle x$

$\overline{CB}$는 원 O의 지름이므로

$\angle CPB=90°$

$\triangle APB$에서 $26°+(\angle x+90°)+\angle x=180°$

$2\angle x=64°$ $\qquad \therefore \angle x=32°$

20 $\angle CBA=180°-(18°+\angle x)=162°-\angle x$

$\angle CDA=180°-(24°+\angle x)=156°-\angle x$

$\square ABCD$가 원에 내접하므로 $\angle CBA+\angle CDA=180°$

에서

$(162°-\angle x)+(156°-\angle x)=180°$

$2\angle x=138°$ $\qquad \therefore \angle x=69°$

21 $\overline{PA}=\overline{PB}$이므로

$\angle PAB=\angle PBA=\dfrac{1}{2}\times(180°-40°)=70°$

$\therefore \angle ACB=\angle ABP=70°$

$\angle BAC+\angle ABC$

$=180°-70°=110°$

$\therefore \angle x=110°\times\dfrac{2}{2+3}$

$\qquad =44°$

개념 BOOK

22 $\overline{AC}$를 그으면 $\angle ACB=90°$

$\angle BAC=\angle BCT=\angle x$

$\triangle BPC$에서 $\overline{PC}=\overline{BC}$이므로

$\angle CBP=\angle CPB=\dfrac{1}{2}\angle x$

따라서 $\triangle BAC$에서

$\angle x+90°+\dfrac{1}{2}\angle x=180°$ $\quad\therefore \angle x=60°$

23 $\overline{BQ}$를 그으면

$\angle BAQ=\angle PAC$,

$\angle AQB=\angle ACP$

$\therefore \triangle ABQ\backsim\triangle APC$ (AA 닮음)

즉, $\overline{AB}:\overline{AQ}=\overline{AP}:\overline{AC}$이므로

$12:(8+\overline{PQ})=8:12, \ 8(8+\overline{PQ})=144$

$\therefore \overline{PQ}=10(\text{cm})$

24 $\overline{DG}=\overline{DH}=6$이므로

$\overline{FC}=\overline{CG}=\overline{CD}-\overline{DG}=2$

꼭짓점 C에서 $\overline{AD}$에 내린 수선의

발을 I라고 하면

$\overline{HI}=2, \ \overline{DI}=6-2=4$ ...... ❶

직각삼각형 CDI에서 $\overline{IC}=\sqrt{8^2-4^2}=4\sqrt{3}$

이때 $\overline{HF}=\overline{IC}=4\sqrt{3}$이므로 원 O의 반지름의 길이는 $2\sqrt{3}$

이다. ...... ❷

채점 기준	배점
❶ $\overline{DI}$의 길이 구하기	50 %
❷ 원 O의 반지름의 길이 구하기	50 %

25 $\overline{BD}$를 긋고 $\angle ABD=\angle a$라고 하면

$\widehat{AD}=2\pi$, $\widehat{BC}=4\pi$이므로

$\angle CDB=2\angle a$

$\triangle PBD$에서 $\angle a+2\angle a=45°$이므로

$\angle a=15°$

$\angle CDB=30°$이므로 $\angle COB=60°$ ...... ❶

원 O의 반지름의 길이를 r라고 하면

$\widehat{BC}=2\pi r\times\dfrac{60}{360}=4\pi$ $\quad\therefore r=12$ ...... ❷

따라서 원 O의 넓이는 $\pi\times 12^2=144\pi$ ...... ❸

채점 기준	배점
❶ $\angle COB$의 크기 구하기	50 %
❷ 원 O의 반지름의 길이 구하기	30 %
❸ 원 O의 넓이 구하기	20 %

VII 통계

1. 대푯값

개념 확인 (1) 대푯값 (2) 중앙값 (3) 최빈값

01 (1) 평균 : 11200원, 중앙값 : 6500원, 최빈값 : 6000원

(2) 중앙값, 풀이 참조

02 (1) 20회 (2) 18회 (3) 16회

03 (1) ○ (2) × (3) × (4) ○ (5) × (6) ○

01 (1) 10명의 용돈의 총합은

$3000+5000+6000+10000+7000+4000+8000$
$+13000+50000+6000=112000$(원)

$\therefore$ (평균)$=\dfrac{112000}{10}=11200$(원)

자료를 작은 값부터 크기순으로 나열하면

3000, 4000, 5000, 6000, 6000, 7000, 8000, 10000,
13000, 50000

$\therefore$ (중앙값)$=\dfrac{6000+7000}{2}=6500$(원)

한편 6000원이 2번 나오므로 최빈값은 6000원이다.

(2) 자료에 극단적인 값 50000원이 있으므로 평균과 중앙값 중 중앙값이 대푯값으로 더 적절하다.

02 (1) (평균)$=\dfrac{6+9+16+16+18+22+27+28+38}{9}$

$=\dfrac{180}{9}=20$(회)

(2) 자료를 작은 값부터 크기순으로 나열하면 중앙값은 5번째 값으로 18회이다.

(3) 16회가 2번 나오므로 최빈값은 16회이다.

03 (2) 최빈값은 없을 수도 있고 2개 이상일 수도 있다.

(3) 자료의 모든 값을 활용하여 구하는 것은 평균이다.

(5) 20개의 변량의 중앙값은 10번째와 11번째 값의 평균이다.

유형 EXERCISES

149~151쪽

유형 ① 평균 : 4.5, 중앙값 : 3, 최빈값 : 3

              1-1 중앙값 : 14명, 최빈값 : 15명

              1-2 17점   **1-3** A동호회

              1-4 2   **1-5** ⑤

유형 ② 37   **2-1** 83점   **2-2** ④   **2-3** 2

유형 ③ 1   **3-1** 6   **3-2** 25   **3-3** 24

유형 ④ (1) 25권 (2) 24권 (3) 14권, 35권

              4-1 32.5점 **4-2** 3.8

              4-3 중앙값 : 10권, 최빈값 : 6권

              4-4 8

유형 ①

자료를 작은 값부터 크기순으로 나열하면

2, 2, 3, 3, 3, 5, 8, 10

$$(평균)=\frac{2+2+3+3+3+5+8+10}{8}=\frac{36}{8}=4.5$$

자료가 8개이므로 중앙값은 4번째와 5번째 값의 평균인

$$\frac{3+3}{2}=3$$

3이 가장 많으므로 최빈값은 3이다.

1-1 11개 반의 안경을 낀 학생 수를 작은 값부터 크기순으로 나열하면 10, 11, 12, 13, 13, 14, 14, 15, 15, 15, 17이므로 중앙값은 6번째 값인 14명이다.

또한 안경을 낀 학생 수가 15명인 반이 3개로 가장 많으므로 최빈값은 15명이다.

1-2 남학생의 점수의 총합은 $12\times 15=180$(점)이고 여학생의 점수의 총합은 $8\times 20=160$(점)이므로 전체 학생 20명의 영어 단어 시험 점수의 총합은 $180+160=340$(점)이다.

따라서 평균은 $\dfrac{340}{20}=17$(점)

1-3 A동호회의 자료를 작은 값부터 크기순으로 나열하면 22, 23, 28, 28, 29이므로 중앙값은 28세이다.

B동호회의 자료를 작은 값부터 크기순으로 나열하면 22, 24, 25, 29, 33, 40이므로 중앙값은

$$\frac{25+29}{2}=27(세)이다.$$

따라서 A동호회의 나이의 중앙값이 더 크다.

1-4 정미의 양궁 점수를 작은 값부터 크기순으로 나열하면

1, 2, 3, 3, 7, 8, 9, 10

따라서 중앙값은 $\dfrac{3+7}{2}=5$(점)이므로 $a=5$

민준이의 양궁 점수의 최빈값은 3점이므로 $b=3$

$\therefore a-b=2$

1-5 각 변량의 최빈값은 각각 다음과 같다.

   ① 2, 3   ② 없다.   ③ 없다.

   ④ 없다.   ⑤ 5

유형 ②

a를 제외한 자료를 작은 값부터 크기순으로 나열하면

17, 18, 19, 27, 45, 47, 47

이때 8개의 변량의 중앙값이 32이므로 a는 27과 45 사이에 있어야 하고, 중앙값은 27과 a의 평균이다. 즉,

$$\frac{27+a}{2}=32 \qquad \therefore a=37$$

2-1 영어 점수를 x점이라고 하면

$$\frac{88+96+74+94+x}{5}=87, \quad \frac{352+x}{5}=87$$

$$\therefore x=83$$

2-2 ④ $a=11$이면 최빈값은 11, 12로 2개가 된다.

2-3 12, 14, 19, x, y의 중앙값이 17이므로 이 5개의 변량을 작은 값부터 크기순으로 나열하였을 때, 3번째 수가 17이어야 한다.

이때 $x<y$이므로 $x=17$

11, 20, 17, y의 중앙값이 18이므로 이 4개의 변량을 작은 값부터 크기순으로 나열하였을 때, y는 17과 20 사이에 있어야 한다.

즉, 크기순으로 나열하면 11, 17, y, 20이고, 중앙값은 18이므로

$$\frac{17+y}{2}=18 \qquad \therefore y=19$$

$$\therefore y-x=19-17=2$$

최빈값이 4이므로 평균도 4이다.

$(평균)=\dfrac{4+2+8+4+5+4+x}{7}=4$, $\dfrac{27+x}{7}=4$

$27+x=28$ $\quad \therefore x=1$

3-1 평균이 0이므로

$$\dfrac{(-5)+(-2)+a+4+b+0}{6}=0$$

$\therefore a+b=3$

최빈값이 0이므로 a, b의 값 중 하나는 0이다.

그런데 $a<b$이므로 $a=0$, $b=3$

$\therefore a+2b=0+2\times 3=6$

3-2 a, b, c의 평균이 10이므로

$\dfrac{a+b+c}{3}=10$ $\quad \therefore a+b+c=30$

따라서 $2a+5$, $2b+5$, $2c+5$의 평균은

$$\dfrac{(2a+5)+(2b+5)+(2c+5)}{3}$$

$$=\dfrac{2(a+b+c)+15}{3}$$

$$=\dfrac{60+15}{3}=25$$

3-3 x를 제외한 6개의 수를 작은 값부터 크기순으로 나열하면 18, 20, 23, 24, 28, 31

$x\le 23$이면 중앙값 23, 평균은 25가 되고

$x\ge 24$이면 중앙값 24, 평균은 24가 된다.

$(평균)=\dfrac{18+20+23+24+28+31+x}{7}=\dfrac{144+x}{7}$

(i) $x\le 23$일 때, 평균이 25이므로

$\dfrac{144+x}{7}=25$ $\quad \therefore x=31$

하지만 $x\le 23$이어야 하므로 조건을 만족하지 않는다.

(ii) $x\ge 24$일 때, 평균이 24이므로

$\dfrac{144+x}{7}=24$ $\quad \therefore x=24$

조건을 만족하므로 $x=24$

(1) $(평균)=\dfrac{12+14+14+20+23+25+27+35+35+45}{10}$

$$=\dfrac{250}{10}=25(권)$$

(2) 줄기와 잎 그림에서 10개의 자료가 크기순으로 나열되어 있다. 중앙값은 5번째 학생과 6번째 학생이 읽은 책의 수의 평균이므로 $\dfrac{23+25}{2}=24$(권)

(3) 14권이 2명, 35권이 2명이므로 최빈값은 14권, 35권이다.

4-1 전체 학생 수가 20명이므로 중앙값은 점수가 낮은 쪽에서 10번째와 11번째인 학생의 점수의 평균인

$\dfrac{15+20}{2}=17.5$(점)이다.

또한 15점이 최빈값이다.

따라서 중앙값과 최빈값의 합은

$17.5+15=32.5$(점)이다.

4-2 전체 학생 수가 20명이므로

$x+4+5+8+2=20$ $\quad \therefore x=1$

$a=\dfrac{1\times 1+2\times 4+3\times 5+4\times 8+5\times 2}{20}$

$\quad =\dfrac{66}{20}=3.3$

전체 학생 수가 20명이므로 중앙값은 10번째와 11번째 학생의 점수의 평균이다. 점수가 낮은 쪽부터 학생 수를 차례로 더하면 $1+4+5=10$(명), $1+4+5+8=18$(명)이므로 10번째와 11번째 학생의 점수는 각각 3점, 4점이다.

$\therefore b=\dfrac{3+4}{2}=3.5$

또한 점수가 4점인 학생 수가 8명으로 가장 많으므로 최빈값은 4점이다. $\quad \therefore c=4$

$\therefore a-b+c=3.3-3.5+4=3.8$

4-3 전체 학생 수가 20명이므로 $2+a+b+5+1=20$

$\therefore a+b=12$ $\quad \cdots\cdots$ ㉠

또 평균이 9.2권이므로

$\dfrac{2\times 2+6\times a+10\times b+14\times 5+18\times 1}{20}=9.2$

$6a+10b+92=184$

$\therefore 3a+5b=46$ $\quad \cdots\cdots$ ㉡

㉠, ㉡을 연립하여 풀면 $a=7$, $b=5$

중앙값은 읽은 책 수가 적은 쪽에서 10번째와 11번째인 학생이 읽은 책 수의 평균인 $\dfrac{10+10}{2}=10$(권)이다.

또한 6권이 최빈값이다.

4-4 A, B 두 반의 학생 수가 같으므로

$6+7+x+2+1=4+10+3+3$

$16+x=20$ ∴ $x=4$

따라서 A반에서 가족 수가 4명인 학생 수가 7명으로 가장 많으므로 최빈값은 4명이다. ∴ $a=4$

B반에서 중앙값은 가족 수가 적은 쪽에서 10번째와 11번째인 학생의 가족 수의 평균인데 둘 다 가족 수가 4명이므로 중앙값도 4명이다. ∴ $b=4$

∴ $a+b=4+4=8$

152~153쪽

중단원 EXERCISES

01 ③, ④	**02** 21	**03** 240 mm	**04** ③
05 4	**06** 0	**07** ②	**08** ④
09 45 kg	**10** 25	**11** ②	**12** ④, ⑤

01 ③ 자료의 개수가 짝수 개이면 중앙값은 중앙에 위치한 두 값의 평균이다.

④ (평균)$=\dfrac{(\text{자료의 총합})}{(\text{자료의 개수})}$ 이므로 주어진 자료를 모두 이용하여 구한다.

02 10개의 변량의 평균이 20이므로

$\dfrac{a+b+c+\cdots+j}{10}=20$

∴ $a+b+c+\cdots+j=200$

따라서 12개의 변량 $a, b, c, \cdots, j$, 24, 28의 평균은

$\dfrac{a+b+c+\cdots+j+24+28}{12}=\dfrac{252}{12}=21$

03 운동화의 치수를 작은 값부터 크기순으로 나열하면 225, 230, 230, 235, 240, 240, 240, 240, 245, 250이다.

많이 팔리는 치수를 가장 많이 준비해야 하므로 주어진 자료의 최빈값인 240 mm를 가장 많이 주문해야 한다.

04 ③ 주어진 자료에서 100은 극단적인 값이므로 평균에 영향을 많이 준다. 따라서 중앙값이 대푯값으로 적절하다.

05 전체 회원 수가 20명이므로 중앙값은 시간이 짧은 쪽에서 10번째와 11번째인 회원의 뛰는 시간의 평균이다.

즉, (중앙값)$=\dfrac{45+47}{2}=46$(분)

또한 러닝머신을 50분 뛰는 회원 수가 4명으로 가장 많으므로 최빈값은 50분이다.

따라서 $a=46$, $b=50$이므로 $b-a=4$

06 전체 학생 수가 10명이므로 $a+3+b+1+2=10$

∴ $a+b=4$ ······ ㉠

평균이 7.8회이므로

$\dfrac{6\times a+7\times3+8\times b+9\times1+10\times2}{10}=7.8$

$6a+8b=28$

∴ $3a+4b=14$ ······ ㉡

㉠, ㉡을 연립하여 풀면

$a=2$, $b=2$ ∴ $a-b=0$

07 ① 평균은

$\dfrac{6\times4+8\times6+10\times10+12\times10+14\times6+16\times4}{40}$

$=\dfrac{440}{40}=11$(점)

② 점수가 낮은 쪽에서 20번째와 21번째인 학생의 점수는 각각 10점, 12점이므로 중앙값은 $\dfrac{10+12}{2}=11$(점)이다.

③ 최빈값은 10점, 12점이다.

④ 8점은 평균, 중앙값, 최빈값 중 어느 값도 아니므로 대푯값으로 적절하지 않다.

⑤ 상위 25 % 이내에 있는 학생은 $40\times0.25=10$(명)이다. 이들 중 점수가 높은 쪽에서 5번째와 6번째인 학생의 점수는 둘 다 14점이므로 중앙값도 14점이다.

08 마지막 시험에서 받아야 할 수학 성적을 x점이라고 할 때, 성적의 평균이 90점이 되려면

$\dfrac{82+90+94+x}{4}=90$, $266+x=360$

∴ $x=94$

따라서 마지막 수학 시험에서 받아야 할 성적은 94점이다.

09 전학을 간 학생의 몸무게를 x kg이라고 하면 남은 50명의 몸무게의 평균이 50.1 kg이므로

$$\frac{51 \times 50 - x}{50} = 50.1, \quad 2550 - x = 2505$$

$$\therefore x = 45$$

따라서 전학을 간 학생의 몸무게는 45 kg이다.

10 조건 ㈎에서 a를 제외한 변량을 작은 값부터 크기순으로 나열하면 25, 35, 48이고 중앙값이 30이므로 a의 값은 25보다 작거나 같아야 한다. ➡ $a \leq 25$

조건 ㈏에서 a를 제외한 변량을 작은 값부터 크기순으로 나열하면 15, 20, 25, 30이고 중앙값이 25이므로 a의 값은 25보다 크거나 같아야 한다. ➡ $a \geq 25$

따라서 두 조건을 모두 만족시키는 a의 값은 25이다.

11 x를 제외한 변량을 작은 값부터 크기순으로 나열하면 24, 25, 25, 25, 26, 28

최빈값이 25시간이므로 평균도 25시간이다.

$$(\text{평균}) = \frac{24 + 25 + 25 + 25 + 26 + 28 + x}{7} = 25$$

$$\frac{153 + x}{7} = 25 \qquad \therefore x = 22$$

12 a를 제외한 자료를 작은 값부터 크기순으로 나열하면 32, 37, 38, 45, 50, 50이다.

이때 중앙값이 45이므로 4번째 값이 45이고, a의 값은 45보다 크거나 같아야 한다.

그런데 최빈값이 50이므로 45는 2번 이상 나올 수 없다.

$$\therefore a > 45$$

따라서 a의 값이 될 수 있는 것은 ④ 49, ⑤ 50이다.

2. 산포도와 상관관계

개념 확인 (1) 평균 (2) 0 (3) 편차 (4) 분산

01 5

02 분산 : 2.4, 표준편차 : $\sqrt{2.4}$회   **03** $\frac{46}{7}$

04 서울

01 편차의 총합은 0이므로

$$2 + 0 + (-3) + (-4) + x = 0 \qquad \therefore x = 5$$

02 $(\text{평균}) = \dfrac{11 + 7 + 9 + 12 + 8 + 9 + 7 + 8 + 9 + 10}{10} = 9(\text{회})$

따라서 각 변량의 편차를 차례로 구하면

$2, -2, 0, 3, -1, 0, -2, -1, 0, 1$이므로

$$\begin{aligned}(\text{분산}) &= \frac{1}{10}\{2^2 + (-2)^2 + 0^2 + 3^2 + (-1)^2 + 0^2 \\ &\qquad + (-2)^2 + (-1)^2 + 0^2 + 1^2\} \\ &= \frac{24}{10} = 2.4\end{aligned}$$

$(\text{표준편차}) = \sqrt{2.4}(\text{회})$

03 평균이 2이므로

$$\frac{(-1) + 3 + x + 6 + (-2) + 2 + y}{7} = 2$$

$$\therefore x + y = 6 \qquad \cdots\cdots \ ㉠$$

최빈값이 2이므로 x와 y 중 하나는 2이어야 한다.

이때 $x > y$이므로 $x = 4, y = 2 \ (\because ㉠)$

편차를 차례로 구하면 $-3, 1, 2, 4, -4, 0, 0$이므로

$$(\text{분산}) = \frac{(-3)^2 + 1^2 + 2^2 + 4^2 + (-4)^2 + 0^2 + 0^2}{7} = \frac{46}{7}$$

04 서울의 최고 기온의 평균은

$$\frac{24 + 26 + 25 + 22 + 28}{5} = 25(℃) \text{이므로}$$

편차는 각각 $-1℃, 1℃, 0℃, -3℃, 3℃$

$$(\text{분산}) = \frac{(-1)^2 + 1^2 + 0^2 + (-3)^2 + 3^2}{5} = \frac{20}{5} = 4$$

$$\therefore (\text{표준편차}) = \sqrt{4} = 2(℃)$$

강릉의 최고 기온의 평균은

$$\frac{25 + 20 + 21 + 22 + 27}{5} = 23(℃) \text{이므로}$$

편차는 각각 2°C, −3°C, −2°C, −1°C, 4°C

$$(\text{분산})=\frac{2^2+(-3)^2+(-2)^2+(-1)^2+4^2}{5}=\frac{34}{5}=6.8$$

$$\therefore (\text{표준편차})=\sqrt{6.8}\,(°C)$$

따라서 최고 기온의 표준편차가 더 작은 지역은 서울이므로 서울의 5일 동안의 최고 기온이 더 고르다.

개념 CHECK
02. 상관관계 / 171쪽

개념 확인 (1) 산점도 (2) 상관관계 (3) 약하다

01 (1) 풀이 참조 (2) 양의 상관관계

02 (1) ㄴ, ㄹ (2) ㄷ, ㅁ (3) ㄱ, ㅂ

03 B

01 (1)

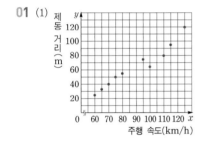
제동 거리(m) / 주행 속도(km/h)

유형 EXERCISES
172~175쪽

유형 ❶	157점	1-1 77점	1-2 7
유형 ❷	1.6	2-1 2.25, 1.5회	2-2 ④
유형 ❸	−15	3-1 720	3-2 70	3-3 3점
유형 ❹	A도시	4-1 B회사	4-2 A선수
		4-3 ③	4-4 ③
유형 ❺	④	5-1 ③	5-2 ㄴ, ㄷ
유형 ❻	A	6-1 C	6-2 ⑤
		6-3 ③	6-4 (1) 35 % (2) 8명

유형 ❶

편차의 총합은 0이므로

$$3+(-2)+x+5+(-2x)=0 \qquad \therefore x=6$$

즉, A의 점수는 $74+3=77$(점)

C의 점수는 $74+6=80$(점)

따라서 두 학생 A와 C의 점수의 합은

$77+80=157$(점)

1-1 편차의 총합은 0이므로

$$(-2)+5+4+(-3)+(-1)+x=0$$

$$\therefore x=-3$$

평균이 80점이므로 편차가 −3점인 학생의 점수는

$80+(-3)=77$(점)

1-2 (편차)×(학생 수)의 총합은 0이므로

$$(-2)\times6+(-1)\times4+0\times3+1\times2+2\times x=0$$

$$\therefore x=7$$

유형 ❷

편차의 총합은 0이므로

$$1+(-1)+2+x+(-1)=0 \qquad \therefore x=-1$$

$$\therefore (\text{분산})=\frac{1^2+(-1)^2+2^2+(-1)^2+(-1)^2}{5}=\frac{8}{5}=1.6$$

2-1

$$(\text{평균})=\frac{12+9+12+11+8+10+8+10}{8}$$

$$=\frac{80}{8}=10(\text{회})$$

$$(\text{분산})=\frac{1}{8}\{(12-10)^2+(9-10)^2+(12-10)^2$$
$$+(11-10)^2+(8-10)^2+(10-10)^2$$
$$+(8-10)^2+(10-10)^2\}$$

$$=\frac{1}{8}\{2^2+(-1)^2+2^2+1^2+(-2)^2+(-2)^2\}$$

$$=\frac{18}{8}=2.25$$

$$(\text{표준편차})=\sqrt{2.25}=1.5(\text{회})$$

2-2 C학생의 편차를 x점이라고 하면 편차의 총합은 0이므로

$$4+(-1)+x+(-1)+9=0 \qquad \therefore x=-11$$

① 점수가 가장 낮은 학생은 편차가 가장 작은 C학생이다.

② A학생의 점수는 평균보다 4점 높고, B학생의 점수는 평균보다 1점 낮으므로 A학생과 B학생의 점수의 차는 5점이다.

③ $(분산)=\dfrac{4^2+(-1)^2+(-11)^2+(-1)^2+9^2}{5}$

$\qquad\qquad =\dfrac{220}{5}=44$

④ $(표준편차)=\sqrt{44}=2\sqrt{11}(점)$

⑤ 주어진 자료만으로는 점수의 평균을 알 수 없다.

유형 ❸

편차의 총합이 0이므로

$x+(-4)+3+y+(-1)=0 \qquad \therefore x+y=2$

이때 분산이 12이므로

$\dfrac{x^2+(-4)^2+3^2+y^2+(-1)^2}{5}=12$

$\therefore x^2+y^2=34$

한편 $(x+y)^2=x^2+2xy+y^2$이므로

$2^2=34+2xy \qquad \therefore xy=-15$

3-1 평균이 18일이므로 $\dfrac{14+a+21+b+19}{5}=18$

$\qquad a+b+54=90 \qquad \therefore a+b=36$

이때 분산이 19.6이므로

$\dfrac{1}{5}\{(14-18)^2+(a-18)^2+(21-18)^2+(b-18)^2$

$\qquad\qquad +(19-18)^2\}=19.6$

$(a-18)^2+(b-18)^2=72$

$a^2+b^2-36(a+b)+648=72$

$\therefore a^2+b^2=36\times36-576=720$

3-2 주어진 변량의 평균이 7이므로

$\dfrac{x+3+7+8+y}{5}=7 \qquad \therefore x+y=17$

이때 분산이 5.2이므로

$\dfrac{1}{5}\{(x-7)^2+(3-7)^2+(7-7)^2+(8-7)^2+(y-7)^2\}$

$=5.2$

$(x-7)^2+(y-7)^2=9$

$x^2+y^2-14(x+y)+98=9$

$\therefore x^2+y^2=14\times17-89=149$

한편 $(x+y)^2=x^2+2xy+y^2$이므로

$17^2=149+2xy \qquad \therefore xy=70$

3-3 $(A모둠의 평균)=\dfrac{4a+5+6+9}{4}=a+5(점)$

이때 A모둠의 표준편차가 $\sqrt{2.5}$점이므로 분산은 2.5이다. 즉,

$\dfrac{(3a-5)^2+(-a)^2+(1-a)^2+(4-a)^2}{4}=2.5$

$12a^2-40a+42=10,\ 3a^2-10a+8=0$

$(a-2)(3a-4)=0 \qquad \therefore a=2(\because a는 자연수)$

따라서 B모둠의 점수는 8, 2, 8, 2이므로

$(B모둠의 평균)=\dfrac{8+2+8+2}{4}=5(점)$

$(B모둠의 표준편차)=\sqrt{\dfrac{3^2+(-3)^2+3^2+(-3)^2}{4}}$

$\qquad\qquad\qquad =3(점)$

유형 ❹

표준편차가 작을수록 변량이 평균을 중심으로 밀집되어 있다. A도시의 표준편차가 가장 작으므로 오존 농도의 변화가 가장 고르다.

4-1 표준편차가 클수록 임금 격차가 크다고 할 수 있다. 즉, 임금 격차가 가장 큰 회사는 표준편차가 가장 큰 B회사이다.

4-2 A선수가 맞힌 과녁의 점수의 평균은

$\dfrac{7\times1+8\times4+9\times4+10\times1}{10}=8.5(점)$

$\therefore (분산)=\dfrac{1}{10}\{(-1.5)^2\times1+(-0.5)^2\times4$

$\qquad\qquad +(0.5)^2\times4+(1.5)^2\times1\}$

$\qquad =0.65$

B선수가 맞힌 과녁의 점수의 평균은

$\dfrac{7\times2+8\times3+9\times3+10\times2}{10}=8.5(점)$

$\therefore (분산)=\dfrac{1}{10}\{(-1.5)^2\times2+(-0.5)^2\times3$

$\qquad\qquad +(0.5)^2\times3+(1.5)^2\times2\}$

$\qquad =1.05$

C선수가 맞힌 과녁의 점수의 평균은

$\dfrac{7\times3+8\times2+9\times2+10\times3}{10}=8.5(점)$

$$\therefore \text{(분산)} = \frac{1}{10}\{(-1.5)^2 \times 3 + (-0.5)^2 \times 2$$
$$+ (0.5)^2 \times 2 + (1.5)^2 \times 3\}$$
$$= 1.45$$

이때 분산이 작을수록 점수의 분포가 고르므로 A선수가
얻은 점수의 분포가 가장 고르다.

4-3 ① A학생과 B학생의 성적의 평균이 같으므로 어느 학생
의 성적이 더 좋다고 말할 수 없다.
② B학생의 표준편차가 더 크므로 분산도 더 크다.
③ A학생의 표준편차가 더 작으므로 A학생의 성적이 B
학생의 성적보다 고르다.
④ A학생의 표준편차가 더 작으므로 A학생의 성적이
B학생의 성적보다 평균 가까이에 더 많이 모여 있다.
⑤ 표준편차가 다르므로 산포도는 다르다.

4-4 ① 평균 소득은 B도시가 더 높지만 주민 수를 알 수 없으
므로 총 소득은 어느 도시가 더 높은지 알 수 없다.
②, ④ B도시의 그래프가 A도시의 그래프보다 오른쪽
에 더 치우쳐 있으므로 B도시의 평균 소득이 높다.
③, ⑤ A도시의 그래프가 평균 주위에 더 밀집되어 있으
므로 A도시의 소득 격차가 더 작다.

유형 ⑤

①, ② 상관관계가 없다.
③ 겨울철 기온이 내려갈수록 난방비가 올라가므로 음의 상관
관계가 있다.
④ 미세먼지 농도가 높을수록 마스크 판매량이 많아지므로 양
의 상관관계가 있다.
⑤ 비 올 확률이 높을수록 선글라스 판매량이 줄어들므로 음의
상관관계가 있다.

5-1 산이 높아질수록 기온이 낮아지므로 산의 높이 x m와 정
상에서의 기온 y°C는 음의 상관관계가 있다. 따라서
x와 y의 상관관계를 나타낸 산점도로 알맞은 것은 ③
이다.

5-2 ㄱ. 음의 상관관계
ㄴ, ㄷ. 상관관계가 없다.
ㄹ. 양의 상관관계

유형 ⑥

키에 비해 몸무게가 적게 나가는 학생은 A이다.

6-1 출전 경기 수에 비해 골 득점 수가 가장 많은 선수는 C
이다.

6-2 ① 자동차 수가 증가할 때 대기오염도도 증가하므로 양의
상관관계가 있다.
② B도시와 A도시는 운행된 자동차 수는 비슷하나 B도
시의 대기오염도가 더 낮다.
③ B도시가 C도시보다 운행된 자동차 수가 많다.
④ D도시가 C도시보다 대기오염도가 높다.

6-3 ② 국어 성적이 높은 학생이 대체로 수학 성적도 높으므
로 양의 상관관계가 있다.
③ 국어 성적이 가장 낮은 학생의 수학 성적은 30점이다.
④ 국어 성적과 수학 성적이
같은 학생 수는 오른쪽
위로 향하는 대각선 위
에 있는 점의 개수와 같
으므로 5명이다.

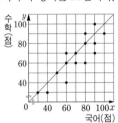

⑤ 수학 성적이 60점인 학생들의 국어 성적은 60점, 70
점, 80점이므로 평균은
$$\frac{60+70+80}{3} = 70(점)$$

6-4 (1) 작년보다 올해 홈런을 더
많이 친 선수 수는 오른
쪽 위로 향하는 대각선
의 위쪽에 있는 점의 개
수와 같으므로 7명이다.
$$\therefore \frac{7}{20} \times 100 = 35(\%)$$

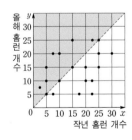

(2) 작년과 올해 친 홈런의
개수의 합이 30 초과인
선수 수는 오른쪽 그림
의 색칠한 부분에 속하
는 점의 개수와 같으므
로 8명이다.

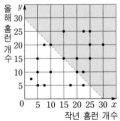

01 ③	**02** 72점	**03** ⑤	**04** ②
05 1.2	**06** ③	**07** 3	**08** 3
09 ③	**10** ③	**11** ⑤	**12** 550
13 1.2	**14** 평균 : 11, 분산 : 40		
15 평균 : $(a+2)$점, 표준편차 : b점		**16** 486	
17 ④	**18** 25 %		

01 ① 변량에서 평균을 뺀 값을 편차라고 한다.

② 편차의 제곱의 평균, 즉 분산을 구해야 산포도를 알 수 있다.

④ 편차의 총합이 0이다.

⑤ 평균이 같다고 해서 산포도가 같은 것은 아니다.

02 편차의 총합은 0이므로

$4+(-3)+(-4)+x+5+(-4)=0$

$x-2=0$ $\therefore x=2$

따라서 상민이의 점수는 $70+2=72$(점)이다.

03 편차의 총합은 0이므로

$2+x+(-4)+7+(-2)=0$ $\therefore x=-3$

① 자료의 값이 클수록 편차도 크므로 미현이가 가장 많이 읽었다.

② 화영이가 읽은 책의 수는 $10-3=7$(권)

③ 적게 읽은 순으로 이름을 나열하면 준식, 화영, 재원, 유리, 미현이다. 따라서 중앙값은 재원이가 읽은 책의 수로 $10-2=8$(권)

④ (분산)$=\dfrac{2^2+(-3)^2+(-4)^2+7^2+(-2)^2}{5}$

$=\dfrac{82}{5}=16.4$

⑤ 편차가 음수인 학생을 찾으면 화영, 준식, 재원으로 3명이다.

04 (평균)$=\dfrac{8+9+3+6+7+4+9+10}{8}=\dfrac{56}{8}=7$(점)

(분산)$=\dfrac{1^2+2^2+(-4)^2+(-1)^2+0^2+(-3)^2+2^2+3^2}{8}$

$=\dfrac{44}{8}=5.5$

05 (평균)$=\dfrac{4\times2+5\times4+6\times8+7\times4+8\times2}{20}$

$=\dfrac{120}{20}=6(\text{L})$

(분산)$=\dfrac{1}{20}\{(4-6)^2\times2+(5-6)^2\times4+(6-6)^2\times8$

$+(7-6)^2\times4+(8-6)^2\times2\}$

$=\dfrac{24}{20}=1.2$

06 $2+4+6+x+5=25$이므로 $x=8$

(평균)$=\dfrac{10\times2+20\times4+30\times6+40\times8+50\times5}{25}$

$=\dfrac{850}{25}=34$(분)

(분산)$=\dfrac{(-24)^2\times2+(-14)^2\times4+(-4)^2\times6+6^2\times8+16^2\times5}{25}$

$=\dfrac{3600}{25}=144$

$\therefore$ (표준편차)$=\sqrt{144}=12$(분)

07 (평균)$=\dfrac{(6-a)+9+(6+a)}{3}=7$

이때 표준편차가 $2\sqrt{2}$이므로 분산은 8이다. 즉,

(분산)$=\dfrac{(-a-1)^2+2^2+(a-1)^2}{3}=8$

$2a^2+6=24,\ a^2=9$ $\therefore a=3\ (\because a>0)$

08 편차의 총합은 0이므로 $(-2)+a+4+2+b=0$

$\therefore a+b=-4$

분산이 6.8이므로

$\dfrac{(-2)^2+a^2+4^2+2^2+b^2}{5}=6.8$

$\therefore a^2+b^2=34-24=10$

따라서 $(a+b)^2=a^2+2ab+b^2$에서

$(-4)^2=10+2ab,\ 2ab=6$

$\therefore ab=3$

09 A는 변량 사이의 간격이 1로 일정하고, B, C는 변량 사이의 간격이 2로 일정하므로 표준편차 a, b, c의 대소 관계는 $a<b=c$

■ 다른 풀이 ■

자료 A에 대하여

(평균)$=\dfrac{1+2+3+4+5+6+7}{7}=\dfrac{28}{7}=4$

$$(\text{분산})=\frac{(-3)^2+(-2)^2+(-1)^2+0^2+1^2+2^2+3^2}{7}$$
$$=4$$

$\therefore (\text{표준편차})=\sqrt{4}=2$

자료 B에 대하여

$$(\text{평균})=\frac{1+3+5+7+9+11+13}{7}=\frac{49}{7}=7$$

$$(\text{분산})=\frac{(-6)^2+(-4)^2+(-2)^2+0^2+2^2+4^2+6^2}{7}$$
$$=16$$

$\therefore (\text{표준편차})=\sqrt{16}=4$

자료 C에 대하여

$$(\text{평균})=\frac{2+4+6+8+10+12+14}{7}=\frac{56}{7}=8$$

$$(\text{분산})=\frac{(-6)^2+(-4)^2+(-2)^2+0^2+2^2+4^2+6^2}{7}$$
$$=16$$

$\therefore (\text{표준편차})=\sqrt{16}=4$

따라서 $a=2, b=4, c=4$이므로 $a<b=c$

10 ① A, B모둠의 평균은 같지만, C모둠의 평균은 A, B모둠의 평균과 다르다.
② B모둠의 분산이 4, A모둠의 분산이 2이므로 B모둠의 산포도가 더 크다.
④ 표준편차가 가장 작은 모둠은 A모둠이다.
⑤ A모둠의 분산이 가장 작으므로 A모둠의 성적이 평균에 가깝게 모여 있다.

11 소금물에서 소금의 양과 소금물의 농도 사이에는 양의 상관관계가 있다.
① 상관관계가 없다.
②~④ 음의 상관관계
⑤ 양의 상관관계

12 평균 기온이 24°C 이하인 날에 팔린 아이스크림의 개수는
$200+250+300=750$
평균 기온이 32°C 이상인 날에 팔린 아이스크림의 개수는
$450+400+450=1300$
따라서 아이스크림 개수의 차는 $1300-750=550$

13 평균이 5이므로 $\dfrac{3+6+5+x+y}{5}=5$
$\therefore x+y=11$

$$(\text{분산})=\frac{(-2)^2+1^2+(x-5)^2+(y-5)^2}{5}$$
$$=\frac{x^2+y^2-10(x+y)+55}{5}$$
$$=\frac{(x+y)^2-2xy-10(x+y)+55}{5}$$

이때 $x+y=11, xy=30$이므로

$$(\text{분산})=\frac{11^2-2\times30-10\times11+55}{5}=\frac{6}{5}=1.2$$

14 a, b, c, d, e에 대하여
$$(\text{평균})=\frac{a+b+c+d+e}{5}=5$$이므로
$a+b+c+d+e=25$
$$(\text{분산})=\frac{(a-5)^2+(b-5)^2+(c-5)^2+(d-5)^2+(e-5)^2}{5}$$
$$=10$$
이므로
$(a-5)^2+(b-5)^2+(c-5)^2+(d-5)^2+(e-5)^2=50$
$2a+1, 2b+1, 2c+1, 2d+1, 2e+1$에 대하여
(평균)
$$=\frac{(2a+1)+(2b+1)+(2c+1)+(2d+1)+(2e+1)}{5}$$
$$=\frac{2(a+b+c+d+e)+5}{5}=\frac{2\times25+5}{5}=11$$
(분산)
$$=\frac{(2a-10)^2+(2b-10)^2+(2c-10)^2+(2d-10)^2+(2e-10)^2}{5}$$
$$=\frac{4\{(a-5)^2+(b-5)^2+(c-5)^2+(d-5)^2+(e-5)^2\}}{5}$$
$$=\frac{4\times50}{5}=40$$

15 주어진 표에서
$$(\text{평균})=\frac{4+8+7+5+6}{5}=\frac{30}{5}=6(\text{점})$$
$$(\text{분산})=\frac{(4-6)^2+(8-6)^2+(7-6)^2+(5-6)^2+(6-6)^2}{5}$$
$$=\frac{10}{5}=2$$
$(\text{표준편차})=\sqrt{2}$점
$\therefore a=6, b=\sqrt{2}$
학생의 점수를 모두 2점씩 올려주었을 때
$$(\text{평균})=\frac{6+10+9+7+8}{5}=\frac{40}{5}=8(\text{점})$$

$$(\text{분산})=\frac{(6-8)^2+(10-8)^2+(9-8)^2+(7-8)^2+(8-8)^2}{5}$$

$$=\frac{10}{5}=2$$

$(\text{표준편차})=\sqrt{2}$점

따라서 점수를 2점씩 올려주면 평균은 2점 오르지만 표준편차는 변하지 않는다.

$\therefore (\text{평균})=(a+2)$점, $(\text{표준편차})=b$점

16 a, b, c의 평균이 12이므로

$$\frac{a+b+c}{3}=12 \qquad \therefore a+b+c=36 \qquad \cdots\cdots \ \ominus$$

표준편차가 $3\sqrt{2}$, 즉 분산이 18이므로

$$\frac{(a-12)^2+(b-12)^2+(c-12)^2}{3}=18\text{에서}$$

$$(a-12)^2+(b-12)^2+(c-12)^2=54$$

$$a^2+b^2+c^2-24(a+b+c)+432=54$$

이 식에 $\ominus$을 대입하여 정리하면

$$a^2+b^2+c^2-432=54 \qquad \therefore a^2+b^2+c^2=486$$

17 ① 국어 성적과 영어 성적 사이에는 양의 상관관계가 있다.

② 학생 A는 국어 성적은 우수하나 영어 성적은 우수하지 않은 편이다.

③ 학생 B는 학생 C보다 국어 성적이 낮다.

⑤ 학생 D는 학생 C보다 국어 성적이 낮다.

18 1차와 2차에 얻은 점수의 차가 2점 이상인 선수는 오른쪽 그림의 색칠한 부분에 속하는 점의 개수와 그 경계선 위의 점의 개수의 합과 같으므로 4명이다.

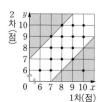

$$\therefore \frac{4}{16}\times 100=25(\%)$$

대단원 EXERCISES

180~183쪽

01 ④	02 6점	03 7	04 7
05 ⑤	06 76점	07 ③	08 2
09 ⑤	10 80	11 ④	12 ①
13 ④	14 건영	15 ④	16 ⑤
17 ⑤	18 35 %	19 10시간	20 6만 원
21 66 %			

040 정답 및 풀이

---

01 ④ 최빈값은 1, 5이다.

02 15명을 조사한 것이므로 중앙값은 작은 쪽에서 8번째 점수인 48점이다. 또한 54점인 학생 수가 3명으로 가장 많으므로 최빈값은 54점이다.

따라서 중앙값과 최빈값의 차는 $54-48=6$(점)

03 과학 수행 평가 점수의 총합은

$$33+35+36+(30+x)+46\times 2+47+48+49+54\times 3$$
$$+58+61+62=713+x$$

이때 평균이 48점이므로

$$\frac{713+x}{15}=48 \qquad \therefore x=7$$

04 나머지 3개의 수가 7보다 크거나 같을 경우 중앙값은 최대가 되고 그때의 중앙값의 최댓값은 7이다.

05 (평균)

$$=\frac{75+80+90+85+75+x+85+80+90+85}{10}$$

$$=\frac{745+x}{10}(\text{점})$$

이때 수학 성적의 평균이 80점 이상 83점 미만이므로

$$80\le\frac{745+x}{10}<83, \ 800\le 745+x<830$$

$$\therefore 55\le x<85$$

따라서 x의 값으로 적당하지 않은 것은 ⑤ 85이다.

06 11명에 대한 점수의 평균이 1점 높아졌으므로 점수의 총합은 11점 높아진 것이다.

따라서 동하의 점수를 $65+11=76$(점)으로 잘못 본 것이다.

■ **다른 풀이** ■

동하를 뺀 나머지 학생 10명의 점수의 총합을 A점이라 하고, 잘못 본 동하의 점수를 x점이라고 하면

$(\text{잘못 구한 평균})-(\text{바르게 구한 평균})=1$이므로

$$\frac{A+x}{11}-\frac{A+65}{11}=1$$

$$\frac{x-65}{11}=1, \ x-65=11 \qquad \therefore x=76$$

따라서 잘못 본 동하의 점수는 76점이다.

07 ① 전체 학생 수는 28명이므로

$$A=28-(2+5+8+6+1)=6$$

(평균)

$$= \frac{3\times2+4\times5+5\times8+6\times6+7\times6+52\times1}{28}$$

$$= \frac{196}{28} = 7(회)$$

② 전체 학생 수가 28명이므로 중앙값은 턱걸이 횟수가 적은 쪽에서 14번째, 15번째인 학생의 횟수의 평균으로 5회이다.

③ 5회의 학생 수가 가장 많으므로 최빈값은 5회이다.

④ 자료에 극단적인 값인 52회가 있으므로 평균은 대푯값으로 적절하지 않다.

⑤ 평균이 7회이므로 편차가 -1회인 학생 수는 턱걸이 횟수가 6회인 학생 수로 6명이다.

08 평균이 5이므로

$$\frac{2+3+6+a+7+4+b}{7}=5 \qquad \therefore a+b=13$$

중앙값이 5이므로 자료를 작은 값부터 크기순으로 나열할 때, 4번째 값이 5이어야 한다.

5보다 작은 값이 3개 있고 5가 없으므로 $a=5(\because a<b)$

$\therefore b=8$

$$(분산)=\frac{(-3)^2+(-2)^2+1^2+0^2+2^2+(-1)^2+3^2}{7}=4$$

$\therefore (표준편차)=\sqrt{4}=2$

09 편차의 총합은 0이므로

$$3+x+(-6)+5+(-4)=0 \qquad \therefore x=2$$

$$(분산)=\frac{3^2+2^2+(-6)^2+5^2+(-4)^2}{5}=\frac{90}{5}=18$$

$\therefore (표준편차)=\sqrt{18}=3\sqrt{2}(점)$

10 평균이 6이므로 $\dfrac{5+x+6+y+7}{5}=6$

$\therefore x+y=12$

분산이 2이므로

$$\frac{(-1)^2+(x-6)^2+(y-6)^2+1^2}{5}=2$$

$$(x-6)^2+(y-6)^2=8$$

$$x^2+y^2-12(x+y)+72=8$$

$$\therefore x^2+y^2=12(x+y)-64=144-64=80$$

11 전체 학생 수가 40명이므로

$$a+18+14+b=40 \qquad \therefore a+b=8 \qquad \cdots\cdots \ ㉠$$

통학 시간의 평균이 21분이므로

$$\frac{5\times a+15\times18+25\times14+35\times b}{40}=21$$

$$\therefore a+7b=44 \qquad\qquad \cdots\cdots \ ㉡$$

㉠, ㉡을 연립하여 풀면 $a=2$, $b=6$

$$(분산)=\frac{(-16)^2\times2+(-6)^2\times18+4^2\times14+14^2\times6}{40}$$

$$= \frac{2560}{40}=64$$

$\therefore (표준편차)=\sqrt{64}=8(분)$

12 주어진 자료의 평균을 각각 구해보면

① 2.5점 ② 2.5점 ③ 3점 ④ 2.5점 ⑤ 2.375점

따라서 영어 수행 평가 점수가 평균 가까이에 많이 모여 있는 막대그래프는 ①이므로 영어 수행 평가 점수의 표준편차가 가장 작은 것은 ①이다.

13 ④ B반의 분산이 더 작으므로 B반이 A반보다 점수가 더 고르다. 즉, 평균 가까이에 더 많이 모여 있다.

⑤ 최고 점수를 받은 학생이 어느 반인지는 알 수 없다.

14 표준편차가 클수록 자료의 분포가 고르지 않으므로 공부시간이 가장 고르지 않은 학생은 표준편차가 가장 큰 건영이다.

15 ①, ② : 양의 상관관계

③, ⑤ : 상관관계가 없다.

④ : 음의 상관관계

16 오른쪽 시력에 비해 왼쪽 시력이 가장 좋은 학생은 산점도에서 왼쪽 위에 위치해 있는 E이다.

17 ⑤ 학습 시간이 3시간 이하이고 학업 성적이 90점 이상인 학생은 2명이다.

18 중간고사 성적보다 기말고사 성적이 향상된 학생은 오른쪽 그림의 색칠한 부분에 속하는 점의 개수와 같으므로 7명이다.

$$\therefore \frac{7}{20}\times100=35(\%)$$

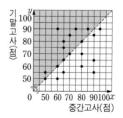

19 읽은 책의 수가 4, 4, 5, 6, 6, 7, 8, 9이므로 중앙값은

$$\frac{6+6}{2}=6(권)이다.$$

따라서 6권보다 많은 7권, 8권, 9권을 읽은 학생의 휴대전화 사용 시간은 각각 12시간, 10시간, 8시간이므로 평균은 $\dfrac{12+10+8}{3}=10$(시간)이다.

20 A, B, C의 저축액의 평균을 구하면 다음과 같다.

A : $\dfrac{5+8+5+9+9}{5}=\dfrac{36}{5}=7.2$(만 원)

B : $\dfrac{8+8+8+8+8}{5}=\dfrac{40}{5}=8$(만 원)

C : $\dfrac{6+7+3+4+8}{5}=\dfrac{28}{5}=5.6$(만 원) ······ ❶

따라서 저축액의 평균이 가장 작은 학생은 C이다.
C의 저축액을 작은 값부터 크기순으로 나열하면
3, 4, 6, 7, 8이므로 중앙값은 6만 원이다. ······ ❷

채점 기준	배점
❶ A, B, C의 한 달 저축액의 평균 각각 구하기	60 %
❷ 중앙값 구하기	40 %

21 (평균)

$=\dfrac{0\times1+1\times2+2\times5+3\times10+4\times15+5\times8+6\times5+7\times4}{50}$

$=\dfrac{200}{50}=4$(권) ······ ❶

(분산)

$=\dfrac{1}{50}\{(-4)^2\times1+(-3)^2\times2+(-2)^2\times5$

$\qquad +(-1)^2\times10+0^2\times15+1^2\times8+2^2\times5+3^2\times4\}$

$=\dfrac{128}{50}=\dfrac{64}{25}$

∴ (표준편차)$=\sqrt{\dfrac{64}{25}}=\dfrac{8}{5}=1.6$(권) ······ ❷

주어진 표에서 읽은 책 수가 $4-1.6=2.4$(권)보다 많고 $4+1.6=5.6$(권)보다 적은 학생 수는 $10+15+8=33$(명)이므로 전체 학생 수의 $\dfrac{33}{50}\times100=66(\%)$이다. ······ ❸

채점 기준	배점
❶ 평균 구하기	30 %
❷ 표준편차 구하기	30 %
❸ 답 구하기	40 %

[유제] **01** 5.36   **02** 64

01 [방법 ❶] 2, 3, 4, 7, 8의 평균을 구하면

$\dfrac{2+3+4+7+8}{5}=\dfrac{24}{5}=4.8$

5개의 수의 편차를 구하면

$-2.8,\ -1.8,\ -0.8,\ 2.2,\ 3.2$

편차를 제곱하면

$(-2.8)^2,\ (-1.8)^2,\ (-0.8)^2,\ (2.2)^2,\ (3.2)^2$

따라서 5개의 수의 분산은

$\dfrac{(-2.8)^2+(-1.8)^2+(-0.8)^2+(2.2)^2+(3.2)^2}{5}$

$=\dfrac{7.84+3.24+0.64+4.84+10.24}{5}$

$=\dfrac{26.8}{5}=5.36$

[방법 ❷] 2, 3, 4, 7, 8의 평균을 구하면

$\dfrac{2+3+4+7+8}{5}=\dfrac{24}{5}=4.8$

5개의 수의 제곱을 구하면

$2^2,\ 3^2,\ 4^2,\ 7^2,\ 8^2$

제곱한 수의 평균을 구하면

$\dfrac{2^2+3^2+4^2+7^2+8^2}{5}$

$=\dfrac{4+9+16+49+64}{5}$

$=\dfrac{142}{5}=28.4$

따라서 5개의 수의 분산은

$28.4-(4.8)^2=28.4-23.04=5.36$

02 $2a+3,\ 2b+3,\ 2c+3,\ 2d+3,\ 2e+3$의 평균은 $2\times8+3=19$, 표준편차는 $2\times4=8$이다.
따라서 $2a+3,\ 2b+3,\ 2c+3,\ 2d+3,\ 2e+3$의 분산은 $8^2=64$이다.

V 삼각비

1. 삼각비

01 2	**02** $\frac{1}{6}$	**03** $\frac{\sqrt{5}}{5}$	**04** $\sqrt{10}$
05 $2\sqrt{7}$ cm	**06** $10+2\sqrt{5}$	**07** $(4+4\sqrt{6})$cm	
08 $\frac{\sqrt{2}}{4}$	**09** $\frac{\sqrt{3}}{3}$	**10** ⑤	**11** 2
12 ④	**13** ③	**14** $\frac{3\sqrt{10}}{10}$	**15** $\frac{3\sqrt{5}}{5}$
16 $\frac{5}{4}$	**17** $\frac{1}{2}$	**18** $\frac{3}{5}$	**19** $\frac{\sqrt{6}}{3}$
20 $\frac{3}{2}$	**21** $\frac{2\sqrt{2}}{3}$	**22** $\sqrt{3}$	**23** ㄱ, ㄷ
24 $3\sqrt{3}$	**25** $\sqrt{3}$	**26** $2\sqrt{6}$	**27** $45+5\sqrt{3}$
28 $(3+3\sqrt{3})$cm		**29** $2-\sqrt{3}$	**30** ②
31 $\overline{BC}$	**32** ③	**33** ③	**34** ②
35 $\sqrt{3}$	**36** $\frac{5\sqrt{3}}{6}$	**37** ①	
38 가장 큰 값 : ㄹ, 가장 작은 값 : ㅁ		**39** 0	
40 0	**41** 2.333	**42** 7.813	**43** 1.38

01 $\overline{BC}=\sqrt{10^2-8^2}=6$이므로

$\tan A=\frac{6}{8}=\frac{3}{4}$, $\sin C=\frac{8}{10}=\frac{4}{5}$

$\therefore \tan A+\frac{1}{\sin C}=\frac{3}{4}+\frac{5}{4}=2$

02 $\overline{AB}=\sqrt{3^2-2^2}=\sqrt{5}$이므로

$\sin C=\frac{\sqrt{5}}{3}$, $\cos C=\frac{2}{3}$, $\tan C=\frac{\sqrt{5}}{2}$

$\therefore (\sin C+\cos C)(\tan C-1)$

$=\left(\frac{\sqrt{5}}{3}+\frac{2}{3}\right)\left(\frac{\sqrt{5}}{2}-1\right)$

$=\frac{\sqrt{5}+2}{3}\times\frac{\sqrt{5}-2}{2}=\frac{1}{6}$

03 $\overline{AD}=\overline{DC}=a$라고 하면 $\overline{BC}=2a$

$\triangle BCD$가 직각삼각형이므로 $\overline{BD}=\sqrt{(2a)^2+a^2}=\sqrt{5}a$

$\therefore \sin x=\frac{a}{\sqrt{5}a}=\frac{1}{\sqrt{5}}=\frac{\sqrt{5}}{5}$

04 $\tan B=\frac{\sqrt{6}}{\overline{AB}}=\frac{\sqrt{15}}{5}$이므로 $\overline{AB}=\frac{5\sqrt{6}}{\sqrt{15}}=\sqrt{10}$

05 $\cos B=\frac{\overline{BC}}{8}=\frac{3}{4}$이므로 $\overline{BC}=6$(cm)

$\therefore \overline{AC}=\sqrt{8^2-6^2}=2\sqrt{7}$(cm)

06 $\sin A=\frac{\overline{BC}}{\overline{AC}}=\frac{\sqrt{5}}{3}$이므로

$\overline{BC}=\sqrt{5}a$, $\overline{AC}=3a(a>0)$라고 하면

$4^2+(\sqrt{5}a)^2=(3a)^2$, $4a^2=16$, $a^2=4$

$\therefore a=2$ $(\because a>0)$

따라서 $\overline{BC}=\sqrt{5}a=\sqrt{5}\times2=2\sqrt{5}$,

$\overline{AC}=3a=3\times2=6$이므로

($\triangle ABC$의 둘레의 길이)$=4+2\sqrt{5}+6=10+2\sqrt{5}$

07 직각삼각형 ABH에서 $\sin B=\frac{\overline{AH}}{8}=\frac{\sqrt{3}}{2}$이므로

$\overline{AH}=4\sqrt{3}$(cm) $\therefore \overline{BH}=\sqrt{8^2-(4\sqrt{3})^2}=4$(cm)

직각삼각형 AHC에서 $\sin C=\frac{4\sqrt{3}}{\overline{AC}}=\frac{\sqrt{3}}{3}$이므로

$\overline{AC}=12$(cm) $\therefore \overline{CH}=\sqrt{12^2-(4\sqrt{3})^2}=4\sqrt{6}$(cm)

$\therefore \overline{BC}=\overline{BH}+\overline{CH}=4+4\sqrt{6}$(cm)

08 $\sin A=\frac{1}{3}$이므로 오른쪽 그림과 같이 $\angle B=90°$, $\overline{AC}=3$, $\overline{BC}=1$인 직각삼각형을 그릴 수 있다.

$\therefore \overline{AB}=\sqrt{3^2-1^2}=2\sqrt{2}$

$\therefore \tan A=\frac{1}{2\sqrt{2}}=\frac{\sqrt{2}}{4}$

09 $\overline{BC}=k$, $\overline{CA}=\sqrt{2}k\,(k>0)$로 놓으면

$\overline{AB}=\sqrt{k^2+2k^2}=\sqrt{3}k$

$\therefore \cos B=\dfrac{k}{\sqrt{3}k}=\dfrac{1}{\sqrt{3}}=\dfrac{\sqrt{3}}{3}$

10 ∠B=90°이면서 $\cos A=\dfrac{5}{7}$를 만족시
키는 직각삼각형 ABC를 그리면 오른
쪽 그림과 같으므로

$\overline{BC}=\sqrt{7^2-5^2}=2\sqrt{6}$

⑤ $\tan C=\dfrac{5}{2\sqrt{6}}=\dfrac{5\sqrt{6}}{12}$

11 $\tan A=2$이므로 오른쪽 그림과 같이
∠B=90°, $\overline{AB}=1$, $\overline{BC}=2$인 직각삼각형
ABC를 그릴 수 있다.

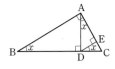

$\overline{AC}=\sqrt{1^2+2^2}=\sqrt{5}$이므로

$3\sin A+2\cos A=3\times\dfrac{2}{\sqrt{5}}+2\times\dfrac{1}{\sqrt{5}}=\dfrac{8}{\sqrt{5}}$

$\sin A+2\cos A=\dfrac{2}{\sqrt{5}}+2\times\dfrac{1}{\sqrt{5}}=\dfrac{4}{\sqrt{5}}$

$\therefore \dfrac{3\sin A+2\cos A}{\sin A+2\cos A}=\dfrac{8}{\sqrt{5}}\div\dfrac{4}{\sqrt{5}}=\dfrac{8}{\sqrt{5}}\times\dfrac{\sqrt{5}}{4}=2$

12 △ABC∽△HBA(AA 닮음)이므로

$\angle C=\angle HAB=\angle x$

또 직각삼각형 ABC에서 $\overline{AB}=\sqrt{2^2-1^2}=\sqrt{3}$

$\therefore \tan x=\tan C=\sqrt{3}$

13 ∠EDC=∠EAD

  =∠ABC

  =∠x

① △ADE에서 $\sin x=\dfrac{\overline{DE}}{\overline{AD}}$

② △ABC에서 $\sin x=\dfrac{\overline{AC}}{\overline{BC}}$

③ △ABD에서 $\sin x=\dfrac{\overline{AD}}{\overline{AB}}$

④ △ADC에서 $\sin x=\dfrac{\overline{CD}}{\overline{AC}}$

⑤ △DCE에서 $\sin x=\dfrac{\overline{CE}}{\overline{DC}}$

14 △ADE∽△BDC(AA 닮음) $\quad \therefore \overline{AE}=\overline{DE}$
이때 △ADE에서 $\overline{AE}=\overline{DE}=a$라고 하면

$a^2+a^2=4^2$, $a^2=8$ $\quad \therefore a=2\sqrt{2}(\because a>0)$

$\therefore \overline{BE}=\overline{BD}+\overline{DE}=4\sqrt{2}+2\sqrt{2}=6\sqrt{2}$

직각삼각형 ABE에서

$\overline{AB}=\sqrt{(6\sqrt{2})^2+(2\sqrt{2})^2}=4\sqrt{5}$

$\therefore \cos x=\dfrac{\overline{BE}}{\overline{AB}}=\dfrac{6\sqrt{2}}{4\sqrt{5}}=\dfrac{3\sqrt{10}}{10}$

15 일차함수 $y=-\dfrac{1}{2}x+5$의 그래프
의 x절편은 10, y절편은 5이므로
직각삼각형 AOB에서

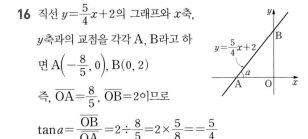

$\overline{OA}=10$, $\overline{OB}=5$,

$\overline{AB}=\sqrt{10^2+5^2}=5\sqrt{5}$

$\therefore \sin A+\sin B=\dfrac{5}{5\sqrt{5}}+\dfrac{10}{5\sqrt{5}}=\dfrac{3\sqrt{5}}{5}$

16 직선 $y=\dfrac{5}{4}x+2$의 그래프와 x축,
y축과의 교점을 각각 A, B라고 하
면 $A\left(-\dfrac{8}{5},0\right)$, $B(0,2)$

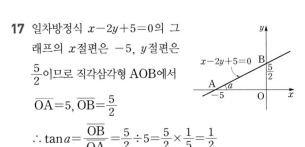

즉, $\overline{OA}=\dfrac{8}{5}$, $\overline{OB}=2$이므로

$\tan a=\dfrac{\overline{OB}}{\overline{OA}}=2\div\dfrac{8}{5}=2\times\dfrac{5}{8}=\dfrac{5}{4}$

17 일차방정식 $x-2y+5=0$의 그
래프의 x절편은 -5, y절편은
$\dfrac{5}{2}$이므로 직각삼각형 AOB에서

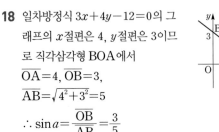

$\overline{OA}=5$, $\overline{OB}=\dfrac{5}{2}$

$\therefore \tan a=\dfrac{\overline{OB}}{\overline{OA}}=\dfrac{5}{2}\div 5=\dfrac{5}{2}\times\dfrac{1}{5}=\dfrac{1}{2}$

18 일차방정식 $3x+4y-12=0$의 그
래프의 x절편은 4, y절편은 3이므
로 직각삼각형 BOA에서

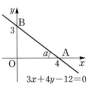

$\overline{OA}=4$, $\overline{OB}=3$,

$\overline{AB}=\sqrt{4^2+3^2}=5$

$\therefore \sin a=\dfrac{\overline{OB}}{\overline{AB}}=\dfrac{3}{5}$

19 △BFH는 ∠BFH=90°인 직각삼각형이고
$\overline{FH}=\sqrt{2}\times 5=5\sqrt{2}$, $\overline{BH}=\sqrt{3}\times 5=5\sqrt{3}$이므로

$$\cos x = \frac{\overline{FH}}{\overline{BH}} = \frac{5\sqrt{2}}{5\sqrt{3}} = \frac{\sqrt{6}}{3}$$

20 △BDH는 ∠HDB=90°인
직각삼각형이고,
$\overline{BD}=\sqrt{3^2+4^2}=5$(cm)
$\overline{BH}=\sqrt{3^2+4^2+5^2}=5\sqrt{2}$(cm)
이므로

$$\sin x = \frac{\overline{DH}}{\overline{BH}} = \frac{5}{5\sqrt{2}} = \frac{\sqrt{2}}{2}$$

$$\cos x = \frac{\overline{BD}}{\overline{BH}} = \frac{5}{5\sqrt{2}} = \frac{\sqrt{2}}{2}$$

$$\tan x = \frac{\overline{DH}}{\overline{BD}} = \frac{5}{5} = 1$$

$$\therefore \sin x \times \cos x + \tan x = \frac{\sqrt{2}}{2} \times \frac{\sqrt{2}}{2} + 1 = \frac{3}{2}$$

21 $\overline{AE}$와 $\overline{ED}$는 각각 두 정삼각형 ABC와 DBC의 높이
이므로 $\overline{AE}=\overline{ED}=2\sin 60° = 2 \times \frac{\sqrt{3}}{2} = \sqrt{3}$

꼭짓점 A에서 밑면에 내린 수선의
발을 H라고 하면 점 H는 △BCD
의 무게중심이므로
$\overline{EH} = \frac{1}{3}\overline{ED} = \frac{1}{3} \times \sqrt{3} = \frac{\sqrt{3}}{3}$
△AEH에서

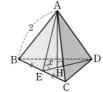

$$\overline{AH} = \sqrt{(\sqrt{3})^2 - \left(\frac{\sqrt{3}}{3}\right)^2} = \frac{2\sqrt{6}}{3}$$

$$\therefore \sin x = \frac{\overline{AH}}{\overline{AE}} = \frac{2\sqrt{6}}{3} \div \sqrt{3} = \frac{2\sqrt{2}}{3}$$

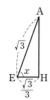

22 (주어진 식)$= \frac{\sqrt{3}}{2} \times \frac{3}{\sqrt{3}} \times \sqrt{3} - \frac{\sqrt{3}}{2} = \sqrt{3}$

23 ㄱ. $\sin 30° + \cos 60° = \frac{1}{2} + \frac{1}{2} = 1$

ㄴ. $\sqrt{2}\sin 45° + \sqrt{3}\cos 30° = \sqrt{2} \times \frac{\sqrt{2}}{2} + \sqrt{3} \times \frac{\sqrt{3}}{2}$
$$= 1 + \frac{3}{2} = \frac{5}{2}$$

ㄷ. $2\sqrt{3}\sin 60° = 2\sqrt{3} \times \frac{\sqrt{3}}{2} = 3$

$3\tan 45° = 3 \times 1 = 3$

$\therefore 2\sqrt{3}\sin 60° = 3\tan 45°$

따라서 옳은 것은 ㄱ, ㄷ이다.

24 $\sin 60° + \cos 30° = \frac{\sqrt{3}}{2} + \frac{\sqrt{3}}{2} = \sqrt{3}$

$2x^2 - ax + 3 = 0$에 $x = \sqrt{3}$을 대입하면
$2 \times (\sqrt{3})^2 - a\sqrt{3} + 3 = 0$, $\sqrt{3}a = 9$ $\therefore a = 3\sqrt{3}$

25 $\cos x = \frac{\sqrt{3}}{2}$이므로 $x = 30°$

$\therefore \tan 2x = \tan 60° = \sqrt{3}$

26 △ABC에서 $\tan 30° = \frac{\overline{BC}}{6} = \frac{\sqrt{3}}{3}$

$\therefore \overline{BC} = 2\sqrt{3}$

△BCD에서 $\sin 45° = \frac{2\sqrt{3}}{\overline{BD}} = \frac{\sqrt{2}}{2}$

$\therefore \overline{BD} = 2\sqrt{3} \times \frac{2}{\sqrt{2}} = 2\sqrt{6}$

27 △ABC에서 $\cos 60° = \frac{10}{\overline{BC}} = \frac{1}{2}$

$\therefore \overline{BC} = 20$

$\tan 60° = \frac{\overline{AC}}{10} = \sqrt{3}$ $\therefore \overline{AC} = 10\sqrt{3}$

△ACD에서 $\sin 30° = \frac{\overline{CD}}{10\sqrt{3}} = \frac{1}{2}$

$\therefore \overline{CD} = 5\sqrt{3}$

$\cos 30° = \frac{\overline{AD}}{10\sqrt{3}} = \frac{\sqrt{3}}{2}$

$\therefore \overline{AD} = 10\sqrt{3} \times \frac{\sqrt{3}}{2} = 15$

$\therefore$ (□ABCD의 둘레의 길이)$= 10 + 20 + 5\sqrt{3} + 15$
$$= 45 + 5\sqrt{3}$$

28 △ABH에서 $\sin 30° = \frac{\overline{BH}}{6} = \frac{1}{2}$

$\therefore \overline{BH} = 3$(cm)

$\cos 30° = \frac{\overline{AH}}{6} = \frac{\sqrt{3}}{2}$ $\therefore \overline{AH} = 3\sqrt{3}$(cm)

이때 △AHC는 $\overline{AH}=\overline{HC}$인 직각이등변삼각형이므로
$\overline{HC} = \overline{AH} = 3\sqrt{3}$(cm)

$\therefore \overline{BC} = \overline{BH} + \overline{HC} = 3 + 3\sqrt{3}$(cm)

29 △CDB에서 $\sin 30° = \frac{2}{\overline{CD}} = \frac{1}{2}$ $\therefore \overline{CD} = 4$

$\cos 30° = \frac{\overline{DB}}{4} = \frac{\sqrt{3}}{2}$ $\therefore \overline{DB} = 2\sqrt{3}$

$\overline{AD}=\overline{CD}$이므로 $\overline{AB}=\overline{AD}+\overline{DB}=4+2\sqrt{3}$

$\therefore \tan 15°=\dfrac{\overline{BC}}{\overline{AB}}=\dfrac{2}{4+2\sqrt{3}}=2-\sqrt{3}$

30 ① $\cos x=\dfrac{\overline{OD}}{\overline{OC}}=f$ ② $\tan x=\dfrac{\overline{FG}}{\overline{OG}}=c$

③ $\sin y=\dfrac{\overline{AB}}{\overline{OA}}=b$ ④ $\cos y=\dfrac{\overline{OB}}{\overline{OA}}=e$

⑤ $\tan y=\dfrac{\overline{EG}}{\overline{OG}}=a$

31 $\angle x=\angle ABC$이므로

$\cos x=\cos(\angle ABC)=\dfrac{\overline{BC}}{\overline{AB}}=\overline{BC}$

32 ① $\sin 52°=0.7880$ ② $\cos 52°=0.6157$

④ $\sin 38°=0.6157$ ⑤ $\cos 38°=0.7880$

33 ① $\sin 0°=\tan 0°=0,\ \cos 0°=1$

② $\sin 45°=\cos 45°=\dfrac{\sqrt{2}}{2},\ \tan 45°=1$

③ $\sin 90°=\cos 0°=\tan 45°=1$

④ $\sin 0°=\cos 90°=0,\ \tan 45°=1$

⑤ $\sin 90°=\cos 0°=1,\ \tan 90°$의 값은 정할 수 없다.

34 ① $\cos 90°\div\sin 90°=0\div 1=0$

② $(2-\cos 0°)(1+\tan 45°)=(2-1)(1+1)=2$

③ $\sin 0°\times\cos 90°-\sin 90°\times\cos 0°=0\times 0-1\times 1=-1$

④ $\tan 45°-\sin 90°\times\cos 60°=1-1\times\dfrac{1}{2}=\dfrac{1}{2}$

⑤ $\sin 60°\times\tan 60°-\sin 0°\times\tan 45°$

$=\dfrac{\sqrt{3}}{2}\times\sqrt{3}-0\times 1=\dfrac{3}{2}$

35 (주어진 식)$=0\times\dfrac{1}{2}\times 1+1\times\sqrt{3}=\sqrt{3}$

36 $\sqrt{3}x-y+2\sqrt{3}=0$에서

$y=\sqrt{3}x+2\sqrt{3}$이므로 $\tan a=\sqrt{3}$ $\therefore a=60°$

$\therefore \sin a\times\cos 0°+\tan 30°=\sin 60°\times\cos 0°+\tan 30°$

$=\dfrac{\sqrt{3}}{2}\times 1+\dfrac{\sqrt{3}}{3}=\dfrac{5\sqrt{3}}{6}$

37 $\sin 45°=\cos 45°=\dfrac{\sqrt{2}}{2},\ \tan 45°=1$

즉, $45°<A<90°$에서

$\dfrac{\sqrt{2}}{2}<\sin A<1,\ 0<\cos A<\dfrac{\sqrt{2}}{2},\ \tan A>1$

$\therefore \cos A<\sin A<\tan A$

38 ㄱ. $\sin 30°=\dfrac{1}{2}$

ㄴ. $\cos 0°=1$

ㄷ. $\sin 60°<\sin 80°<\sin 90°$이므로

$\dfrac{\sqrt{3}}{2}<\sin 80°<1$

ㄹ. $\tan 45°=1$이고 $\tan 45°<\tan 50°$이므로

$1<\tan 50°$

ㅁ. $\cos 60°=\dfrac{1}{2}$이고 $\cos 70°<\cos 60°$이므로

$\cos 70°<\dfrac{1}{2}$

따라서 가장 큰 값은 ㄹ이고, 가장 작은 값은 ㅁ이다.

39 $0°<x<45°$일 때, $\tan x<1$이므로

$\tan x-1<0,\ 1-\tan x>0$

$\therefore$ (주어진 식)$=-(\tan x-1)-(1-\tan x)$

$=-\tan x+1-1+\tan x=0$

40 $0°<A<45°$일 때, $0<\sin A<\cos A$이므로

$\cos A-\sin A>0,\ \sin A-\cos A<0$

$\therefore$ (주어진 식)$=(\cos A-\sin A)+(\sin A-\cos A)=0$

41 $\tan 62°=1.8807,\ \sin 65°=0.9063,$

$\cos 63°=0.4540$이므로

$\tan 62°+\sin 65°-\cos 63°=2.333$

42 $\angle ABC=90°-52°=38°$

$\tan 38°=\dfrac{x}{10}=0.7813$ $\therefore x=7.813$

43 $\cos x=\overline{OC}=0.59$이므로 $\angle x=54°$

$\therefore \overline{AB}=\tan 54°=1.38$

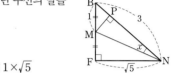
01 $2\sqrt{2}$　　**02** $\dfrac{3+\sqrt{5}}{2}$　　**03** $-\dfrac{1}{2}$　　**04** $\dfrac{7\sqrt{6}}{18}$

05 $(\sqrt{3}-1)$ cm　　**06** $48(\sqrt{3}-1)$

07 $12\sqrt{2}+8\sqrt{6}$　　**08** $\dfrac{27\sqrt{3}}{2}$ cm²

09 $\dfrac{3\sqrt{3}}{8}$　　**10** 70

---

01 꼭짓점 A, D에서 변 BC에 내린
수선의 발을 각각 E, F라고 하면
$\overline{EF}=5$ cm, $\overline{BE}=\overline{CF}=2$ cm
△ABE는 직각삼각형이므로
$\overline{AE}=\sqrt{6^2-2^2}=4\sqrt{2}$(cm)

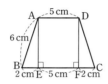

$\therefore \tan B=\dfrac{\overline{AE}}{\overline{BE}}=\dfrac{4\sqrt{2}}{2}=2\sqrt{2}$

02 점 Q에서 $\overline{AD}$에 내린 수선
의 발을 H라고 하면
△CPQ가 이등변삼각형이
므로
$\overline{CQ}=\overline{CP}=\overline{AP}=3$ cm

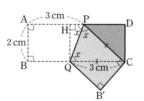

또한 $\overline{CB'}=\overline{AB}=2$ cm이므로
△CQB′에서
$\overline{B'Q}=\sqrt{3^2-2^2}=\sqrt{5}$(cm)
$\overline{AH}=\overline{BQ}=\overline{B'Q}=\sqrt{5}$ cm이므로
$\overline{PH}=\overline{AP}-\overline{AH}=3-\sqrt{5}$(cm)
따라서 직각삼각형 PHQ에서
$\tan x=\dfrac{\overline{HQ}}{\overline{PH}}=\dfrac{2}{3-\sqrt{5}}=\dfrac{3+\sqrt{5}}{2}$

03 $\tan A=\dfrac{3}{4}$이므로 직선의 기울기는 $\dfrac{3}{4}$이다.

$\therefore m=\dfrac{3}{4}$　　　　　　　……❶

$\overline{AO}=4a$, $\overline{BO}=3a(a>0)$라고 하면
$\overline{AB}=\sqrt{(4a)^2+(3a)^2}=5a$이므로
직각삼각형 AOB에서
$\dfrac{1}{2}\times 5a\times 1=\dfrac{1}{2}\times 4a\times 3a$　　$\therefore a=\dfrac{5}{12}$

즉, $\overline{BO}=3a=3\times\dfrac{5}{12}=\dfrac{5}{4}$이므로 직선의 y절편은 $\dfrac{5}{4}$이
다.　　$\therefore n=\dfrac{5}{4}$　　　　　　　……❷

$\therefore m-n=\dfrac{3}{4}-\dfrac{5}{4}=-\dfrac{1}{2}$　　　　　　……❸

채점 기준	배점
❶ m의 값 구하기	30 %
❷ n의 값 구하기	50 %
❸ $m-n$의 값 구하기	20 %

04 △NFG에서 $\overline{FN}=\sqrt{2^2+1^2}=\sqrt{5}$
△BFN에서 $\overline{BN}=\sqrt{2^2+(\sqrt{5})^2}=3$
점 M에서 $\overline{BN}$에 내린 수선의 발을
P라고 하자.
△BMN에서
$\dfrac{1}{2}\times 3\times\overline{MP}=\dfrac{1}{2}\times 1\times\sqrt{5}$

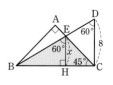

$\therefore \overline{MP}=\dfrac{\sqrt{5}}{3}$

또한 △MFN에서 $\overline{MN}=\sqrt{1^2+(\sqrt{5})^2}=\sqrt{6}$이므로
$\overline{NP}=\sqrt{(\sqrt{6})^2-\left(\dfrac{\sqrt{5}}{3}\right)^2}=\dfrac{7}{3}$

$\therefore \cos x=\dfrac{\overline{NP}}{\overline{MN}}=\dfrac{7}{3}\times\dfrac{1}{\sqrt{6}}=\dfrac{7\sqrt{6}}{18}$

05 △ABC에서 $\tan 30°=\dfrac{\overline{AC}}{2\sqrt{3}}=\dfrac{\sqrt{3}}{3}$

$\therefore \overline{AC}=2\sqrt{3}\times\dfrac{\sqrt{3}}{3}=2$(cm)

$\cos 30°=\dfrac{2\sqrt{3}}{\overline{AB}}=\dfrac{\sqrt{3}}{2}$　　$\therefore \overline{AB}=4$(cm)

$\therefore \triangle ABC=\dfrac{1}{2}\times 2\sqrt{3}\times 2=2\sqrt{3}$(cm²)

내접원의 반지름의 길이를 r cm라고 하면
$\triangle ABC=\triangle IBC+\triangle ICA+\triangle IAB$
$2\sqrt{3}=\dfrac{1}{2}\times(2\sqrt{3}+2+4)\times r$
$(3+\sqrt{3})r=2\sqrt{3}$　　$\therefore r=\dfrac{2\sqrt{3}}{3+\sqrt{3}}=\sqrt{3}-1$

06 △DBC에서 $\tan 60°=\dfrac{\overline{BC}}{8}=\sqrt{3}$

$\therefore \overline{BC}=8\sqrt{3}$
점 E에서 $\overline{BC}$에 내린 수선의 발
을 H, $\overline{EH}=x$라고 하면 △EHC
는 직각이등변삼각형이므로
$\overline{CH}=x$　　$\therefore \overline{BH}=8\sqrt{3}-x$

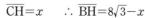

$\triangle$EBH에서 $\tan 60° = \dfrac{\overline{BH}}{\overline{EH}} = \dfrac{8\sqrt{3}-x}{x} = \sqrt{3}$

$8\sqrt{3}-x = \sqrt{3}x,\ (\sqrt{3}+1)x = 8\sqrt{3}$

$\therefore x = \dfrac{8\sqrt{3}}{\sqrt{3}+1} = 4\sqrt{3}(\sqrt{3}-1)$

$\therefore \triangle EBC = \dfrac{1}{2} \times \overline{BC} \times \overline{EH}$

$\quad\quad\quad\quad = \dfrac{1}{2} \times 8\sqrt{3} \times 4\sqrt{3}(\sqrt{3}-1)$

$\quad\quad\quad\quad = 48(\sqrt{3}-1)$

07 점 B에서 $\overline{FA}$에 내린 수선의 발을 H라고 하면 $\triangle$AHB에서

$\cos 45° = \dfrac{\overline{AH}}{12} = \dfrac{\sqrt{2}}{2}$

$\therefore \overline{AH} = 6\sqrt{2}$

$\sin 45° = \dfrac{\overline{BH}}{12} = \dfrac{\sqrt{2}}{2}$

$\therefore \overline{BH} = 6\sqrt{2}$

$\triangle$BHF에서 $\tan 60° = \dfrac{6\sqrt{2}}{\overline{FH}} = \sqrt{3}$

$\therefore \overline{FH} = 6\sqrt{2} \times \dfrac{1}{\sqrt{3}} = 2\sqrt{6}$

$\therefore \overline{AF} = \overline{AH} + \overline{FH} = 6\sqrt{2} + 2\sqrt{6}$

$\triangle$ABC에서 $\tan 60° = \dfrac{\overline{AC}}{12} = \sqrt{3}$ $\therefore \overline{AC} = 12\sqrt{3}$

이때 $\triangle$EAC ∞ $\triangle$FAB (AA 닮음)이므로

$\overline{AC} : \overline{AB} = \overline{AE} : \overline{AF}$

$12\sqrt{3} : 12 = \overline{AE} : (6\sqrt{2}+2\sqrt{6})$

$12\overline{AE} = 12\sqrt{3}(6\sqrt{2}+2\sqrt{6})$

$\therefore \overline{AE} = 6\sqrt{6} + 6\sqrt{2}$

$\therefore \overline{EF} = \overline{AE} + \overline{AF}$

$\quad\quad\quad = (6\sqrt{6}+6\sqrt{2}) + (6\sqrt{2}+2\sqrt{6})$

$\quad\quad\quad = 12\sqrt{2} + 8\sqrt{6}$

08 $\triangle$ABC에서 $\cos 60° = \dfrac{\overline{AB}}{24} = \dfrac{1}{2}$

$\therefore \overline{AB} = 12\,(cm)$

$\triangle$ABD에서 $\sin 60° = \dfrac{\overline{AD}}{12} = \dfrac{\sqrt{3}}{2}$

$\therefore \overline{AD} = 6\sqrt{3}\,(cm)$ ...... ❶

$\triangle$ADE에서 $\angle$DAE $= 60°$이므로

$\sin 60° = \dfrac{\overline{DE}}{6\sqrt{3}} = \dfrac{\sqrt{3}}{2}$

$\therefore \overline{DE} = 6\sqrt{3} \times \dfrac{\sqrt{3}}{2} = 9\,(cm)$

$\cos 60° = \dfrac{\overline{AE}}{6\sqrt{3}} = \dfrac{1}{2}$

$\therefore \overline{AE} = 3\sqrt{3}\,(cm)$ ...... ❷

$\therefore \triangle ADE = \dfrac{1}{2} \times 9 \times 3\sqrt{3} = \dfrac{27\sqrt{3}}{2}\,(cm^2)$ ...... ❸

채점 기준	배점
❶ $\overline{AB}$, $\overline{AD}$의 길이 구하기	40 %
❷ $\overline{DE}$, $\overline{AE}$의 길이 구하기	40 %
❸ $\triangle$ADE의 넓이 구하기	20 %

09 $\sin 60° = \overline{BC} = \dfrac{\sqrt{3}}{2}$, $\cos 60° = \overline{AC} = \dfrac{1}{2}$

$\tan 60° = \overline{DE} = \sqrt{3}$, $\overline{CE} = 1 - \overline{AC} = \dfrac{1}{2}$

$\therefore \square BCED = \dfrac{1}{2}(\overline{BC}+\overline{DE}) \times \overline{CE}$

$\quad\quad\quad\quad = \dfrac{1}{2}\left(\dfrac{\sqrt{3}}{2}+\sqrt{3}\right) \times \dfrac{1}{2} = \dfrac{3\sqrt{3}}{8}$

10 $\triangle$ABD에서 $\cos 55° = \dfrac{\overline{BD}}{50} = 0.6$이므로 $\overline{BD} = 30$

$\sin 55° = \dfrac{\overline{AD}}{50} = 0.8$이므로 $\overline{AD} = 40$

$\angle$BAD $= 90° - 55° = 35°$이므로

$\angle$CAD $= 80° - 35° = 45°$

따라서 $\triangle$ADC는 직각이등변삼각형이므로

$\overline{CD} = \overline{AD} = 40$

$\therefore \overline{BC} = \overline{BD} + \overline{CD} = 30 + 40 = 70$

2. 삼각비의 활용

01 48	02 $72\sqrt{3}\pi$ cm^3	03 8.8 m
04 9.7 m	05 25.3 m	06 13.8 m
07 $(30+10\sqrt{3})$m	08 5	09 $3\sqrt{7}$ km
10 $2\sqrt{17}$ cm	11 $4\sqrt{6}$ cm	12 $20+30\sqrt{2}+10\sqrt{6}$
13 $2\sqrt{3}$	14 2.5 km	15 $10\sqrt{3}$ m 16 ②
17 $12\sqrt{2}$ cm^2	18 $30\sqrt{3}$ cm^2	19 $8\sqrt{2}$ cm^2 20 11.4
21 $15\pi-9$	22 7 cm^2	23 $30\sqrt{3}$ cm^2 24 $72\sqrt{2}$ cm^2
25 12 cm^2	26 $3\sqrt{3}$ cm^2	27 $\dfrac{\sqrt{2}}{2}ab$ 28 $16\sqrt{2}$ cm^2
29 60°		

01 $\overline{BC}=20\sin37°=20\times0.6=12$
$\overline{AB}=20\cos37°=20\times0.8=16$
따라서 △ABC의 둘레의 길이는
$\overline{AB}+\overline{BC}+\overline{CA}=16+12+20=48$

02 $\overline{AO}=6\tan60°=6\times\sqrt{3}=6\sqrt{3}$(cm)
$\therefore$ (원뿔의 부피)$=\dfrac{1}{3}\times\pi\times6^2\times6\sqrt{3}=72\sqrt{3}\pi$(cm^3)

03 $\overline{AC}=10\sin62°=10\times0.88=8.8$(m)

04 $\overline{AC}=10\tan44°=10\times0.97=9.7$(m)

05 △ABC에서 $\overline{AC}=20\tan50°=20\times1.19=23.8$(m)
$\therefore$ (건물의 높이)$=1.5+23.8=25.3$(m)

06 $\overline{AB}=10\cos57°=10\times0.54=5.4$(m)
$\overline{AC}=10\sin57°=10\times0.84=8.4$(m)
따라서 나무가 부러지기 전의 높이는
$\overline{AB}+\overline{AC}=5.4+8.4=13.8$(m)

07 △ABD에서 ∠ABD=45°이므로
$\overline{BD}=\overline{AD}=\overline{EC}=30$ m
△ACD에서
$\overline{CD}=\overline{AD}\tan30°$
$=30\times\dfrac{\sqrt{3}}{3}=10\sqrt{3}$(m)
$\therefore \overline{BC}=\overline{BD}+\overline{CD}=30+10\sqrt{3}$(m)

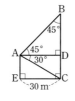

08 꼭짓점 A에서 $\overline{BC}$에 내린 수선
의 발을 H라고 하면
$\overline{AH}=3\sqrt{2}\sin45°$
$=3\sqrt{2}\times\dfrac{\sqrt{2}}{2}=3$
∠BAH=45°이므로 $\overline{BH}=\overline{AH}=3$
$\therefore \overline{CH}=\overline{BC}-\overline{BH}=7-3=4$
$\therefore \overline{AC}=\sqrt{3^2+4^2}=5$

09 꼭짓점 A에서 $\overline{BC}$에 내린 수선의
발을 H라고 하면
$\overline{AH}=6\sin60°=6\times\dfrac{\sqrt{3}}{2}$
$=3\sqrt{3}$(km)
$\overline{BH}=6\cos60°=6\times\dfrac{1}{2}=3$(km)
$\therefore \overline{CH}=\overline{BC}-\overline{BH}=9-3=6$(km)
△AHC에서 $\overline{AC}=\sqrt{(3\sqrt{3})^2+6^2}=3\sqrt{7}$(km)

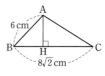

10 꼭짓점 A에서 $\overline{BC}$에 내린 수선의
발을 H라고 하면
$\overline{BH}=6\cos B$
$=6\times\dfrac{\sqrt{2}}{2}=3\sqrt{2}$(cm)
$\overline{AH}=\sqrt{6^2-(3\sqrt{2})^2}=3\sqrt{2}$(cm)
$\overline{CH}=\overline{BC}-\overline{BH}=8\sqrt{2}-3\sqrt{2}=5\sqrt{2}$(cm)
$\therefore \overline{AC}=\sqrt{(5\sqrt{2})^2+(3\sqrt{2})^2}=2\sqrt{17}$(cm)

11 꼭짓점 C에서 $\overline{AB}$에 내린 수선의 발
을 H라고 하면
$\overline{CH}=12\sin45°$
$=12\times\dfrac{\sqrt{2}}{2}=6\sqrt{2}$(cm)
$\therefore \overline{AC}=\dfrac{6\sqrt{2}}{\sin60°}=6\sqrt{2}\times\dfrac{2}{\sqrt{3}}=4\sqrt{6}$(cm)

12 꼭짓점 B에서 $\overline{AC}$에 내린 수선의 발
을 H라고 하면
$\overline{AH}=20\cos45°=20\times\dfrac{\sqrt{2}}{2}$
$=10\sqrt{2}$
$\overline{BH}=20\sin45°=20\times\dfrac{\sqrt{2}}{2}=10\sqrt{2}$

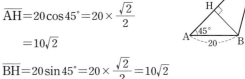

$$\therefore \overline{BC}=\frac{10\sqrt{2}}{\sin 30°}=10\sqrt{2}\times 2=20\sqrt{2}$$

$$\overline{CH}=\frac{10\sqrt{2}}{\tan 30°}=10\sqrt{2}\times\sqrt{3}=10\sqrt{6}$$

$$\therefore (\triangle ABC\text{의 둘레의 길이})$$
$$=\overline{AB}+\overline{BC}+\overline{AC}=20+20\sqrt{2}+(10\sqrt{2}+10\sqrt{6})$$
$$=20+30\sqrt{2}+10\sqrt{6}$$

13 $\overline{AH}=h$라고 하면

$$\overline{BH}=h\tan 60°=\sqrt{3}h,\ \overline{CH}=h\tan 30°=\frac{\sqrt{3}}{3}h$$

$$\overline{BC}=\overline{BH}+\overline{CH}=\frac{4\sqrt{3}}{3}h=8$$

$$\therefore h=8\times\frac{3}{4\sqrt{3}}=2\sqrt{3}$$

14 비행기가 있는 C지점에서 지면에
내린 수선의 발을 H, $\overline{CH}=h$ km
라고 하면 $\angle ACH=32°$,
$\angle BCH=30°$이므로
$$\overline{AH}=h\tan 32°=0.62h\,(\mathrm{km})$$
$$\overline{BH}=h\tan 30°=0.58h\,(\mathrm{km})$$
$$\overline{AB}=\overline{AH}+\overline{BH}=(0.62+0.58)h=3\,(\mathrm{km})$$

$$\therefore h=\frac{3}{1.2}=2.5$$

따라서 비행기는 지면에서 2.5 km 상공에 있다.

15 $\angle BAH=60°$, $\angle CAH=30°$이므로 $\overline{AH}=h$ m라고 하면

$$\overline{CH}=h\tan 30°=\frac{\sqrt{3}}{3}h\,(\mathrm{m})$$

$$\overline{BH}=h\tan 60°=\sqrt{3}h\,(\mathrm{m})$$

$$\overline{BC}=\overline{BH}-\overline{CH}=\sqrt{3}h-\frac{\sqrt{3}}{3}h=\frac{2\sqrt{3}}{3}h=20\,(\mathrm{m})$$

$$\therefore h=20\times\frac{3}{2\sqrt{3}}=10\sqrt{3}$$

따라서 건물의 높이는 $10\sqrt{3}$ m이다.

16 $\angle AOH=25°$, $\angle BOH=18°$이므로 $\overline{OH}=h$ m라고 하면
$$\overline{AH}=h\tan 25°\ \mathrm{m},\ \overline{BH}=h\tan 18°\ \mathrm{m}$$
$$\overline{AB}=\overline{AH}-\overline{BH}=h\tan 25°-h\tan 18°$$
$$=h\,(\tan 25°-\tan 18°)=100\,(\mathrm{m})$$

$$\therefore h=\frac{100}{\tan 25°-\tan 18°}$$

17 $\angle B=180°-85°-50°=45°$

$$\therefore \triangle ABC=\frac{1}{2}\times 6\times 8\times\sin 45°$$

$$=\frac{1}{2}\times 6\times 8\times\frac{\sqrt{2}}{2}=12\sqrt{2}\,(\mathrm{cm}^2)$$

18 $\overline{AE}\ /\!/\ \overline{DC}$이므로 $\triangle AED=\triangle AEC$

$$\therefore \square ABED=\triangle ABE+\triangle AED$$
$$=\triangle ABE+\triangle AEC$$
$$=\triangle ABC$$
$$=\frac{1}{2}\times 10\times 12\times\sin 60°$$
$$=\frac{1}{2}\times 10\times 12\times\frac{\sqrt{3}}{2}=30\sqrt{3}\,(\mathrm{cm}^2)$$

19 점 C에서 $\overline{AB}$에 내린 수선의
발을 H라고 하면 $\overline{CH}=4$ cm
이므로

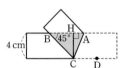

$$\overline{BC}=\frac{4}{\sin 45°}=4\sqrt{2}\,(\mathrm{cm})$$

이때 $\angle ACD=\angle ACB$(접은 각),
$\angle ACD=\angle CAB$(엇각)이므로 $\angle ACB=\angle CAB$
따라서 $\triangle ABC$는 이등변삼각형이므로
$$\overline{BC}=\overline{AB}=4\sqrt{2}\ \mathrm{cm}$$

$$\therefore \triangle ABC=\frac{1}{2}\times 4\sqrt{2}\times 4\sqrt{2}\times\sin 45°$$

$$=\frac{1}{2}\times 4\sqrt{2}\times 4\sqrt{2}\times\frac{\sqrt{2}}{2}=8\sqrt{2}\,(\mathrm{cm}^2)$$

20 $\triangle ABC=\frac{1}{2}\times 8\times 5\times\sin(180°-145°)$

$$=\frac{1}{2}\times 8\times 5\times\sin 35°$$

$$=\frac{1}{2}\times 8\times 5\times 0.57=11.4$$

21 오른쪽 그림과 같이 $\overline{OC}$를 그으면
$\triangle AOC$는 이등변삼각형이므로
$\angle ACO=\angle CAO=15°$

$$\therefore \angle AOC=180°-(15°+15°)=150°$$

$$\therefore (\text{색칠한 부분의 넓이})$$
$$=(\text{부채꼴 AOC의 넓이})-\triangle AOC$$
$$=\pi\times 6^2\times\frac{150}{360}-\frac{1}{2}\times 6\times 6\times\sin(180°-150°)$$
$$=15\pi-9$$

22 □ABCD

$= \triangle ABC + \triangle ACD$

$= \dfrac{1}{2} \times 4 \times 3\sqrt{2} \times \sin 45°$

$\quad + \dfrac{1}{2} \times \sqrt{2} \times 2 \times \sin(180° - 135°)$

$= \dfrac{1}{2} \times 4 \times 3\sqrt{2} \times \dfrac{\sqrt{2}}{2} + \dfrac{1}{2} \times \sqrt{2} \times 2 \times \dfrac{\sqrt{2}}{2}$

$= 6 + 1 = 7(\text{cm}^2)$

23 $\triangle ABC$에서 $\overline{AC} = 6\tan 60° = 6 \times \sqrt{3} = 6\sqrt{3}(\text{cm})$

$\therefore$ □ABCD $= \triangle ABC + \triangle ACD$

$\qquad = \dfrac{1}{2} \times 6 \times 6\sqrt{3} + \dfrac{1}{2} \times 6\sqrt{3} \times 8 \times \sin 30°$

$\qquad = 18\sqrt{3} + 12\sqrt{3} = 30\sqrt{3}(\text{cm}^2)$

24 원 O에 내접하는 정팔각형은 오른
쪽 그림과 같이 합동인 삼각형 8개
로 나누어지므로 $\triangle AOB$에서

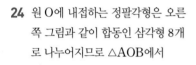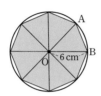

$\angle AOB = \dfrac{360°}{8} = 45°$

$\overline{OA} = \overline{OB} = 6\ \text{cm}$

$\therefore$ (정팔각형의 넓이) $= 8 \times \triangle AOB$

$\qquad = 8 \times \left(\dfrac{1}{2} \times 6 \times 6 \times \sin 45°\right)$

$\qquad = 8 \times \left(\dfrac{1}{2} \times 6 \times 6 \times \dfrac{\sqrt{2}}{2}\right)$

$\qquad = 72\sqrt{2}(\text{cm}^2)$

25 □ABCD $= 6 \times 2\sqrt{2} \times \sin(180° - 135°)$

$\qquad = 6 \times 2\sqrt{2} \times \dfrac{\sqrt{2}}{2} = 12(\text{cm}^2)$

26 $\triangle APD = \dfrac{1}{4}$□ABCD

$\qquad = \dfrac{1}{4} \times (4 \times 6 \times \sin 60°)$

$\qquad = \dfrac{1}{4} \times 12\sqrt{3} = 3\sqrt{3}(\text{cm}^2)$

27 $\angle ABC = \angle ADC = 55°$

$\therefore \angle ACB = 180° - 80° - 55° = 45°$

$\therefore$ □ABCD $= 2 \times \triangle ABC$

$\qquad = 2 \times \dfrac{1}{2}ab\sin 45° = \dfrac{\sqrt{2}}{2}ab$

28 □ABCD $= \dfrac{1}{2} \times 8 \times 8 \times \sin(180° - 135°)$

$\qquad = \dfrac{1}{2} \times 8 \times 8 \times \dfrac{\sqrt{2}}{2}$

$\qquad = 16\sqrt{2}(\text{cm}^2)$

29 두 대각선이 이루는 각 중 예각의 크기를 x라고 하면

$\dfrac{1}{2} \times 12 \times 9 \times \sin x = 27\sqrt{3}$

$\sin x = \dfrac{\sqrt{3}}{2}$ $\qquad \therefore \angle x = 60°$

실력 TEST 015~017쪽

01 $12\sqrt{3}\ \text{cm}^2$ **02** $6.8\ \text{cm}$ **03** $\dfrac{\sqrt{15}}{3}$

04 $\dfrac{\sqrt{3}}{3}a$ **05** $69\ \text{m}$ **06** $20\ \text{cm}$ **07** $3(\sqrt{3}-1)$

08 $36(3+\sqrt{3})\text{cm}^2$ **09** $\dfrac{2400\sqrt{7}}{7}\ \text{m}$

10 $\dfrac{3}{5}$

01 $\overline{AE}$를 그으면 $\overline{AD} = \overline{AB'}$이므로

$\triangle AED \equiv \triangle AEB'$ (RHS 합동)

$\therefore \angle DAE = \angle B'AE$

$\qquad = \dfrac{1}{2} \times 60° = 30°$

즉, $\triangle AEB'$에서

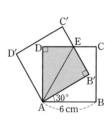

$\overline{EB'} = \overline{AB'}\tan 30° = 6 \times \dfrac{\sqrt{3}}{3} = 2\sqrt{3}(\text{cm})$

$\therefore \triangle AEB' = \dfrac{1}{2} \times 6 \times 2\sqrt{3} = 6\sqrt{3}(\text{cm}^2)$

$\therefore$ □DAB'E $= 2 \times \triangle AEB'$

$\qquad = 2 \times 6\sqrt{3} = 12\sqrt{3}(\text{cm}^2)$

02 이등변삼각형 OAB에서

$\angle AOB = \dfrac{360°}{9} = 40°$

점 O에서 $\overline{AB}$에 내린 수선의 발을
H라고 하면

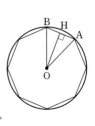

$\angle AOH = \dfrac{1}{2}\angle AOB = \dfrac{1}{2} \times 40° = 20°$

직각삼각형 OAH에서

$\overline{\text{AH}}=\overline{\text{OA}}\sin 20°=10\times 0.34=3.4\,(\text{cm})$

$\therefore \overline{\text{AB}}=2\overline{\text{AH}}=2\times 3.4=6.8\,(\text{cm})$

따라서 정구각형의 한 변의 길이는 6.8 cm이다.

03 △DGH에서 $\overline{\text{DH}}=12\tan 60°=12\times\sqrt{3}=12\sqrt{3}$

$\overline{\text{DG}}=\dfrac{12}{\cos 60°}=12\times 2=24$

△CFG에서 $\overline{\text{CG}}=\overline{\text{DH}}=12\sqrt{3}$이므로

$\overline{\text{FC}}=\dfrac{12\sqrt{3}}{\sin 45°}=12\sqrt{3}\times\sqrt{2}=12\sqrt{6}$

$\overline{\text{BC}}=\overline{\text{FG}}=\overline{\text{CG}}=12\sqrt{3}$이므로 △ABC에서

$\overline{\text{AC}}=\sqrt{12^2+(12\sqrt{3})^2}=24$

$\overline{\text{AF}}=\overline{\text{DG}}=24$ ······ ❶

이등변삼각형 AFC의 꼭짓점 A
에서 $\overline{\text{FC}}$에 내린 수선의 발을 M
이라고 하면

$\overline{\text{FM}}=\overline{\text{CM}}=6\sqrt{6}$

△AFM에서

$\overline{\text{AM}}=\sqrt{24^2-(6\sqrt{6})^2}=6\sqrt{10}$

$\therefore \tan x=\dfrac{\overline{\text{AM}}}{\overline{\text{FM}}}=\dfrac{6\sqrt{10}}{6\sqrt{6}}=\dfrac{\sqrt{15}}{3}$ ······ ❷

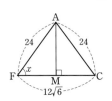

채점 기준	배점
❶ $\overline{\text{FC}}$, $\overline{\text{AC}}$, $\overline{\text{AF}}$의 길이 구하기	50 %
❷ $\tan x$의 값 구하기	50 %

04 $\overline{\text{EC}}=x$라고 하면 △ABC는 직각
이등변삼각형이므로 $\overline{\text{AC}}=a+x$
△AEC에서

$\tan 75°=\dfrac{a+x}{x}=2+\sqrt{3}$

$\dfrac{a}{x}+1=2+\sqrt{3}$

$\therefore x=\dfrac{a}{\sqrt{3}+1}=\dfrac{\sqrt{3}-1}{2}a$

$\overline{\text{DC}}=\overline{\text{BC}}\tan 30°=\dfrac{\sqrt{3}}{3}(a+x)$

$\therefore \overline{\text{AD}}=\overline{\text{AC}}-\overline{\text{DC}}$

$=(a+x)-\dfrac{\sqrt{3}}{3}(a+x)$

$=\left(1-\dfrac{\sqrt{3}}{3}\right)(a+x)$

$=\dfrac{3-\sqrt{3}}{3}\left(a+\dfrac{\sqrt{3}-1}{2}a\right)$

$=\dfrac{3-\sqrt{3}}{3}\times\dfrac{\sqrt{3}+1}{2}a$

$=\dfrac{2\sqrt{3}}{6}a=\dfrac{\sqrt{3}}{3}a$

05 $\angle\text{ACD}=45°$, $\angle\text{BCD}=60°$이므로
$\overline{\text{CD}}=h$ m라고 하면 $\overline{\text{AD}}=\overline{\text{CD}}=h$ m

$\overline{\text{BD}}=h\tan 60°=\sqrt{3}h\,(\text{m})$

$\overline{\text{AB}}=\overline{\text{BD}}-\overline{\text{AD}}=\sqrt{3}h-h=50\,(\text{m})$

$\therefore h=\dfrac{50}{\sqrt{3}-1}=25(\sqrt{3}+1)$

따라서 굴뚝의 높이는 $1.5+25(\sqrt{3}+1)=69\,(\text{m})$

06 꼭짓점 A에서 $\overline{\text{CD}}$에 내린 수선
의 발을 H라고 하면

$\angle\text{DAC}=\angle\text{ACB}=30°$이므로

$\angle\text{D}=180°-(30°+70°)=80°$

$\angle\text{CAH}=20°$, $\angle\text{DAH}=10°$

$\overline{\text{AH}}=h$ cm라고 하면

$\overline{\text{CH}}=h\tan 20°=0.4h\,(\text{cm})$

$\overline{\text{DH}}=h\tan 10°=0.2h\,(\text{cm})$

$\overline{\text{CD}}=\overline{\text{CH}}+\overline{\text{DH}}=0.4h+0.2h=12\,(\text{cm})$

$\therefore h=\dfrac{12}{0.6}=20$

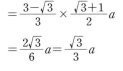

07 △DBC에서

$\overline{\text{BC}}=\dfrac{\sqrt{6}}{\sin 45°}=\sqrt{6}\times\sqrt{2}=2\sqrt{3}$

점 E에서 $\overline{\text{BC}}$에 내린 수선의 발
을 H라고 하면

$\angle\text{BEH}=45°$, $\angle\text{CEH}=60°$

$\overline{\text{EH}}=h$라고 하면

$\overline{\text{BH}}=\overline{\text{EH}}=h$, $\overline{\text{HC}}=h\tan 60°=\sqrt{3}h$

$\overline{\text{BC}}=\overline{\text{BH}}+\overline{\text{HC}}=h+\sqrt{3}h=2\sqrt{3}$

$\therefore h=\dfrac{2\sqrt{3}}{\sqrt{3}+1}=3-\sqrt{3}$

$\therefore △\text{EBC}=\dfrac{1}{2}\times 2\sqrt{3}\times(3-\sqrt{3})=3(\sqrt{3}-1)$

08 $\overset{\frown}{\text{AB}}:\overset{\frown}{\text{BC}}:\overset{\frown}{\text{CA}}=3:4:5$이고 한 원에서 호의 길이는 중심
각의 크기에 정비례하므로

$\angle\text{AOB}=90°$, $\angle\text{BOC}=120°$, $\angle\text{COA}=150°$ ······ ❶

$$\therefore \triangle ABC = \triangle OAB + \triangle OBC + \triangle OCA$$

$$= \frac{1}{2} \times 12 \times 12 \times \sin 90°$$

$$+ \frac{1}{2} \times 12 \times 12 \times \sin(180° - 120°)$$

$$+ \frac{1}{2} \times 12 \times 12 \times \sin(180° - 150°)$$

$$= 72 + 36\sqrt{3} + 36$$

$$= 36(3 + \sqrt{3})(\text{cm}^2) \quad \cdots\cdots ❷$$

채점 기준	배점
❶ ∠AOB, ∠BOC, ∠COA의 크기 구하기	40 %
❷ △ABC의 넓이 구하기	60 %

09 꼭짓점 C에서 $\overline{AB}$에 내린 수선
의 발을 D라고 하면
$$\overline{AD} = 1200 \cos 60° = 600(\text{m})$$
$$\overline{DC} = 1200 \sin 60°$$
$$= 600\sqrt{3}(\text{m})$$
$$\overline{BD} = 960 - 600 = 360(\text{m})$$
△DBC에서
$$\overline{BC} = \sqrt{360^2 + (600\sqrt{3})^2} = 240\sqrt{21}(\text{m})$$
따라서 △ABC의 넓이는
$$\frac{1}{2} \times 240\sqrt{21} \times \overline{AH} = \frac{1}{2} \times 960 \times 1200 \times \sin 60°$$
$$\therefore \overline{AH} = \frac{2400\sqrt{7}}{7} \text{ m}$$

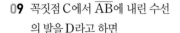

10 $\overline{MN}$을 긋고, $\overline{AB} = 2a$라고 하면
$$\overline{BM} = \overline{BN} = \sqrt{(2a)^2 + a^2} = \sqrt{5}a$$
$$\therefore \square ABCD$$
$$= \triangle ABM + \triangle BMN$$
$$+ \triangle NBC + \triangle DMN$$
$$= \frac{1}{2} \times 2a \times a + \frac{1}{2} \times \sqrt{5}a \times \sqrt{5}a \times \sin x$$
$$+ \frac{1}{2} \times 2a \times a + \frac{1}{2} \times a \times a$$
따라서 $4a^2 = \frac{5}{2}a^2 + \frac{5}{2}a^2 \sin x$이므로
$$\frac{5}{2}\sin x = \frac{3}{2} \quad \therefore \sin x = \frac{3}{5}$$

01 ②	**02** $12\sqrt{7}$	**03** $\frac{17}{13}$	**04** ④
05 $\frac{\sqrt{6}}{3}$	**06** $\frac{\sqrt{3}}{3}$	**07** $3+3\sqrt{3}$	**08** ①
09 ④	**10** ④	**11** 11.5 m	**12** ④
13 ②	**14** $2\sqrt{31}$ km	**15** $\frac{9}{17}$	
16 $100(\sqrt{3}-1)$		**17** ③	
18 $(6\sqrt{3}+6\pi)\text{cm}^2$		**19** $3\sqrt{3} \text{ cm}^2$	**20** $4\sqrt{7}$

01 $\overline{AB} = \sqrt{2^2 + 1^2} = \sqrt{5}(\text{cm})$이므로
$$\sin A = \frac{2}{\sqrt{5}}, \ \sin B = \frac{1}{\sqrt{5}}$$
$$\therefore \sin A \times \sin B = \frac{2}{\sqrt{5}} \times \frac{1}{\sqrt{5}} = \frac{2}{5}$$

02 $\sin B = \frac{x}{8} = \frac{3}{4} \quad \therefore x = 6$
$$y = \sqrt{8^2 - 6^2} = 2\sqrt{7}$$
$$\therefore xy = 6 \times 2\sqrt{7} = 12\sqrt{7}$$

03 △ABC∽△EBD(AA 닮음)이므로
$$\angle C = \angle BDE = \angle x$$
△ABC에서 $\overline{BC} = \sqrt{12^2 + 5^2} = 13$
$$\therefore \cos x + \cos y = \cos C + \cos B$$
$$= \frac{5}{13} + \frac{12}{13} = \frac{17}{13}$$

04 ㄱ. $\sin^2 30° + \cos^2 30° = \left(\frac{1}{2}\right)^2 + \left(\frac{\sqrt{3}}{2}\right)^2 = 1$

ㄴ. $\sin 30° = \frac{1}{2}$
$$\cos 30° \times \tan 30° = \frac{\sqrt{3}}{2} \times \frac{\sqrt{3}}{3} = \frac{1}{2}$$
$$\therefore \sin 30° = \cos 30° \times \tan 30°$$

ㄷ. $\sin 30° + \sin 60° = \frac{1}{2} + \frac{\sqrt{3}}{2}$
$$\sin 90° = 1$$
$$\therefore \sin 30° + \sin 60° \neq \sin 90°$$

ㄹ. $\tan 30° = \frac{\sqrt{3}}{3}$
$$\tan 60° = \sqrt{3}$$이므로 $\frac{1}{\tan 60°} = \frac{1}{\sqrt{3}} = \frac{\sqrt{3}}{3}$
$$\therefore \tan 30° = \frac{1}{\tan 60°}$$

따라서 옳은 것은 ㄱ, ㄴ, ㄹ이다.

05 $x\sin 30°+y\sin 45°=1 \Longleftrightarrow \dfrac{1}{2}x+\dfrac{\sqrt{2}}{2}y=1$

$\Longleftrightarrow y=-\dfrac{\sqrt{2}}{2}x+\sqrt{2}$

이 직선의 x절편은 2, y절편은 $\sqrt{2}$이
므로 그래프는 오른쪽 그림과 같다.
직각삼각형 AOB에서
$\overline{OA}=\sqrt{2}$, $\overline{OB}=2$이므로
$\overline{AB}=\sqrt{(\sqrt{2})^2+2^2}=\sqrt{6}$
$\therefore \cos a=\dfrac{\overline{OB}}{\overline{AB}}=\dfrac{2}{\sqrt{6}}=\dfrac{\sqrt{6}}{3}$

06 점 D는 $\triangle$ABC의 외심이므로 $\overline{AD}=\overline{BD}=\overline{CD}$
따라서 $\triangle$ADC는 이등변삼각형이므로
$\angle A=\dfrac{1}{2}\times(180°-120°)=30°$ ······ ❶

$\therefore \tan A=\tan 30°=\dfrac{\sqrt{3}}{3}$ ······ ❷

채점 기준	배점
❶ $\angle$A의 크기 구하기	60 %
❷ $\tan A$의 값 구하기	40 %

07 $\triangle$AHC에서 $\tan 30°=\dfrac{y}{9}$

$\therefore y=9\tan 30°=9\times\dfrac{\sqrt{3}}{3}=3\sqrt{3}$

$\angle$B$=60°$이므로 $\triangle$ABH에서 $\tan 60°=\dfrac{3\sqrt{3}}{x}$

$\therefore x=\dfrac{3\sqrt{3}}{\tan 60°}=3\sqrt{3}\times\dfrac{1}{\sqrt{3}}=3$

$\therefore x+y=3+3\sqrt{3}$

08 $\triangle$ABC에서 $\cos 60°=\dfrac{\overline{AB}}{\overline{AC}}=\dfrac{1}{2}$ $\therefore \overline{AC}=2$

또 $\tan 60°=\dfrac{\overline{BC}}{\overline{AB}}=\sqrt{3}$이므로 $\overline{BC}=\sqrt{3}$
$\triangle$DAC는 이등변삼각형이므로 $\overline{DC}=\overline{AC}=2$
$\therefore \overline{DB}=\overline{DC}+\overline{CB}=2+\sqrt{3}$
$\angle$BCA$=30°$이므로 $\angle$CDA$=\angle$CAD$=\dfrac{1}{2}\times 30°=15°$
$\triangle$DAB에서 $\angle$DAB$=75°$이므로
$\tan A=\tan 75°=\dfrac{\overline{DB}}{\overline{AB}}=2+\sqrt{3}$

09 ④ $\overline{OF}=\cos x$이므로

$\overline{FC}=\overline{OC}-\overline{OF}=1-\cos x$

10 ④ $\sin 45°=\cos 45°=\dfrac{\sqrt{2}}{2}$이고 $45°<A<90°$에서
A의 값이 커지면 $\sin A$의 값은 증가하고, $\cos A$의 값
은 감소하므로 $\sin A>\cos A$

11 $\triangle$CDH에서
$\overline{CH}=10\sqrt{3}\tan 30°$
$=10\sqrt{3}\times\dfrac{\sqrt{3}}{3}=10\,(\text{m})$ ······ ❶

$\therefore$ (나무의 높이)$=10+1.5=11.5\,(\text{m})$ ······ ❷

채점 기준	배점
❶ $\overline{CH}$의 길이 구하기	70 %
❷ 나무의 높이 구하기	30 %

12 꼭짓점 A에서 $\overline{BC}$에 내린 수선
의 발을 H라고 하면 $\triangle$ABH
에서
$\overline{AH}=4\sin 60°=4\times\dfrac{\sqrt{3}}{2}=2\sqrt{3}$

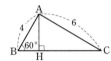

이므로 $\triangle$ACH에서
$\overline{HC}=\sqrt{6^2-(2\sqrt{3})^2}=2\sqrt{6}$
또 $\overline{BH}=4\cos 60°=4\times\dfrac{1}{2}=2$
$\therefore \overline{BC}=\overline{BH}+\overline{HC}=2+2\sqrt{6}$

13 $\triangle$ABH에서 $\overline{AH}=\overline{AB}\sin 30°=\dfrac{1}{2}x$ ······ ㉠

$\triangle$AHC에서 $\overline{AH}=\overline{AC}\sin 45°=\dfrac{\sqrt{2}}{2}y$ ······ ㉡

㉠, ㉡에 의하여 $\dfrac{1}{2}x=\dfrac{\sqrt{2}}{2}y$

$\therefore y=\dfrac{\sqrt{2}}{2}x$

14 C지점에서 $\overline{AB}$에 내린 수선
의 발을 H라고 하면
$\triangle$CBH에서
$\overline{BH}=10\cos 60°$
$=10\times\dfrac{1}{2}=5\,(\text{km})$

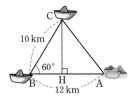

$\overline{CH}=10\sin 60°=10\times\dfrac{\sqrt{3}}{2}=5\sqrt{3}\,(\text{km})$

$\overline{AH}=\overline{AB}-\overline{BH}=12-5=7\,(km)$

직각삼각형 CHA에서

$\overline{CA}=\sqrt{(5\sqrt{3})^2+7^2}=2\sqrt{31}\,(km)$

15 $\overline{FH}=\sqrt{6^2+6^2}=6\sqrt{2}$

$\overline{BH}=\sqrt{(6\sqrt{2})^2+9^2}=3\sqrt{17}$

$\triangle BFH$는 $\angle F=90°$인 직각삼각형이므로

$\sin x \times \cos x \times \tan x$

$=\dfrac{\overline{BF}}{\overline{BH}} \times \dfrac{\overline{FH}}{\overline{BH}} \times \dfrac{\overline{BF}}{\overline{FH}}$

$=\dfrac{9}{3\sqrt{17}} \times \dfrac{6\sqrt{2}}{3\sqrt{17}} \times \dfrac{9}{6\sqrt{2}}=\dfrac{9}{17}$

16 꼭짓점 A에서 $\overline{BC}$에 내린 수선
의 발을 H라고 하면

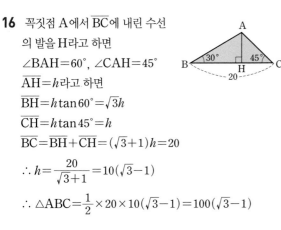

$\angle BAH=60°$, $\angle CAH=45°$

$\overline{AH}=h$라고 하면

$\overline{BH}=h\tan 60°=\sqrt{3}h$

$\overline{CH}=h\tan 45°=h$

$\overline{BC}=\overline{BH}+\overline{CH}=(\sqrt{3}+1)h=20$

$\therefore h=\dfrac{20}{\sqrt{3}+1}=10(\sqrt{3}-1)$

$\therefore \triangle ABC=\dfrac{1}{2} \times 20 \times 10(\sqrt{3}-1)=100(\sqrt{3}-1)$

17 세 삼각형의 넓이가 모두 같으므로

$\dfrac{1}{2} \times a \times b \times \sin 30°=\dfrac{1}{2} \times a \times c \times \sin 60°$

$\qquad\qquad\qquad =\dfrac{1}{2} \times b \times c \times \sin 45°$

$\dfrac{1}{4}ab=\dfrac{\sqrt{3}}{4}ac=\dfrac{\sqrt{2}}{4}bc \quad \therefore ab=\sqrt{3}ac=\sqrt{2}bc$

$ab=\sqrt{3}ac$에서 $b=\sqrt{3}c$

$ab=\sqrt{2}bc$에서 $a=\sqrt{2}c$

$\therefore a:b:c=\sqrt{2}c:\sqrt{3}c:c=\sqrt{2}:\sqrt{3}:1$

18 $\triangle ABC$에서

$\overline{BC}=12\tan 30°=12 \times \dfrac{\sqrt{3}}{3}=4\sqrt{3}\,(cm)$

$\triangle ABC=\dfrac{1}{2} \times 12 \times 4\sqrt{3}=24\sqrt{3}\,(cm^2)$ ······㉠

반원의 넓이는 $\dfrac{1}{2} \times (\pi \times 6^2)=18\pi\,(cm^2)$ ······㉡

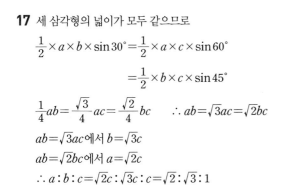

$\overline{OP}$를 그으면 $\angle AOP=120°$이
므로

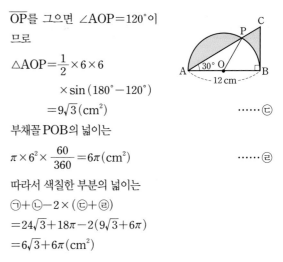

$\triangle AOP=\dfrac{1}{2} \times 6 \times 6$

$\qquad\qquad \times \sin(180°-120°)$

$\qquad =9\sqrt{3}\,(cm^2)$ ······㉢

부채꼴 POB의 넓이는

$\pi \times 6^2 \times \dfrac{60}{360}=6\pi\,(cm^2)$ ······㉣

따라서 색칠한 부분의 넓이는

㉠+㉡$-2 \times ($㉢$+$㉣$)$

$=24\sqrt{3}+18\pi-2(9\sqrt{3}+6\pi)$

$=6\sqrt{3}+6\pi\,(cm^2)$

19 $\triangle AMC=\dfrac{1}{2}\triangle ABC(\because \overline{BM}=\overline{MC})$

$\qquad\quad =\dfrac{1}{2} \times \left(\dfrac{1}{2}\square ABCD\right)$

$\qquad\quad =\dfrac{1}{4} \times (4 \times 6 \times \sin 60°)$

$\qquad\quad =\dfrac{1}{4} \times \left(4 \times 6 \times \dfrac{\sqrt{3}}{2}\right)$

$\qquad\quad =3\sqrt{3}\,(cm^2)$

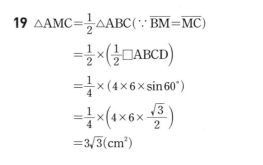

20 $\square ABCD=\dfrac{1}{2} \times 12 \times 12 \times \sin(180°-120°)$

$\qquad\qquad =\dfrac{1}{2} \times 12 \times 12 \times \dfrac{\sqrt{3}}{2}=36\sqrt{3}$

꼭짓점 A에서 $\overline{BC}$에 내린 수선의 발을
H라고 하면

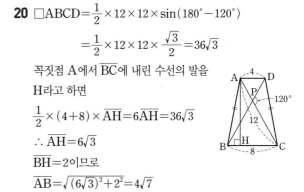

$\dfrac{1}{2} \times (4+8) \times \overline{AH}=6\overline{AH}=36\sqrt{3}$

$\therefore \overline{AH}=6\sqrt{3}$

$\overline{BH}=2$이므로

$\overline{AB}=\sqrt{(6\sqrt{3})^2+2^2}=4\sqrt{7}$

01 A자동차가 30분 동안 간 거리는

$100 \times \dfrac{30}{60} = 50\,(\text{km})$

B자동차가 30분 동안 간 거리는

$80 \times \dfrac{30}{60} = 40\,(\text{km})$

점 B에서 $\overline{\text{OA}}$에 내린 수선의 발을 H라고 하면

$\overline{\text{OH}} = 40\sin 30^\circ = 40 \times \dfrac{1}{2} = 20\,(\text{km})$

$\therefore \overline{\text{AH}} = 50 - 20 = 30\,(\text{km})$

$\overline{\text{HB}} = 40\cos 30^\circ = 40 \times \dfrac{\sqrt{3}}{2} = 20\sqrt{3}\,(\text{km})$

$\therefore \overline{\text{AB}} = \sqrt{\overline{\text{AH}}^2 + \overline{\text{HB}}^2}$
$= \sqrt{30^2 + (20\sqrt{3})^2} = 10\sqrt{21}\,(\text{km})$

02 점 A에서 $\overline{\text{BD}}$와 평행하게 선을 그어 $\overline{\text{CD}}$와 만나는 점을 E라 하고 점 E에서 $\overline{\text{BD}}$에 내린 수선의 발을 F라고 하면

$\angle \text{BAE} = 90^\circ$이므로

$\angle \text{CAE} = 30^\circ$

$\angle \text{AEC} = 180^\circ - 30^\circ - 90^\circ = 60^\circ$

$\angle \text{FED} = 180^\circ - 60^\circ - 90^\circ = 30^\circ$

$\triangle \text{AEC}$에서

$\overline{\text{AE}} = \dfrac{8}{\cos 30^\circ} = 8 \times \dfrac{2}{\sqrt{3}} = \dfrac{16\sqrt{3}}{3}$

$\triangle \text{DEF}$에서

$\overline{\text{FD}} = 6\tan 30^\circ = 6 \times \dfrac{\sqrt{3}}{3} = 2\sqrt{3}$

$\therefore \overline{\text{BD}} = \overline{\text{BF}} + \overline{\text{FD}} = \overline{\text{AE}} + \overline{\text{FD}}$
$= \dfrac{16\sqrt{3}}{3} + 2\sqrt{3}$
$= \dfrac{22\sqrt{3}}{3}$

VI 원의 성질

1. 원과 직선

유형 TEST

01 $4\sqrt{10}$ cm	02 $4\sqrt{6}$	03 12 cm^2	04 3 cm
05 10π	06 $\dfrac{37}{5}$	07 40π cm	08 10
09 8 cm	10 25	11 6	12 52°
13 55°	14 14	15 ④	16 3
17 $2\sqrt{3}$ cm	18 54°	19 21°	20 6π cm^2
21 3	22 $\dfrac{120}{13}$	23 $6\sqrt{3}$ cm	24 2 cm
25 24	26 $2\sqrt{7}$ cm	27 44 cm^2	28 4
29 10 cm	30 2 cm	31 30 cm^2	32 28
33 6 cm	34 13 cm	35 4 cm	36 10
37 1	38 2		

01 $\overline{\text{AO}} = \overline{\text{CO}} = 7$ cm

$\triangle \text{AOM}$은 직각삼각형이므로

$\overline{\text{AM}} = \sqrt{7^2 - 3^2} = 2\sqrt{10}$

$\therefore \overline{\text{AB}} = 2\overline{\text{AM}} = 4\sqrt{10}\,(\text{cm})$

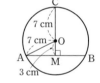

02 직각삼각형 OBH에서 $\overline{\text{BH}} = \sqrt{8^2 - 2^2} = 2\sqrt{15}$,

$\overline{\text{CH}} = \overline{\text{OC}} - \overline{\text{OH}} = 8 - 2 = 6$이므로

직각삼각형 BCH에서

$\overline{\text{BC}} = \sqrt{(2\sqrt{15})^2 + 6^2} = \sqrt{96} = 4\sqrt{6}$

03 지름의 길이가 10 cm이므로

$\overline{\text{OB}} = 5$ cm

원의 중심 O에서 $\overline{\text{BC}}$에 내린 수선의 발을 M이라고 하면

$\overline{\text{BM}} = \dfrac{1}{2}\overline{\text{BC}} = 3\,(\text{cm})$

직각삼각형 OBM에서 $\overline{\text{OM}} = \sqrt{5^2 - 3^2} = 4\,(\text{cm})$

$\therefore \triangle \text{OBC} = \dfrac{1}{2} \times 6 \times 4 = 12\,(\text{cm}^2)$

04 오른쪽 그림과 같이 원의 중심 O에서 $\overline{\text{AB}}$에 내린 수선의 발을 M이라고 하면

$\overline{\text{AM}} = \dfrac{1}{2}\overline{\text{AB}} = 7\,(\text{cm})$

$$\overline{CM}=\frac{1}{2}\overline{CD}=4(cm)$$
$$\therefore \overline{AC}=\overline{AM}-\overline{CM}=7-4=3(cm)$$

05 원의 중심을 O라고 하면 $\overline{AC}$가 $\overline{BD}$의 수직이등분선이므로 원의 중심 O는 $\overline{AC}$ 위에 있다. 원의 반지름의 길이를 r라고 하면

$$\overline{OM}=\overline{OA}-\overline{AM}=r-2$$
직각삼각형 OBM에서
$$r^2=(r-2)^2+4^2 \qquad \therefore r=5$$
$$\therefore (\text{원 O의 둘레의 길이})=2\pi\times5=10\pi$$

06 $\overline{AM}=\frac{1}{2}\overline{AB}=\frac{1}{2}\times14=7$

원의 중심을 O, 원의 반지름의 길이를 r라고 하면
$$\overline{OA}=r, \quad \overline{OM}=r-5$$
직각삼각형 OAM에서 $r^2=(r-5)^2+7^2$
$$10r=74 \qquad \therefore r=\frac{37}{5}$$
따라서 원의 반지름의 길이는 $\frac{37}{5}$이다.

07 $\overline{AM}=\frac{1}{2}\overline{AB}=12(cm)$

원의 중심을 O라 하고, 원의 반지름의 길이를 r cm라고 하면 직각삼각형 OAM에서
$$r^2=(r-4)^2+12^2 \qquad \therefore r=20$$
따라서 원래 접시의 둘레의 길이는 $2\pi\times20=40\pi(cm)$

08 $\overline{OP}\perp\overline{AB}$이므로 $\overline{OP}$와 $\overline{AB}$의 교점을 M이라고 하면
$$\overline{AM}=\overline{BM}=5\sqrt{3}$$
$$\overline{OA}=r\text{라고 하면 }\overline{OM}=\overline{MP}=\frac{r}{2}$$
직각삼각형 OAM에서
$$r^2=(5\sqrt{3})^2+\left(\frac{r}{2}\right)^2, r^2=100 \qquad \therefore r=10\,(\because r>0)$$
따라서 원 O의 반지름의 길이는 10이다.

09 직각삼각형 MOB에서 $\overline{MB}=\sqrt{(4\sqrt{2})^2-4^2}=4(cm)$
$$\therefore \overline{AB}=2\overline{MB}=8(cm)$$
이때 $\overline{OM}=\overline{ON}$이므로
$$\overline{CD}=\overline{AB}=8\ cm$$

10 원의 중심 O에서 $\overline{CD}$에 내린 수선의 발을 N이라고 하면 $\overline{AB}=\overline{CD}$이므로 $\overline{ON}=\overline{OM}=5$

직각삼각형 OND에서
$$\overline{DN}=\sqrt{(5\sqrt{2})^2-5^2}=5$$
따라서 $\overline{CD}=2\overline{DN}=10$이므로
$$\triangle OCD=\frac{1}{2}\times10\times5=25$$

11 점 O에서 $\overline{AB}$, $\overline{CD}$에 내린 수선의 발을 각각 M, N이라고 하면 $\overline{AB}=\overline{CD}$이므로 $\overline{OM}=\overline{ON}$
또 $\overline{MB}=\frac{1}{2}\times8=4$이므로
직각삼각형 OBM에서 $\overline{OM}=\sqrt{5^2-4^2}=3$
따라서 두 현 사이의 거리는 6이다.

12 $\overline{OM}=\overline{ON}$이므로 $\overline{AB}=\overline{AC}$이다.
즉, $\triangle ABC$는 이등변삼각형이므로 $\angle C=\angle B=64°$
$$\therefore \angle x=180°-(64°+64°)=52°$$

13 $\square AMON$에서 $\angle A=360°-(90°+110°+90°)=70°$
이때 $\overline{OM}=\overline{ON}$이므로 $\overline{AB}=\overline{AC}$
즉, $\triangle ABC$는 이등변삼각형이다.
$$\therefore \angle x=\frac{1}{2}\times(180°-70°)=55°$$

14 $\overline{OM}=\overline{ON}$이므로 $\overline{AB}=\overline{AC}$ $\qquad \therefore \overline{AM}=\overline{AN}=5$
삼각형의 중점연결정리에 의하여 $\overline{MN}=\frac{1}{2}\overline{BC}=4$
$$\therefore (\triangle AMN\text{의 둘레의 길이})=5+5+4=14$$

15 $\overline{OP}=\overline{OQ}$이므로 $\overline{AB}=\overline{AC}$
$$\therefore \angle B=\angle C=\frac{1}{2}\times(180°-60°)=60°$$
따라서 $\triangle ABC$는 한 변의 길이가 $8\sqrt{3}$ cm인 정삼각형이다.
② $\overline{AP}=4\sqrt{3}$ cm, $\angle OAP=30°$이므로
$$\overline{OP}=4\sqrt{3}\tan30°=4\sqrt{3}\times\frac{\sqrt{3}}{3}=4(cm)$$
③ $\overline{OA}=\frac{4\sqrt{3}}{\cos30°}=4\sqrt{3}\times\frac{2}{\sqrt{3}}=8(cm)$
④ $\triangle ABC=\frac{1}{2}\times\overline{AB}\times\overline{AC}\times\sin60°$
$$=\frac{1}{2}\times(8\sqrt{3})^2\times\frac{\sqrt{3}}{2}=48\sqrt{3}(cm^2)$$

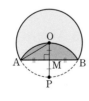

⑤ (원 O의 넓이)$=\pi \times 8^2 = 64\pi(\text{cm}^2)$

따라서 옳지 않은 것은 ④이다.

16 $\angle PAO = 90°$이므로 원 O의 반지름의 길이를 r cm라고 하면 직각삼각형 OPA에서

$(r+2)^2 = 4^2 + r^2$, $4r = 12$ ∴ $r = 3$

17 $\angle PAO = 90°$, $\angle POA = 180° - (30° + 90°) = 60°$

$\overline{PA} = 2\tan60° = 2\sqrt{3}$

∴ $\overline{PB} = \overline{PA} = 2\sqrt{3}$ cm

18 $\angle PAC = 90°$이므로 $\angle PAB = 90° - 27° = 63°$

$\overline{PA} = \overline{PB}$이므로 △APB는 이등변삼각형이다.

∴ $\angle x = 180° - (63° + 63°) = 54°$

19 $\overline{PA} = \overline{PB}$이므로 △PAB는 이등변삼각형이다.

∴ $\angle PAB = \angle PBA = \dfrac{1}{2}(180° - 42°) = 69°$

이때 $\angle OBP = 90°$이므로

$\angle OBA = 90° - 69° = 21°$

20 □OAPB에서 $\angle OAP = 90°$, $\angle OBP = 90°$이므로

$\angle AOB = 360° - (90° + 45° + 90°) = 135°$

∴ (부채꼴 AOB의 넓이)$= \pi \times 4^2 \times \dfrac{135}{360} = 6\pi(\text{cm}^2)$

21 $\overline{PA} = \overline{PB}$, $\overline{PB} = \overline{PC}$이므로 $\overline{PA} = \overline{PC}$

즉, $3x + 6 = 18 - x$이므로

$4x = 12$ ∴ $x = 3$

22 △OPB에서 $\angle PBO = 90°$

$\overline{PB} = \sqrt{13^2 - 5^2} = 12$

$\triangle OPB = \dfrac{1}{2} \times 5 \times 12 = 30$이므로

$30 = \dfrac{1}{2} \times 13 \times \overline{BH}$

∴ $\overline{BH} = \dfrac{60}{13}$ ∴ $\overline{AB} = \dfrac{120}{13}$

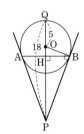

23 원의 중심 O와 접점 T를
이으면 $\angle OTP = 90°$이고
△OAT에서
$\overline{OT} = \overline{OA} = 6$ cm,
$\angle OTA = \angle OAT = 30°$이므로

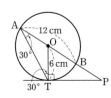

$\angle TOP = 60°$

따라서 직각삼각형 OTP에서

$\overline{PT} = 6\tan60° = 6\sqrt{3}$ (cm)

24 $\overline{AD} = \dfrac{1}{2} \times (\triangle ABC의 둘레의 길이)$

$= \dfrac{1}{2} \times (9 + 7 + 6) = 11(\text{cm})$

∴ $\overline{BD} = \overline{AD} - \overline{AB} = 11 - 9 = 2(\text{cm})$

25 △TOP에서 $\angle PTO = 90°$이므로

$\overline{PT} = \sqrt{13^2 - 5^2} = 12$

∴ (△PAB의 둘레의 길이)$= 2\overline{PT} = 2 \times 12 = 24$

26 $\overline{AB}$와 반원 O의 접점을 T라고 하면

$\overline{AB} = \overline{AT} + \overline{BT} = \overline{AD} + \overline{BC}$

$= 2 + 3 = 5(\text{cm})$

점 A에서 $\overline{BC}$에 내린 수선의 발을 H라
고 하면 $\overline{HC} = \overline{AD} = 2$ cm이므로

$\overline{BH} = \overline{BC} - \overline{HC}$

$= 3 - 2 = 1(\text{cm})$

직각삼각형 ABH에서

$\overline{AH} = \sqrt{5^2 - 1^2} = 2\sqrt{6}$ (cm)

직각삼각형 AHC에서

$\overline{AC} = \sqrt{(2\sqrt{6})^2 + 2^2} = 2\sqrt{7}$ (cm)

27 $\overline{AD} + \overline{BC} = \overline{DE} + \overline{CE} = \overline{CD} = 11(\text{cm})$

∴ □ABCD $= \dfrac{1}{2} \times (\overline{AD} + \overline{BC}) \times \overline{AB}$

$= \dfrac{1}{2} \times 11 \times 8 = 44(\text{cm}^2)$

28 $\overline{AF} = \overline{AD} = x$ cm이므로

$\overline{CE} = \overline{CF} = (12 - x)\text{cm}$

$\overline{BE} = \overline{BD} = 7$ cm이므로

$\overline{CE} = 15 - 7 = 8(\text{cm})$

즉, $12 - x = 8$이므로 $x = 4$

29 $\overline{AD} = x$ cm라고 하면 $\overline{AF} = x$ cm

$\overline{CF} = \overline{CE} = (9 - x)\text{cm}$, $\overline{BD} = \overline{BE} = (8 - x)\text{cm}$

이때 $\overline{BC} = \overline{BE} + \overline{CE}$이므로

$7 = (8 - x) + (9 - x)$ ∴ $x = 5$

∴ (△AQP의 둘레의 길이)$= 2\overline{AD} = 2x = 10(\text{cm})$

■ 다른 풀이 ■

$\overline{PF}=\overline{PR}$, $\overline{QD}=\overline{QR}$이므로
△AQP의 둘레의 길이는
$$\overline{AP}+\overline{PQ}+\overline{QA}=\overline{AP}+(\overline{PR}+\overline{RQ})+\overline{QA}$$
$$=\overline{AP}+(\overline{PF}+\overline{QD})+\overline{QA}$$
$$=\overline{AF}+\overline{AD}$$
$$=(\overline{AC}-\overline{CF})+(\overline{AB}-\overline{BD})$$
$$=\overline{AC}+\overline{AB}-(\overline{CF}+\overline{BD})$$
$$=\overline{AC}+\overline{AB}-(\overline{CE}+\overline{BE})$$
$$=\overline{AC}+\overline{AB}-\overline{BC}$$
$$=9+8-7=10(\text{cm})$$

30 $\overline{OD}=\overline{OG}=3\,\text{cm}$,
$\overline{AD}=9-5=4(\text{cm})$,
∠ADO$=90°$이므로
직각삼각형 ODA에서
$\overline{OA}=\sqrt{3^2+4^2}=5(\text{cm})$
$\therefore \overline{AG}=5-3=2(\text{cm})$

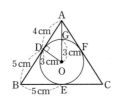

31 두 변 AB, BC와 원 O와의 접점을
각각 E, F라고 하면
$\overline{AE}=\overline{AD}=3\,\text{cm}$,
$\overline{CF}=\overline{CD}=10\,\text{cm}$
내접원의 반지름의 길이를 $r\,\text{cm}$라
고 하면 □OEBF는 정사각형이므
로 $\overline{EB}=\overline{BF}=r\,\text{cm}$
$\therefore \overline{AB}=(3+r)\text{cm}$,
$\overline{BC}=(r+10)\text{cm}$
직각삼각형 ABC에서 $(3+r)^2+(r+10)^2=13^2$
$r^2+13r-30=0$, $(r+15)(r-2)=0$
$\therefore r=2\ (\because r>0)$
따라서 $\overline{AB}=3+2=5(\text{cm})$,
$\overline{BC}=10+2=12(\text{cm})$이므로
$\triangle ABC=\dfrac{1}{2}\times5\times12=30(\text{cm}^2)$

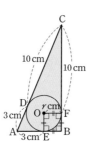

32 $\overline{AH}=\overline{AE}=4$, $\overline{CF}=\overline{CG}=3$이고 □ABCD는 원에 외접
하므로 □ABCD의 둘레의 길이는
$2(\overline{AD}+\overline{BC})=2\times(4+2+5+3)=28$

33 $\overline{AB}+\overline{CD}=\overline{AD}+\overline{BC}=8+18=26(\text{cm})$
□ABCD는 등변사다리꼴이므로

$\overline{AB}=\overline{CD}=\dfrac{1}{2}\times26=13(\text{cm})$
두 꼭짓점 A, D에서 $\overline{BC}$에 내린
수선의 발을 각각 E, F라고 하면
$\overline{BE}=\overline{CF}=\dfrac{1}{2}\times(18-8)$
$$=5(\text{cm})$$
$\therefore \overline{AE}=\sqrt{13^2-5^2}=12(\text{cm})$
따라서 원 O의 반지름의 길이는
$\dfrac{1}{2}\overline{AE}=\dfrac{1}{2}\times12=6(\text{cm})$

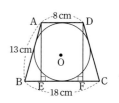

34 직각삼각형 DBC에서
$\overline{DC}=\sqrt{17^2-15^2}=8(\text{cm})$
원 O가 □ABCD의 각 변과 접하므로
$\overline{AB}+\overline{DC}=\overline{AD}+\overline{BC}$에서
$20+8=\overline{AD}+15$ $\therefore \overline{AD}=13(\text{cm})$

35 $\overline{AS}=\overline{AP}=\overline{BP}=\overline{BQ}=\overline{OQ}=\overline{OS}=5\,\text{cm}$이므로
$\overline{AB}=2\overline{AP}=10(\text{cm})$
이때 □ABCD에서
$10+12=\overline{AD}+13$이므로 $\overline{AD}=9(\text{cm})$
$\therefore \overline{DS}=9-5=4(\text{cm})$

■ 다른 풀이 ■

$\overline{CR}=\overline{CQ}=13-5=8(\text{cm})$
$\therefore \overline{DS}=\overline{DR}=12-8=4(\text{cm})$

36 $\overline{BF}=\overline{BE}=\overline{AE}=\overline{AH}=4$이므로
$\overline{DG}=\overline{DH}=12-4=8$
$\overline{FI}=\overline{IG}=x$라고 하면 $\overline{DI}=8+x$, $\overline{BI}=4+x$,
$\overline{IC}=12-(4+x)=8-x$
직각삼각형 DIC에서 $(8+x)^2=(8-x)^2+8^2$
$32x=64$ $\therefore x=2$
$\therefore \overline{DI}=\overline{DG}+\overline{IG}=8+2=10$

37 두 원의 중심 O, O'에서 $\overline{BC}$에 내
린 수선의 발을 각각 E, F라 하고,
원의 중심 O'에서 $\overline{OE}$에 내린 수
선의 발을 G라고 하자. 원 O'의 반
지름의 길이를 r라고 하면 원 O의
반지름의 길이는 4이므로
$\overline{OO'}=4+r$, $\overline{OG}=4-r$,
$\overline{GO'}=\overline{EF}=9-4-r=5-r$

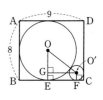

직각삼각형 OGO′에서
$(4+r)^2=(4-r)^2+(5-r)^2$
$r^2-26r+25=0$, $(r-1)(r-25)=0$
$\therefore r=1(\because r<4)$
따라서 원 O′의 반지름의 길이는 1이다.

38 원 P의 지름의 길이는 반원 O
의 반지름의 길이 8과 같으므
로 원 P의 반지름의 길이는 4
이다.

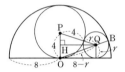

원 Q의 반지름의 길이를 r라 하고 점 Q에서 $\overline{OP}$에 내린 수
선의 발을 H라고 하면
$\overline{PQ}=4+r$, $\overline{PH}=4-r$, $\overline{OQ}=8-r$, $\overline{OH}=r$
$\triangle QPO$에서 $\overline{QH}^2=\overline{PQ}^2-\overline{PH}^2=\overline{OQ}^2-\overline{OH}^2$
$(4+r)^2-(4-r)^2=(8-r)^2-r^2$ $\therefore r=2$
따라서 원 Q의 반지름의 길이는 2이다.

실력 TEST
027~029쪽

01 14   02 $\dfrac{25}{3}\pi$ 03 $5\sqrt{3}$ cm   04 16 cm

05 6   06 $2+\dfrac{2\sqrt{3}}{3}$ 07 $\dfrac{16}{3}$ cm

08 $\dfrac{7-\sqrt{7}}{2}$ cm   09 $(72-16\pi)$ cm^2

10 16π cm^2

01 $\overline{OP}$, $\overline{OQ}$를 그으면 □OPRQ가 정사
각형이므로
$\overline{OP}=\overline{PR}=6$
$\overline{OA}$를 그으면 직각삼각형 OAP에서
$\overline{AP}=\sqrt{10^2-6^2}=8$
$\therefore \overline{AR}=\overline{AP}+\overline{PR}=8+6=14$

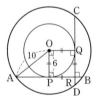

02 $\overline{OA}$를 긋고 $\overline{OA}$와 $\overline{BC}$의 교점을
M이라고 하면 $\overline{OA}\perp\overline{BC}$이므로
$\overline{BM}=\dfrac{1}{2}\overline{BC}=4$ ······ ❶
직각삼각형 ABM에서
$\overline{AM}=\sqrt{5^2-4^2}=3$이고
원 O의 반지름의 길이를 r라고 하면

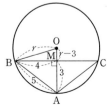

$\overline{OB}=r$, $\overline{OM}=r-3$이므로 직각삼각형 OBM에서
$r^2=(r-3)^2+4^2$ $\therefore r=\dfrac{25}{6}$ ······ ❷
$\therefore$ (원 O의 둘레의 길이)$=2\pi\times\dfrac{25}{6}=\dfrac{25}{3}\pi$ ······ ❸

채점 기준	배점
❶ $\overline{BM}$의 길이 구하기	30 %
❷ 반지름의 길이 구하기	40 %
❸ 원 O의 둘레의 길이 구하기	30 %

03 $\overline{OA}^2+\overline{O'A}^2=5^2+(5\sqrt{3})^2=100$, $\overline{OO'}^2=100$
즉, $\overline{OA}^2+\overline{O'A}^2=\overline{OO'}^2$이므로 $\triangle AOO'$은 $\angle A=90°$인
직각삼각형이다.
$\overline{OO'}\perp\overline{AB}$이므로 $\triangle OO'A$에서
$\overline{AB}$와 $\overline{OO'}$의 교점을 M이라고
하면 $\overline{OA}\times\overline{O'A}=\overline{OO'}\times\overline{AM}$

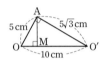

$5\times5\sqrt{3}=10\times\overline{AM}$ $\therefore \overline{AM}=\dfrac{5\sqrt{3}}{2}$ (cm)
$\therefore \overline{AB}=2\overline{AM}=5\sqrt{3}$ (cm)

04

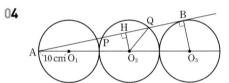

원의 중심 O_2에서 $\overline{PQ}$에 내린 수선의 발을 H라고 하면
$\triangle AO_2H \backsim \triangle AO_3B$ (AA 닮음)이므로
$\overline{AO_2} : \overline{AO_3}=\overline{O_2H} : \overline{O_3B}$가 성립한다.
이때 $\overline{AO_2}=30$ cm, $\overline{AO_3}=50$ cm, $\overline{O_3B}=10$ cm이므로
$30 : 50=\overline{O_2H} : 10$ $\therefore \overline{O_2H}=6$ (cm)
직각삼각형 O_2QH에서 $\overline{HQ}=\sqrt{10^2-6^2}=8$ (cm)
$\therefore \overline{PQ}=2\overline{HQ}=16$ (cm)

05 점 O에서 $\overline{HG}$에 내린 수선의
발을 M이라 하고, 원 O의 반
지름의 길이를 r라고 하면 직
각삼각형 OMG에서
$\overline{OG}=r$,
$\overline{MG}=\overline{MC}-\overline{GC}=r-2$,
$\overline{OM}=9-r$이므로

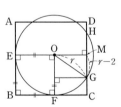

$r^2=(r-2)^2+(9-r)^2$, $r^2-22r+85=0$
$(r-5)(r-17)=0$ $\therefore r=5(\because r<9)$
$\therefore \overline{HG}=2\overline{MG}=2\times(5-2)=6$

06 원의 중심을 O, O'이라 하고, 접점을 B, C라고 하면 $\overline{AO}$, $\overline{DO'}$은 각각 ∠A, ∠D의 이등분선이다.

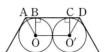

이때 정육각형의 한 내각의 크기는

$$\frac{180° \times (6-2)}{6} = 120°$$

$$\therefore \angle OAB = \angle O'DC = \frac{1}{2} \times 120° = 60°$$

직각삼각형 AOB에서 $\overline{AB} = \frac{1}{\tan 60°} = \frac{\sqrt{3}}{3}$

또, □BOO'C는 직사각형이므로 $\overline{BC} = \overline{OO'} = 2$이고

$\overline{CD} = \overline{AB} = \frac{\sqrt{3}}{3}$이므로 정육각형의 한 변의 길이는

$$\overline{AD} = \overline{AB} + \overline{BC} + \overline{CD} = 2 + \frac{2\sqrt{3}}{3}$$

07 $\overline{OE}$를 긋고 $\overline{AD} = x$ cm, $\overline{AE} = y$ cm라고 하면 △ABC∽△AOE이므로

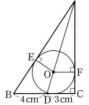

$\overline{AB} : \overline{AO} = \overline{BC} : \overline{OE}$

$(y+8) : (x+4) = 8 : 4$

$$\therefore y = 2x \quad \cdots\cdots \ominus$$

직각삼각형 ABC에서

$(y+8)^2 = 8^2 + (x+8)^2$

이 식에 ㉠을 대입하여 정리하면

$3x^2 + 16x - 64 = 0$, $(x+8)(3x-8) = 0$

$$\therefore x = \frac{8}{3} (\because x > 0) \qquad \therefore y = 2x = \frac{16}{3}$$

$$\therefore \overline{AE} = \frac{16}{3} \text{ cm}$$

08 $\overline{AB}$, $\overline{AC}$와 원 O의 교점을 각각 E, F라고 하면 △AEO와 △AFO에서

∠AEO = ∠AFO = 90°, $\overline{AO}$는 공통, $\overline{OE} = \overline{OF}$이므로

△AEO ≡ △AFO (RHS 합동)

즉, ∠BAD = ∠DAC이므로 각의 이등분선의 성질에 의해

$\overline{AB} : \overline{AC} = \overline{BD} : \overline{DC} = 4 : 3$

즉, $\overline{AB} = 4x$ cm, $\overline{AC} = 3x$ cm라고 하면 △ABC에서

$(4x)^2 = 7^2 + (3x)^2 \qquad \therefore x = \sqrt{7} (\because x > 0)$

$$\therefore \overline{AB} = 4\sqrt{7} \text{ cm}, \overline{AC} = 3\sqrt{7} \text{ cm}$$

원 O의 반지름의 길이를 r cm, $\overline{BC}$와 원 O의 교점을 G라고 하면

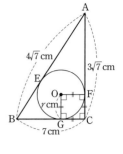

$\overline{BE} = \overline{BG} = (7-r)$ cm

$\overline{AE} = \overline{AF} = (3\sqrt{7}-r)$ cm

즉, $\overline{AB} = (7-r) + (3\sqrt{7}-r)$

$= 4\sqrt{7}$ (cm)이므로

$$r = \frac{7-\sqrt{7}}{2}$$

따라서 원 O의 반지름의 길이는 $\frac{7-\sqrt{7}}{2}$ cm이다.

09 꼭짓점 D에서 $\overline{BC}$에 내린 수선의 발을 E라 하고 원 O의 반지름의 길이를 r cm라고 하면

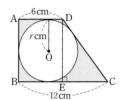

$\overline{AB} = 2r$ cm

□ABCD가 원 O에 외접하므로 $\overline{AB} + \overline{DC} = \overline{AD} + \overline{BC}$

$2r + \overline{DC} = 6 + 12$, $\overline{DC} = 18 - 2r$

직각삼각형 DEC에서

$$(18-2r)^2 = (2r)^2 + 6^2 \qquad \therefore r = 4 \qquad \cdots\cdots ❶$$

∴ (색칠한 부분의 넓이) = □ABCD − (원 O의 넓이)

$$= \frac{1}{2} \times (6+12) \times 8 - \pi \times 4^2$$

$$= 72 - 16\pi \text{ (cm}^2) \qquad \cdots\cdots ❷$$

채점 기준	배점
❶ 원의 반지름의 길이 구하기	50 %
❷ 색칠한 부분의 넓이 구하기	50 %

10 $\overline{OA}$와 $\widehat{AB}$가 원 O'과 만나는 점을 각각 C, D라고 하자.

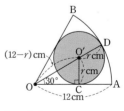

$$\angle BOD = \angle DOA = \frac{1}{2} \times 60° = 30°$$

$\overline{OD} = \overline{OA} = 12$ cm이므로

원 O'의 반지름의 길이를 r cm라고 하면

$\overline{OO'} = (12-r)$ cm

직각삼각형 OCO'에서

$$\sin 30° = \frac{\overline{CO'}}{\overline{OO'}}, \frac{1}{2} = \frac{r}{12-r}$$

$$12 - r = 2r \qquad \therefore r = 4$$

$$\therefore \text{(원 O'의 넓이)} = 16\pi \text{ (cm}^2)$$

2. 원주각

<table>
<tr><th colspan="5">유형 TEST</th></tr>
</table>

유형 TEST   01. 원주각   030~032쪽

01 $\angle x=110°$, $\angle y=65°$	**02** $120°$	**03** $38°$
04 $30°$	**05** $25°$	**06** $40°$	**07** $22°$
08 $50°$	**09** $13°$	**10** $22°$	**11** $88°$
12 $8\sqrt{2}$ cm	**13** $\sqrt{3}$	**14** $\dfrac{7}{5}$	**15** $2\sqrt{3}$ cm
16 $72°$	**17** $35°$	**18** $69°$	**19** $60°$
20 6π	**21** $180°$	**22** $60°$	**23** $84°$

01 $\angle x=2\times55°=110°$

$\overset{\frown}{BAD}$에 대한 중심각의 크기는

$360°-\angle x=360°-110°=250°$

$\therefore \angle BCD=\dfrac{1}{2}\times250°=125°$

□OBCD에서

$\angle y=360°-(110°+60°+125°)=65°$

02 $\overline{AO}$를 그으면 △AOB와 △AOC는

이등변삼각형이므로

$\angle OAB=\angle OBA=23°$

$\angle OAC=\angle OCA=37°$

$\therefore \angle CAB=23°+37°=60°$

$\therefore \angle x=2\angle CAB=2\times60°=120°$

03 $\overline{OE}$를 그으면

$\angle EOC=2\angle EAC=2\times40°=80°$

$\angle BOE=2\angle BDE=2\angle x$

이때 $24°+2\angle x+80°=180°$이므로

$\angle x=38°$

04 $\overline{OA}$, $\overline{OB}$를 그으면 $\angle AOB=360°-2\times105°=150°$

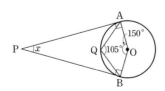

□APBO에서 $\angle OAP=\angle OBP=90°$이므로

$\angle x=360°-(90°+90°+150°)=30°$

05 $\overline{PA}$를 그으면

$\angle APB=\dfrac{1}{2}\angle AOB=\dfrac{1}{2}\times70°=35°$

$\angle CPA=60°-35°=25°$

$\therefore \angle x=\angle CPA=25°$

06 $\angle x=\angle CBD=25°$, $\angle BAC=\angle BDC=35°$

△ABC에서 $\angle y=180°-(35°+55°+25°)=65°$

$\therefore \angle y-\angle x=65°-25°=40°$

07 $\angle BDC=\angle BAC=45°$

△PBD에서 $45°=23°+\angle ABD$이므로 $\angle ABD=22°$

08 $\overline{BD}$를 그으면 △ADM과 △BDM에서

$\angle AMD=\angle BMD=90°$, $\overline{AM}=\overline{BM}$,

$\overline{MD}$는 공통이므로

△ADM≡△BDM (SAS 합동)

$\therefore \angle DBM=\angle DAM=25°$

$\therefore \angle x=\angle ACD+\angle DCB=\angle ABD+\angle DAB$

$\qquad =25°+25°=50°$

09 $\overline{AB}$가 원 O의 지름이므로 $\angle ACB=90°$

$\overline{CE}$가 $\angle ACB$의 이등분선이므로 $\angle ACE=45°$

$\angle ACD=\dfrac{1}{2}\angle AOD=\dfrac{1}{2}\times64°=32°$이므로

$\angle DCE=45°-32°=13°$

10 $\overline{AC}$가 원 O의 지름이므로 $\angle CDA=90°$

△ACD에서 $\angle x=90°-28°=62°$

$\angle ACB=\angle ADB=62°$

△PBC에서 $\angle y=180°-(34°+62°)=84°$

$\therefore \angle y-\angle x=84°-62°=22°$

11 $\overline{AC}$를 그으면 $\overline{BC}$가 원 O의 지름이므로 $\angle BAC=90°$

△ACE에서

$\angle ACE=180°-(90°+46°)=44°$

$\angle AOD=2\times\angle ACE=2\times44°=88°$

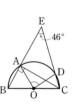

12 $\overline{O'P}$, $\overline{BQ}$를 그으면

△APO'과 △AQB에서

$\angle APO'=\angle AQB=90°$,

$\angle A$는 공통이므로

△APO′∽△AQB (AA 닮음)

즉, $\overline{AO'}:\overline{AB}=\overline{PO'}:\overline{QB}$이므로 $9:12=3:\overline{QB}$

$9\overline{QB}=36$ ∴ $\overline{QB}=4(cm)$

직각삼각형 ABQ에서 $\overline{AQ}=\sqrt{12^2-4^2}=8\sqrt{2}(cm)$

13 반원에 대한 원주각의 크기는 90°이므로 $\angle ACB=90°$

$\triangle ABC$에서 $\overline{BC}=4\sin 30°=4\times\dfrac{1}{2}=2$

$\triangle DCB$에서 $\angle B=60°$이므로

$\overline{CD}=2\sin 60°=2\times\dfrac{\sqrt{3}}{2}=\sqrt{3}$

14 $\overline{AB}$가 원 O의 지름이므로 $\angle ACB=90°$

$\triangle ABC∽\triangle ACD$ (AA 닮음)이므로

$\angle ABC=\angle ACD=\angle x$

직각삼각형 ABC에서

$\overline{AC}=\sqrt{15^2-9^2}=12$

$\sin x=\sin B=\dfrac{\overline{CA}}{\overline{AB}}=\dfrac{4}{5}$

$\cos x=\cos B=\dfrac{\overline{BC}}{\overline{AB}}=\dfrac{3}{5}$

∴ $\sin x+\cos x=\dfrac{4}{5}+\dfrac{3}{5}=\dfrac{7}{5}$

15 $\overline{BO}$의 연장선이 원 O와 만나는 점을 P 라고 하면 $\angle BPC=\angle BAC=60°$

$\overline{BP}$가 원 O의 지름이므로 $\triangle PBC$는 $\angle C=90°$인 직각삼각형이다.

∴ $\overline{BP}=\dfrac{6}{\sin 60°}=6\times\dfrac{2}{\sqrt{3}}=4\sqrt{3}(cm)$

따라서 원 O의 반지름의 길이는 $2\sqrt{3}$ cm이다.

16 $\overline{QB}$를 그으면 $\widehat{AB}=\widehat{BC}$이므로

$\angle APB=\angle BRC=36°$

∴ $\angle x=\angle AQB+\angle BQC$

$=\angle APB+\angle BRC$

$=36°+36°=72°$

17 $\overline{BD}$를 그으면 $\overline{AB}$가 반원 O의 지름이므로 $\angle ADB=90°$

$\widehat{AD}=\widehat{DC}$이므로

$\angle ABD=\angle DAC=\angle x$

$\triangle ABD$에서 $(\angle x+20°)+\angle x+90°=180°$이므로

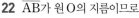

$2\angle x=70°$ ∴ $\angle x=35°$

18 $\overline{BC}$를 그으면 $\widehat{AE}=\widehat{EC}$이므로

$\angle EBC=\angle ABE=21°$

$\overline{AB}$가 원 O의 지름이므로

$\angle ACB=90°$

직각삼각형 DBC에서

$\angle x=180°-(90°+21°)=69°$

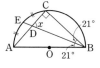

19 $\overline{AD}/\!/\overline{BC}$이므로

$\angle ADB=\angle DBC$(엇각)

∴ $\widehat{AB}=\widehat{CD}$

즉, $\widehat{AB}=\widehat{BC}=\widehat{CD}$이므로

$\angle x=\dfrac{1}{3}\angle AOD=\dfrac{1}{3}\times 180°=60°$

20 $\triangle ABP$에서 $\angle ABP=60°-15°=45°$

$\angle BAC:\angle ABD=\widehat{BC}:\widehat{AD}$이므로

$15°:45°=2\pi:\widehat{AD}$ ∴ $\widehat{AD}=6\pi$

21 $\overline{OE}$를 그으면 $\widehat{BE}=2\widehat{CE}$이므로

$\angle BAE=2\angle CDE=2\times 18°=36°$

∴ $\angle x=\angle COE+\angle BOE$

$=2\angle CDE+2\angle BAE$

$=2\times 18°+2\times 36°=108°$

$\triangle AFO$에서 $\angle OAF+\angle AFO=108°$이므로

$36°+\angle y=108°$ ∴ $\angle y=72°$

∴ $\angle x+\angle y=108°+72°=180°$

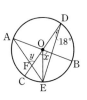

22 $\overline{AB}$가 원 O의 지름이므로

$\angle APB=90°$

$\angle PBA:\angle PAB=1:2$이므로

$\angle x=90°\times\dfrac{2}{3}=60°$

23 $\overline{AD}$를 그으면

$\angle ADB=180°\times\dfrac{1}{5}=36°$

$\angle DAC=36°\times\dfrac{4}{3}=48°$

$\triangle APD$에서 $\angle x=36°+48°=84°$

01 ④	02 80°	03 100°	04 50°
05 222°	06 152°	07 180°	08 65°
09 210°	10 40°	11 100°	12 ②, ③
13 ㄴ, ㄹ, ㅂ	14 45°	15 50°	16 45°
17 57°	18 $\angle x=62°$, $\angle y=56°$		19 30°
20 8 cm	21 65°		22 84°

01 ① $\angle A=180°-(40°+60°+35°)=45°$이므로
$\angle A \neq \angle D$
② $\angle A \neq \angle D$
③ $\angle C=180°-(70°+75°)=35°$이므로
$\angle C \neq \angle D$
④ $\angle D=110°-80°=30°$이므로 $\angle D=\angle A$
⑤ $\angle ACD=90°-40°=50°$이므로 $\angle ABD \neq \angle ACD$
따라서 네 점이 한 원 위에 있는 것은 ④이다.

02 네 점 A, B, C, D가 한 원 위에 있으므로
$\angle ABD=\angle ACD=40°$
△ABP에서 $\angle x=180°-(60°+40°)=80°$

03 네 점 A, B, C, D가 한 원 위에 있으므로
$\angle y=\angle C=25°$
△DPB에서 $\angle x=50°+25°=75°$
∴ $\angle x+\angle y=75°+25°=100°$

04 □ABCD가 원 O에 내접하므로
$\angle A+\angle C=180°$ ∴ $\angle A=180°-140°=40°$
$\angle ABD=90°$이므로 △ABD에서
$\angle x=180°-(40°+90°)=50°$

05 $\overline{CE}$를 그으면
$\angle CED=\dfrac{1}{2}\angle COD$
$=\dfrac{1}{2}\times 84°=42°$
□ABCE가 원 O에 내접하므로
$\angle ABC+\angle AEC=180°$
∴ $\angle x+\angle y=180°+42°=222°$

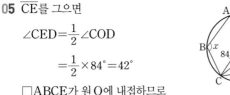

06 △OAB와 △OAD는 이등변삼각형이므로

$\angle OAB=\angle OBA=50°$, $\angle OAD=\angle ODA=22°$
$\angle DAB=50°-22°=28°$
□ABCD가 원 O에 내접하므로 $\angle x=180°-28°=152°$

07 $\angle AEB=\angle ACB=\angle a$
($\because \widehat{AB}$에 대한 원주각),
$\angle BEC=\angle BDC=\angle b$
($\because \widehat{BC}$에 대한 원주각),
$\angle DBE=\angle DFE=\angle d$
($\because \widehat{DE}$에 대한 원주각),
$\angle EBF=\angle EAF=\angle e$ ($\because \widehat{EF}$에 대한 원주각)
이때 □EABD는 원에 내접하므로
$\angle AED+\angle ABD=180°$
∴ $(\angle a+\angle b+\angle c)+(\angle d+\angle e+\angle f)=180°$

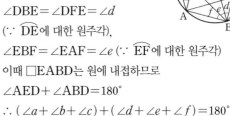

08 $\angle ABC=\angle ADC=30°$
□ACDB가 원 O에 내접하므로
$\angle x=\angle ABD=\angle ABC+\angle CBD$
$=30°+35°=65°$

09 □ABCD가 원에 내접하므로
$(\angle x+50°)+100°=180°$ ∴ $\angle x=30°$
$\angle ACB=\angle ADB=60°$이므로
$\angle ACD=100°-60°=40°$
∴ $\angle y=\angle ACD=40°$
$\angle BDC=\angle BAC=50°$이므로
$\angle ADC=60°+50°=110°$
∴ $\angle z=\angle ADC=110°$
∴ $2\angle x+\angle y+\angle z=2\times 30°+40°+110°=210°$

10 △BCE에서 $\angle DCF=55°+30°=85°$
□ABCD가 원에 내접하므로
$\angle ADC=180°-55°=125°$
△DCF에서 $\angle x=125°-85°=40°$

11 $\angle PBD=\dfrac{1}{2}\angle PO'D=\dfrac{1}{2}\times 160°=80°$
□PQDB가 원 O'에 내접하므로
$\angle PQC=\angle PBD=80°$
또 □ACQP가 원 O에 내접하므로
$\angle PAC+\angle PQC=180°$
∴ $\angle x=180°-80°=100°$

12 ① $\angle A + \angle C = \angle B + \angle D = 180°$

② $\angle A = 100°$, $\angle B = 120°$이므로 $\angle A \neq \angle C$

③ $\angle A = 85°$, $\angle DCF = 95°$이므로 $\angle A \neq \angle DCF$

④ $\angle ABC = \angle CDF = 80°$

⑤ $\angle A + \angle C = 180°$

따라서 □ABCD가 원에 내접하지 않는 것은 ②, ③이다.

13 항상 원에 내접하는 사각형은 대각의 크기의 합이 180°인 등변사다리꼴, 직사각형, 정사각형이다.

따라서 ㄴ, ㄹ, ㅂ이다.

14 $\angle BAD = \angle DCE = 92°$이므로 □ABCD는 원에 내접한다.

$\therefore \angle ADB = \angle ACB = 45°$

15 $\angle CAB = \dfrac{1}{2}\angle COB = \dfrac{1}{2} \times 100° = 50°$이므로

$\angle CBQ = \angle CAB = 50°$

16 $\angle ATP = \angle ACT = 95°$이므로 △APT에서

$\angle x = 180° - (40° + 95°) = 45°$

17 □ABCD가 원에 내접하므로

$\angle BCD = 180° - 83° = 97°$

△BCD에서 $\angle CBD = 180° - (97° + 26°) = 57°$

$\therefore \angle x = \angle CBD = 57°$

18 △APR에서 $\overline{AP} = \overline{AR}$이므로

$\angle APR = \angle ARP = \dfrac{1}{2} \times (180° - 72°) = 54°$

△PQR는 원에 내접하므로 $\angle PQR = \angle APR = 54°$

즉, △PQR에서 $\angle x = 180° - (64° + 54°) = 62°$

또한 $\angle BPQ = \angle BQP = \angle x = 62°$이므로

$\angle y = 180° - (62° + 62°) = 56°$

19 $\overline{CD}$를 그으면 $\overline{BT}$가 원의 접선이므로

$\angle BDC = \angle CBT = 10°$

또한 $\angle ADC = 90°$이므로

$\angle ADB = \angle ACB = 90° - 10° = 80°$

한편 $\overline{BT} /\!/ \overline{AD}$에서

$\angle DBT = \angle ADB = 80°$(엇각)

$\therefore \angle DBC = 80° - 10° = 70°$

△PBC에서

$\angle APD = \angle BPC = 180° - (70° + 80°) = 30°$

20 $\overline{OC}$를 그으면

$\angle OCA = \angle OAC = 30°$이므로

$\angle DOC = 30° + 30° = 60°$

$\overline{OC} = \overline{OA} = \dfrac{1}{2}\overline{AB} = 8\,(\text{cm})$

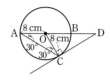

$\overline{OC} \perp \overline{CD}$이므로 직각삼각형 OCD에서

$\overline{OD} = \dfrac{8}{\cos 60°} = 8 \times 2 = 16\,(\text{cm})$

$\therefore \overline{BD} = 16 - 8 = 8\,(\text{cm})$

21 $\angle PBD = \angle CPT' = \angle PAC = 40°$이므로

△BDP에서

$\angle x = 105° - 40° = 65°$

■ 다른 풀이 ■

$\angle BDP = 180° - 105° = 75°$이므로

$\angle BPT = \angle BDP = 75°$

$\angle CPT' = \angle CAP = 40°$이므로

$40° + \angle x + 75° = 180°$

$\therefore \angle x = 65°$

22 $\angle DCT = \angle PTD = \angle BTQ = \angle BAT = 34°$

이므로 $\angle DTC = 180° - (34° + 62°) = 84°$

실력 TEST 036~039쪽

01 36°	**02** 18°	**03** $9\sqrt{3}\,\text{cm}^2$	**04** $\dfrac{4}{3}$배
05 105°	**06** 72°	**07** 59°	**08** 75°
09 $13\sqrt{5}\,\text{cm}^2$	**10** 288°	**11** 55°	**12** 50°

01 $\angle BOC = \angle x$라고 하면

$\angle A = \dfrac{1}{2}\angle x$

$\angle ADO = \angle DAB + \angle ABD = \angle DOC + \angle OCD$

이므로 $\dfrac{1}{2}\angle x + 32° = \angle x + 14°$

$\therefore \angle x = 36°$

02 $\angle ABD = \angle x$라고 하면

$\angle BDC = \angle PBD + \angle BPD = \angle x + 40°$

$\therefore \angle BAC = \angle BDC = \angle x + 40°$

$\triangle ABQ$에서 $\angle BAQ + \angle ABQ = 76°$이므로

$(\angle x + 40°) + \angle x = 76°$

$\therefore \angle x = 18°$

03 원의 둘레의 길이는 $5\pi + 4\pi + 3\pi = 12\pi\,(\text{cm})$

원 O의 반지름의 길이를 $r\,\text{cm}$라고 하면

$2\pi r = 12\pi$ $\therefore r = 6$

따라서 원 O의 반지름의 길이는 $6\,\text{cm}$이다. ······ ❶

$\angle A : \angle B : \angle C = \overarc{BC} : \overarc{CA} : \overarc{AB} = 4 : 3 : 5$이므로

$\angle B = 180° \times \dfrac{3}{12} = 45°$

$\therefore \angle AOC = 2\angle B = 90°$ ······ ❷

$\triangle AOC$에서 $\angle CAO = \dfrac{1}{2} \times (180° - 90°) = 45°$

$\therefore \overline{AC} = \dfrac{\overline{OC}}{\sin 45°} = 6 \times \dfrac{2}{\sqrt{2}} = 6\sqrt{2}\,(\text{cm})$

$\angle A = 180° \times \dfrac{4}{12} = 60°$이므로

$\overline{AH} = \overline{AC} \times \cos 60° = 6\sqrt{2} \times \dfrac{1}{2} = 3\sqrt{2}\,(\text{cm})$ ······ ❸

$\therefore \triangle AHC = \dfrac{1}{2} \times \overline{AC} \times \overline{AH} \times \sin 60°$

$= \dfrac{1}{2} \times 6\sqrt{2} \times 3\sqrt{2} \times \dfrac{\sqrt{3}}{2} = 9\sqrt{3}\,(\text{cm}^2)$ ······ ❹

채점 기준	배점
❶ 원 O의 반지름의 길이 구하기	30 %
❷ $\angle AOC$의 크기 구하기	20 %
❸ $\overline{CH}$, $\overline{AC}$, $\overline{AH}$의 길이 구하기	30 %
❹ $\triangle ABC$의 넓이 구하기	20 %

04 $\overline{BC}$를 그으면 $\triangle PBC$에서

$\angle PBC + \angle BCP = 60°$이므로

$\overarc{AB}$와 $\overarc{CD}$에 대한 원주각의 크기의

합은 $60°$이다.

따라서 $\overarc{AB} + \overarc{CD}$의 길이는 원의 둘

레의 길이의 $\dfrac{60°}{180°} = \dfrac{1}{3}$(배)이다.

05 $\overline{AB}$, $\overline{CD}$를 긋고 $\angle ECD = \angle x$라

고 하면 □ABCD가 원에 내접하

므로

$\angle BAD = 180° - (75° + \angle x)$

$= 105° - \angle x$

$\overarc{AE} = \overarc{ED}$이므로 $\angle ABE = \angle ECD = \angle x$

$\triangle ABP$에서

$\angle APE = \angle BAP + \angle ABP$

$= (105° - \angle x) + \angle x = 105°$

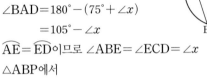

06 $\overline{BD}$를 그으면

$\overarc{AD} : \overarc{DC} = 2 : 1$이므로

$\angle ABD = 2\angle CBD$

$\angle CAD = \angle CBD$이므로

$\angle ABC = \angle ABD + \angle CBD$

$= 3\angle CBD = 3\angle CAD$

$\triangle ACE$에서

$\angle ACB = \angle CAD + \angle CEA = \angle CAD + 36°$

$\triangle ABC$에서 $\overline{AB} = \overline{AC}$이므로 $\angle ABC = \angle ACB$

따라서 $3\angle CAD = \angle CAD + 36°$이므로

$2\angle CAD = 36°$ $\therefore \angle CAD = 18°$ ······ ❶

$\angle ABC = 3\angle CAD = 3 \times 18° = 54°$이므로

$\angle x = 180° - 2 \times 54° = 72°$ ······ ❷

채점 기준	배점
❶ $\angle CAD$의 크기 구하기	50 %
❷ $\angle x$의 크기 구하기	50 %

07 $\angle CAD = \angle CBA = \angle a$,

$\angle ADE = \angle EDB = \angle b$라고

하면 $\triangle ABD$에서

$(62° + \angle a) + \angle a + 2\angle b$

$= 180°$

$2(\angle a + \angle b) = 118°$ $\therefore \angle a + \angle b = 59°$

따라서 $\triangle EBD$에서 $\angle AED = \angle a + \angle b = 59°$

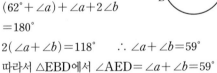

08 $\overline{OA} = \overline{OQ}$이므로 $\angle AQO = \angle QAO = 35°$

$\therefore \angle QOB = 35° + 35° = 70°$

$\overline{AB}$가 원 O'의 접선이므로

$\angle QPO = \angle QOB = 70°$

$\therefore \angle POQ = 180° - (70° + 35°) = 75°$

09 $\overline{\text{BT}}$를 그으면 $\overline{\text{AB}}$가 지름이므로

$\angle\text{ATB}=90°$

$\overleftrightarrow{\text{TH}}$가 원 O의 접선이므로

$\angle\text{BTH}=\angle\text{BAT}$

$\therefore \triangle\text{BTH}\backsim\triangle\text{BAT}$ (AA 닮음) ...... ❶

따라서 $\overline{\text{BT}}:\overline{\text{BH}}=\overline{\text{BA}}:\overline{\text{BT}}$이므로

$\overline{\text{BT}}:4=9:\overline{\text{BT}}$, $\overline{\text{BT}}^2=36$

$\therefore \overline{\text{BT}}=6(\text{cm})$ ...... ❷

$\triangle\text{ATB}$에서 $\overline{\text{AT}}=\sqrt{9^2-6^2}=3\sqrt{5}(\text{cm})$,

$\triangle\text{BTH}$에서 $\overline{\text{TH}}=\sqrt{6^2-4^2}=2\sqrt{5}(\text{cm})$

$\therefore \square\text{ATHB}=\triangle\text{BAT}+\triangle\text{BTH}$

$$=\frac{1}{2}\times3\sqrt{5}\times6+\frac{1}{2}\times2\sqrt{5}\times4$$

$$=13\sqrt{5}(\text{cm}^2)$$ ...... ❸

채점 기준	배점
❶ 닮음인 두 삼각형 보이기	30 %
❷ $\overline{\text{BT}}$의 길이 구하기	30 %
❸ $\square\text{ATHB}$의 넓이 구하기	40 %

10 $\triangle\text{ABC}$에서

$\angle\text{CAB}+\angle\text{CBA}=180°-36°=144°$

원 O에서 $\overset{\frown}{\text{ADC}}$에 대한 원주각의 크기는 $\dfrac{1}{2}\angle\text{AOC}$

원 O′에서 $\overset{\frown}{\text{CDB}}$에 대한 원주각의 크기는 $\dfrac{1}{2}\angle\text{CO′B}$

$\overleftrightarrow{\text{AB}}$가 두 원 O, O′의 공통인 접선이므로

$\angle\text{CAB}=\dfrac{1}{2}\angle\text{AOC}$, $\angle\text{CBA}=\dfrac{1}{2}\angle\text{CO′B}$

$\angle\text{CAB}+\angle\text{CBA}=\dfrac{1}{2}(\angle\text{AOC}+\angle\text{CO′B})=144°$

$\therefore \angle\text{AOC}+\angle\text{BO′C}=2\times144°=288°$

11 $\overline{\text{CP}}$를 그으면 $\overline{\text{CB}}$가 작은 반원의

지름이므로 $\angle\text{CPB}=90°$

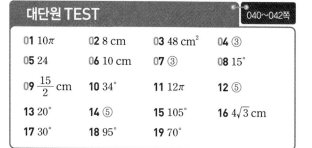

$\therefore \angle\text{APC}=180°-(90°+\angle x)$

$=90°-\angle x$

이때 $\triangle\text{PAC}$에서

$\angle\text{PCB}=20°+(90°-\angle x)=110°-\angle x$ ...... ㉠

한편 $\overline{\text{AQ}}$가 작은 원의 접선이므로

$\angle\text{PCB}=\angle\text{QPB}=\angle x$ ...... ㉡

㉠, ㉡에서 $110°-\angle x=\angle x$

$\therefore \angle x=55°$

12 직선 BA가 원의 접선이므로

$\angle\text{BAC}=\angle\text{ADC}$

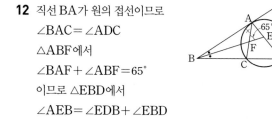

$\triangle\text{ABF}$에서

$\angle\text{BAF}+\angle\text{ABF}=65°$

이므로 $\triangle\text{EBD}$에서

$\angle\text{AEB}=\angle\text{EDB}+\angle\text{EBD}$

$=\angle\text{BAF}+\angle\text{ABF}=65°$

$\triangle\text{AFE}$에서 $\angle\text{EAF}=180°-(65°+65°)=50°$

대단원 TEST

040~042쪽

01 10π	**02** 8 cm	**03** 48 cm²	**04** ③
05 24	**06** 10 cm	**07** ③	**08** 15°
09 $\dfrac{15}{2}$ cm	**10** 34°	**11** 12π	**12** ⑤
13 20°	**14** ⑤	**15** 105°	**16** $4\sqrt{3}$ cm
17 30°	**18** 95°	**19** 70°	

01 $\overline{\text{AM}}=\overline{\text{BM}}=4$

원 O의 반지름의 길이를 r라고 하면

$\overline{\text{OA}}=\overline{\text{OP}}=r$, $\overline{\text{OM}}=r-2$이므로

직각삼각형 OAM에서 $r^2=(r-2)^2+4^2$

$4r=20$ $\therefore r=5$

따라서 원 O의 둘레의 길이는 $2\pi\times5=10\pi$

02 $\overline{\text{OT}}$를 그으면 $\overline{\text{OT}}=3$ cm,

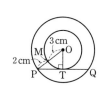

$\overline{\text{OT}}\perp\overline{\text{PQ}}$이므로 직각삼각형 OPT

에서 $\overline{\text{PT}}=\sqrt{5^2-3^2}=4(\text{cm})$

$\therefore \overline{\text{PQ}}=2\overline{\text{PT}}=8(\text{cm})$

03 원의 중심 O에서 $\overline{\text{CD}}$에 내린 수선의

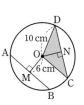

발을 N이라고 하면

$\overline{\text{AB}}=\overline{\text{CD}}$이므로

$\overline{\text{ON}}=\overline{\text{OM}}=6$ cm

직각삼각형 OND에서

$\overline{\text{ND}}=\sqrt{10^2-6^2}=8(\text{cm})(\because \overline{\text{ND}}>0)$

따라서 $\overline{\text{CD}}=8\times2=16(\text{cm})$이므로

$\triangle\text{OCD}=\dfrac{1}{2}\times16\times6=48(\text{cm}^2)$

04 $\overline{\text{AT}}\perp\overline{\text{OT}}$이므로 직각삼각형 AOT에서

$\overline{\text{AT}}=\sqrt{17^2-8^2}=15\,(\text{cm})$

$\therefore (\triangle\text{ABC의 둘레의 길이})=2\overline{\text{AT}}=2\times15=30\,(\text{cm})$

05 $\overline{\text{OR}}$를 긋고 $\overline{\text{BQ}}=\overline{\text{BP}}=x,$

$\overline{\text{CQ}}=\overline{\text{CR}}=y$라고 하면

$\overline{\text{BC}}=\overline{\text{BQ}}+\overline{\text{CQ}}$이므로

$10=x+y$

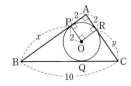

$\therefore (\triangle\text{ABC의 둘레의 길이})$

$=(2+x)+10+(2+y)$

$=14+(x+y)=24$

06 $\triangle\text{ABC}$와 원 O의 접점을 P, Q, R

라 하고, $\overline{\text{DE}}$와 원 O의 접점을 S라

고 하자.

$\overline{\text{CQ}}=\overline{\text{CR}}=x$ cm라고 하면

$\overline{\text{AP}}=\overline{\text{AR}}=(12-x)\,\text{cm},$

$\overline{\text{BP}}=\overline{\text{BQ}}=(13-x)\,\text{cm}$이므로

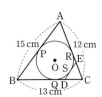

$(12-x)+(13-x)=15, 2x=10 \quad\therefore x=5$

$\therefore \overline{\text{CQ}}=5\,\text{cm}$

$\therefore (\triangle\text{CDE의 둘레의 길이})=2\overline{\text{CQ}}=2\times5=10\,(\text{cm})$

07 직각삼각형 DEC에서

$\overline{\text{EC}}=\sqrt{10^2-8^2}=6$

$\overline{\text{AB}}=\overline{\text{DC}}=8$이므로

$\overline{\text{AF}}=\overline{\text{BH}}=4$

$\overline{\text{EH}}=\overline{\text{EI}}=x$라고 하면 $\overline{\text{DI}}=\overline{\text{DF}}=10-x$

이때 $\overline{\text{AD}}=\overline{\text{BC}}$이므로

$4+(10-x)=4+x+6 \quad\therefore x=2$

$\therefore \overline{\text{BE}}=4+2=6$

08 한 원에서 모든 호에 대한 원주각의 크기의 합은 $180°$이므

로 $\angle\text{BAC}=180°\times\dfrac{1}{12}=15°$

09 $\overline{\text{AO}}$의 연장선이 원과 만나는 점을 E

라고 하면 $\overline{\text{AE}}$가 원 O의 지름이다.

$\triangle\text{ABE}$와 $\triangle\text{AHD}$에서

$\angle\text{ABE}=90°=\angle\text{AHD}$

$\angle\text{BEA}=\angle\text{HDA}$이므로

$\triangle\text{ABE}\backsim\triangle\text{AHD}\,(\text{AA 닮음})$

따라서 $\overline{\text{AB}}:\overline{\text{AH}}=\overline{\text{AE}}:\overline{\text{AD}}$이므로

$10:6=\overline{\text{AE}}:9, 6\overline{\text{AE}}=90 \quad\therefore \overline{\text{AE}}=15\,(\text{cm})$

따라서 원 O의 반지름의 길이는 $\dfrac{15}{2}$ cm이다.

10 $\overline{\text{BC}}$를 그으면 $\angle\text{ACB}=90°$이므로 $\angle\text{ABC}=68°$

$\overline{\text{BD}}$를 그으면 $\overparen{\text{AD}}=\overparen{\text{CD}}$이므로

$\angle\text{ABD}=\angle\text{DBC}=\dfrac{1}{2}\angle\text{ABC}=\dfrac{1}{2}\times68°=34°$

$\therefore \angle x=\angle\text{DBC}=34°$

■ 다른 풀이 ■

$\overline{\text{CO}}, \overline{\text{DO}}$를 그으면

$\angle\text{CAB}=22°$이므로

$\angle\text{COB}=2\angle\text{CAB}=44°$

$\therefore \angle\text{AOC}=180°-44°=136°$

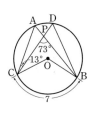

$\overparen{\text{AD}}=\overparen{\text{CD}}$이므로

$\angle\text{COD}=\angle\text{AOD}=\dfrac{1}{2}\angle\text{AOC}=\dfrac{1}{2}\times136°=68°$

$\therefore \angle x=\dfrac{1}{2}\angle\text{COD}=\dfrac{1}{2}\times68°=34°$

11 $\overline{\text{OD}}=\overline{\text{OE}}$이므로 $\overline{\text{AB}}=\overline{\text{AC}} \quad\therefore \angle\text{C}=\angle\text{B}=70°$

$\therefore \angle\text{A}=180°-(70°+70°)=40°$

$\angle\text{A}:\angle\text{B}=\overparen{\text{BC}}:\overparen{\text{AC}}$이므로 $40°:70°=\overparen{\text{BC}}:21\pi$

$\therefore \overparen{\text{BC}}=21\pi\times\dfrac{4}{7}=12\pi$

12 $\triangle\text{ACP}$에서

$\angle\text{CAB}=73°-13°=60°$

$\overline{\text{OC}}, \overline{\text{OB}}$를 그으면

$\angle\text{COB}=2\angle\text{CAB}=2\times60°=120°$

$\overparen{\text{BC}}=7$이므로 원의 둘레의 길이는

$7\times3=21$

13 $\angle\text{BDC}=\angle\text{BAC}=\angle x$이므로 $\triangle\text{AQC}$에서

$\angle\text{ACD}=\angle x+30°$ ...... ❶

$\triangle\text{CDP}$에서 $\angle\text{APD}=\angle\text{PCD}+\angle\text{PDC}$이므로

$70°=(\angle x+30°)+\angle x \quad\therefore \angle x=20°$ ...... ❷

채점 기준	배점
❶ $\angle\text{ACD}$를 x에 관한 식으로 나타내기	50 %
❷ $\angle x$의 크기 구하기	50 %

14 $\square\text{FBDG}$가 원에 내접하므로 $\angle\text{GDC}=\angle\text{BFG}=80°$

또한 □GDCE가 원에 내접하므로

$\angle GEC = \angle GDB = 180° - 80° = 100°$

15 네 점 A, B, C, D가 한 원 위에 있으므로

$\angle ACD = \angle ABD = 35°$

$\therefore \angle BCA = 180° - (35° + 110°) = 35°$

$\angle DBC = \angle DAC = 40°$이므로 △EBC에서

$40° + \angle x + 35° = 180°$ $\therefore \angle x = 105°$

16 $\overline{OT}$를 그으면 $\overline{OT} = 4$ cm

즉, △OTB는 이등변삼각형이므로 $\angle OTB = 30°$

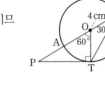

$\therefore \angle TOP = 30° + 30° = 60°$

$\overline{OT} \perp \overline{PT}$이므로 직각삼각형 OPT에서

$\overline{PT} = \overline{OT} \times \tan 60° = 4 \times \sqrt{3} = 4\sqrt{3}$ (cm)

17 직선 PC가 원의 접선이므로

$\angle PCA = \angle ADC = 85°$ ······ ❶

□ABCD가 원에 내접하므로

$\angle ABC = 180° - 85° = 95°$ ······ ❷

△PBC에서 $40° + \angle BCP = 95°$ ······ ❸

$\therefore \angle BCP = 55°$

$\therefore \angle x = \angle PCA - \angle BCP = 85° - 55° = 30°$ ······ ❹

채점 기준	배점
❶ $\angle PCA$의 크기 구하기	30 %
❷ $\angle ABC$의 크기 구하기	20 %
❸ $\angle BCP$의 크기 구하기	30 %
❹ $\angle x$의 크기 구하기	20 %

18 $\overline{AB}$를 그으면 $\overline{AD}$, $\overline{AC}$는 각각 두 원 O, O′의 접선이므로

$\angle BAD = \angle ACB$,

$\angle BAC = \angle ADB$

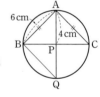

$\therefore \angle x = \angle BAD + \angle BAC$

$= \angle ACB + \angle ADB$

□ACBD의 내각의 크기의 합은 360°이므로

$\angle x + \angle ACB + \angle ADB + 170° = 360°$

$2\angle x + 170° = 360°$ $\therefore \angle x = 95°$

19 직선 PT가 원 O의 접선이므로

$\angle BTP = \angle TAB$

△TAC에서

$\angle ATC + \angle TAC = 70°$

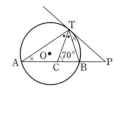

$\angle ATC = \angle CTB$이므로

$\angle CTP = \angle CTB + \angle BTP$

$= \angle ATC + \angle TAC = 70°$

창의 사고력 TEST

043쪽

01 6개	**02** 5 cm

01 (ⅰ) 한 선분에 대하여 같은 쪽에 있는 두 각의 크기가 같은 경우

□ABEF, □BCFD, □CADE

(ⅱ) 한 쌍의 대각의 크기의 합이 180°인 경우

□ADHF, □BEHD, □CFHE

따라서 원에 내접하는 사각형은 모두 6개이다.

02 $\overline{BQ}$를 그으면

$\angle AQB = \angle ACB = \angle ABC$

△ABP와 △AQB에서

$\angle BAP$는 공통, $\angle ABP = \angle AQB$

이므로

△ABP∽△AQB(AA 닮음)

$\overline{AB} : \overline{AP} = \overline{AQ} : \overline{AB}$에서 $6 : 4 = (4 + \overline{PQ}) : 6$

$6^2 = 4(4 + \overline{PQ})$, $4\overline{PQ} = 20$ $\therefore \overline{PQ} = 5$ (cm)

1. 대푯값

유형 TEST   01. 대푯값   044~046쪽

01 ㄴ, ㄹ	**02** ⑤	**03** B모둠	**04** 강아지
05 ④	**06** 중앙값 : 11.5시간, 최빈값 : 3시간		
07 16.8 cm	**08** 33.5회	**09** 25.9	**10** 236.4
11 6	**12** 96점 이상	**13** 75점	**14** (1) 7 (2) 10
15 15	**16** ⑤		
17 중앙값 : 8.5권, 최빈값 : 8권		**18** ⑤	
19 6	**20** 19세	**21** 6, 11	**22** 22

01 ㄱ. 변량을 크기 순으로 나열할 때 가운데에 위치하는 값을 중앙값이라고 한다.
ㄷ. 자료 중에 극단적인 값이 있을 때에는 평균 이외의 다른 대푯값이 필요하다.

02 자료의 값 중에 매우 크거나 매우 작은 값이 있는 경우에는 평균이 자료 전체의 중심 경향을 잘 나타낸다고 할 수 없으므로 ⑤는 평균을 대푯값으로 사용하기에 적절하지 않다.

03 모둠별 기록을 작은 값부터 크기순으로 나열하면
A모둠 : 1, 3, 4, 5, 6, 8
B모둠 : 2, 3, 5, 7, 10
A모둠의 중앙값은 $\frac{4+5}{2}=4.5$(회)이고, B모둠의 중앙값은 5회이므로 B모둠의 턱걸이 횟수의 중앙값이 더 크다.

04 강아지를 키우는 학생 수가 가장 많으므로 최빈값은 강아지이다.

05 주어진 자료의 중앙값과 최빈값을 차례로 구하면
① 5, 없다.   ② 7.5, 없다.   ③ 7, 8
④ 6, 6   ⑤ 3, 2
따라서 중앙값과 최빈값이 서로 같은 자료는 ④이다.

06 자료를 작은 값부터 크기순으로 나열하면
3, 3, 3, 5, 6, 11, 12, 13, 15, 15, 23, 23이므로

(중앙값)$=\frac{11+12}{2}=\frac{23}{2}=11.5$(시간)

(최빈값)$=3$(시간)

07 연필 10자루의 길이의 평균은
$$\frac{16+17+16+18+19+17+17+17+16+15}{10}$$
$$=\frac{168}{10}=16.8\text{(cm)}$$
연필의 길이를 작은 값부터 크기순으로 나열하면
15, 16, 16, 16, 17, 17, 17, 17, 18, 19이므로 중앙값은 5번째와 6번째 값의 평균이다.

(중앙값)$=\frac{17+17}{2}=17\text{(cm)}$

한편 길이가 17 cm인 연필이 4자루로 가장 많으므로 최빈값은 17 cm이다.
따라서 16.8 cm, 17 cm, 17 cm 중에서 가장 작은 값은 16.8 cm이다.

08 전체 학생 수가 18명이므로 중앙값은 윗몸일으키기 횟수가 적은 쪽에서 9번째, 10번째인 학생의 횟수의 평균이다.

∴ (중앙값)$=\frac{15+16}{2}=15.5$(회)

또한 18회의 학생 수가 3명으로 가장 많으므로 최빈값은 18회이다.
따라서 중앙값과 최빈값의 합은 $15.5+18=33.5$(회)이다.

09 (평균)$=\dfrac{6\times1+7\times3+8\times6+9\times7+10\times3}{20}$

$=\dfrac{6+21+48+63+30}{20}=\dfrac{168}{20}=8.4$(점)

∴ $a=8.4$

전체 학생 수가 20명이므로 중앙값은 10번째와 11번째 점수의 평균이다. 점수가 낮은 쪽부터 학생 수를 차례로 더하면 $1+3+6=10$(명), $1+3+6+7=17$(명)이므로 10번째와 11번째의 점수는 각각 8점, 9점이다.

∴ (중앙값)$=\dfrac{8+9}{2}=8.5$(점)   ∴ $b=8.5$

또한 9점인 학생 수가 7명으로 가장 많으므로 최빈값은 9점이다.   ∴ $c=9$

∴ $a+b+c=8.4+8.5+9=25.9$

10 전체 학생 수는 $2+3+6+7+5+2=25$(명)이므로 영어 성적의 평균은

$$\frac{50\times2+60\times3+70\times6+80\times7+90\times5+100\times2}{25}$$

$$=\frac{1910}{25}=76.4\text{(점)}$$

$\therefore a=76.4$

전체 학생 수가 25명이므로 중앙값은 영어 성적이 낮은 쪽에서 13번째인 학생의 점수이다. 13번째인 학생은 영어 성적이 80점이므로 중앙값은 80점이다.

$\therefore b=80$

또한 학생 수가 가장 많은 영어 성적은 80점이므로 최빈값은 80점이다.

$\therefore c=80$

$\therefore a+b+c=76.4+80+80=236.4$

11 평균이 5이므로 $\dfrac{a+b+c+d+e}{5}=5$에서

$a+b+c+d+e=25$

따라서 주어진 자료의 평균은

$$\frac{(a+3)+(b-2)+(c-4)+(d+7)+(e+1)}{5}$$

$$=\frac{(a+b+c+d+e)+5}{5}$$

$$=\frac{25+5}{5}=\frac{30}{5}=6$$

12 3회까지의 점수의 총합이 $88\times3=264$(점)이므로 4회째의 수학 시험 점수를 x점이라고 하면

$\dfrac{264+x}{4}\geq90,\ 264+x\geq360 \qquad \therefore x\geq96$

따라서 4회째의 시험에서 96점 이상을 받아야 한다.

13 여학생들의 과학 성적의 평균을 x점이라고 하면
전체 학생 200명의 평균이 72점이므로

$\dfrac{120\times70+80\times x}{200}=72,\ 80x+8400=14400$

$80x=6000 \qquad \therefore x=75$

따라서 여학생들의 과학 성적의 평균은 75점이다.

14 (1) 중앙값이 8이므로 $6<x<9$이어야 한다.
주어진 자료의 변량을 작은 값부터 순서대로 나열하면
5, 6, x, 9, 11, 12
즉, $\dfrac{x+9}{2}=8$이므로 $x=7$

(2) 중앙값이 9.5이므로 $9<x<11$이어야 한다.

주어진 자료의 변량을 작은 값부터 순서대로 나열하면
5, 6, 9, x, 11, 12
즉, $\dfrac{9+x}{2}=9.5$이므로 $x=10$

15 a를 제외한 자료를 작은 값부터 크기순으로 나열하면
11, 13, 20
이때 4개의 변량의 중앙값이 14이므로 a는 13과 20 사이에 있어야 한다. 즉,

$\dfrac{13+a}{2}=14 \qquad \therefore a=15$

16 4, 9, x의 중앙값이 9이므로 x의 값은 9보다 크거나 같아야 한다. ➡ $x\geq9$
7, 13, 15, 16, x의 중앙값이 13이므로 x의 값은 13보다 작거나 같아야 한다. ➡ $x\leq13$

$\therefore 9\leq x\leq13$

따라서 x의 값이 될 수 없는 것은 ⑤ 14이다.

17 평균이 9권이므로

$$\frac{11+10+8+6+8+7+9+x+11+12}{10}=9$$

$\dfrac{82+x}{10}=9 \qquad \therefore x=8$

주어진 자료를 작은 값부터 크기순으로 나열하면
6, 7, 8, 8, 8, 9, 10, 11, 11, 12
즉, 중앙값은 5번째와 6번째 값의 평균인

$\dfrac{8+9}{2}=8.5$(권)

또한 8권을 읽은 학생 수가 가장 많으므로 최빈값은 8권이다.

18 가장 작은 자연수를 n으로 놓으면 세 수의 평균이 10이고 중앙값이 12이므로 세 수는 n, 12, $18-n$이다.
n, 12, $18-n$을 만족시키는 서로 다른 세 수는
$(5, 12, 13)$, $(4, 12, 14)$, $(3, 12, 15)$, $(2, 12, 16)$,
$(1, 12, 17)$이므로 최댓값과 최솟값의 차는 차례로 8, 10, 12, 14, 16이다.

19 최빈값이 5이므로 평균도 5이다. 즉,

$\dfrac{6+5+5+5+x+3+5}{7}=5,\ \dfrac{29+x}{7}=5$

$29+x=35 \qquad \therefore x=6$

20 주어진 조건에 의해 동호회 회원 4명의 나이는 11세, 18세, 20세, 20세이므로 나머지 한 명의 나이를 x세라고 하면

$$\frac{11+18+20+20+x}{5}=17.6$$

$69+x=88$ $\therefore x=19$

따라서 동호회 회원 5명의 나이는 11세, 18세, 19세, 20세, 20세이므로 중앙값은 19세이다.

21 중앙값은 8, 9, x 중 하나가 될 수 있다.

(ⅰ) (평균)=(중앙값)=8인 경우

$$\frac{34+x}{5}=8 \quad \therefore x=6$$

(ⅱ) (평균)=(중앙값)=9인 경우

$$\frac{34+x}{5}=9 \quad \therefore x=11$$

(ⅲ) (평균)=(중앙값)=x인 경우

$$\frac{34+x}{5}=x \quad \therefore x=\frac{17}{2}$$

따라서 자연수 x의 값은 6, 11이다.

22 최빈값이 8이므로 a, b, c 중 적어도 두 수는 8이다.

그런데 세 수가 모두 8이면 중앙값이 8이 되어 조건을 만족하지 않으므로 a, b, c 중 두 수만 8이어야 한다.

$a=8$, $b=8$이라 하고 c를 뺀 7개의 자료를 작은 값부터 크기순으로 나열하면 3, 3, 4, 8, 8, 8, 9이다.

c를 포함한 8개의 변량의 중앙값이 7이므로 c는 4와 8 사이에 있어야 한다. 이때 c와 8의 평균이 중앙값이므로

$$\frac{c+8}{2}=7 \quad \therefore c=6$$

$\therefore a+b+c=8+8+6=22$

---

01 4점 **02** $\dfrac{1}{5}M-\dfrac{2}{5}$ **03** 92, 93, 94

04 $a=15$, $b=18$ **05** 2 **06** 22회

07 40

---

01 전체 학생 수가 20명이므로 $2+a+4+5+b=20$

$\therefore a+b=9$ ······ ㉠

평균이 3.5점이므로

$$\frac{1\times2+2\times a+3\times4+4\times5+5\times b}{20}=3.5$$

$2+2a+12+20+5b=70$

$\therefore 2a+5b=36$ ······ ㉡

㉠, ㉡을 연립하여 풀면 $a=3$, $b=6$

따라서 중앙값은 4점이다.

02

$$\frac{(5a+2)+(5b+2)+(5c+2)+(5d+2)}{4}=M$$

······ ❶

$5a+5b+5c+5d=4M-8$

$$a+b+c+d=\frac{4M-8}{5}$$ ······ ❷

따라서 a, b, c, d의 평균은

$$\frac{a+b+c+d}{4}=\frac{1}{4}\left(\frac{4M-8}{5}\right)=\frac{1}{5}M-\frac{2}{5}$$ ······ ❸

채점 기준	배점
❶ 주어진 4개의 수의 평균을 구하는 식 세우기	40 %
❷ $a+b+c+d$의 값을 M에 대한 식으로 나타내기	40 %
❸ a, b, c, d의 평균을 M에 대한 식으로 나타내기	20 %

03 시험 점수의 중앙값이 90점이므로 $x\geq92$ ······ ㉠

시험 점수의 평균이 90점 미만이므로

$$\frac{85+88+92+x}{4}<90 \quad \therefore x<95$$ ······ ㉡

㉠, ㉡에서 $92\leq x<95$이므로 자연수 x의 값은 92, 93, 94이다.

04 자료 A의 중앙값이 15이고, $a<b$이므로 $a=15$

$a=15$일 때, 전체 자료에서 $b-1$, b를 제외한 나머지를 작은 값부터 크기순으로 나열하면

9, 12, 14, 15, 15, 18, 18, 19

중앙값이 16이므로 $b-1$은 15와 18 사이의 수이다.

$(중앙값)=\dfrac{15+(b-1)}{2}=16$

$15+b-1=32$ $\therefore b=18$

05 전체 학생 수가 23명이므로 중앙값이 3시간이 되려면 게임 시간이 적은 쪽에서 12번째 값은 반드시 3시간이어야 한다.

$\therefore a\geq 4$

한편 전체 학생 수가 23명이므로

$8+a+b+1=23,\ a+b=14$

이고, 최빈값이 5시간이므로 $b>8$

따라서 주어진 조건을 만족시키는 순서쌍 (a,b)는 $(4,10),\ (5,9)$로 2개이다.

06 최빈값이 25회이므로 a, b, c 중 적어도 두 수는 25이고, 다른 한 수는 18이 아니어야 한다.   …… ❶

$a=25,\ b=25$라고 하면 턱걸이 횟수의 평균이 23회이므로

$\dfrac{25+25+18+16+25+18+38+c}{8}=23$

$\therefore c=19$ …… ❷

따라서 8개의 변량을 작은 값부터 크기순으로 나열하면 $16,\ 18,\ 18,\ 19,\ 25,\ 25,\ 25,\ 38$이므로

$(중앙값)=\dfrac{19+25}{2}=22(회)$ …… ❸

채점 기준	배점
❶ a, b, c의 조건 알기	30 %
❷ a, b, c의 값 구하기	40 %
❸ 중앙값 구하기	30 %

07 주어진 조건에 의해 7개의 변량을 작은 값부터 크기순으로 나열하면 A, 45, 45, 50, x, y, 60이다.

(단, $50<x<y<60$)

평균이 51이므로

$\dfrac{A+45+45+50+x+y+60}{7}=51$

$A+x+y=157$

이때 A가 최소가 되려면 $x+y$의 값이 최대가 되어야 하므로 $x=58,\ y=59$이어야 한다.

따라서 A의 최솟값은 $157-(58+59)=40$이다.

2. 산포도와 상관관계

049~052쪽

유형 TEST
01. 분산과 표준편차
02. 상관관계

01 (1) -2점 (2) A학생, E학생

(3) C학생의 성적이 평균보다 2점 더 낮다.

02 16점 **03** 12 **04** 2 **05** 170

06 ㄴ **07** $\sqrt{2}$점

08 분산 : 3.5, 표준편차 : $\sqrt{3.5}$회 **09** -6

10 10 **11** $\sqrt{6}$ **12** 평균 : 11, 표준편차 : 4

13 평균 : 6, 표준편차 : $3\sqrt{3}$ **14** ㄱ, ㄴ

15 평균 : 10시간, 표준편차 : $\sqrt{6}$시간 **16** 6

17 B상자 **18** E반 **19** ㄴ, ㄷ, ㄹ **20** ③

21 ② **22** (1) 양의 상관관계 (2) 40 % (3) 4명

23 ⑤

01 (1) 편차의 총합은 0이므로

$4+(-1)+(-2)+(D학생의\ 편차)+1=0$

$\therefore (D학생의\ 편차)=-2(점)$

02 편차의 총합은 0이므로 $-7+5+x+6=0$

$\therefore x=-4$

따라서 C학생의 점수는 $20-4=16(점)$

03 편차의 총합은 0이므로

$1+1+3+a+(-3)+(-2)=0$ $\therefore a=0$

따라서 3점 슛의 개수의 평균이 4회 경기에서 넣은 개수와 같은 11이므로 2회 경기에서 넣은 3점 슛의 개수는

$11+1=12$

04 전체 학생 수는 20명이므로 $a+6+3+4+b=20$

$\therefore a+b=7$ …… ㉠

(편차)×(학생 수)의 합은 0이므로

$(-2)\times a+(-1)\times 6+0\times 3+1\times 4+2\times b=0$

$\therefore -a+b=1$ …… ㉡

㉠, ㉡을 연립하여 풀면 $a=3,\ b=4$

$\therefore 2a-b=6-4=2$

05 편차의 총합은 0이므로 $-15+(-5)+x+20+10=0$

$\therefore x=-10$

$$\therefore (분산)=\frac{(-15)^2+(-5)^2+(-10)^2+20^2+10^2}{5}$$
$$=\frac{850}{5}=170$$

06 과학 성적의 편차를 x점이라고 하면 편차의 총합은 0이므로
$2+0+4+x+(-1)=0$ ∴ $x=-5$
ㄱ. 성적이 가장 좋은 과목은 수학이다.
ㄷ. (분산)$=\frac{2^2+0^2+4^2+(-5)^2+(-1)^2}{5}=\frac{46}{5}=9.2$
ㄹ. 편차만으로는 평균을 알 수 없다.
따라서 옳은 것은 ㄴ이다.

07 평균이 8점이므로 $\frac{6+7+8+x+10}{5}=8$
$x+31=40$ ∴ $x=9$
(분산)
$=\frac{1}{5}\{(6-8)^2+(7-8)^2+(8-8)^2+(9-8)^2+(10-8)^2\}$
$=\frac{(-2)^2+(-1)^2+1^2+2^2}{5}=2$
∴ (표준편차)$=\sqrt{2}$(점)

08 평균이 7회이므로
$$\frac{4+8+x+5+6+y+10+7}{8}=7$$
$40+x+y=56$
∴ $x+y=16$ ‥‥‥‥ ㉠
최빈값이 7회이므로 x와 y 중 하나는 7이어야 한다.
이때 $x>y$이므로 $x=9$, $y=7$ (∵ ㉠)
(분산)$=\frac{1}{8}\{(4-7)^2+(8-7)^2+(9-7)^2+(5-7)^2$
$+(6-7)^2+(7-7)^2+(10-7)^2+(7-7)^2\}$
$=3.5$
∴ (표준편차)$=\sqrt{3.5}$(회)

09 편차의 총합이 0이므로
$-2+x+2+y+0=0$ ∴ $x+y=0$
표준편차가 2이므로 분산은 4이다. 즉,
$$\frac{(-2)^2+x^2+2^2+y^2+0^2}{5}=4$$
$x^2+y^2+8=20$ ∴ $x^2+y^2=12$
이때 $(x+y)^2=x^2+2xy+y^2$이므로
$0=12+2xy$ ∴ $xy=-6$

10 5개의 변량의 평균이 2이므로
$$\frac{a+b+2+4+6}{5}=2 \quad \therefore a+b=-2$$
또 분산이 9.2이므로
$$\frac{(a-2)^2+(b-2)^2+(2-2)^2+(4-2)^2+(6-2)^2}{5}=9.2$$
$(a-2)^2+(b-2)^2=26$
$a^2+b^2-4(a+b)+8=26$
$\therefore a^2+b^2=4(a+b)+18=4\times(-2)+18=10$

11 (평균)$=\frac{2+(2a+2)+a+2}{3}=\frac{3a+6}{3}=a+2$
각 변량의 편차가 $-a$, a, 0이고, 분산이 4이므로
$$\frac{(-a)^2+a^2+0^2}{3}=4, \quad a^2=6 \quad \therefore a=\sqrt{6}\,(\because a>0)$$

12 변량 a, b, c의 평균이 8이므로
$$\frac{a+b+c}{3}=8 \quad\quad \cdots\cdots ㉠$$
변량 a, b, c의 표준편차가 4이면 분산이 16이므로
$$\frac{(a-8)^2+(b-8)^2+(c-8)^2}{3}=16 \quad\quad \cdots\cdots ㉡$$
따라서 변량 $a+3$, $b+3$, $c+3$에 대하여
(평균)$=\frac{(a+3)+(b+3)+(c+3)}{3}$
$=\frac{a+b+c+9}{3}=8+3=11\,(\because ㉠)$
(분산)
$=\frac{(a+3-11)^2+(b+3-11)^2+(c+3-11)^2}{3}$
$=\frac{(a-8)^2+(b-8)^2+(c-8)^2}{3}=16\,(\because ㉡)$
∴ (표준편차)$=\sqrt{16}=4$

■ 다른 풀이 ■
변량이 모두 3씩 커졌으므로 평균도 3씩 커진다. 하지만 변량 사이의 차는 그대로이므로 표준편차는 그대로이다. 즉,
(평균)$=8+3=11$, (표준편차)$=4$

13 변량 a, b, c, d의 평균이 2이므로
$$\frac{a+b+c+d}{4}=2 \quad\quad \cdots\cdots ㉠$$
변량 a, b, c, d의 분산이 3이므로
$$\frac{(a-2)^2+(b-2)^2+(c-2)^2+(d-2)^2}{4}=3 \quad\quad \cdots\cdots ㉡$$

따라서 변량 $3a$, $3b$, $3c$, $3d$에 대하여

$$(평균)=\frac{3a+3b+3c+3d}{4}=3\left(\frac{a+b+c+d}{4}\right)$$
$$=3\times2=6(\because ㉠)$$

$$(분산)=\frac{1}{4}\{(3a-6)^2+(3b-6)^2+(3c-6)^2+(3d-6)^2\}$$
$$=9\times\frac{1}{4}\{(a-2)^2+(b-2)^2+(c-2)^2+(d-2)^2\}$$
$$=9\times3=27(\because ㉡)$$

$$\therefore (표준편차)=\sqrt{27}=3\sqrt{3}$$

14 (i) A모둠에 대하여

$$(평균)=\frac{10\times2+20\times6+30\times8+40\times4}{20}$$
$$=\frac{540}{20}=27(점)$$

$$\therefore (분산)=\frac{(-17)^2\times2+(-7)^2\times6+3^2\times8+13^2\times4}{20}$$
$$=\frac{1620}{20}=81$$

(ii) B모둠에 대하여

$$(평균)=\frac{10\times6+20\times2+30\times4+40\times8}{20}$$
$$=\frac{540}{20}=27(점)$$

$$\therefore (분산)=\frac{(-17)^2\times6+(-7)^2\times2+3^2\times4+13^2\times8}{20}$$
$$=\frac{3220}{20}=161$$

ㄱ. A모둠과 B모둠의 평균은 27점으로 같다.
ㄴ. 편차의 합은 항상 0이므로 두 모둠의 편차의 합은 같다.
ㄷ. A모둠의 분산이 B모둠의 분산보다 작으므로 A모둠의 표준편차가 B모둠의 표준편차보다 작다.
따라서 옳은 것은 ㄱ, ㄴ이다.

15 A, B 두 모둠의 평균이 10시간으로 서로 같으므로 전체 학생 10명의 평균도 10시간이다.
A모둠 학생 4명의 분산이 9이므로 (편차)^{2}의 총합은
$9\times4=36$
B모둠 학생 6명의 분산이 4이므로 (편차)^{2}의 총합은
$4\times6=24$
즉, 두 모둠 전체 학생 10명의 (편차)^{2}의 총합은
$36+24=60$
따라서 두 모둠 전체 학생 10명에 대한 분산이 $\frac{60}{10}=6$이므로 표준편차는 $\sqrt{6}$시간이다.

16 남학생 8명의 분산이 16이므로 (편차)^{2}의 총합은
$16\times8=128$
여학생 12명의 분산이 x이므로 (편차)^{2}의 총합은 $12x$이다.
따라서 두 모둠 전체 학생 20명의 (편차)^{2}의 총합은
$128+12x$이고, 분산이 10이므로
$$\frac{128+12x}{20}=10$$
$128+12x=200$, $12x=72$ $\therefore x=6$

17 A상자에 들어 있는 달걀의 무게에서

$$(평균)=\frac{56+58+60+62+64}{5}=60(g)$$
$$(분산)=\frac{(-4)^2+(-2)^2+2^2+4^2}{5}=8$$

B상자에 들어 있는 달걀의 무게에서

$$(평균)=\frac{58+59+60+61+62}{5}=60(g)$$
$$(분산)=\frac{(-2)^2+(-1)^2+1^2+2^2}{5}=2$$

따라서 B상자에 들어 있는 달걀의 무게의 분산이 A상자에 들어 있는 달걀의 무게의 분산보다 작으므로 B상자의 달걀의 무게가 더 고르다.

■ 다른 풀이 ■

A상자의 달걀의 무게는 56 g부터 64 g까지 분포되어 있지만 B상자의 달걀의 무게는 58 g부터 62 g까지 분포되어 있으므로 B상자의 달걀의 무게가 더 고르다.

18 표준편차가 작을수록 변량이 평균에 가까이 모여 있어 고르다. 따라서 표준편차가 가장 작은 E반의 과학 성적이 가장 고르게 분포되어 있다.

19 ㄱ. 성적이 가장 우수한 학생이 어느 모둠에 속하는지는 알 수 없다.
ㄴ. B모둠의 성적의 평균이 A, C 각 모둠의 성적의 평균보다 높으므로 B모둠의 성적이 더 우수하다.
ㄷ. A모둠의 표준편차가 가장 작으므로 A모둠의 성적이 B, C모둠의 성적보다 더 고르다.
ㄹ. C모둠의 표준편차가 가장 크므로 C모둠의 성적이 A, B모둠보다 넓게 퍼져 있다.
따라서 옳은 것은 ㄴ, ㄷ, ㄹ이다.

20 ①, ②, ④ : 양의 상관관계
⑤ : 상관관계가 없다.

21 에어컨 온도가 내려갈수록 감기 환자 수가 증가하므로 음의 상관관계이다.

22 (2) 필기 점수와 실기 점수가 같은 학생 수는 오른쪽 위로 향하는 대각선 위에 있는 점의 개수와 같으므로 6명이다.

$$\therefore \frac{6}{15}\times 100=40(\%)$$

(3) 필기와 실기가 모두 80점 이상인 학생 수는 색칠한 부분에 속하는 점의 개수와 그 경계선 위의 점의 개수의 합과 같으므로 4명이다.

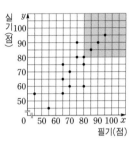

23 ⑤ E는 키에 비해 앉은키가 작은 편이다.

---

01 63점	**02** 71	**03** 14.8	**04** 182
05 $x=5, y=6$	**06** $5\sqrt{3}$ cm	**07** 30 %	**08** 7명
09 65점	**10** 20 %		

01 편차의 총합이 0이므로
$$2x^2+(-1)+(x^2-2x)+(-2)+(-x^2-1)=0$$
$$2x^2-2x-4=0,\ (x-2)(x+1)=0$$
$$\therefore x=2\ (\because x>0)$$
따라서 편차를 차례로 쓰면 8, -1, 0, -2, -5이므로 가장 점수가 낮은 학생은 E이다.
$$\therefore (\text{E의 점수})=68-5=63(\text{점})$$

02 편차의 총합은 0이므로 $a+(-4)+b+1=0$
$$\therefore a+b=3 \quad\cdots\cdots\ ㉠$$
해리의 점수는 민수의 점수보다 1점 낮으므로
$$a+1=b \quad\cdots\cdots\ ㉡$$
㉠, ㉡을 연립하여 풀면 $a=1$, $b=2$ $\quad\cdots\cdots$ ❶
한편 해리의 점수는 27점이고 편차는 1점이므로
$$(\text{평균})=27-1=26(\text{점}) \quad\cdots\cdots$$ ❷
$$\therefore x=26+(-4)=22,\ y=26+1=27$$

$$\therefore 2x+y=44+27=71 \quad\cdots\cdots$$ ❸

채점 기준	배점
❶ a, b의 값 구하기	40 %
❷ 평균 구하기	30 %
❸ $2x+y$의 값 구하기	30 %

03 혜원이의 점수를 x점이라 하면 5명의 학생의 점수는 차례로 $(x-8)$점, $(x-5)$점, x점, $(x+1)$점, $(x+2)$점이다.
$$\therefore (\text{평균})=\frac{(x-8)+(x-5)+x+(x+1)+(x+2)}{5}$$
$$=\frac{5x-10}{5}=x-2(\text{점})$$
따라서 쪽지 시험 점수의 평균은 혜원이의 점수보다 2점 낮으므로 각 학생들의 편차는 차례로 -6점, -3점, 2점, 3점, 4점이다.
$$\therefore (\text{분산})=\frac{(-6)^2+(-3)^2+2^2+3^2+4^2}{5}=\frac{74}{5}=14.8$$

04 직육면체에는 길이가 같은 모서리가 4개씩 있고 직육면체의 모서리의 길이의 평균이 10이므로
$$\frac{4(x+y+10)}{12}=10,\ x+y+10=30 \quad\therefore x+y=20$$
또 표준편차가 $\sqrt{6}$이므로 분산은 6이다. 즉,
$$\frac{4\{(x-10)^2+(y-10)^2+(10-10)^2\}}{12}=6$$
$$(x-10)^2+(y-10)^2=18$$
$$x^2+y^2-20(x+y)+200=18$$
$$\therefore x^2+y^2=20(x+y)-182=20\times 20-182=218$$
이때 $(x+y)^2=x^2+2xy+y^2$이므로
$$20^2=218+2xy \quad\therefore 2xy=182$$

05 평균이 9이므로 $\dfrac{12+14+8+x+y}{5}=9$
$$\therefore x+y=11 \quad\cdots\cdots\ ㉠ \quad\cdots\cdots$$ ❶
분산이 12이므로
$$\frac{(12-9)^2+(14-9)^2+(8-9)^2+(x-9)^2+(y-9)^2}{5}=12$$
$$\frac{3^2+5^2+(-1)^2+(x-9)^2+(y-9)^2}{5}=12$$
$$(x-9)^2+(y-9)^2=25$$
$$x^2+y^2-18(x+y)+162=25$$
$$x^2+y^2=18(x+y)-137$$
$$=18\times 11-137=61 \quad\cdots\cdots$$ ❷

이때 $(x+y)^2=x^2+2xy+y^2$이므로

$11^2=61+2xy,\ 2xy=60$

$\therefore xy=30$　……　ⓒ　　……　❸

㉠에서 $y=11-x$를 ㉡에 대입하면

$x(11-x)=30,\ x^2-11x+30=0$

$\therefore x=5\ (\because x<5.5)$

$x=5$를 ㉠에 대입하면 $y=6$　……　❹

채점 기준	배점
❶ 평균을 이용하여 $x+y$의 값 구하기	20 %
❷ 분산을 이용하여 x^2+y^2의 값 구하기	20 %
❸ xy의 값 구하기	30 %
❹ $x,\ y$의 값 구하기	30 %

06 기록이 160 cm인 학생 수를 x명이라고 하면 편차의 총합이 0이므로

$(-15)\times2+(-5)\times9+5\times6+15\times x=0$

$15x=45$　　$\therefore x=3$　……　❶

따라서 전체 학생 수가 $2+9+6+3=20$(명)이므로

제자리멀리뛰기 기록의 분산은

$\dfrac{(-15)^2\times2+(-5)^2\times9+5^2\times6+15^2\times3}{20}$

$=\dfrac{1500}{20}=75$　……　❷

$\therefore$ (표준편차)$=\sqrt{75}=5\sqrt{3}\,$(cm)　……　❸

채점 기준	배점
❶ x의 값 구하기	30 %
❷ 분산 구하기	40 %
❸ 표준편차 구하기	30 %

07 사회 성적보다 국어 성적이 좋은 학생 수는 오른쪽 위로 향하는 대각선의 위쪽에 있는 점의 개수와 같으므로 6명이다.

$\therefore \dfrac{6}{20}\times100=30(\%)$

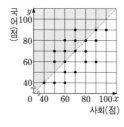

08 두 과목 중 적어도 한 과목의 성적이 50점 이하인 학생 수는 오른쪽 그림의 색칠한 부분에 속하는 점의 개수와 그 경계선 위의 점의 개수의 합과 같으므로 7명이다.

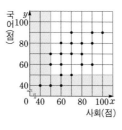

09 (평균)$=\dfrac{50+60+70+80}{4}=\dfrac{260}{4}=65$(점)

10 조건 ㈎~㈐를 모두 만족시키는 학생 수는 오른쪽 그림의 색칠한 부분에 속하는 점의 개수와 그 경계선 위의 점의 개수의 합과 같으므로 4명이다.

$\therefore \dfrac{4}{20}\times100=20(\%)$

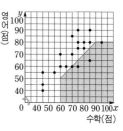

056~058쪽

대단원 TEST

01 ③	**02** $a<b<c$	**03** 2850만 원	**04** 17, 18
05 중앙값 : 29회, 최빈값 : 27회		**06** 17.5	**07** 3권
08 ④	**09** $\sqrt{2}$	**10** 6	**11** 21
12 15	**13** $\dfrac{23}{11}$	**14** 평균 : 33, 표준편차 : 2	
15 승준	**16** ③	**17** ①, ④	**18** ④
19 ③	**20** (1) 88점 (2) 10명		

01 ① 자료 전체의 특징을 대표적으로 나타내는 값은 대푯값이다.

　② (편차) = (변량) − (평균)

　④ 분산이 클수록 변량은 평균을 중심으로 넓게 퍼져 있다.

　⑤ 편차의 평균은 항상 0이다. 분산이나 표준편차가 작을수록 변량은 고르게 분포되어 있다.

02 자료를 작은 값부터 크기순으로 나열하면

　6, 6, 7, 7, 7, 8, 8, 8, 8, 9

　(평균)$=\dfrac{6\times2+7\times3+8\times4+9}{10}=7.4$(시간)

　(중앙값)$=\dfrac{7+8}{2}=7.5$(시간)

　(최빈값)$=8$시간

　따라서 $a=7.4,\ b=7.5,\ c=8$이므로 $a<b<c$

03 평균이 3000만 원이므로

　$\dfrac{26+26+42+50+14+21+x+33+27+31}{10}=30$

　$\therefore x=30$

자료를 작은 값부터 크기순으로 나열하면

14, 21, 26, 26, 27, 30, 31, 33, 42, 50

이므로 중앙값은 $\dfrac{27+30}{2}=28.5$(백만 원)

즉, 2850만 원이다.

04 (가) : 중앙값이 17이므로 $a \geq 17$ ······ ㉠ ······ ❶

(나) : 중앙값이 23이고, $\dfrac{18+28}{2}=23$이므로

$a \leq 18$ ······ ㉡ ······ ❷

㉠, ㉡에서 $17 \leq a \leq 18$

따라서 a의 값 중 자연수는 17, 18이다. ······ ❸

채점 기준	배점
❶ (가)를 만족시키는 a의 값의 범위 구하기	40 %
❷ (나)를 만족시키는 a의 값의 범위 구하기	40 %
❸ 자연수 a의 값 구하기	20 %

05 전체 학생 수가 18명이 되므로 9번째와 10번째 횟수의 평균이 중앙값이 된다.

∴ (중앙값)$=\dfrac{27+31}{2}=29$(회)

또 자료에 27회를 추가하면 27회가 3번으로 가장 많게 된다. ∴ (최빈값)$=27$회

06 전체 학생 수가 24명이므로 중앙값은 12번째와 13번째 값의 평균이다. 즉,

(중앙값)$=\dfrac{8+9}{2}=8.5$(회) ∴ $a=8.5$

9점인 학생이 7명으로 가장 많으므로 최빈값은 9점이다.

∴ $b=9$

∴ $a+b=8.5+9=17.5$

07 (평균)$=\dfrac{1\times3+3\times x+5\times5+7\times4}{3+x+5+4}$

$=\dfrac{56+3x}{12+x}=4$

$56+3x=4(12+x)$, $56+3x=48+4x$

∴ $x=8$

따라서 주어진 표에서 학생 수가 가장 많은 것은 3권이므로 최빈값은 3권이다.

08 편차의 총합이 0이므로

$3+(-3)+x+2=0$ ∴ $x=-2$

① A학생의 편차가 가장 크므로 성적이 가장 높다.

② 중앙값은 C학생의 성적과 D학생의 성적의 평균이다.

③ B학생의 점수와 D학생의 점수의 차는

$2-(-3)=5$(점)

④ (분산)$=\dfrac{3^2+(-3)^2+(-2)^2+2^2}{4}=6.5$

⑤ 평균이 90점이면 C학생의 점수는

$90-2=88$(점)

09 (평균)$=\dfrac{8+6+5+9+7}{5}=\dfrac{35}{5}=7$

편차를 차례로 구하면 1, -1, -2, 2, 0이므로

(분산)$=\dfrac{1^2+(-1)^2+(-2)^2+2^2+0^2}{5}=\dfrac{10}{5}=2$

∴ (표준편차)$=\sqrt{2}$

10 편차의 총합이 0이므로

$-2+x+3+(-2)+3=0$ ∴ $x=-2$

∴ (분산)$=\dfrac{(-2)^2+(-2)^2+3^2+(-2)^2+3^2}{5}=6$

11 평균이 4이므로 $\dfrac{a+b+c}{3}=4$

∴ $a+b+c=12$ ······ ㉠ ······ ❶

분산이 5이므로

$\dfrac{(a-4)^2+(b-4)^2+(c-4)^2}{3}=5$

$(a-4)^2+(b-4)^2+(c-4)^2=15$

$a^2+b^2+c^2-8(a+b+c)+48=15$

$a^2+b^2+c^2-8\times12+48=15$(∵ ㉠)

∴ $a^2+b^2+c^2=63$ ······ ❷

따라서 a^2, b^2, c^2의 평균은

$\dfrac{a^2+b^2+c^2}{3}=\dfrac{63}{3}=21$ ······ ❸

채점 기준	배점
❶ $a+b+c$의 값 구하기	30 %
❷ $a^2+b^2+c^2$의 값 구하기	40 %
❸ a^2, b^2, c^2의 평균 구하기	30 %

12 학생 5명의 분산이 12이므로 (편차)^{2}의 총합은 $12\times5=60$

이때 점수가 56점인 학생의 편차는 0이므로 이 학생을 뺀 나머지 4명의 (편차)^{2}의 총합도 60이다.

따라서 4명의 분산은 $\dfrac{60}{4}=15$

13 A모둠과 B모둠의 평균이 7회로 같으므로 A, B모둠 11명 전체의 평균도 7회가 된다.

A모둠 5명의 분산이 1이므로 (편차)^{2}의 총합은 $5 \times 1 = 5$

B모둠 6명의 분산이 3이므로 (편차)^{2}의 총합은 $6 \times 3 = 18$

따라서 11명 전체의 분산은

$$\frac{5+18}{11} = \frac{23}{11}$$

14 a, b, c, d의 평균이 30이므로 $\frac{a+b+c+d}{4} = 30$

a, b, c, d의 표준편차가 2이므로 분산이 4이다. 즉,

$$\frac{(a-30)^2+(b-30)^2+(c-30)^2+(d-30)^2}{4} = 4$$

따라서 네 수 $a+3, b+3, c+3, d+3$에 대하여

$$(평균) = \frac{(a+3)+(b+3)+(c+3)+(d+3)}{4}$$
$$= \frac{a+b+c+d}{4}+3 = 30+3 = 33$$

(분산)

$$= \frac{(a+3-33)^2+(b+3-33)^2+(c+3-33)^2+(d+3-33)^2}{4}$$
$$= \frac{(a-30)^2+(b-30)^2+(c-30)^2+(d-30)^2}{4}$$
$$= 4$$

$\therefore$ (표준편차) $= \sqrt{4} = 2$

■ 다른 풀이 ■

변량이 모두 3씩 커졌으므로 평균도 3씩 커진다. 하지만 변량 사이의 차는 그대로이므로 표준편차는 그대로이다. 즉,

(평균) $= 30+3 = 33$, (표준편차) $= 2$

15 현석이의 기록에서

$$(평균) = \frac{11+13+15+17+19}{5} = 15(회)$$

$\therefore$ (분산) $= \frac{(-4)^2+(-2)^2+0^2+2^2+4^2}{5} = 8$

승준이의 기록에서

$$(평균) = \frac{13+14+15+16+17}{5} = 15(회)$$

$\therefore$ (분산) $= \frac{(-2)^2+(-1)^2+0^2+1^2+2^2}{5} = 2$

이때 분산이 작을수록 기록이 고르므로 승준이의 기록이 더 고르다.

■ 다른 풀이 ■

현석이의 기록은 11회부터 19회까지 분포되어 있고, 승준

이의 기록은 13회부터 17회까지 분포되어 있으므로 승준이의 기록이 더 고르다.

16 ①, ② 평균이 같으므로 어느 반의 성적이 더 높다고 할 수 없다.

③, ④ A반의 분산이 더 작으므로 A반의 성적이 더 고르다고 할 수 있다.

⑤ 분산이 다르므로 산포도는 다르다.

17 ① A반과 B반의 성적의 평균은 그래프에서 점선 부분에 해당하고, 그 값은 서로 같다.

④ A반의 그래프가 B반의 그래프보다 평균 주위에 더 밀집되어 있으므로 A반의 성적이 더 고르다.

18 ①, ②, ③ : 상관관계가 없다.

⑤ : 음의 상관관계

19 ① 영어 성적과 국어 성적은 양의 상관관계이다.

② 학생 D는 국어 성적보다 영어 성적이 높다.

④ 학생 B는 학생 A보다 영어 성적이 낮다.

⑤ 학생 A는 학생 D보다 국어 성적은 높고, 영어 성적은 낮다.

20 (1) 수학 성적과 영어 성적이 모두 80점 이상인 학생 수는 오른쪽 그림의 색칠한 부분에 속하는 점의 개수와 그 경계선 위의 점의 개수와 같으므로 이 학생들의 영어 성적은 80점, 80점, 90점, 90점, 100점이다.

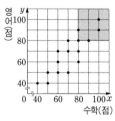

$\therefore$ (평균) $= \frac{80+80+90+90+100}{5} = \frac{440}{5} = 88(점)$

(2) 수학 성적과 영어 성적의 점수 차가 10점 이상 나는 학생들은 오른쪽 그림의 색칠한 부분에 속하는 점의 개수와 그 경계선 위의 점의 개수의 합과 같으므로 10명이다.

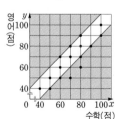

태스트 BOOK

01 79점　　　　**02** $\sqrt{5}$

01 A반의 남학생 수와 여학생 수를 각각 a명, b명이라 하고,
B반의 남학생 수와 여학생 수를 각각 c명, d명이라고 하면

(A반 학생의 평균)$=\dfrac{71a+76b}{a+b}=74$

$71a+76b=74a+74b$

$3a=2b$

$\therefore b=\dfrac{3}{2}a$　　······ ㉠

(B반 학생의 평균)$=\dfrac{81c+90d}{c+d}=84$

$81c+90d=84c+84d$

$3c=6d$

$\therefore d=\dfrac{1}{2}c$　　······ ㉡

(여학생 전체의 평균)$=\dfrac{76b+90d}{b+d}=84$

$76b+90d=84b+84d$

$8b=6d$

$\therefore 4b=3d$　　······ ㉢

㉠, ㉡을 ㉢에 대입하면 $4\times\dfrac{3}{2}a=3\times\dfrac{1}{2}c$　　$\therefore c=4a$

$\therefore$ (남학생 전체의 평균)

$=\dfrac{71a+81c}{a+c}=\dfrac{71a+81\times 4a}{a+4a}=\dfrac{395a}{5a}=79$(점)

02 a, b의 평균이 5이므로 $\dfrac{a+b}{2}=5$　　$\therefore a+b=10$

a, b의 분산이 2이므로 $\dfrac{(a-5)^2+(b-5)^2}{2}=2$

$a^2+b^2-10(a+b)+50=4$

$\therefore a^2+b^2=10\times 10-50+4=54$

c, d의 평균이 7이므로 $\dfrac{c+d}{2}=7$　　$\therefore c+d=14$

c, d의 분산은 6이므로 $\dfrac{(c-7)^2+(d-7)^2}{2}=6$

$c^2+d^2-14(c+d)+98=12$

$\therefore c^2+d^2=14\times 14-98+12=110$

따라서 네 수 a, b, c, d에서

(평균)$=\dfrac{a+b+c+d}{4}=\dfrac{10+14}{4}=\dfrac{24}{4}=6$

(분산)$=\dfrac{(a-6)^2+(b-6)^2+(c-6)^2+(d-6)^2}{4}$

$=\dfrac{a^2+b^2-12(a+b)+c^2+d^2-12(c+d)+144}{4}$

$=\dfrac{54-12\times 10+110-12\times 14+144}{4}=5$

$\therefore$ (표준편차)$=\sqrt{5}$

튼튼한 **개념!** 흔들리지 않는 **실력!**

숨마쿰라우데 중학수학 3-하 개념기본서

숨마쿰라우데란 최고의 영예를 뜻하는 말입니다

숨마쿰라우데라는 말은 라틴어로 SUMMA CUM LAUDE라고 씁니다. 이는 최고의 영예를 뜻하는 말인데요. 보통 미국 아이비리그 명문 대학들의 최우수 졸업자에게 부여되는 칭호입니다. 우리나라로 치면 '수석 졸업'이라는 뜻이 지요. 그러나 모든 일에 있어서 그렇듯 공부에 있어서도 결과 뿐 아니라 과정이 중요합니다. 최선을 다하는 과정이 있으면 좋은 결과가 따라올 뿐 아니라, 그 과정을 통해 얻어진 깨달음이 평생을 함께하기 때문입니다. 이룸이앤비 숨마쿰라우데는 바로 최선을 다하는 사람 모두에게 최고의 영예를 선사합니다.

개념을 확실히 잡으면 어떤 문제도 두렵지 않다!

수학 공부 도대체 어떻게 해야 할까요? 수많은 공부법과 요령들이 난무하지만 어떤 주장에도 빠지지 않는 내용이 바로 개념 이해의 필요성입니다. 덧셈을 배우면 덧셈을 통해 뺄셈을 배우고, 곱셈을 배우면 곱셈을 통해 나눗셈을 배웁니다. 역사 이야기처럼 수학 개념도 꼬리에 꼬리를 무는 연속성이 있는 것이므로 중간에 하나라도 빠진다면 그 다음 개념을 완벽히 이해할 수 없게 됩니다. 단계적 연계 학습을 하는 숨마쿰라우데로 흔들리지 않는 개념을 잡으세요. 수학의 참 재미를 발견하고, 어떤 문제가 나와도 두렵지 않을 것입니다.

스토리텔링 수학 학습의 결정판!

스토리텔링 학습이란 다양한 예나 이야기를 접목하여 개념과 원리를 쉽고 재미있게 설명하는 학습 방법입니다. "숨마쿰라우데 중학 수학"은 스토리텔링 방식으로 수학을 재미있게 설명해 놓은 최고의 스토리텔링 수학 학습서입 니다. QA를 통해 개념을 스스로 묻고 답하면서 공부해 보세요. 수학이 쉽고 재미있게 다가올 것입니다.

학습 교재의 새로운 신화! 이룸이앤비가 만듭니다!

미래를 생각하는
(주)이룸이앤비

이룸이앤비는 항상 꿈을 갖고 무한한 가능성에 도전하는 수험생 여러분과 함께 할 것을 약속드립니다.
수험생 여러분의 미래를 생각하는 이룸이앤비는 항상 새롭고 특별합니다.

내신·수능 1등급으로 가는 길
이룸이앤비가 함께합니다.

http://www.erumenb.com

| 이룸이앤비 | 🔍 |

인터넷 서비스

• 이룸이앤비의 모든 교재에 대한 자세한 정보
• 각 교재에 필요한 듣기 MP3 파일
• 교재 관련 내용 문의 및 오류에 대한 수정 파일

STARTUP

숨마 주니어®

미래로

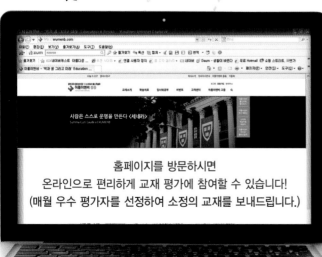

사람은 스스로 운명을 만든다 〈세네카〉
Sua fate Cuch Laude e ERUMENB

홈페이지를 방문하시면
온라인으로 편리하게 교재 평가에 참여할 수 있습니다!
(매월 우수 평가자를 선정하여 소정의 교재를 보내드립니다.)

라이트 수학

굿비
좋은 시작, 좋은 기초

숨마쿰라우데®

ERUM BOOKS   이룸이앤비 책에는 진한 감동이 있습니다

중등 교재

◉ 숨마주니어 **중학 국어 어휘력** 시리즈
중학 국어 교과서(9종)에 실린 중학생이 꼭 알아야 할
필수 어휘서
● 1 / 2 / 3 (전 3권)

◉ 숨마주니어 **중학 국어 비문학 독해 연습** 시리즈
모든 공부의 기본! 글 읽기 능력 향상 및 내신·수능까지
준비하는 비문학 독해 워크북
● 1 / 2 / 3 (전 3권)

◉ 숨마주니어 **중학 국어 문법 연습** 시리즈
중학 국어 주요 교과서 종합! 중학생이 꼭 알아야 할 필수
문법서
● 1 기본 / 2 심화 (전 2권)

◉ 숨마주니어 **WORD MANUAL** 시리즈
주요 중학 영어 교과서의 주요 어휘 총 2,200단어 수록
어휘와 독해를 한번에 공부하는 중학 영어휘 기본서
● 1 / 2 / 3 (전 3권)

◉ 숨마주니어 **중학 영문법 MANUAL 119** 시리즈
중학 영어 마스터를 위한 핵심 문법 포인트 119개를 담은
단계별 문법 교재
● 1 / 2 / 3 (전 3권)

◉ 숨마주니어 **중학 영어 문장 해석 연습** 시리즈
문장 단위의 해석 연습으로 중학 영어 독해의 기본기를
완성하는 해석 훈련 워크북
● 1 / 2 / 3 (전 3권)

◉ 숨마주니어 **중학 영어 문법 연습** 시리즈
필수 문법을 쓰면서 마스터하는 문법 훈련 워크북
● 1 / 2 / 3 (전 3권)

◉ 숨마쿰라우데 **중학수학 개념기본서** 시리즈
개념 이해가 쉽도록 묻고 답하는 형식으로 설명한 개념기본서
● 중1 상 / 하
● 중2 상 / 하
● 중3 상 / 하 (전 6권)

◉ 숨마쿰라우데 **중학수학 실전문제집** 시리즈
기출문제로 개념 잡고 내신 대비하는 실전문제집
● 중1 상 / 하
● 중2 상 / 하
● 중3 상 / 하 (전 6권)

◉ 숨마쿰라우데 **스타트업 중학수학** 시리즈
한 개념씩 쉬운 문제로 매일매일 꾸준히 공부하는 연산 문제집
● 중1 상 / 하
● 중2 상 / 하
● 중3 상 / 하 (전 6권)

고등 교재

내신·수능 대비를 위한 국어 고득점 전략서!
◉ 숨마쿰라우데 **국어 기본서·문제집** 시리즈
자기 주도 학습으로 국어 공부가 쉬워진다!
● 고전 시가   ● 어휘력 강화
● 독서 강화 [인문·사회]   ● 독서 강화 [과학·기술]
● 신경향 비문학 워크북

쉽고 상세하게 설명한 수학 개념기본서의 결정판!
◉ 숨마쿰라우데 **수학 기본서** 시리즈
기본 개념이 튼튼하면 어떠한 시험도 두렵지 않다!
● 고등 수학 (상) / (하) / 수학I / 수학II / 미적분 / 확률과 통계

한 개념씩 매일매일 공부하는 반복 학습서!
◉ 숨마쿰라우데 **스타트업 고등수학** 시리즈
개념을 쉽게 이해하고 반복 학습으로 수학의 자신감을 갖는다.
● 고등 수학 (상) / (하)

유형으로 수학을 정복하는 수학 문제유형 기본서!
◉ 숨마쿰라우데 **라이트수학** 시리즈
수학의 핵심 개념과 대표문제들을 유형으로 나누어
체계적으로 공부한다.
● 고등 수학 (상) / (하) / 수학I / 수학II / 미적분 / 확률과 통계
 (적용 교육과정에 따라 계속 출간 예정)

변화된 수능 절대 평가에 맞춘 영어 학습 기본서!
◉ 숨마쿰라우데 **영어 MANUAL** 시리즈
영어의 기초를 알면 **1**등급이 보인다!
● 수능 2000 WORD MANUAL / WORD MANUAL
● 구문 독해 MANUAL / 어법 MANUAL
● 영어 입문 MANUAL / 독해 MANUAL

쉽고 상세하게 설명한 한국사 개념기본서의 결정판!
◉ 숨마쿰라우데 **한국사**
내신·수능·수행평가(서술형) 대비를 한 권으로!

1등급을 향한 수능 입문서
◉ **굿비** 시리즈
수능을 향한 첫걸음! 고교 새내기를 위한 좋은 시작, 좋은 기초!

국어▶ 독서 입문 / 문학 입문
영어▶ 영어 듣기 / 영어 독해
수학▶ 고등 수학(상) / (하) / 수학I / 수학II / 미적분 / 확률과 통계
한국사

THINK MORE ABOUT YOUR FUTURE!